理系総合のための

生命科学

分子・細胞・個体から知る"生命"のしくみ

第5版

編……東京大学生命科学教科書編集委員会

羊土社
YODOSHA

表紙写真説明：オートファゴソームの電子顕微鏡写真

栄養飢餓状態で2時間培養したマウス繊維芽細胞を透過型電子顕微鏡法で観察した．中央に細胞質の一部を取り囲んだオートファゴソーム（p.153参照）が2つ見える．白く見える部分があるのは，オートファゴソームの外膜と内膜の間のスペースがサンプル調整時に広がるためと考えられている．下の大きいオートファゴソームの内部には粗面小胞体の断片も見える．このようなオートファゴソームにリソソームが融合すると，内部が分解される．酒巻有里子氏，水島 昇博士のご厚意による

序
—第5版改訂にあたって—

　生命も究極的には素粒子から構成されていることになるが，物理学だけでは理解できない．生物を構成している分子としてアミノ酸，ヌクレオチドなどが目の前にあってもそれは生物とは異なる．明らかに分子から構成されている生命であるが，化学だけでは理解できない．細胞レベル，個体レベル，さらには個体群レベルなども含めて考えないと生命の姿は見えてこない．細胞という生物らしさを伴う実体があってこそ生命といえる．生命現象を理解するうえで，顕微鏡でも見えないレベルから，空から俯瞰してイメージされる生態系のレベルまでさまざまな階層性にもとづく視点，知識を柔軟に身につけてほしい．生命科学はさまざまな視点から生命を理解する学問であり，これから生命科学を学ぶ学生にその道案内をしようとしているのが，本書である．

　われわれヒトの体には数多くの細胞がある．単に受精卵が分裂を繰り返せばそれらの細胞ができるわけではなく，互いが適切な位置関係に配置され，しかも有機的な連携をもった集合体ができてはじめて，ヒト一個体が構成されるようになる．ヒトや生命を理解するうえでさまざまな視点がいることはすでに述べたが，さまざまな場面で使える適切な引き出しを多くもってほしいという願いを込めて，各章は進んでいく．生命科学のなかですでに明らかとされたことを学ぶが，理解が進めば進むほど，ミステリーな部分がまだ多く残っていて，それを知りたくてたまらなくなるのではないだろうか．

　「東京大学生命科学教科書編集委員会」が中心となって改訂を加えつつ『理系総合のための生命科学』を世に送り出してきた．初版から13年経つ．この間にも生命科学の進歩は続いていて，その進歩のスピードはむしろ速くなっているようにも感じる．今回の改訂にあたっては高等学校における生物学との接続に目を向け，2019年に日本学術会議より出された報告書「高等学校の生物教育における重要用語の選定について（改訂）」を参考に用語の更新を行った．

　本書は4部立てで構成されている．これまでの版同様に，通年の授業日程を想定した章立てとなっている．第I部では生命科学の基本的な概念を学ぶ．高校で生物を選択しなかった学生にも，学習をはじめる前にまず生命科学の全体像を感じてほしいという部分である．各自，身の周りの生命現象を思い出しながら，生命科学が身近な学問領域であることを感じてほしい．第II部では物質から細胞が構成されること，代謝，遺伝といった内容を学ぶ．物理・化学的な観点をもった学生にはむしろ親しみのもてる部分で

ある．第III部は細胞小器官の間の物質のやりとり，細胞内外のシグナル伝達，細胞分裂，環境応答，発生などにおける形態形成など，主に多細胞生物が成り立つ原理を学ぶ．Advanceは，ここまでの章の内容を基盤として，多くの人が注目する分野，発展した内容を紹介している．意欲のある学生はどんどん読んで興味を深めてほしい．

生命科学は基礎からの積み上げで構成されているのは事実だが，実際には順序をあまり気にすることなく，まず興味のあることから勉強をはじめ，だんだんに全体の姿がみえてくるといった使い方でも構わない．

基礎知識を体系的に説明しながらも，最新の生命科学の進展の息吹を学生に伝えたいという理念は本文以外にも込められている．最前線の研究者でもある教員が，コラムとして最新トピックスを紹介し，基礎の先を求める学生の発展的な知識欲を満たせるように心がけた．実際の研究室から発表された内容が，教科書で学ぶ基礎知識と密に関連していることを意識できるようにした．そのため，コラムを担当した教員の数が圧倒的に多くなったが，そのことで，大学における研究対象の多様性がどれほどあるか，そして研究トピックスの展開とはどのようなものかが伝われば幸いである．

21世紀に入って，生命科学の重要性は社会の各方面で増している．健康長寿社会，食の安全，環境変動，エネルギー問題などは生命科学と切り離して考えることはできない．ここで得た知識，考え方は社会に出て，さまざまな場面で活かせるであろう．

2020年早春

編者一同

初版の序

　21世紀は生命科学の時代だといわれている．私たちヒトにとって「生命とは何か」については人類が始まって以来，ずっと問い続けてきたテーマである．紀元前300年の今から2300年もの昔，アリストテレスはその全集の中で「生命とは何か」についてすでにかなり具体的な考察を加えている．

　しかしながら生命についての知識は，20世紀になるまで真に理解することはなかなか難しかった．ところが，1953年ワトソンとクリックによる「二重らせん構造」の発表は，遺伝子の本体と遺伝子の複製のメカニズムを明らかにした．このことは生命科学に一大転換をもたらしたといってよい．それがその後の生命科学の発展に大きく寄与することになったからである．

　21世紀が生命科学の時代といわれるゆえんは，それまで発展してきていた物理や化学を土台として，生命についても物理と化学の言葉でもって理解することが可能になってきていることが大きい．また一方で，ヒトを含めた生物のもつ遺伝情報やゲノムの解読がものすごい勢いで進むことによって，生命科学は単に生物学，医学，薬学，農学などいわゆる生物科学の領域の人たちのみならず，工学，教育，文学，法学，経済学，理学全般におよぶあらゆる分野に否応なしに影響を与えてきている．今や，欧米をはじめ，各国の大学においては全分野の人が生命科学を学ぶことが教養として必要になってきている．それほどまでに生命科学は学際的様相を呈しており，総合科学として扱われ始めている．ヒトのゲノムなどが解明された今，改めて「生命とは何か」，「ヒトとは何か」というところまで問われてきている．そのような中で，東京大学においては，高校までいわゆるゆとりの教育の中で学習してきて，高校で生物を全く学習していないことが，大学での教育において大きな弊害をもたらすものと捉えている．小宮山 宏　東京大学総長は「知の構造化」を大学の学問体系の中で1つの柱にしている．そのような知の構造化を生命科学の分野で行おうとしたとき，その基礎または教養となる基盤の生命科学が必要となってきている．

　そのような中で東京大学では，2006年，教養学部に入ってきた理工系の進学者（理科I類）に対する生命科学の教科書をつくった．この教科書〔『生命科学』（羊土社）〕はそれなりに多くの大学や一般の人からも受け入れてもらえた．このような流れに沿って，学生向けの教科書第二弾として東京大学生命科学構造化センターが中心となり，東京大学教養学部の生物部会や東京大学生命科学教育支援ネットワークの関係者の方々によってまとめられたのが本書である．本書は主として生命科学系に進む理科II類（理学系，薬学系，農学系を中心とした学問）およびIII類（医学系）の新入生を対象とした教

科書となっている．第一弾目の理工系の学生を対象とした『生命科学』では細胞を中心にして分子から細胞をみていくものであったが，第二弾目の本書はそれにさらに加えて細胞から個体へと連なっていく構成になっている．つまり，分子から細胞へ，そして細胞から個体へと連なることによって生命を理解しようとするものである．そして，本書では各章のコラムの中に単に最新の情報だけでなくそれがどのようにして発見され，また拡がっていったかといった歴史的観点も取り入れた．また，これから生命科学系へ進もうと思う人にとって必要な最も基本的な実験のやり方についても付録として解説を加えた．

　本書は5部立てになっている．まず，第Ⅰ部では生物学の基本概念を述べる．ここでは，生物のもっている大まかな特性をまず理解する．第Ⅱ部では生命現象の基本的なしくみとして物質を中心に述べており，タンパク質などの生体を構成する物質や遺伝子がどのようにしてつくられ，細胞内に輸送されていくのか，物質の合成とその物質の動きや働きについて理解する．第Ⅲ部では細胞を中心において，細胞がどのようにして分裂していくのか，また，細胞間のシグナル伝達がどのようなしくみをもっているのかを知る．そして，生命現象の営みに必要なエネルギーが，細胞の中でどのようにしてつくられ，機能していくのかについても述べる．ここに生命のダイナミックな動きの基本をみることができよう．そして，第Ⅳ部では個体の形成と機能を中心に述べる．ここでは単一の細胞だけではなく，細胞がさらに相互に関係をもった後，種に固有の形と機能をもった個体ができあがる過程や，個体のもつ生命現象には細胞とはまた異なった総合システムとしての“個”の構造と機能があることを，いくつかの生命現象を例に理解していく．最後に，第Ⅴ部では種（species）という視点からみた生命のあり方について述べる．個はまた，種を示しているが，地球上には約1,000万種の種が存在する．この種の存在こそ，今後の生物とヒトとの関わり合いに重要な事柄になる．21世紀の生命科学のキーワードの1つに生物の多種多様性と進化，ゲノムがある．ここではそれらのキーワードの中のいくつかを述べてみて，現代生命科学のもつ役割と今後の考え方を学ぶ一つの基本にしたいと思っている．今後，本書については生命科学の発展に伴って，内容等についてもよりよいものにしたいと思っている．

　本書を通じて，生物のもつ美しさと奥深さはまさに芸術品であることを知るだろう．またそれは私たちヒトそのものを知ることでもある．一人でも多くの人がこの本の中から何か新しい生命科学の息吹と面白さを感じてもらえれば幸いである．

2007年　早春

編集代表
浅島　誠

■ 教科書編集委員会 (教科書ワーキンググループ) (五十音順, 所属は執筆時のもの)

大杉美穂	東京大学大学院総合文化研究科	多羽田哲也	東京大学定量生命科学研究所
太田邦史	東京大学大学院総合文化研究科/東京大学生命科学ネットワーク長	津本浩平	東京大学大学院工学系研究科
大西康夫	東京大学大学院農学生命科学研究科	水島 昇	東京大学大学院医学系研究科
久保健雄	東京大学大学院理学系研究科	村上善則	東京大学医科学研究所
小林武彦	東京大学定量生命科学研究所	谷内江 望	東京大学先端科学技術研究センター
新冨美雪	東京大学生命科学ネットワーク	吉田奈摘	東京大学生命科学ネットワーク
		渡邊雄一郎	東京大学大学院総合文化研究科

■ 執筆協力 (敬称略)

赤坂甲治／浅島　誠／有田正規／飯野雄一／池内昌彦／池谷裕二／石浦章一／井出利憲／
伊藤元己／入村達郎／岩崎　渉／植田信太郎／榎本和生／大矢禎一／岡　良隆／岡ノ谷一夫／
角谷徹仁／堅田利明／加納純子／上村慎治／川村　猛／児玉龍彦／駒崎伸二／笹川　昇／
佐藤　健／佐藤直樹／佐藤守俊／塩見美喜子／柴崎芳一／嶋田正和／杉山宗隆／高橋秀治／
竹井祥郎／武田洋幸／多田幸雄／立花政夫／塚谷裕一／坪井貴司／寺島一郎／東原和成／
豊島陽子／長野哲雄／野口　航／深田吉孝／深津武馬／福田裕穂／藤原晴彦／堀　昌平／
正木春彦／増田　建／松田良一／三浦　徹／三浦正幸／道上達男／宮園浩平／武藤香織／
村田　滋／矢島潤一郎／柳元伸太郎／吉田丈人／四本裕子／和田　元

■ 写真提供 (敬称略)

表紙：酒巻有里子, 水島 昇

図1-1 シロイヌナズナ, ホウライシダ, ヒメツリガネゴケ, クラミドモナス, シアニジオシゾン, ノコギリモク, ネンジュモ, 大腸菌, マウス, マガモ, アフリカツメガエル：佐藤直樹, イネ：徳富光恵, ゼブラフィッシュ：成瀬 清, カイコ：二橋 亮, ラッパムシ：多羽田哲也, コラム図1-1B：深津武馬

図2-2A：片山光徳, コラム図2-1：佐々木哲彦, 図2-8：廣井準也, コラム図2-3：竹井祥郎

図3-1ABD：佐藤直樹, 図3-1C：和田正三

図8-6：川村 猛, コラム図8-2：多羽田哲也

図9-1, 図9-3, 図9-4, 図9-8B〜H, コラム図9-3：駒崎伸二

図11-2A, 図11-8A：寺島一郎, 図11-2C：日本光合成学会

図12-2A, 図13-1BCD, 図13-2C, 図13-5A, コラム図13-2, 図14-5A, 図14-6A：駒崎伸二

コラム図17-3：松田良一

コラム図18-4BC：武田洋幸, コラム図18-6：藤原晴彦

図19-1B, 図19-3A, 図19-4A, 図19-9A：杉山宗隆

図25-3：多田幸雄, 長野哲雄

図26-1：山中高史, 図26-2：南澤 究, 図26-3A：遠藤明仁, 図26-3B：宮道慎二, 図26-4：大阪健康安全基盤研究所, 図26-5A：大隅正子, 図26-5B：手塚武揚, 図26-5C：綜合画像研究支援

図28-7：四本裕子, コラム図28-2A：岡ノ谷一夫

目次概略

理系総合のための
生命科学 第5版

Contents

第Ⅰ部　生命科学の基本概念

遺伝子名の表記について

現在，動物では遺伝子名の表記については，ヒト遺伝子での名前を標準に統一がはかられている．そこで本書では
　遺伝子名は大文字のイタリック表示
　タンパク質名はそのローマン表示
を原則とすることにする．出芽酵母，シロイヌナズナでもこの方式に沿っている．マウスやニワトリなど最初の文字だけ大
文字表記とする生物も多いため，その方式で表示される場合もある．しかし，研究対象の生物ごとに慣習が違うので，今後
専門分野に入った際には，それぞれ生物ごとのルールに慣れる必要がある．
　遺伝学では大文字表記は顕性遺伝子を示し，それに対する潜性遺伝子は小文字イタリックで表されることが多い．その際
に潜性遺伝子の方が端緒となって研究が進むと小文字表記の遺伝子名で通されることも多い．

第Ⅰ部
生命科学の基本概念

1章 生物の基本概念と基本構造

生命科学の学習のはじめにあたり，生物のもつ2つの対立した特性，すなわち多様性と共通性についてみていき，生物とは何かという基本概念と生物の基本構造について学ぶ．まず，原核生物と真核生物，単細胞生物と多細胞生物，動物と植物などの例をみたうえで，無生物とは異なる生命体のもつ基本的属性として，膜，増殖，遺伝，代謝，恒常性と環境応答などを理解する．さらに，生物のもつもう1つの特徴，階層性についてみていき，下位の階層における構成要素間の相互作用から生まれる創発特性について学ぶ．また，生物の種と系統，分類についても解説する．

1 生物の多様性と共通性

地球はさまざまな姿や形，機能をもつ多様な生物で満ちあふれている．生物の生活場所も，陸上，地中，水中，空中など多様な環境に広がっている．地球上の生物は，現在，約180万種が認識され，名前が与えられているが，実際には遥かに多くの種があり，その総数は1000万〜1億ほどの種が存在すると推定されている．

このような多様な生物が存在する一方で，すべての生物が細胞やDNAなどの共通した特徴をもっている．生物においては，このように**多様性**（diversity）をもつと同時に，多くの**共通性**（commonality）が観察される．また，生物は常に多様化と絶滅を続けているが，同時にそれを支配する法則は根本的には共通である．生物学・生命科学の学習を始めるにあたり，まず，多様な生物の姿を概観することから始めよう（図1-1）．

われわれに最も身近な「生物」は，もちろんヒト※1である．ヒトは**哺乳類**（mammals）で，**動物**（animals）に属する．イヌやネコなども同じく哺乳類の仲間であり，マウスは哺乳類のなかで，生物学でよく用いられる代表的なモデル動物である．こうした哺乳類のほかに，トカゲなどの爬虫類やカエルなどの両生類，コイなどの魚類は，背骨をもつ**脊椎動物**（vertebrates）である．動物には，この他にさまざまな**無脊椎動物**（invertebrates）がある．非常に種類の多い**昆虫**（insects）の

ほか，海産物として日本ではよく食べられるイカ，タコ，貝など軟体動物はよく知られた無脊椎動物である．またさらにイソギンチャク，ミミズ，線虫など体のつくりがより単純な動物がいる．これらはすべて多細胞生物であり，高い運動性をもち，餌を食べる（従属栄養）などの共通点がある．

植物（plants）には，イネやコムギをはじめとした穀物を含む花の咲く木や草（**被子植物**：angiosperms），マツなどの**裸子植物**（gymnosperms），胞子で増えるシダやコケなどが代表的である．これらの植物は基本的には固着生活をし，太陽の光を利用して光合成により自ら栄養をつくり出すこと（独立栄養）が特徴である．

19世紀以前は，すべての生物は動物か植物のどちらかに分類されていた．キノコやカビの仲間（**菌類**：fungi）など，光合成しなくても動かない生物は，以前は植物の仲間に入れられていた．しかし，分子系統解析の結果，菌類は植物とは全く異なる系統に属することがわかっている．菌類は，主に生物の遺体などの有機物を分解することにより栄養をとるものや寄生性のものが目立つ．

肉眼で見えない微細な生物は便宜的に**微生物**（microorganisms）と総称されるが，これは正式な生物学的分類用語ではない．菌類はキノコなどの肉眼で見える大きさの構造をつくることがあるが，微細な菌糸をもつので，微生物として扱われることもある．微生物にはアメーバやゾウリムシなどの**単細胞生物**（unicellular organism）がいる．これらは**原生生物**（protista）と呼

※1　生物学的に種としての人間を表現するときはカナで書く．

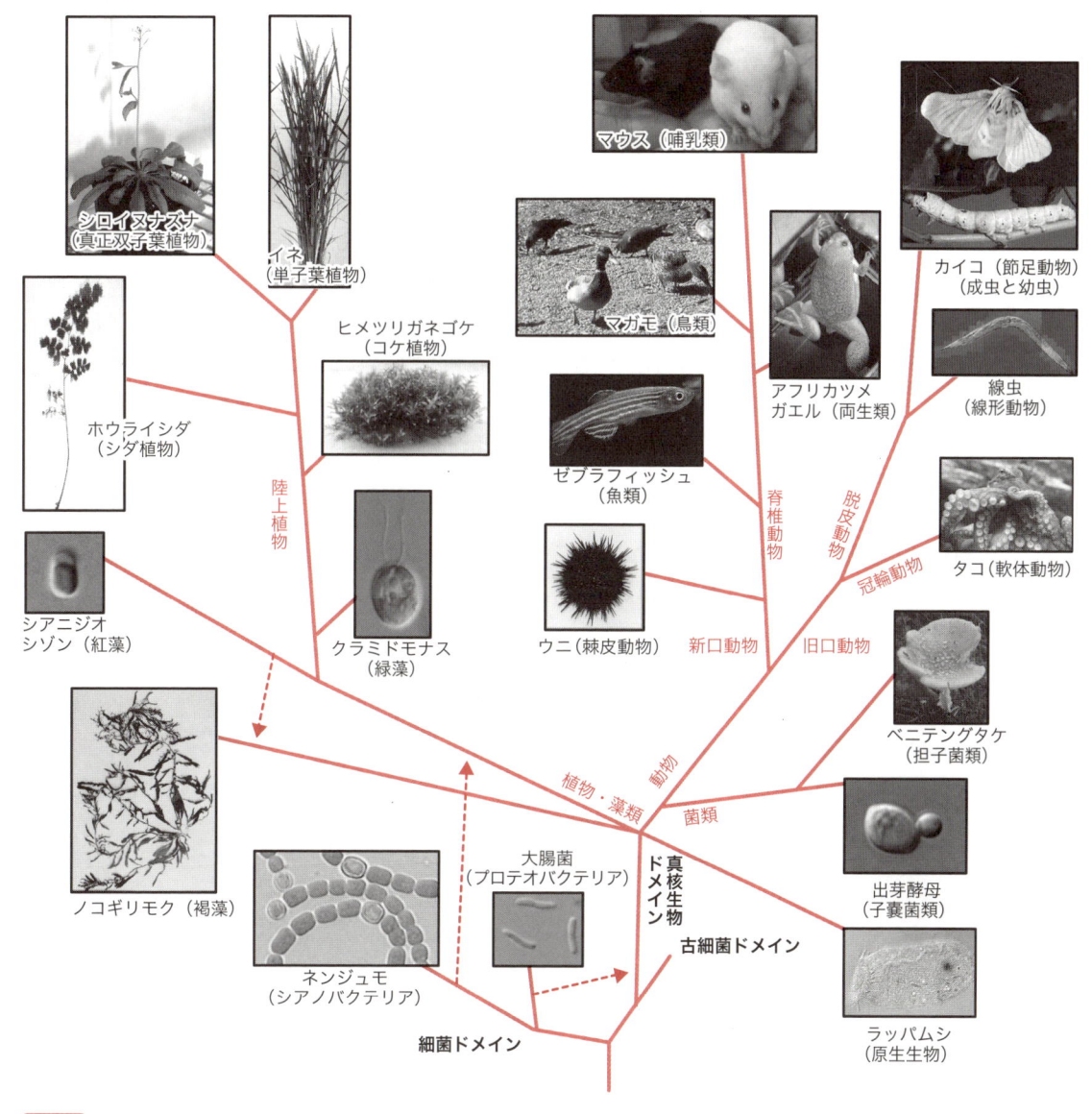

図1-1 **さまざまな生物**
主な系統関係を線で示した．破線は細胞内共生（**本章5**参照）によるミトコンドリアや葉緑体の誕生を表す．生物写真は，佐藤直樹博士，徳富光恵博士，成瀬 清博士，二橋 亮博士，多羽田哲也博士のご厚意による

ばれている．さらに小さな微生物として，動物の腸管内などにいる大腸菌，納豆をつくる納豆菌や，さまざまな病原菌を含む細菌類が知られている．微生物では，まわりにある養分を吸収し，酸素呼吸によって生活しているものが目立つが，環境中の細菌のなかには，酸素呼吸をしない（嫌気性）でさまざまな物質を変換して生きているものも多数存在する（**26章**参照）．

2 生命の基本的属性

5つの属性

こうした一見したところ全く異なる生物でもすべて「生きている」と認識されるのはなぜだろうか．素朴に考えると，生物の特徴は，増殖と代謝である．さらに，

増殖するときには，同じ形をしたものが増えるので，遺伝も特徴となるだろう．**ウイルス**（virus，**23章 2** 参照）は，遺伝はするが自律的な増殖と代謝は行わないため，通常は生物とみなされない．多様な生物のもつ共通した性質とはなんであろうか．生物のもつ基本的な属性をあげると，以下のようになる．

① 細胞膜で囲まれた細胞からできており，外界と隔てられた内部をもつ（細胞）
② 増殖により，自分と同じ形をした生物を生み出す（自己増殖）
③ 増殖した生物は，もとの生物のもっていた特徴を受け継いでいる（遺伝）
④ 外界から取り入れた物質を用いて自由エネルギーを取り出したり，自分の体をつくる（代謝）
⑤ 環境変化に応じて適切な応答をして外界とは異なる内部環境を保つ（環境応答と恒常性）

■ 生物学の変遷

近代から現代の生物学は，上に掲げたような生物の属性がどのようなしくみで働いているかを，細胞や分子のレベルのより細かい要素に分解していき，物質科学の原理で説明しようとしてきた．生命の微視的な構造を，さまざまな顕微鏡技術を駆使して明らかにすること，そしてそれらの構造を構成している物質の構造と分子集合の様子やしくみを解明することにより，現代生物学は発展してきた．このプロセスにより，遺伝子の実態とその構造が解明されていき，ついに2003年にはヒトのすべての遺伝子を含む全DNA〔すなわち**ゲノム**（genome）〕の塩基配列が解読された．しかし，その情報のみでは生物としてのヒトのすべてを理解することは

できず，多数の遺伝子の働きの相互作用が生命にとって重要であるという認識が確認された．

現在では，ヒトをはじめとするいくつかの生物について全ゲノムが配列決定されているが，それはさらに大きな生物の研究，すなわちDNAにコードされている無数のタンパク質やRNAの活性が，どのように細胞や生物全体を調整しているかを知るための研究の始まりにすぎない．多様な種のゲノム配列決定で氾濫した遺伝子配列データや，それらがコードしているタンパク質の機能カタログの意味を理解するために，細胞および分子レベルでのシステム科学的アプローチが適用され始めている．これらの研究では，一度に1つの遺伝子を研究する方法から，生物種の遺伝子セット全体の研究や，さらに種間のゲノム比較を行うような研究へ移行している．これは**ゲノミクス**（genomics）と呼ばれるアプローチである．

3 生命を構成する物質

■ 生命をつくる元素

地球上の生命は地球表面の水中で誕生し，長い歴史を経ても地球表面の近くで生活している．**図1-2** には，地球表面（地殻）の元素組成と生物の元素組成を重量比で示した．ここから2つの特徴が読みとれる．1つは，生物を構成する元素は，限られた種類の軽い元素ということである．もう1つは，地殻の元素組成と比較したとき，地殻にはケイ素が多いが，生物には炭素が多いことである．炭素は，有機化合物というきわめて多様な化合物をつくることができる．

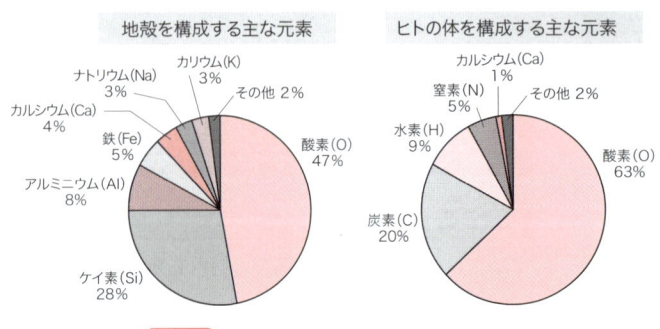

地殻を構成する主な元素

ヒトの体を構成する主な元素

図1-2 地殻とヒトの構成元素（重量%）

表1-1 細胞の構成成分（大腸菌）

	重量（%）
水	70
タンパク質	16
他の高分子（核酸，多糖）	10
無機イオン	1
低分子の糖	1
アミノ酸	0.4
低分子の核酸関連物質	0.4
脂質	1
その他	0.2

生命をつくる分子

　生物は多様な分子からできている．**表1-1**は，大腸菌を構成する化合物の組成を示したものである．他の生物の細胞もほぼ同じ組成であり，水がおよそ70％を占める．水は**極性分子**（polar molecule）で，多くのイオンや極性分子を溶解させるという性質をもつ．脂質を除く生体分子は高分子化合物を含めて極性分子のため，水との親和性が高い．水は低分子であるにもかかわらず，**水素結合**（hydrogen bond）で分子同士が結合しており，このため他の低分子化合物に比較して，融点や沸点，比熱が高いなどの特徴がある．このような性質が，地球表面の温度環境で安定な生命体を形成するうえでも，生命を維持するうえでも重要である．

　細胞の水以外の分子のほとんどは**有機化合物**（organic compound）である．有機化合物は炭素を含む化合物のことであり，**表1-1**からわかるように，生物を構成する有機化合物の多くは**高分子**（macromolecule）である．炭素元素を中心とした高分子は，単に元素が集合したという以上の機能的な性質をもつことができ，生命を構成するうえで重要な分子である．生物を構成する主な有機化合物は，タンパク質，核酸，脂質，糖の4種類である．これらの詳しい性質はそれぞれ4章，5章，9章，10章で解説する．

4　細胞

　細胞（cell）は，細胞膜で囲まれた構造体であり，すべての生物は細胞でつくられている．その大きさ（直径）は，1μm以下から数十μmのものがあり，動物の卵細胞のように数mmくらいの場合や，鳥類の卵のように数cmにもなる例もある．ヒトの成人の体は約60兆個もの細胞からなる[※2]．細胞にとって必須の基本要素は，**遺伝物質**（genetic material）と**細胞膜**（cell membrane）である．生物によってそのどちらにも多様性があることは，あとの**5章**，**9章**で詳しく述べる．

細胞膜

　細胞膜は，細胞内部を外界から隔てるのに重要である．それでは，生命の活動は細胞の内部のみで行われるのか，というとそうとばかりはいえない．細胞の膜は，物質の出入りが制御されていて，その内外でイオンや代謝物質の濃度には大きな差がつくられている．この差は，その細胞が生きている限り維持される．そういう意味では，生命は細胞膜の外側にもその礎を置いていることになる．

　細胞膜の外側に，細胞壁や細胞外基質をもつ生物もいる．多くの細菌や植物細胞では，細胞壁によって細胞の形を保っている．植物細胞の細胞膜の外側の空間は**アポプラスト**（apoplast）と呼ばれ，イオンの貯蔵や活性物質の輸送経路としても重要である．多細胞体では細胞の外も個体の内部であるので，特別な環境として機能している．動物でも細胞外基質の相互作用により細胞間の接着や細胞の移動などが起きる．

遺伝物質

　遺伝物質とは，細胞の中で起きるさまざまな現象を制御する基本情報をもった物質である．生物は，遺伝物質としてデオキシリボ核酸（DNA）をもつ．DNAは，通常，二重らせん構造をとり，自分自身のもつ相補的構造により複製が可能であるという性質をもつ．それゆえ細胞が分裂するときに同じ情報を分け与えることができる．DNA内の遺伝情報は，A，T，G，Cという4種類の単量体〔**ヌクレオチド**（nucleotide）または**塩基**（base）〕の並び方（配列）で表されている．DNAのもつ遺伝情報は，RNAに転写され，その後，タンパク質に翻訳される．このプロセス全体は，**遺伝子発現**（gene expression）と呼ばれている．遺伝子をタンパク質に変換するときには，すべての生命は本質的に同じ遺伝暗号を使っていて，きわめて高い共通性がみられる．生物の多様性は，遺伝暗号の違いではなく，遺伝子の塩基配列の多様性によりつくられている．

　DNAはどのような形で細胞の中に存在しているのだろうか．**真核細胞**（eukaryotic cell）では，DNAがタンパク質とともにクロマチン（染色質，または染色体）という構造体となって核膜に囲まれて存在する．クロマ

[※2]　新たな推定では約30兆個程度の数字が得られている（Sender R, et al：PLoS Biology, 14：1-14, 2016）.

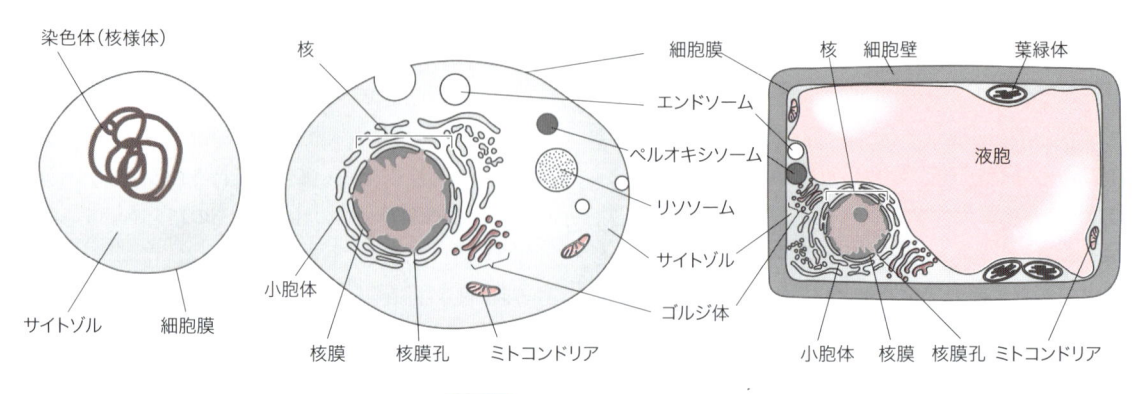

細菌（原核細胞）　　　　動物細胞（真核細胞）　　　　　　　植物細胞（真核細胞）

染色体（核様体）

核

細胞膜
エンドソーム
ペルオキシソーム
リソソーム
サイトゾル
ゴルジ体

核　細胞壁　葉緑体

液胞

サイトゾル　細胞膜

小胞体

核膜　核膜孔　ミトコンドリア

小胞体　核膜　核膜孔　ミトコンドリア

図1-3 細胞の模式図

チンは，細胞分裂時に凝縮した構造をとる．一方，**原核細胞**（prokaryotic cell）では核膜が存在せず，原形質内にむき出しとなっている（**図1-3**）．以前には「染色体」は真核生物の分裂期細胞の凝縮した構造に対して使われた言葉であるが，現在は真核生物の核内のクロマチンやまとまりのある構造を形成している細菌など原核生物のゲノムDNAも染色体と呼ばれている．

ヒトの細胞1個がもつDNAは，22本の常染色体と1本の性染色体が2組，すなわち46本の染色体に分かれて存在している．その1組は約30億の塩基対をもち，1つの細胞内には約60億組の塩基対が存在する．4種類の塩基の並び方は4の30億乗通りとなり，きわめて多数の組合せが可能である．

5　原核生物と真核生物

光学顕微鏡（optical microscope）では，細胞のおおまかな形態を観察することはできても，細胞内の微細な構造を詳しく見ることはできなかった．それでも容易に観察される**葉緑体**（chloroplast）のほか，**ミトコンドリア**（mitochondrion, *pl.* mitochondria），**ゴルジ体**（Golgi body），**中心体**（centrosome），**核**（nucleus, *pl.* nuclei）などは，さまざまな染色技術を用いることで観察されていた．1960年代からは**電子顕微鏡**（electron microscope）によって，細胞は多数の**膜**（membrane）からできていることがわかり，はっきりと核膜の有無を判断できるようになった．その結果，生物全体が，細胞構造に基づき**真核生物**（eukaryote）と**原核生物**（prokaryote）の2つに大きく分けられることがわかった．

▍原核生物と真核生物の差異

図1-3は細胞のごく簡単な模式図である．真核生物は，DNAが**核膜**（nuclear membrane）に囲まれて存在しているだけでなく，細胞内に多数の膜で囲まれた**細胞小器官**（organelle：オルガネラ，細胞小器官ともいう）をもつ．細胞小器官には，それまでも知られていた葉緑体，ミトコンドリア，ゴルジ体のほかにもさまざまな種類のものが発見され，それぞれに固有の機能を果たしていることがわかった（**9章5**参照）．なお，細胞質から細胞小器官を除いた部分をサイトゾルという．

これに対し，原核生物は，DNAが核膜に囲まれていないだけでなく，細胞小器官をもたない（**9章4**参照）．**光合成**（photosynthesis）を行うシアノバクテリアなどには，細胞内に膜系を発達させたものがあるが，これは細胞内膜系と呼ばれ，細胞小器官とは区別している．原核生物と真核生物には，遺伝子発現や細胞内の物質の流れのしくみに関しても大きな違いがあり，また有性生殖は基本的には真核生物の現象であるなど，多くの重要な差異がある．

細胞内共生

細胞の全体的な指令は，核のDNA情報をもとに行われるが，ミトコンドリアと葉緑体には，独自のDNAとタンパク質合成系が存在し，自らのタンパク質をつくっている．他の細胞小器官が核の指令だけを受け取っているのになぜ，ミトコンドリアと葉緑体はこのような自立性をもつのであろうか．

このヒントは他の多くの細胞小器官と異なって，両者とも二重の膜構造や，原核細胞のものと類似したDNAやタンパク質合成系をもつことにある．実は，ミトコンドリアと葉緑体は，それぞれ，20億年以上も前に原始真核細胞内に取り込まれた原始好気性細菌と原始シアノバクテリアがその起源だからである（図1-1参照）．つまり，ミトコンドリアと葉緑体の内側の膜は原始の細菌由来で，外側の膜は原始真核細胞由来ということになる．はじめは，原始好気性細菌と原始シアノバクテリアは原始真核細菌に取り込まれ，互いに独立した生物として共生していたと考えられる（細胞内共生：endosym-

biosis）．そして，長い進化の過程で，原始好気性細菌と原始シアノバクテリアは原始真核細胞に支配されるようになり，細菌のDNAの多くは原始真核細胞の核へと移行した．実際，ミトコンドリアあるいは葉緑体を構成するタンパク質の大部分は，核のDNA上にその遺伝子がのっていて，独自のDNAをもつとはいえ，その増殖と機能は核によりコントロールされている．

6 単細胞生物・多細胞生物と生物にみられる階層性

真核生物には，ヒトをはじめとして，多細胞体を形成するものがたくさんある．**多細胞生物**（multicellular organism）では，体を構成する細胞は，すべてが同じではなく，大きさ・形・機能の点でさまざまに異なる（分化している，という）．動物や植物のように複雑な体の場合，類似の細胞が集まって**組織**（tissue）がつくら

細胞小器官に進化しつつある共生細菌

アブラムシという昆虫は，植物の汁を吸って生きている．体内に菌細胞という微生物との共生のために特殊化した細胞（コラム図1-1A）があり，その細胞質中に共生細菌ブフネラ（Buch-nera）を保有する（コラム図1-1B）．ブフネラは母虫の体内で形成過程の卵や胚に直接伝えられる垂直感染によって，1億年以上にわたりアブラムシと共進化関係にある．ブフネラゲノムは約60万塩基対と，近縁の大腸菌ゲノム（約450万塩基対）の1/7程度に縮小している．クエン酸回路（10章7参照）の構成遺伝子を欠き，呼吸基質を宿主に依存する．リン脂質合成酵素遺伝子がなく，自分で細胞膜をつくれない．DNA修復関連の主要遺伝子が失われ，転写因子もほとんどない．これらの特徴は，宿主の細胞内という代謝産物が豊富に存在する安定な環境における共生進化の帰結である．

アブラムシの餌である植物の汁はタ

ンパク質が欠乏しており，ブフネラの生物機能は，タンパク質合成に必要であるが体内で合成できない必須アミノ酸の供給である．ブフネラゲノムには，宿主が合成できる非必須アミノ酸の合成系遺伝子はほとんど存在しない一方で，必須アミノ酸の合成系遺伝子群は高度に保存されている．すなわち，両者の共生によりすべてのアミノ酸を合

成でき，タンパク質合成が可能になる．

このような共生細菌はゲノムが縮小し，多くの遺伝子が失われている．そのため宿主の細胞外では生存できず，特定の生物機能に専門化し，母親から子孫へ世代を経て伝達されるなど，ミトコンドリアのような細胞小器官への進化の途上にあるようにみえる．

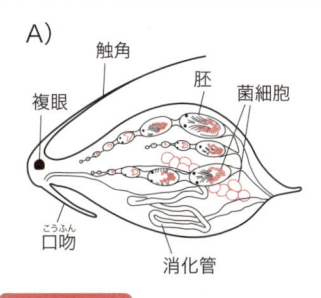
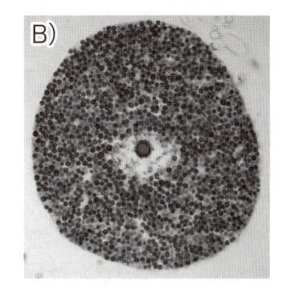

コラム図1-1 **アブラムシとブフネラの細胞内共生**
A）体内における菌細胞の分布（横からみた図）．胚および母虫の腹部に存在する．B）菌細胞の拡大写真．細胞質を埋めつくす顆粒の1つ1つが共生細菌ブフネラである．Bは深津武馬博士のご厚意による

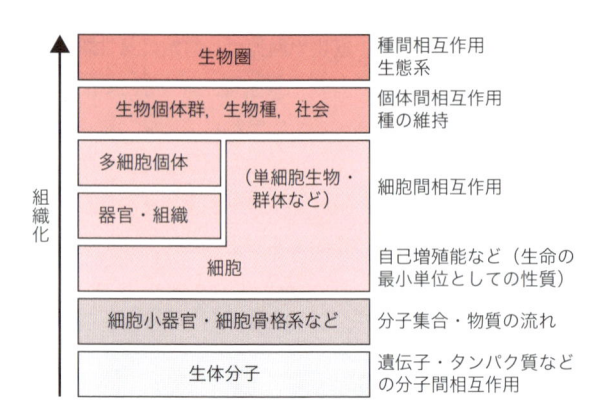

図1-4 生命の階層図

<table>
<tr><td>生物圏</td><td>種間相互作用
生態系</td></tr>
<tr><td>生物個体群，生物種，社会</td><td>個体間相互作用
種の維持</td></tr>
<tr><td>多細胞個体
器官・組織</td><td>（単細胞生物・群体など）</td><td>細胞間相互作用</td></tr>
<tr><td>細胞</td><td>自己増殖能など（生命の最小単位としての性質）</td></tr>
<tr><td>細胞小器官・細胞骨格系など</td><td>分子集合・物質の流れ</td></tr>
<tr><td>生体分子</td><td>遺伝子・タンパク質などの分子間相互作用</td></tr>
</table>

組織化

れ，組織が集まって1つのまとまりのある機能を行う**器官**（organ）がつくられる．**個体**（individual）は器官の集合によってできていると考えられる．これに対し，単細胞生物は，1つの細胞だけで1つの個体である．ほとんどの原核生物と，原生生物と呼ばれる真核生物の大部分が単細胞生物である．菌類は通常多細胞性であるが，**酵母**（yeast）と呼ばれるグループは，生活環の全部あるいは一部が単細胞性である（2章**3**参照）．単細胞生物の中には，接合藻類のアオミドロなど，多数の細胞が結合した形態をとるものもあるが，多くの場合，細胞分化がないなど，各細胞の間の関連は少なく，動物のような意味での多細胞体ではない．

分子が集まって分子集合体をつくり，それらが集まって細胞をつくり，細胞が集まって多細胞体をつくる．そして単細胞や多細胞からなる個体が集まって種を，さらに多様な種が集まり，さまざまな生態系を構成する．このように生命には**階層性**（hierarchy，**図1-4**）があり，

また，下位のレベルではみられない現象が，その構成要素の配置や相互作用により，上位のレベルで現れるという**創発特性**（emergent property）がみられる．生命現象は，根本的には構成分子に還元できるはずであるが，階層ごとに異なる構造とシステムがあることが重要な点である．

7 種概念

われわれは，生活にかかわる生物を認識し，情報の伝達のために慣用的に名前を与えてきた．このように生物を認識・分類する際の基本的な単位として**種**（species）が用いられている（p.24コラム，21章**2**参照）．種とは同じような特徴をもった個体の集まりであるが，そのあり方は生物によりさまざまで，画一的な定義は難しい．

現在，種の基準として数多くの考え方があるが，最も広く使われているのが**生物学的種概念**（biological species concept）である．この種概念はマイア（Ernst Mayr）により提案されたもので「種とは互いに交配しうる自然集団で，それは他のそのような集団から生殖の面で隔離されている」というものである．ここでは種の基準として生殖的な隔離が採用され，外部形態が似ていても，互いに交配しないものは別種と判断される．また逆に形態が異なっていても交配の結果，子孫をつくることが可能なものは同種にされる．この適用例として，ロバとウマは交雑すると雑種の子ができる．雄のロバと

生物の名前の付け方

生物の名前としては和名もあるが，学術的な文献では，生物の名前（種の名前）の表記に，ラテン語の二名法が用いられる．これは生物分類学の祖であるリンネによって広められたもので，世界中の学者が同じ名称を利用することが決められている．二名法は，「種」の集合である「属」の名称（属名）を表す名詞とそれを説明する形容詞〔動詞の現在分詞や名詞の所有格（正式には属格）もある〕を組み合わせることで，特定の種を表すものである．例えば，ヒトは，"*Homo sapiens*"という．通常，ラテン語はイタリック体（斜体）で表す．"*Homo*"はヒト属を表す男性名詞，"*sapiens*"は「知る」という意味の"*sapere*"という動詞の現在分詞の男性形単数主格である．女性名詞や中性名詞の場合，形容詞の語尾も変化する．*Pisum sativum*（エンドウ：*sativum*は「栽培された」という形容詞の中性形）など．属格の場合には変化しない．*Escherichia coli*（大腸菌：大腸を表す「*colum*の」というのが*coli*）など．こうした規則を少し知っていると，名前を覚えやすくなるのではないだろうか．

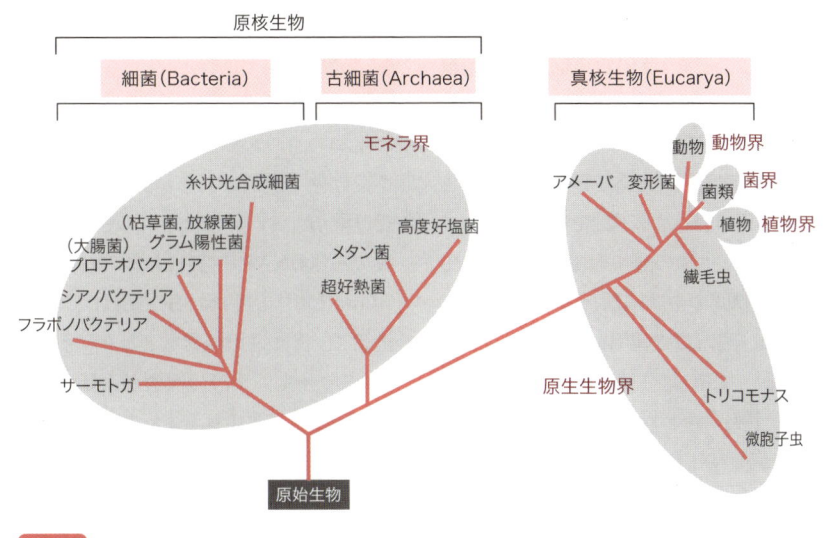

図1-5 分子系統学に基づく真核生物の系統と分類体系

３ドメイン体系．５界説における界を楕円で表す

雌のウマの交雑でできた雑種はラバと呼ばれるが，生殖能力がなく子孫を残すことができない．それゆえ，ロバとウマは別種と判断される．逆にイヌは見かけや大きさの異なる品種がたくさんあるが，互いに交雑可能で繁殖（生殖）能力のある子孫ができるので，すべてイヌという単一の種とされる．

生物学的種は，これまで伝統的に使われてきた種，すなわち形態の類似と相違による種の認識と多くの場合では一致する．一方で，生物学的種は，生物間の遺伝的つながりを重視した優れた種概念であるが，無性生殖で増える生物や化石のみで知られている生物には適用不可能である．また，交配可能性を実際の生物群で検証するには大変な労力が必要である．そのため，種の判断基準としてこれまで多用されてきた外見や内部構造などの形態による形態学的種概念が使われることも多い．また，進化の道筋である系統や生態的特性などを基準に採用した種概念も併用されている．

原核生物である細菌や古細菌は，そもそも有性生殖を行わないので生物学的種概念は適用できない．また，多くの場合，形態も単純なため，これだけで実際の細菌や古細菌の多様性を把握することは困難である．そのため，現在では形態，生化学的性質とともにDNAの塩基配列の相違の程度が種の基準として用いられている．

8 生物の系統と分類

生物の分類体系としては，これまでにさまざまなものが提案されてきたが，現在主に使用されているのは**3ドメイン体系**（3 domain system，三超界説ともいう）である（図1-5）．

古典的な５界説では，生物を動物，植物，菌類，原生生物，モネラ（細菌）に分類した．これは，生物をまず細胞の構造から原核生物と真核生物に分ける．さらに真核生物内には，多細胞生物の中で栄養摂取様式により区別される動物，植物，菌類を認め，残りを主に単細胞生物からなる原生生物とした．これに対し，3ドメイン体系は，リボソームRNA（**6章5**参照）の塩基配列による**分子系統解析**（molecular phylogenetic analysis，**21章2**参照）に基づいたものであり，真核生物，**細菌**（Bacteria），**古細菌**（アーキア，Archaea）という3つのドメインにまとめるようになっている．原核生物は2つに分けられた一方，動物や植物を含む真核生物は全部まとめて1つのドメインに入れられている．

生物の大分類については，これまでさまざまな議論が行われてきた．リンネ（Carolus Linnaeus）の時代には，「生物の進化」という思想がなく，生物の形により類型的に分類が行われていた．しかし，ダーウィン

(Charles Darwin) 以降，生物の進化が一般的に受け入れられるようになると，生物の進化の道筋である**系統** (phylogeny) をできるだけ反映させるような，いわゆる自然分類を目指すようになってきた．顕微鏡などの生物の観察技術やDNA情報を用いた系統解析法の進歩により，生物間の系統関係の認識も時代とともに変化してきている．それに伴って，生物の分類も改変されてきている．本章で示した生物間の系統関係（図1-5）は，完成されたものではなく，現時点で利用できるさまざまな情報を総合した「仮説」である．したがってさまざまな視点から検証され，事実と合わない点が見つかれば新しい仮説として修正が行われる性格のものである．

9 進化

生物のもつ重要な特徴として，子孫生物が親の特徴を受け継ぐ遺伝があるが，実際には完全に同じ情報が受け継がれるわけではない．その原因の1つは，遺伝物質であるDNAの複製時のエラーであり，これは**変異**[※3] (mutation) と呼ばれる．変異は，生物の遺伝的変異を供給し，自然選択の素材となり，その結果，進化が可能となる．もし，核酸の複製が正確で誤りがなければ，この地球は現在みられるような多様な生物はみられず，最初に誕生した生物が大量に存在することになっていたであろう．このような意味で，進化するという能力を生物の特徴の1つに加えてもよいかもしれない．

進化は，生物の多様性と共通性を理解する重要な観点である．生命は数十億年間にわたり進化し，膨大な生

3ドメイン生物の違い

Column

遺伝子の構造や複製・転写・翻訳などの基本的機構について，従来は原核生物と真核生物の間に違いがあるとされてきた．近年，さまざまな生物種のゲノム配列が明らかになるにつれ，生物界を3ドメインに分けた場合，真核生物と古細菌との間に共通性が高く，これら二者と細菌との間の違いが大きいことがわかってきた．**コラム表1-1**の各項目の詳細は後の章で解説する．

コラム表1-1 3ドメイン生物の違い

	細菌	古細菌	真核生物
細胞膜	エステル脂質	エーテル脂質	エステル脂質
脂質の炭化水素鎖	主に直鎖の脂肪酸	イソプレノイドアルコール	主に直鎖の脂肪酸
DNA	環状のものが多い	環状	直鎖状
ヒストンを介した発現制御	なし	なし	あり
イントロン	なし（例外あり）	なし（例外あり）	さまざまな配列にある
細胞小器官	なし*	なし*	あり*
RNAポリメラーゼ	リファンピシン感受性	リファンピシン耐性	リファンピシン耐性
プロモーターの選択	σサブユニット	真核生物型転写因子	基本転写因子と転写調節因子
転写開始部位のDNA配列	−35領域−10領域など	TATAボックスなど	TATAボックスなど
mRNAの5′キャップ構造	なし	なし	あり
mRNAの3′ポリA付加	一部にあり（不安定化要素）	一部にあり（不安定化要素）	あり
mRNAへのリボソーム結合	SD配列	SD様配列	mRNAの5′キャップ
リボソーム構造	30S, 50S	30S, 50S（ただし構造は真核生物と類似）	40S, 60S
ジフテリア毒素感受性	なし	あり	あり
翻訳開始tRNA	fMet-tRNA	Met-tRNA	Met-tRNA

* 多くの真核細胞の体積は細菌や古細菌より3桁あるいはそれ以上大きく，またミトコンドリアや葉緑体は進化的に細菌に相当するため，単純に細胞小器官の有無を特徴として比較するのは適切ではない

[※3] 日本学術会議の報告「高等学校の生物教育における重要用語の選定」ではmutationは突然変異，変異の併記とし，variationは変異の表記とされている．mutationに突然の意味は含まないとの議論もあり，本書では前版の表記としている．

物の多様性をつくり上げてきた．そのような多様性と同時に，生物には多くの共通性がみられる．この多様性と共通性は，進化，すなわち今日地球上にみられる生物は共通祖先から変化した子孫であるということで説明できる．生物が特徴を共有していることは，共通の祖先からの子孫であるという説明が可能である．また，その違いは，進化の道筋において遺伝的変化が起こったためという説明が可能である（**21章**参照）．

本章のまとめ　　　　　　　　　　*Chapter 1*

- □ 生物は多様性と共通性をもつ．

- □ 生物の基本的属性として，細胞，自己増殖，遺伝，代謝，環境応答・恒常性などがある．

- □ 生物を構成する元素は，限られた種類の軽い元素で，なかでも炭素が多い．細胞を構成する分子は，水と有機化合物である．

- □ 膜で囲まれた生物の基本単位が細胞であり，すべての生物は細胞からできている．

- □ 細胞内構造に基づいて，原核生物と真核生物が区別される．

- □ 自然界には，多細胞生物と単細胞生物，動物と植物など，多様な生物が存在する．生物の世界は，生体分子，細胞，組織，器官，個体，種，群集，生態系などの階層性がある．

- □ 種を画一的に定義することは難しい．生物学的種概念，形態，生化学的性質，DNAの塩基配列の相違の程度などが種の基準として用いられている．

- □ 生物は，数十億年にわたる進化により多様化してきた．その道筋は系統と呼ばれ，生物の分類は系統を反映するように修正される．現在の生物の分類体系は完成されたものではなく仮説である．

- □ 進化は，多様性と同時に共通性を説明する生物の特徴である．

2章　生物の増殖と恒常性

生物の重要な特徴は，増殖することである．単細胞生物でも多細胞生物でも，自分と同じ形をした生物体を生み出して数を増やすことができる．単細胞生物の増殖は細胞の分裂によるが，多細胞生物では単に細胞が増えるばかりでなく，単細胞の受精卵から多細胞体をつくり上げるという形態形成が加わる．一方，生物は，外部環境（温度，圧力，浸透圧など）の変化に適切に応答して，内部環境の恒常性（ホメオスタシス）を保つ能力ももっている．脊椎動物では，その能力を最大限に発揮させるために，神経系と内分泌系が時間的および空間的に協調しながら働いている．本章では，生物の増殖と恒常性のしくみについて基礎的な説明を行う．

1　細胞の増殖

細胞の分裂と細胞周期

生物の特徴の1つは，増殖することである．単細胞生物では，細胞分裂によって細胞数が増えることが個体数の増加を意味する．多細胞生物では，単に細胞が増えるばかりでなく，類似の細胞が集まって組織ができ，組織の集合によって1つのまとまりのある機能をもった器官ができ，さらに器官が集合して個体が形づくられる．

細胞増殖（cell growth, cell proliferation）は基本的には**細胞分裂**（cell division）によって行われる．細胞が増殖するためには，まず，細胞の成分のすべてが2倍になるが，特にDNAの量が正確に2倍になることが重要である．DNAには遺伝情報が含まれており，一部分だけ増えても正常な細胞機能を維持することができないため，細胞の遺伝情報（ゲノム）を完全に2倍に複製することが重要である．原核生物ではゲノムDNAが正確に複製され両極に分配されると，初めて細胞（細胞質と細胞膜）の分裂が起きる．真核生物では遺伝物質は染色体という単位として存在しているため，それぞれの染色体が2本ずつになることにより染色体の本数がきちんと2倍になり，各セットが両極に分配されたあと，**細胞質分裂**（cytokinesis）が起きる．

このように，細胞の増殖は，DNAの複製，分配，細胞質分裂という過程を経て進行する．この1サイクルは**細胞周期**（cell cycle）と呼ばれる．細胞周期は逆戻り

しないので，細胞の状態に応じて正確に少しずつ進めていくことが重要である．仮に遺伝物質や細胞内構造体を正確に複製できなければ，できるまで待ってから，分配や分裂に進むのである．このように細胞周期の正確な制御は細胞増殖の最も本質的なしくみである．細胞分裂のしくみや細胞周期の制御については，**17章**で詳しく説明する．

原核細胞の分裂

もう少し細胞分裂の様子について詳しくみてみよう．原核生物の場合（**図2-1**），細胞は栄養を得て肥大し，十分な栄養分があれば，遺伝物質であるDNAを複製する（**5章❸**参照）．原核生物の形状には，細長い形の桿菌と，球状の球菌などがある．桿菌は，長軸方向の中央部で膜の合成をすることによって細胞が伸長する．桿菌状の細菌である大腸菌では，DNAの複製に40分程度かかる．ゆっくりと増殖している細胞では，DNAの複製と同時に両極への分配が起こり，複製と分配が完了して初めて細胞壁のくびれ込みが起きて分裂が完了する．栄養条件がよいときには，細胞の分裂はもっと短い時間，例えば20分ごとに起きる．この場合，DNAの複製は，細胞の分裂を待たずに次々に始まるということになり，かなり複雑な事態になる．このような原核生物でも，複製，分配，分裂が順に秩序正しく起きることがわかってきた．

分裂が起きる前に，予定分裂面に沿ってリング上の構造体が形成され，これを足がかりとして細胞膜の陥

入にかかわる物質が集合してくる（**図2-1BC**）. 細胞膜が陥入し，さらに細胞壁が形成されて，完全に2個の細胞となる.

真核細胞の分裂

真核生物は，**有糸分裂**（mitosis）と呼ばれるしくみで分裂する. その詳細は生物群によってさまざまであるが，動物細胞と植物細胞の代表的な例をみてみよう（**図2-2**）. 遺伝物質であるDNAを含むクロマチンがS期と呼ばれる時期に複製されるが，これは細胞の見かけ上はわからない. 分裂期（M期）に入ると，クロマチンが**凝縮**（condensation）して1本ずつがはっきりと区別できる染色体になる（**17章1**参照）. この染色体の観察

は，以前は，細胞を化学固定剤で処理して安定化したあとに，染色試薬によって染色することによって行われていた. 近年では，特殊な光学系の利用によって屈折率の差により染色体を生きた細胞で観察できるようになったばかりでなく，さらに，さまざまな蛍光試薬の利用により，生きたままの細胞でも個々の染色体の詳しい挙動を観察することもできるようになってきた（**8章2**参照）. 核膜がばらばらに小胞として分散（**核膜崩壊**：disintegration of nuclear membrane）した後，凝縮した染色体は分裂面中央（**赤道面**：equatorial plane）に並ぶ. その後，多数の細い糸状の繊維（紡錘糸）によって両方の**極**（pole）に分配される. 分配完了後，核膜が再生される.

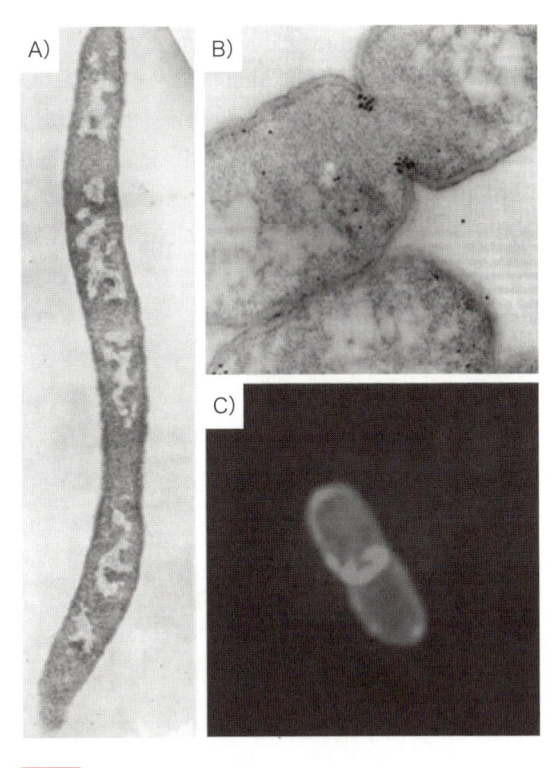

図2-1 大腸菌（原核細胞）の細胞分裂

A）分裂ができなくなった変異体では，くびれが入らず，細長い細胞になる（電子顕微鏡像）. 白い部分がDNAを含む核様体領域. DNAは複製され，分配されているのに，分裂が起きていないことがわかる. B）分裂にかかわるタンパク質（FtsZ）を黒い粒子を用いた特殊な方法で検出したもの. くびれの部分に黒い点が見える（電子顕微鏡像）. C）分裂の最初にできるリングを蛍光顕微鏡で観察したもの. このリングがまずできると，その場所にくびれをつくるためのタンパク質が集まってくる. Goehring NW & Beckwith J：Curr Biol, 15：R514-R526, 2005より転載

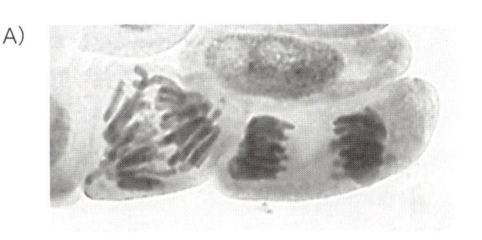

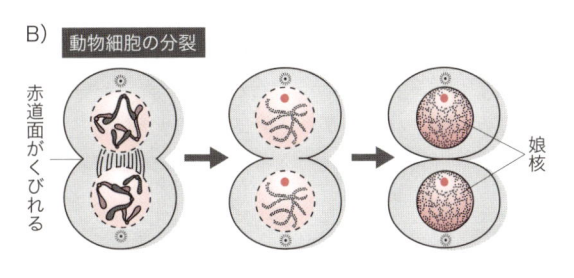

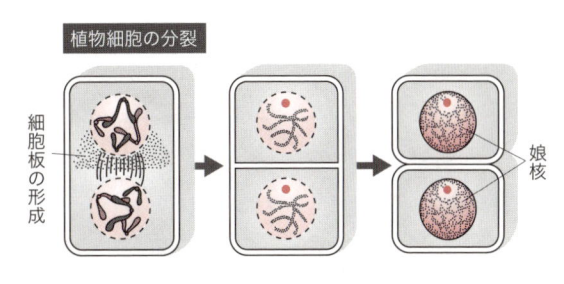

図2-2 細胞分裂（有糸分裂）

A）タマネギ根端細胞の分裂. 両極に染色体が分かれている. B）植物と動物の細胞分裂の模式図. 染色体の分配が終わると細胞質の分裂が起きる. 動物細胞の分裂は中央にくびれ込みが入るが，植物細胞の分裂の場合，分裂面に細胞膜と細胞壁を含む小胞が集まり（細胞板の形成），それらが融合して分裂が完成する. Aは片山光徳博士のご厚意による

つづく細胞質分裂では，動物細胞では，細胞膜の陥入により細胞質が2つに分離される．植物細胞では，分裂面に**フラグモプラスト**（phragmoplast）からできた細胞板が形成され，これがしきりとなる**細胞壁**（cell wall）をつくり，2つの細胞が完成する．酵母のように核膜が分散しないものもあり，細胞分裂の様子は生物によってもさまざまである．なお，細胞の分裂には，有性生殖に伴う**減数分裂**（meiosis，7章**3**参照）もある．

2 有性生殖と無性生殖

単細胞生物は，通常の培養条件では，細胞が分裂することで増殖するので，**無性生殖**（asexual reproduction）をしていることになる．多くの真核生物では，細胞の増殖のほかに，異なる個体に由来する細胞の融合によって新たな遺伝情報をもった細胞をつくり出す**有性生殖**（sexual reproduction）が知られている（図2-3）．一般に，栄養を得て細胞が増える過程を栄養成長，有性生殖を行う過程を生殖成長と呼ぶ．栄養成長から生殖成長への切り替えは，植物や単細胞生物では，栄養や光など環境条件が変わった場合に起きることが多いが，後生動物では発生プログラムに従って起きる．

核相

2個の細胞がそのまま融合した場合，染色体の数が2倍になってしまうので，融合する細胞は，あらかじめ，染色体の数を半分にする減数分裂を行う必要がある．通常の細胞は，同じ種類の染色体を2本ずつもっているため，染色体の1セットをnと表す習慣に従うと，2nと表される．これは**核相**（nuclear phase）と呼ばれる．このnという文字変数のようなものは，古典的な生物学では「染色体の1セット」，すなわち「**ゲノム**（genome）」を表しているが，あとに述べるように性によって実際の染色体が異なる場合もあるので，定義としては曖昧である．しかしこの表記法は便利なのでよく用いられる（現代的なゲノムの定義については，5章**1**参照）．

有性生殖

核相が2nの細胞（**二倍体**：diploid）が減数分裂をすることにより，染色体数が半減し，nの核相をもつ配偶子（**一倍体**，または半数体：haploid）を生じる．**配偶子**（gamete）には卵と精子のように雌雄で形態的な差異がはっきりとある場合（**異型配偶**：heterogamy，anisogamy）と，配偶子の形が区別できない場合（**同型配偶**：homogamy，isogamy）がある．例えばヒトの場合，異型配偶であり，男性は1〜22番までの**常染色体**（autosome）を2本ずつとX，Y染色体（**性染色体**：sex

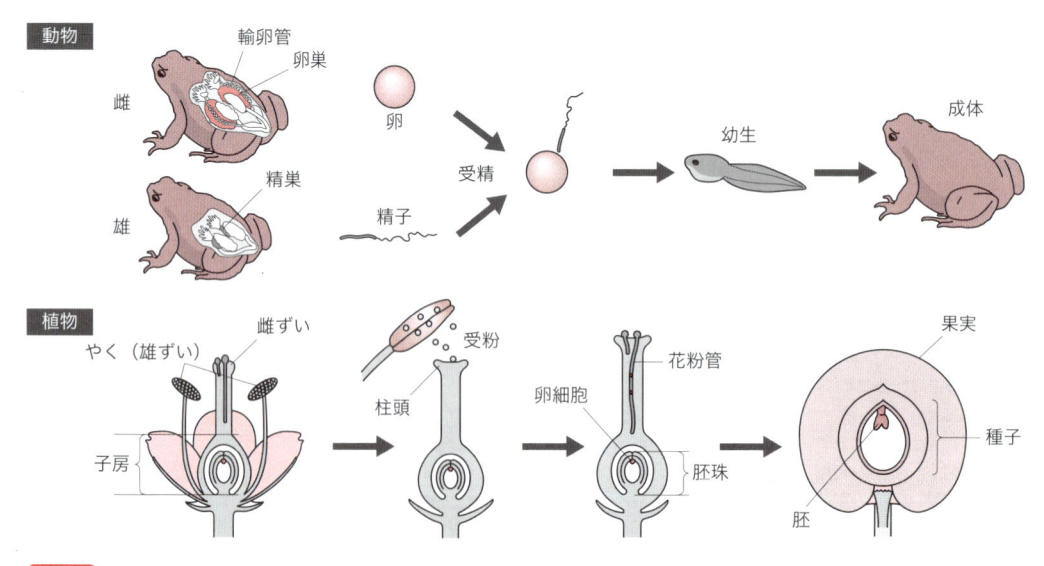

図2-3 精子と卵，受精，胚発生の概念図
動物と植物の受精の様子を模式的に示したもの（**18章**，**19章**参照）

chromosome）をもつ（このような場合も 2n と表記する）ので，**精子**（sperm）では 1〜22 番までの各染色体を 1 本ずつと X または Y 染色体をもつ（n の核相をもつ）．女性は 1〜22 番と X 染色体を 2 本ずつもつ（2n）ので，**卵**（egg）は 1〜22 番までの各染色体と X 染色体を 1 本ずつもつ（核相は n）．

雌が生んだ卵が受精しなくても発生していくことを指す**単為生殖**（parthenogenesis）は，実質的には無性生殖といってもよいかもしれないが，減数分裂や遺伝的組換え（**7 章 3** 参照）によって生じた生殖細胞から個体が生じることから，有性生殖の一形態であるとされている．単為生殖の場合，二倍体と一倍体がありうる．アブラムシ（**コラム図 2-1** 参照）は二倍体の卵を生む．ミツバチは未受精卵（一倍体）が単為生殖することで雄が生まれる．有性生殖については**7 章**で詳しく述べる．

有性生殖の意義としては，染色体の組み合わせや染色体内部での組換えにより多様な遺伝子の組み合わせを生じることによって，突然の環境変動に対して生物群としての生存の可能性を高めることが考えられている（p.31

コラム参照）．さらに，真核生物がもつ遺伝物質の量がきわめて多いために，とても低い頻度ではあるが，どうしても複製の誤りを生じることがある．これを除去して，複製の誤りを蓄積しないためにも，有性生殖は重要な役割をもつと考えられている．

■ 無性生殖

無性生殖についても，もう少し詳しくみてみよう．一言で無性生殖といっても，中身はさまざまである．単細胞生物が分裂によって増殖するもののほか，栄養条件が悪くなって胞子をつくって増えるものもある．枯草菌（細菌の一種，納豆をつくるのに用いられる）などで知られている．

多細胞生物にも無性生殖がある．代表的な無性生殖は**栄養生殖**（vegetative reproduction，栄養繁殖ともいう）である．自然の栄養生殖としては，ヤマノイモ，シュウカイドウ，オニユリなどでみられるむかご[1]や，子イモによる繁殖がある．ジャガイモの塊茎やサツマイモの塊根（どちらも「イモ」と呼ばれるが茎と根の違い

▮ 有性生殖の意義

Column

有性生殖と無性生殖を比べると，無性生殖の方がずっと増殖効率がよい．アブラムシ（**コラム図 2-1**）は雌ばかりで，単為生殖によって増えている．また，花をつけずに株分けやイモで増える植物も多い．それでも多くの真核生物，特に多細胞生物でみられる有性生殖の意義とは何であろうか．

無性生殖の増殖効率がよいのは，生育環境が安定しているときの話である．十分な栄養分があって，他の競争者がいない条件では，無性生殖の増殖速度が大きいのは当然である．ところが，現実の自然界では，環境条件がいつも最適であるとは限らない．また，他の生物と餌を奪い合ったり，捕食されたりする．さらに，環境条件は刻々と変化していく．

有性生殖は，減数分裂の過程で，遺伝子の組換えを伴う．単に組換えるだけでなく，不適切なアレルを修復する

ことも可能である．有性生殖では，染色体のさまざまな組み合わせが生じるとともに，染色体の内部での組換えが起きることで，致死的な潜性変異の除去や遺伝的な多様性を増すことができる．生物集団が不都合な環境にさらされたとき，遺伝的多様性があれば，ごくわずかな個体でも生き残る可能性が出てくる．また，通常の生育条件では不都合な形質（**7 章**参照）であっても，特別な環境条件のもとでは，有利に働く可能性もある．

コラム図 2-1 エンドウヒゲナガアブラムシ
佐々木哲彦博士のご厚意による

※ 1 軸上に生じた芽がやがて独立した個体になること．

がある）の場合，農業的には，芽のついている部分ごとに小さく切って植えることで，たくさんの株を得ることができる．ユリの鱗茎などいわゆる「球根」も栄養生殖をする．タケやスギナのように地下茎をはりめぐらせて増えていくものも多い．セントポーリアは，葉を1枚切って土に植えると新たな植物体になる．

植物の体細胞は分化の**全能性**（totipotency）をもっていて，1個の細胞からでも個体を再生できる．哺乳動物などでは，生殖細胞だけが個体をつくる能力をもっていて，それぞれの器官や組織に適した細胞に分化した体細胞から個体を再生することは難しいが，いくつかの遺伝子の発現を操作することにより，分化を初期化できる（iPS細胞）ことがわかってきた．細胞の分化や再生能力などについては，**18章**，**19章**で詳しく述べる．

3 生物の生活環

二倍体が優勢な生物

有性生殖をする生物においては，前述のように染色体数の違いによって生物の核相が定義でき，核相がnであるものを一倍体，核相が2nであるものを二倍体と呼ぶ．異なる核相をもつ体がそれぞれ増殖する生物がある．これらの核相が交代することで，**生活環**（life cycle）が成り立っている（**図2-4**）．どちらの核相が主であるかは生物によって異なっており，また異なる核相をもつ体の形態が類似している場合と著しく異なる場合がある．

ヒトでは，通常の個体は二倍体であるが，配偶子は一倍体であるので，一倍体は生活環全体の中のごくわずかの期間しか存在しない．また，配偶子は個体とは著しく形態も異なっている（**図2-4A**）．同様のことは，種子植物でもあてはまる．**花粉**（pollen，雄性配偶子にあたる精細胞を含む）や**胚嚢**（embryo sac，雌性配偶子にあたる卵細胞を含む）は一倍体であるが，ふつうの植物体は二倍体である．種子も子葉や根からなっている二倍体である．この場合にも一倍体と二倍体では形態が著しく異なっている（**図2-4B**）．

二倍体・一倍体がどちらもある生物

花の咲かない植物（隠花植物：cryptogam）では少し状況が異なる（**図2-4C**）．シダ植物（pteridophyte）では，通常目にするものが二倍体（胞子体：sporophyte）であるが，胞子体の葉の裏あるいは周辺部に褐色の胞子嚢がつくられ，その中に多数の**胞子**（spore）がつくられる．胞子は散布され，発芽して小さな多細胞体ができる．これが**配偶体**（gametophyte）であり，一倍体である．配偶体ははじめ一次元に連なった細胞からなる原糸体であるが，やがて二次元的に発達して**前葉体**（prothallus）となり，その上に**造卵器**（archegonium）と**造精器**（antheridium）ができ，それらからできる卵と精子が受精して二倍体に戻る．胞子体を無性生殖する世代，配偶体を有性生殖する世代と考えると，**世代交代**（alternation of generation）が行われている．このように，シダ植物では，一倍体と二倍体が独立して存在する．

出芽酵母[※2]（budding yeast）は単細胞生物である（**図2-4**）が，2種類の**接合型**（mating type：αとa）をもつ細胞があり，両者は**接合**（mating）を行って二倍体細胞をつくる．二倍体はそのまま増殖することもできるが，栄養条件が悪くなると減数分裂して一倍体の四分子をつくり，これが発芽して一倍体として増殖することもできる（**図2-4D**左側の矢印）．この場合には，一倍体と二倍体で，形態的にはあまり大きな違いがない．一倍体と二倍体がともに多細胞体であって形態的に区別がつきにくい場合もあり，アオサ類（緑藻）などの海藻にみられる．

一倍体が優勢な生物

これに対し，**コケ植物**（bryophyte）では，通常の植物体が一倍体であり，その上に造卵器と造精器がつくられる（**図2-4E**）．造精器でつくられた精子が造卵器に到達すると受精が起きるが，二倍体の細胞はすぐに減数分裂して一倍体の胞子をつくる．胞子が発芽すると，コケの植物体になる．このようにコケでは一倍体が大部分を占める．

核相を便宜的に一倍体と二倍体に分類しているが，現実の生物体に含まれる細胞では必ずしも一倍体と二倍

※2　ここでは*Saccharomyces cerevisiae*を指す．

A) 二倍体世代で体ができている脊椎動物

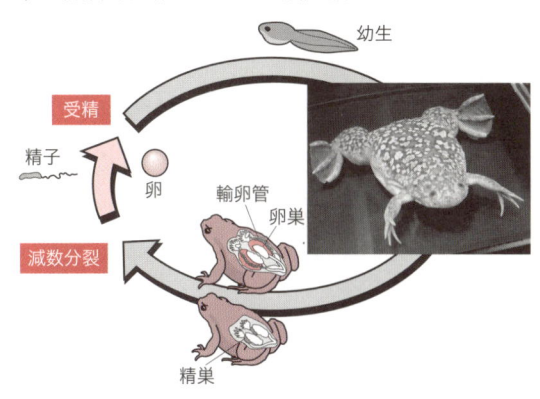

B) 二倍体世代で体ができている種子植物

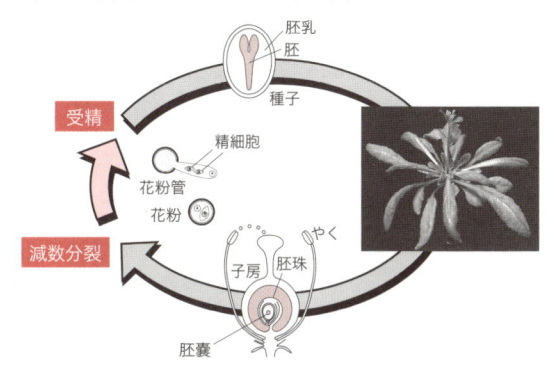

C) 両世代のどちらの体もあるシダ植物

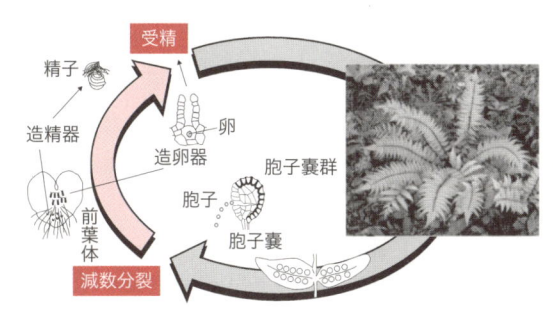

D) 両世代が同じように増殖する酵母

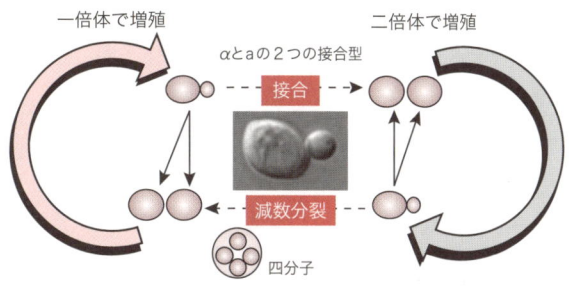

E) 一倍体世代が優勢なコケ植物

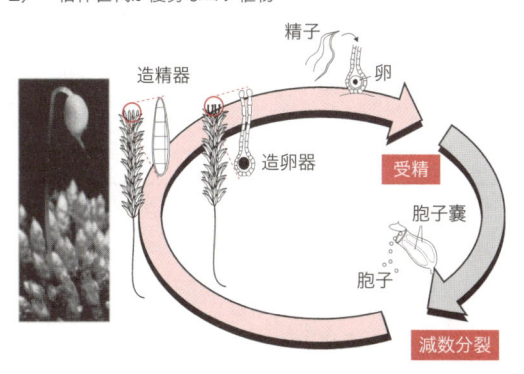

図2-4 生活環と核相の交代

A) 脊椎動物では，ふつうの体は二倍体であり，生殖系列の特殊化した細胞が減数分裂して精子または卵をつくる．受精後，卵割により胚発生を開始し，幼生を経て成体になる．B) 被子植物では，一倍体は胚嚢と花粉だけになる．C) シダでは，ふつうにみられる個体が二倍体で，一倍体は小さな前葉体だけである．前葉体の上に造卵器と造精器ができる．D) 出芽酵母では，栄養条件がよいときには，一倍体で増殖し，一倍体細胞のαとaの2種類の接合型（一種の性）が接合して二倍体細胞をつくる．二倍体としても増殖するが，栄養条件が悪くなると減数分裂して四分子をつくり一倍体に戻る．E) コケでは，一倍体が大部分を占め，二倍体はすぐに胞子をつくり一倍体に戻る．⇨は一倍体を，⇨は二倍体を示す．『藻類30億年の自然史 第2版』（井上 勲著），東海大学出版会，2007より

体だけではなく，さらに染色体数が増えた四倍体や八倍体などの核相をもった細胞も存在する．また，植物では**胚乳**（endosperm）は三倍体である．しかし，これらは生殖にかかわらないため，生活環を考える場合には，一倍体と二倍体を考えればよい．なお，種なしスイカやバナナなどは三倍体品種であるため，種子をつけない．

4 胚発生による多細胞体の形成

多くの動物や花の咲く植物などの多細胞生物の場合，精子と卵の融合によって**受精**（fertilization，**7章4**参照）が起きる．受精卵は繰り返し細胞分裂（**卵割**：cleavage，**18章2**参照）を起こして多くの細胞を形成し，さらに，細胞が分化することによって体が形成され

る（図2-3参照）．この場合，多細胞体はさまざまな組織や器官から構成されており，これらの異なる細胞をつくり出すとともに適切に配置することが必要である．このような**形態形成**（morphogenesis，**18章 4** 参照）は，単に細胞が分裂して細胞塊をつくるだけではなく，もとの卵細胞の中の不均一性や卵割によって生じた多数の細胞間の相互作用が重要であり，場合により，細胞の移動も行われる．1個の受精卵から多細胞体がつくられる過程は**胚発生**（embryogenesis）と呼ばれる．胚発生の過程で，さまざまな機能をもった細胞ができてくる

▌利他行動はどうして進化しえたのだろうか？　*Column*

進化論の祖であるダーウィンは，生物の形質が子孫に伝わる過程で変異・選択・遺伝の3つのステップを経れば，形質進化が起こることを説明した．この説明で子孫に伝わるのは「遺伝的な」形質であり，獲得形質のように遺伝しない形質は子孫に伝わらない．ところが社会性昆虫のコロニーでは，自らは子孫を残せない働き蜂や兵隊アリなどの不妊のカーストも毎世代出現している．このことは不妊カーストの形質も進化してきたことを示しており，ダーウィンをも悩ませることになった．

このダーウィンの悩みにクリアな解答を与えたのが，ハミルトン（William Hamilton）の血縁選択説である．この説では，自らは子孫を残せない個体でも自分の遺伝子を共有する血縁者を助ける（利他行動を行う）ことによって自らの形質を子孫に伝えることができるとする．自分の遺伝子をどれくらい子孫に残せるかという指標は適応度と呼ばれる．社会性昆虫のように自らは子孫を残せなくても，血縁者を介して適応度を上げることができる場合の適応度を特に包括適応度と呼ぶ．

血縁選択説で重要な点は，利他行動を受ける相手が自分とどれぐらい近縁なのか（血縁度r）と相手の受ける利益（b）である．これら2つの積が，利他行動を行うことによるコスト（c）を上回れば（$br - c > 0$ となれば），利他行動が進化するという考え方である．特に膜翅（ハチ）目昆虫は，未受精卵が単為発生した一倍体（n）個体が雄となり，受精卵から発生した二倍体個体が雌になるという性決定様式をとる（半倍数性）．このため，姉妹間の血縁度（0.75）が親子間の血縁度（0.5）よりも高くなり，利他行動が進化しやすかったと考えられている（**コラム図2-2**）．

参考文献

・Hamilton WD：Am Nat, 97：354-356, 1963
・Hamilton WD：J Theor Biol, 7：1–16, 1964
・Hamilton WD：J Theor Biol, 7：17–52, 1964

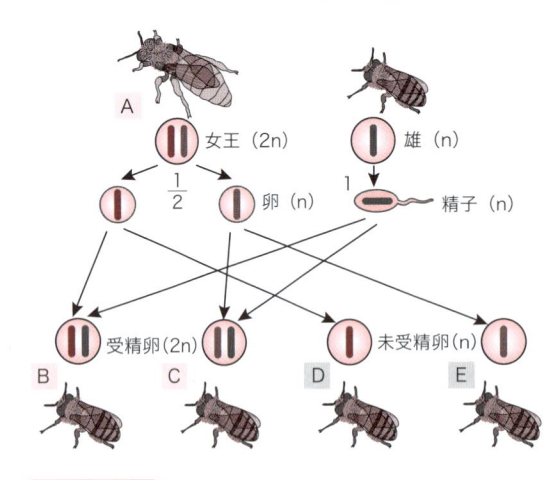

血縁関係	血縁度
母–娘間 （A–B，A–C）	$\frac{1}{2} \times 1 = \frac{1}{2}$
母–息子間 （A–D，A–E）	$\frac{1}{2} \times 1 = \frac{1}{2}$
姉妹間（B–C）	$\frac{1}{2} \times \frac{1}{2} + 1 \times \frac{1}{2} = \frac{3}{4}$
兄弟間（D–E）	$\frac{1}{2} \times 1 = \frac{1}{2}$
姉–弟間（B–D，B–E，C–D，C–E）	$\frac{1}{2} \times \frac{1}{2} + 0 \times \frac{1}{2} = \frac{1}{4}$

コラム図2-2 膜翅目の性決定と血縁度

母娘間では，母由来の染色体（n）が娘の全染色体（2n）の1/2を確実に（×1）占めるので，全体の血縁度は1/2となる．一方，姉妹間では，血縁度1/2の母由来の染色体（n）と血縁度1の父由来の染色体（n）が，娘の全染色体（2n）の半分ずつを占めるので，全体の血縁度は1/4＋1/2＝3/4となる

ことを**分化**（differentiation）と呼ぶ（**18章**，**19章**参照）．分化した細胞の間では，もっている遺伝情報は本質的には同一であるにもかかわらず，分化した細胞機能に必要のない多くの遺伝子の発現が抑制されていたり，特定の遺伝子の発現が起きやすくなっていたりする．これらはエピジェネティックな変化が原因と考えられ，DNAのメチル化などの修飾その他が解明されてきた（**20章4**参照）．多細胞体を形成するための過程では，細胞間の接触のほか，細胞間でホルモンのような物質が受け渡されることが知られている（**14章**参照）．

5 外部環境と内部環境の恒常性

　陸上環境は，生物にとって過酷な環境であるといえる．気温の幅は赤道下と極点では100℃を超え，湿度の幅は砂漠と熱帯雨林で100％に近い．また，重力は陸上動物（四足類）の運動に大きな制約を与え，その影響は地球に帰還した宇宙飛行士をみると実感する．一方，水生動物（魚類）の環境は安定している．水のもつ大きな比熱により温度変化は少なく，その大きな密度により生じる浮力のため重力の影響をほとんど免れている．しかし，その反面大きな比熱は内温動物の体温維持を困難にする．北大西洋で遭難したタイタニック号の乗客は，極寒の海でしばらくの間しか生きられなかったであろう．また，水のもつ大きな密度は深海魚に水圧という試練を与えている（水深1,000 mでは101気圧の圧がかかっている）．一方，水は優れた溶媒であるため，大量に溶けた栄養塩（有機塩）は水生生物にとって豊富栄養源となっている．しかし，大量に溶けた無機塩は海水の浸透圧を上昇させるため，川と海を往来するウナギやサケなどの回遊魚は，淡水中では水の過剰と塩分の不足と戦い，海では逆に脱水と塩分の過剰と戦うことになる．また，200 mを超える水深では光が届かず，光合成で生きる植物は生息できない．このように，温度，圧力，浸透圧，光などの物理要因だけをとってみても，生物が生息する外部環境は多様であり，さらにそれらが時間とともに変化していることがわかる．

　1878年にベルナール（Claude Bernard）は，生物にとっての環境が，生物体を取り囲む外部環境と，生物体

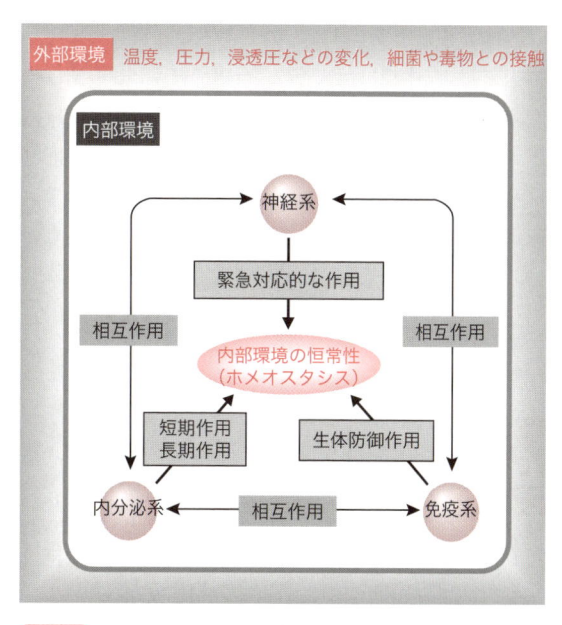

図2-5 恒常性維持に関与する神経系，内分泌系，免疫系の作用協関

内の**内部環境**（internal environment）に分けられるという考え方を示した．外部環境の変化に対して，内部環境をほぼ一定に保つ働きを**恒常性**（**ホメオスタシス**：homeostasis）と呼ぶ．ヒトを例にとると，体温は約36℃，平均血圧は約100 mmHg，血漿浸透圧は約300 mOsmに保たれており，変動要因となる物理環境が多少変化してもその値はほとんど変わらない．恒常性の概念は，キャノン（Walter Cannon）により，1926年に最初に用いられた．homo（＝same）ではなくhomeo（＝similar）stasis（＝condition）と呼ぶのは，動的な状態を示すためである．

　恒常性の維持に重要な役割を担っているのが，**神経系**（nervous system）と**内分泌系**（endocrine system）である（**図2-5**）．それに加えて，最近では**免疫系**（immune system）による生体防御も恒常性維持機構の1つと考えるようになった．生物が受ける外部環境の変動を広くストレスと捉え，それには物理的や化学的なストレスだけでなく，細菌への暴露のような生物学的なストレスをも含める考え方である．免疫系のしくみについては，**23章**で詳しく解説されている．

　外部環境の変動に対して，最初に反応するのは神経系である．生体外の物理要因の変化は温度受容体，圧

受容体，浸透圧受容体などの受容体で感知され，感覚神経を通って中枢に伝えられ，自律神経系によりすばやく調節される（**16章3**参照）．一方，恒常性の維持にとって神経系以上に重要な役割を果たしているのが内分泌系である．内分泌系のメッセンジャーであるホルモンには，環境変化に対してすぐに分泌され作用するものや，長期にわたって新しい環境に適応できるための体づくりをするものなど多くの種類がある（**14章3**参照）．

6 恒常性のしくみ

外部環境の変化に応答して内部環境の恒常性を維持する働きは，時間的に大きく2つの相に分かれる．1つは緊急的な変化に対応するすばやい反応で，神経系を介して回避行動を引き起こしたり，ホルモンにより生体内に存在するタンパク質の活性をリン酸化や脱リン酸化により変化させる．通常この反応は数秒〜数分以内に起こる．もう1つはゆっくりとした反応で，新規遺伝子の発現を介して細胞や組織をつくり替える．この反応は数時間〜数日の時間経過で起こる．また，環境応答や適応にはたくさんの組織や器官が関与している．このように，恒常性のしくみは時間的・空間的に多様である．

■体液とその緩衝作用の概要

多くの生物の体は，体重の60％以上が水である．体を構成する液体成分である体液は，いくつかのコンパートメントに分かれている．単細胞生物では，体液は細胞内液としてのみ存在する．しかし，多細胞生物では体液は**細胞内液**（intracellular fluid）と**細胞外液**（extracellular fluid）に分かれ，さらに細胞外液は細胞を浸している**細胞間液**（intercellular fluid，または**組織液**：tissue fluid）と，体内を循環する脈管内液（動物では血漿やリンパ液）に分かれる（**図2-6**）．外部環境が変化すると，その変動はまず血漿で緩衝され，さらに順番に細胞間液，細胞内液へと変動が減衰していく．単細胞生物では，細胞外液が外部環境に相当するため，変動は細胞内液のみで緩衝される．このように，恒常性の究極的な対象は，単細胞，多細胞にかかわらず細胞の内部環境（細胞内液）であるといえる（**図2-6**）．

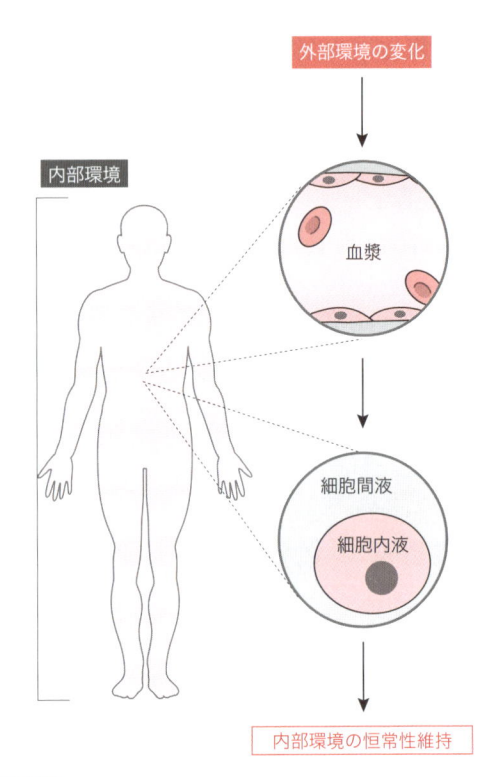

図2-6 **生体の緩衝作用**
外部環境の変化が生体内で血漿，細胞間液，細胞内液の順に緩和され，細胞の内部環境の恒常性が保たれる

外部環境の変化にまず応答する血漿は，腸，呼吸器官，腎臓，皮膚などを介して外界と物質のやりとりを行い，体液の組成を一定に保つ．さらに細胞は，細胞膜などにある受容体により変化を感受して，細胞膜を通ずる物質の輸送や細胞内で代謝速度を調節して，内部環境の恒常性を保つ．

■体液調節とは：回遊魚を例として

川と海を往来するウナギやサケは，ヒトと同様に約300 mOsmの体液浸透圧をもつ．それでは，数mOsmの淡水と1,000 mOsmの海水という異なる浸透圧環境において，どのようにして体液の恒常性を保っているのだろう．

淡水中では，鰓から能動的にイオンを摂取してイオン不足を補う一方，鰓から浸透圧差に従って侵入する水は腎臓から大量の薄い尿として排出している．一方海水中では，浸透圧的に失う水を補うため盛んに海水を飲

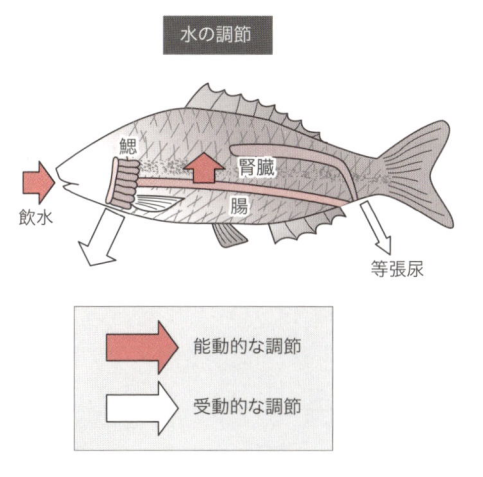
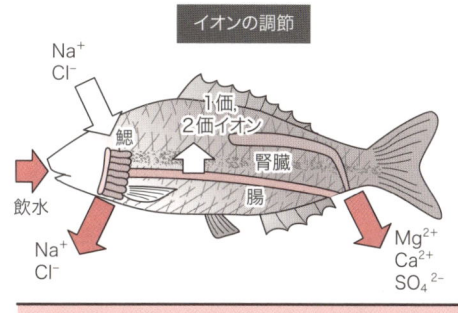

イオン濃度(mM)				
	Na⁺	Cl⁻	Mg²⁺	Ca²⁺	SO₄²⁻

（見出し）

	Na^+	Cl^-	Mg^{2+}	Ca^{2+}	SO_4^{2-}
海水	470.3	508.2	54.5	10.5	30.4
血漿	170.2	162.0	1.4	1.8	0.7

図2-7 **海水魚における水とイオンの出入りを示す模式図**
エネルギーを使う能動的な移動と濃度勾配による受動的な移動を分けた．海水と血漿の主要なイオン組成を表に示す

み，飲んだ海水をイオンとともにほとんどすべて腸で吸収し，過剰なイオンを鰓と腎臓から能動的に排出している（図2-7）．鰓で排出されるイオンはNa^+やCl^-などの1価イオン，腎臓で排出されるイオンはMg^{2+}，Ca^{2+}，SO_4^{2-}などの2価イオンである．海水と体液のイオン濃度を比較すると，これらの2価イオンは1価イオンより差が大きいため（図2-7），侵入しない工夫はされているが多少は入ってくる．そこで腎臓がその排出を担当している．このように，魚類の体液調節にかかわる主要な器官は，鰓，腸および腎臓である．

　それでは，環境変化に伴う時間的な調節をみてみよう．ウナギを淡水から海水に移すと，1分以内に盛んに海水を飲み始める．この飲水は，環境水中のCl^-の変化による神経系の調節により起こる．また，鰓や腸ではイオンや水の輸送体の活性が数分のうちに変化するが，この早い調節は小さなペプチドホルモンにより行われる．一方，海水に移動させて1週間ほど経つと，鰓や腸の形態が大きく変化をする．鰓では1価イオンを濃縮して排出する塩類細胞が発達してくる（図2-8）．腸では上皮細胞が薄くなるとともに，表面に血管が発達してくる．そのため腸壁が赤っぽく透明になり，腸管内が見えるようになる（p.38コラム参照）．血管の発達により，水やイオンの吸収がさらに促進される．これらの形態変化を伴う長期適応にかかわる作用は，分子量の大きなタン

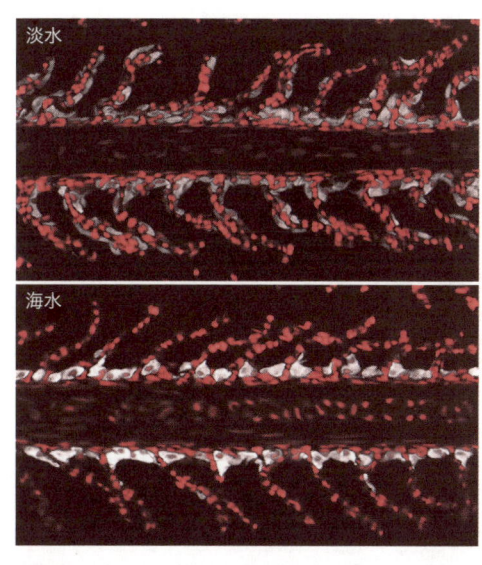

図2-8 **淡水と海水における魚類の鰓にある塩類細胞の大きさと活性の違い**
白く光っている部分がNa^+/K^+-ATPアーゼ（ナトリウムポンプ）をもつ塩類細胞．海水の場合の方が細胞が大きく，また強く光っていることからナトリウムポンプが多く存在し，活性が高いことがわかる．赤く光っている部分は核．廣井準也博士のご厚意による

パク質ホルモンやステロイドホルモンによりもたらされる．このように，神経やホルモンの作用は空間的，時間的に多様であることがわかる．

なぜ海水魚は海水を飲めるのか？

ヒトは海で遭難しても，決して海水を飲んではいけない．腎臓が海水レベルまで尿中のイオンを濃縮できないため，海水を飲むと過剰なイオンを排出するために余計に水を失ってしまう．また，海水にはNa^+やCl^-以外に高濃度のMg^{2+}やSO_4^{2-}を含むが（図2-7参照），腸ではこれらの2価イオンをほとんど吸収できないため，海水を飲むと下痢をする．それでは，なぜ海水魚は海水を飲んでも水を吸収できるのだろう．

飲んだ海水は，まず食道で$NaCl$が選択的に吸収され1/2に希釈される．さらに胃や腸の前部で希釈され，腸の中央部では体液とほぼ同じ浸透圧である1/3になっている．そこで$Na-K-2Cl$共輸送体により4つのイオンが同時に，また水透過チャネル（アクアポリン）により水が，それぞれ吸収される．吸収された過剰な$NaCl$は塩類細胞で濃縮され排出される．また，海水魚の腸には重炭酸イオン（HCO_3^-）を腸管内に排出する機構があり，濃縮されたMg^{2+}やCa^{2+}は炭酸塩あるいは硫酸塩として沈殿される．そのため，ウナギを海水に移すと1週間後には腸の後部に白い沈殿がみられるようになる（コラム図2-3）．このように溶けていたイオンが沈殿するため浸透圧が下がり，水がさらに吸収されやすくなる．そのおかげで海水魚は飲んだ海水の95％以上を吸収することができるため下痢をすることがない．

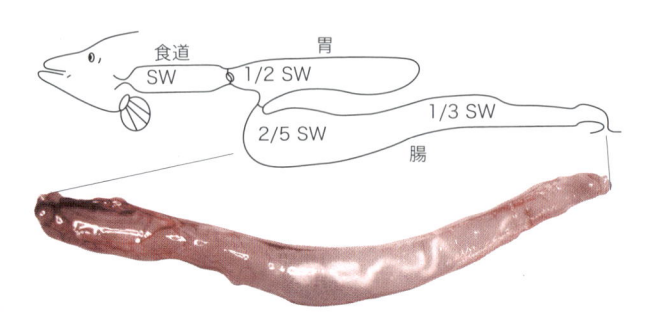

食道　SW　胃　1/2 SW　2/5 SW　1/3 SW　腸

コラム図2-3 **海水で飼われたウナギの腸**
海水に適応すると血管が発達して赤っぽくなるとともに，管腔内に白い沈殿がみられるようになる．SWは海水の浸透圧を示す．竹井祥郎博士のご厚意による

本章のまとめ　Chapter 2

- □ 増殖は生物の特徴の1つである．細胞の増殖は基本的に細胞分裂によって行われ，細菌，動物，植物でそれぞれ異なる．
- □ 生物の増殖には，真核生物の多くで行われる有性生殖と，多くの微生物のほか，動物や植物でもみられる無性生殖がある．
- □ 一倍体と二倍体のどちらの核相が主要であるかは，生物によって異なる．
- □ 多細胞生物の場合，1個の細胞が細胞分裂を繰り返して独自の形態をつくり出す．これを形態形成と呼ぶ．
- □ 生物は外部環境の変動に応答し，内部環境をほぼ一定に保つことができる．この働きを恒常性と呼ぶ．
- □ 恒常性は，体液，血圧，体温（内温動物）などさまざまな調節因子でみられる．

3章　個体−環境相互作用

　地球の生物は現時点で約180万種が記載されているが，まだ見つけられていない種がさらに何百万種も存在する．こうした生物はさまざまな環境に生育している．生物は環境から影響を受けるだけでなく，逆に生物も環境に影響を与える．さらに，生物は相互にさまざまな方法でかかわり合っている．さまざまな環境の中で，現実の生物は生きて子を残し，そして死んでいく．その繰り返しの中で世代を更新しているので，その実態に即して，彼らの生態をダイナミックに理解することが重要である．本章では，自然選択の作用，生物の環境への適応および応答，そして光合成による生産などを解説する．

1 生物圏と環境への適応

さまざまな環境要因

　地球の生物は，深海や深い地中の岩盤の中から大気の成層圏まで，乾燥しきった砂漠から硫黄泉まで，ありとあらゆる環境に分布している．地球上で生物が生息している領域を全体として**生物圏**（biosphere）という．生物は，光・温度・水分・土壌・大気などの無機的要因から影響を受けるが，さまざまな生物によって生じる作用もある．生物が生活することで，逆に環境条件を変えていく働きを**環境形成作用**（reaction to environment）という．その例としては，裸地に草が生え，やがて明るい林を形成するに従い，木立の中の照度や気温条件などが変化することがあげられる．そして落葉により土壌中の有機物が増加していく．また生物間の相互作用もあり，同じ食物をめぐって争う競争，天敵が餌を捕らえる捕食などがある（**22章**参照）．

環境への適応：自然選択の作用

　自然界で生物は個体群（集団）として生活している．個体群中の個体はそれぞれ子どもをつくり，その遺伝子を次世代に伝えていく．その際，環境により適合した性質をもち，よりよく成長し，より多くの子孫を残すことが，繁殖力の増大に重要である．したがって，世代を繰り返すたびに，より優れた遺伝的形質をもった個体が平均してより多くの子孫を残す．この繰り返しが長期間続

いた結果として，過去および現在の環境による**自然選択**（natural selection）を受けて，現在みられるような環境に適合した形質をもつようになる．環境によって選択されて遺伝的に固定された形態的・生理的・生態的な性質と環境との適合を**適応**（adaptation）という．適応した形質は，生物の生活において合目的にすらみえる機能を果たすが，もちろんそれに見合うように生物が臨機応変に対応したためではない．

　自然選択が作用する条件はシンプルである．①個体間に変異があり，②その変異が遺伝し，③その変異に応じて生存や繁殖に有利・不利が生じる，という3つの条件が成立すると，自律的に自然選択による適応進化は進む．適応は，乾燥状態・高温・低温など特殊な環境で生活する生物に特にはっきりとみることができるが，温暖な環境においても，上記の自然選択の3条件が満たされれば，適応はあまねくみられる．

環境変動に応じた生活史の適応

　環境の変動に対応した生活史形質（繁殖と生存にかかわる遺伝的形質）にも適応がみられる．例えば，北米に生息する植物のガマ *Typha* 属の近縁2種の比較が一覧になっている（**表3-1**）．アメリカ合衆国のカナダ国境に近いノースダコタ州由来のアングスティフォリア種（*T. angustifolia*）と，メキシコ国境に近いテキサス州由来のドミンゲンシス種（*T. domingensis*）を，ともにニューヨーク州の実験環境に植えて双方を比べている．ノースダコタ州はテキサス州に比べて霜の降る日数が多

表3-1 北米に分布する植物ガマ *Typha* 属2種の生活史形質の比較

生息地の環境特性	ノースダコタ（北方）	テキサス（南方）
生長に適した日数	短い	長い
霜のない日数の変動係数	大きい	小さい
生息地の株密度	低い	高い

形　質	*T. angustifolia*	*T. domingensis*
開花までの日数	44	70
平均茎高（cm）	162	186
株あたりの平均地下茎数	3.14	1.17
地下茎1本の平均重量（g）	4.02	12.41
株あたりの平均穂数	41	8
穂の平均重量（g）	11.8	21.4
1株の穂の総重量（g）	483	171

McNaughton SJ：Am Nat, 109：251, 1975より

く，環境の変動が大きい不安定な環境である．アングスティフォリア種は，草丈が低く早く成熟し，小さな地下茎を多数つける．さらに小さな穂を多数つけて，栄養生殖・種子生殖ともにより多くのエネルギーを配分して，その環境の不安定さに高い増殖力で適応している．一方，**表3-1**でみるとドミンゲンシス種はちょうど反対の性質をもち，安定した環境下での高密度な競争において，個体のサイズを大きくすることで適応している．

一般に，気候や餌量などの変動が激しく幼生期の死亡率の高い環境条件に適応した生物種では，1個の卵や種子，子のサイズを小さくする代わりにたくさん産んで広く分散させる小卵多産型の方が，どれかが生き残る確率が高くなり有利となる（***r*-選択種**：*r*-selected species）．このタイプの生物は害虫化している小昆虫や世界のあちこちに広がっている帰化植物などのように，幼生の成長速度が速く，成体になると寿命が短く一挙に繁殖して死ぬなどの形質をセットでもつ．反対に，気候や餌量が安定している環境条件に適応した生物種では，餌や棲み場所をめぐって競争が厳しくなる．1個の卵，種子，子のサイズを大きくし，大きな個体に育て，資源を確実に獲得できるように競争力をもたせた大卵少産型が有利となる（***K*-選択種**：*K*-selected species）．

r-選択種と*K*-選択種を比較するときは，系統の近い種同士を比較するのが適切である．しかし，実際にそのように比較できる例はまれであるため，系統が大きく離れた分類群同士（ハエとゾウなど）を比較する例はしばしばみられる．ちなみに，この用語はロジスティック方程式[※1]の2つのパラメータである内的増加率（*r*）と環境収容力（*K*）に由来する．このように，ある環境条件

ヒマラヤ山脈を越えて渡りをするインドガン

Column

　自然選択によって過酷な環境に適応した事例として，高度8,000mものヒマラヤ山脈の上空を飛んでインドからチベットへ渡りをするインドガン（*Anser indicus*）をあげよう．インドガンは，ヘモグロビンα鎖の119番目のアミノ酸がプロリン（Pro）からアラニン（Ala）に換わっている．そのため，β鎖55番目のロイシン（Leu）との間でギャップが生じ，ヘム領域の構造が変化するため酸素分子の親和力が高くなる．おそらくインドガンの祖先にこのような変異が発生し，そのアレルが集団に蔓延して，他の近縁の祖先とは生殖隔離（**1章7**参照）によって別々の種になったため，インドガンだけがこの遺伝的形質を受け継いで超高度の飛行による渡りが可能となったと考えられる．

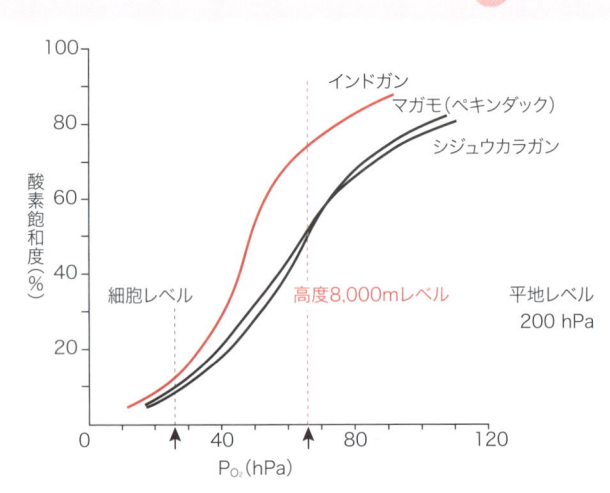

コラム図3-1 酸素分圧（Po₂，単位はhPa）に対する酸素飽和度
インドガンだけが高度8,000m（66.5hPa）でも酸素飽和度が75%程度を保っている．Black CP & Tenny SM：Respir Physiol, 39：217-239, 1980より

下でいくつもの形質がセットとなって適応していること
を**適応戦略**（adaptive strategy）という．

環境への応答

　個体群が適応している環境は不変ではなく，刻々と変
化している．実際，個体群中の各個体は異なる環境に
さらされている．生物は，環境になるべく適合した形質
を同じ遺伝子の下で発現する能力で対応している．これ
は表現型の可塑性による環境への適合であって，**環境
応答（順化）**（acclimation）と呼ばれ，遺伝子による適
合である適応とは区別される．植物・動物を問わず，す
べての生物はさまざまな環境に応答する．一例を示す
と，光はほとんどの生物の成長や活動を調節する重要な
環境因子である．植物では光合成が光によって起きる

繁殖期に生殖と性行動はどのようにして同期的に調節されるのだろうか？ *Column*

　多くの動物は，春になって日が長く
なりはじめると生殖腺を発達させ，や
がて繁殖期を迎える．動物が繁殖期を
迎えるとき，日長や気温・水温などの
外界の環境変化は，動物の嗅覚系，視
覚系，体性感覚系などのさまざまな感
覚系によって受容・処理される．しか
し，これらの感覚刺激は，個々の刺激
に対応した動物の応答を引き起こすだ
けではなく，徐々に生じる長期的な環
境の変化に対応して，動物の生理状態
を徐々に適応的に変化させる．とりわ
け重要な変化として，雌雄の生殖腺の
発達と，繁殖期特有の性行動の発現が
ある．このとき，動物の体内では神経系
と内分泌系，そしてそれらのインター
フェイスを司る神経内分泌系が活躍して
いる（**2章**，**16章 3**参照）．脊椎動物に
おいては，脳の視床下部に存在するペプ
チド〔生殖腺刺激ホルモン放出ホルモン
（GnRH）〕産生ニューロン[1]が，脳内の
各種の感覚情報処理系からのシナプス
入力を統合して，その軸索を介して下垂
体にGnRHを放出し（神経分泌），下垂
体からの生殖腺刺激ホルモン放出を促
し，それによって生殖腺の発達（配偶子
の成熟と性ステロイドホルモンの産生・
放出）を引き起こす（**コラム図 3-2**，図
14-4参照）．一方で，発達した生殖腺
から放出される性ステロイドホルモン
〔例えば卵巣のエストロゲン（エストロ
ジェン）〕は，哺乳類においては，視床
下部のキスペプチンニューロンと呼ばれ
るエストロゲン受容体を発現するペプチ
ドニューロンに結合して，GnRHニュー
ロンの働きをフィードバック調節する．
一方，エストロゲンは脳内の特定のエ
ストロゲン受容体発現ニューロンで受
容され，そのニューロンがつくる神経
回路の活性化により繁殖期特有の性行
動を発現させると考えられている[2]．**コ
ラム図 3-2**にあげた熱帯魚ドワーフグー
ラミーの例では，繁殖期を迎えた雄が
水草に泡を吹き付けて巣作り行動を行
い，雌を巣に誘い込み，雌が雄の総排
泄口付近をつつくと，それが刺激とな
り，雄は雌の腹を抱え込み，放卵・放精
の行動が同時に生じる．

参考文献

1) Karigo T & Oka Y：Front
　Endocrinol(Lausanne)，4：177，2013
2) Lee H, et al：Nature，509：627-632，
　2014

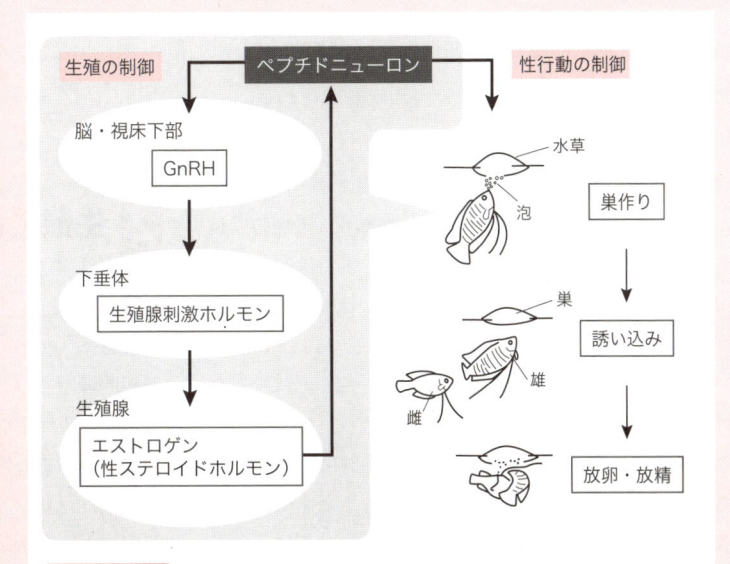

コラム図 3-2 **生殖と性行動の協調的な制御**
　魚の行動の図はYamamoto N, et al：Neuroendocrinology，
　65：403-412，1997より

※1　ロジスティック方程式は，内的増加率rと環境収容力Kという2
つのパラメータからなる．生物の個体数が初期の低密度から増殖すると
き，その変化はS字状のシグモイド曲線に従って，やがてKに漸近す
る．それは次のようなロジスティック方程式で表すことができる．

$$\frac{dN}{dt} = r\left(1 - \frac{N}{K}\right)N$$

（N：個体数，t：時間，r：内的増加率，K：環境収容力）

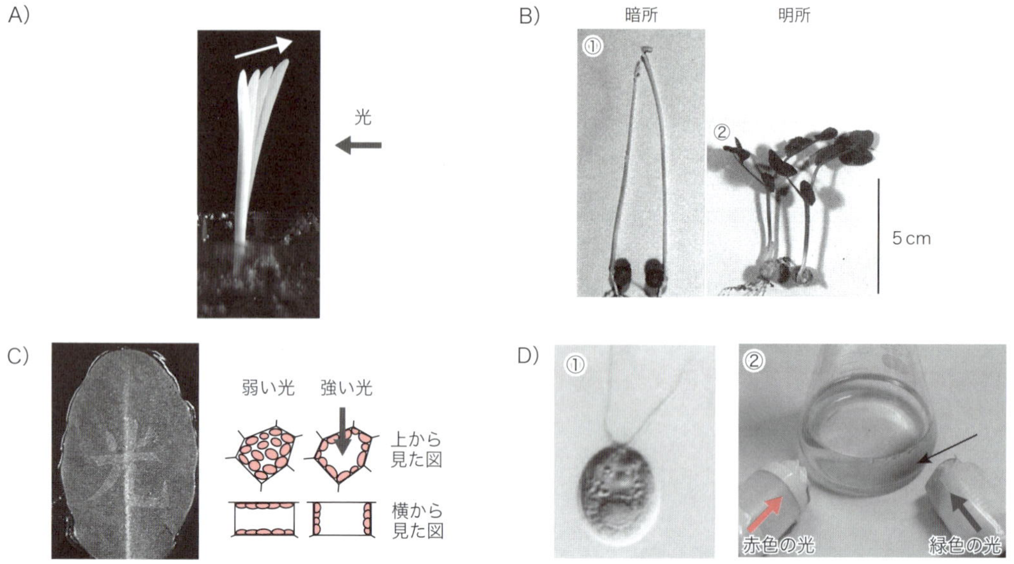

A)

B)
暗所　　　明所

5 cm

C)
弱い光　強い光
上から見た図
横から見た図

D)
赤色の光　　　緑色の光

図3-1 光に対する植物の応答

A）トウモロコシ子葉鞘の光屈性. 青色の光がフォトトロピンに吸収されて反応を起こす. B）エンドウ芽生えの緑化. ①暗所発芽6日目の芽生え，②明所発芽14日目の芽生え. 暗所では，葉が展開せず，緑化しない. 緑化には青色と赤色の両方の光がかかわり，それぞれクリプトクロムとフィトクロムが光受容体である. C）葉緑体の定位運動. 葉に強い青色の光を当てると，その部分の緑色が薄くなる（中央部図柄部分）. 右はその説明. 強い光に対しては，細胞内の葉緑体が側壁のそばに退避するため，上から見ると緑色が薄くなる. D）クラミドモナスの光走性. ①は細胞の顕微鏡像. 2本の鞭毛があり，上に向かって泳ぐ. ロドプシンというヒトの視物質に似たタンパク質が眼点の近傍に含まれており，これが緑色の光を感じて細胞が集まる. 写真ではクラミドモナスの細胞（◀ で示すフラスコ内の黒くみえる部分）が緑色の光の方に集まっている. ABDは佐藤直樹博士，Cは和田正三博士のご厚意による

が，これはエネルギーとしての光の利用である. このほかに，環境情報としての光の利用法があり，植物の成長方向を光の方に向ける現象（**光屈性**，または屈光性：phototropism，p.227コラム参照）や，植物の緑化，葉緑体の定位運動などはよく知られている（**図3-1**）. 暗いところで育てた植物は黄化していて，色が緑にならないばかりか，葉が展開せず丸くなっている（**図3-1B**）. 光が当たると葉が緑化するとともに展開する. これは光合成とは別の現象で，光合成よりもずっとわずかな量の光で起こる. このほか，藻類の細胞は，光の方に集まる性質がある（**光走性**，または走光性：phototaxis，**図3-1D**）. 光合成をしない微生物でも，光に集まるか光を避けるかするものは多い. さらに光は概日リズムへも影響を与えている（**19章**参照）.

2 生態系の構造と動態

食物網

　生態系（ecosystem）とは生物群集とそれを取り巻く無機的環境をひとまとめにして，物質循環とエネルギー流の面から捉えたものである. 生態系の構成要素であるそれぞれの種は，各々の栄養段階に配置される（**図3-2**）.

　栄養段階は，太陽からの光を受けて光合成によって無機物から有機物を合成する**生産者**（producer，主に植物），それを食べる植物食動物である**一次消費者**（primary consumer），植物食動物を食べる肉食動物である**二次消費者**（secondary consumer），さらに上の段階の**高次消費者**（higher order consumer）に分けられる. 一般に，消費者は何種類もの生物を捕食し，その餌も複数の栄養段階にわたっている場合もあるので，被食と物質循環の関係は**図3-2**のような1本の直線的なもの

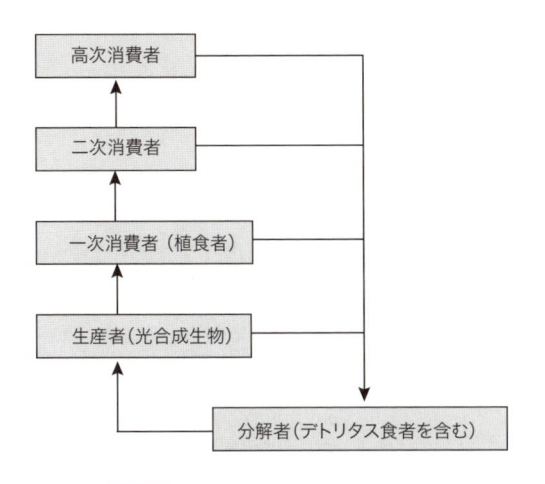

図3-2 食物網と物質循環の概念図

図中のボックス: 高次消費者 / 二次消費者 / 一次消費者（植食者）/ 生産者（光合成生物）/ 分解者（デトリタス食者を含む）

表3-2 栄養段階ごとに少なくなる生態系のエネルギー流

栄養段階ごとの項目	エネルギー量 (kJ/m²/日)
地球表面に届く全光量[1]	18,800
葉に当たらずに地上に達する部分	12,500
葉に当たり通過して熱となって地上に達する部分	6,300
植物が固定した純生産量 P_N (＝総生産量 P_G －呼吸量 R)	62.8[2]
植食者が得た純生産量 P[3]	6.3
肉食者が得た純生産量 P	1.3

[1] 地球表面に届く全光量は，陸上生態系の森林を対象として計算した結果である
[2] 葉に当たった光エネルギー量のうち1％だけが有機となって固定される換算になる
[3] 植物より上の栄養段階での純生産量は，以下のように求める．純生産量＝［1つ下の栄養段階での純生産量］－［上の栄養段階の動物に摂食され枯死した量］－［摂食されたが消化できなかった量］－［呼吸量］
『Fundamentals of Ecology, 3rd Ed.』(Odum EP), Saunders, 1971 より

ではなく，あくまでも複雑な網目状になる．そのため，これを**食物網**（food web）という．

また，生物の遺骸や排出物などを細分する**デトリタス食者**[2]（detritus feeder），それをさらに生産者が再び利用できる無機物にまで分解する役割をもった細菌・菌類などを**分解者**（decomposer）という．分解者は生態系の物質循環に大きな役割を果たしている．

生態系のエネルギー流

生態系のエネルギー源は地表に降り注ぐ太陽光のエネルギーであり，光エネルギーは光合成によって化学エネルギーに転換され，有機物中に蓄えられる（11章**1**参照）．生態系のすべての生物は，この有機物中の化学エネルギーを利用して生活している．化学エネルギーは物質と違って生態系内を循環するのではなく，食物連鎖によって上の栄養段階へ移行する過程で，各々の段階で一部が代謝や運動などの生命活動に利用される．その後，エネルギーは最終的に熱となって生態系外へ発散される（**表3-2**）．

この場合，各栄養段階を経るごとに，10～15％程度のエネルギーが上の栄養段階に取り込まれるにすぎないことに注意してほしい（10％の法則）．そのため，単位期間に利用するエネルギー量を尺度に各栄養段階をまとめるとピラミッド構造になり，これを**生態ピラミッド**（ecological pyramid）と呼ぶ．10％の法則により，栄養段階を数段階経ただけで，はじめに植物が固定した化学エネルギーは相当に減少する（10％とすれば，4段階で1/10,000）．そのため，陸上ではたかだか5栄養段階くらいまでしかみられず，栄養段階数には限りがある．

光合成による生産

有機物は光合成によって大気中の二酸化炭素から光エネルギーを利用して獲得される．その総量を**総一次生産**〔gross primary production，あるいは単に**総生産**（production）〕と呼び，これから生産者の呼吸量を差し引いた残りは**純一次生産**（net primary production，あるいは単に**純生産**）と呼ばれ（**表3-2**），これが新たな成長，物質の貯蔵，種子生産にまわる．これらは生態系の**一次生産速度**（primary production rate，単位はkJ/面積/時間）として表される．

陸上の植物では，光合成は主に葉で行われている（**11章**参照）．葉における光合成量は光の強さと一定の関係があり，**光–光合成曲線**（light photosynthesis curve）と呼ばれる．光合成の光の強さは1 m²を1秒間に通過する可視光の光量子のモル数で表される．葉の光合成速度（ここでは時間あたりの二酸化炭素吸収量で見ている）は光の増加とともに直線的に増すが，ある光の強さ以上になると，水平になり光合成速度は変わらなくなってしまい（**図3-3**），この状態を**光飽和**（light

---

※2 土壌中の落ち葉を分解するトビムシ類，川底の有機物を食べるユスリカ・アブの幼虫など．

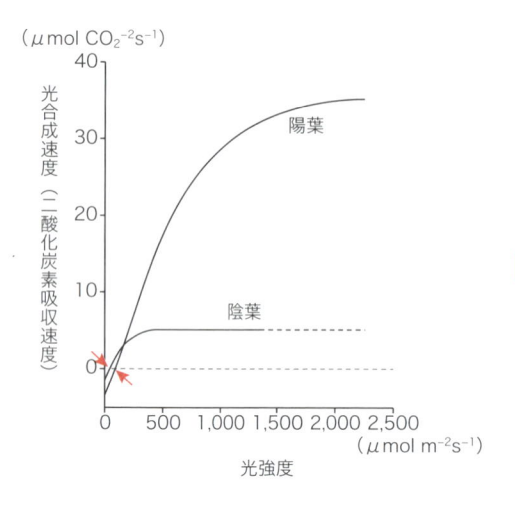

（μmol CO$_2^{-2}$s^{-1}）

縦軸：光合成速度（二酸化炭素吸収速度）
横軸：光強度（μmol m^{-2}s^{-1}）

陽葉
陰葉

図3-3 異なる光環境で育てた植物（*Atriplex triangularis*）の光－光合成曲線

上の曲線は陽葉で得られたもの，下の曲線は同じ植物の陰葉で得られたものである．陰葉では光合成速度は低い光強度で飽和し，光合成特性が生育環境に依存することを示している．矢印は陽葉と陰葉の光補償点を示す．Björkman, O：『Encyclopedia of Plant Physiology』（Lange OL ほか／編），Springer, 1981

生物時計のいろいろ（時間生物学）

Column

地球に誕生した生物（細胞）は，明暗サイクルや温度変化など，地球の自転に基づく1日周期のダイナミックな環境変化に毎日さらされ続けた．おそらく誕生初期には，環境変化に受動的に反応することしかできなかった細胞が，長期間にわたって同じ反応をくり返すことにより，細胞機能を能動的に変動させるしくみを獲得したと考えられる．このように自律的な変動を獲得すると，次の1日の環境変化を予想できるので生存にはきわめて有利となる．例えば，天敵が活動する時間帯を予知することができれば，危険な時間帯を避けて活動できる．

概日時計に制御された自律的リズムを概日リズムと呼ぶが，1日周期で変動する生命現象すべてが概日時計に制御されているわけではない．明暗などの周期的な環境シグナルに応答した受動的変化と概日時計に制御された概日リズムを区別するためには，環境条件を一定にするという方法がよく使われる（**コラム図3-3**）．そのような一定条件下でも約1日周期のリズム性が継続すれば，このリズムは概日時計によって制御されていることがわかる．一方，環境条件を一定にすると変化しなくなる現象は環境シグナルに応答する変化であると判断できる．環境条件を一定にしたときにみられる概日リズムの固有

の周期は24時間からずれている生物種が多いので，「概ね1日」を縮めて「概日」という名前が付けられた．概日時計が振動するしくみについては分子レベルでの研究が非常に進んでいて，いくつかの時計遺伝子の転写と翻訳産物の活性の日周変化に基づくことがわかっている[1][2]．

概日時計の他にも，月の影響による潮の満ち干に基づく概潮汐時計（約12時間周期）や太陽の周りの地球の公転に基づく概年時計（約1年周期）など，さまざまな周期の生物時計が知られているが，概日時計以外のリズム形成の分子機構には不明な点が多い[3]．

参考文献

1) Hirano A, et al：Nat Struct Mol Biol, 23：1053-1060, 2016
2) 吉種 光，深田 吉孝：生体の科学，67：512-516, 2016
3)『昆虫の時計－分子から野外まで－』（沼田英治／編），北隆館，2014

1日の時刻（時）

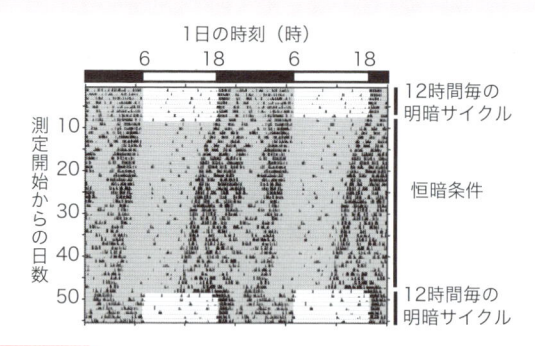

12時間毎の明暗サイクル

恒暗条件

12時間毎の明暗サイクル

縦軸：測定開始からの日数

コラム図3-3 ハツカネズミの活動リズム

ハツカネズミの飼育箱に回転輪を取り付けると，ネズミは活動期に輪に乗って回し続ける．この回転数をパソコンに記録し，回転数を小さな棒グラフで表すと，活動量が多い時間帯は縦線が黒く密集してみえる．連続した2日間の記録を横に細長く一列に並べ，これを1日ずつずらして縦に並べた．ハツカネズミは夜行性なので，12時間ずつの明暗を繰り返す環境で飼育すると活動は明暗サイクルの暗期に同調する．次に，飼育室の照明を消して恒暗条件にすると活動・休息のリズムは維持されるが活動期が少しずつ左にずれてゆく．つまり，この活動リズムは概日時計によって生み出され，その周期は24時間より少し短いことが読み取れる．Hirano A, et al：Cell, 152：1106-1118, 2013より

saturation）という．真夏の昼間，太陽高度が最も高いときの直射日光は2,000 μmol/m²/sに達し，ほとんどの植物の葉はこのような強い光の下で光合成が飽和している．また，ある光の強さ以下では，光合成速度から呼吸速度を引いた値がマイナスになる．光合成速度と呼吸速度の差引がちょうどゼロになる光の強さは**光補償点**（light compensation point）と呼ばれる．光補償点では見かけ上，二酸化炭素の吸収や排出がみられなくなる．

■ 葉の光合成

　植物体は光合成の機能からみれば，光合成器官（葉）と非光合成器官（茎，根，繁殖器官）の2つに分けられる．茎や根は光合成器官である葉を支えたり，水，養分，光合成産物を運んだりする機能をもっている．密生した植物の集団（植物群落）では，何層にも積み重なった葉が互いに部分的に重なり合って相互に被陰する複雑なシステムを形成している．このような植物群落内での光の強さは，主に葉の面積や配置，角度によって決まる．

　一定の土地面積の上に存在するすべての葉の面積の割合を**葉面積指数**（leaf area index）という．また，一定面積の中の植物集団を上方から順に，一定の高さごとに切り分け，各層ごとの葉面積指数や光合成器官と非光合成器官の重さの空間的分布を図として表し，また同時に群落内の光の強さ（相対照度）をその図に重ねたものを**生産構造図**（production structure）という（**図3-4**）．生産構造図をみると，その植物群落がどのように葉を配置して光を利用しているかが明らかになる．

　実際の植物群落の生産構造図は，草本群落では広葉型とイネ科型の2つに大別できる．広葉型の群落は広い

葉が水平につき，それらが比較的高いところに分布している．光はそれらの群落上層の葉でさえぎられるので，群落内の光の強さは急に減衰する．一方，イネ科型の群落では細い葉が斜めに立っていて，比較的低い層に多く

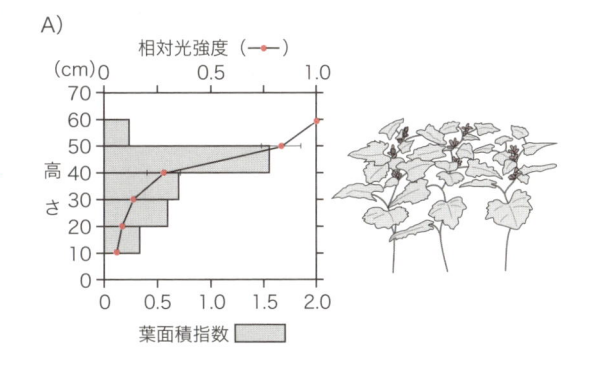

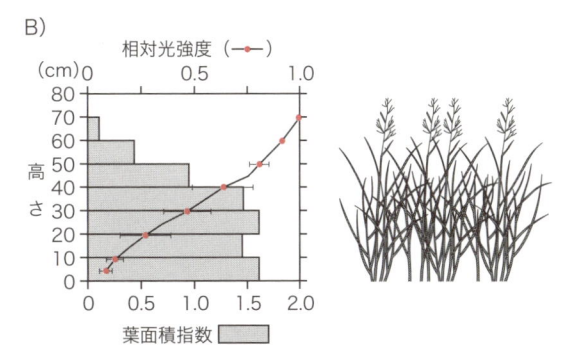

図3-4 **広葉型（A）とイネ科型（B）の植物群落の生産構造図**

相対光強度は，最上部で測定した値を1としたときの値である．葉面積指数は，その高さの層に含まれる葉面積を土地の面積で割った値であり，葉面積指数＝1とは，土地面積と同じ面積の葉がその層に含まれていることを意味する．『生態学入門』（日本生態学会／編），東京化学同人，2012より

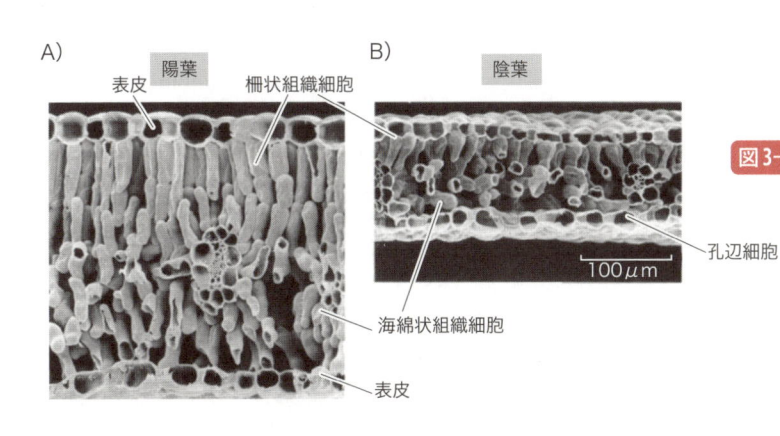

図3-5 **異なる光環境で生育したマメ科植物（*Thermopsis montana*）の葉の内部構造**

陽葉（A）が陰葉（B）よりかなり厚いことや柵状組織細胞（円柱状）が長いことに注目．海綿状組織の細胞層は柵状組織細胞の下に見える．『Plant Physiology and Development 6th』（Taiz Lほか／編），Sinauer，2014より

表3-3 地球上のさまざまな生態系の純生産とバイオマス

生態系の種類	面　積 ($\times 10^6$ km²)	純生産量（乾量） 平　均 (g/m²/年)	総　量 (Pg*/年)	バイオマス（乾量） 平　均 (kg/m²)	総　量 (Pg*)
森　林	57.0	1,400	79.9	29.88	1,700
熱帯多雨林	17.0	2,200	37.4	45	765
雨緑樹林	7.5	1,600	12	35	260
常緑広葉樹林	5.0	1,300	6.5	35	175
落葉広葉樹林	7.0	1,200	8.4	30	210
亜寒帯林	12.0	800	9.6	20	240
疎林・低木林	8.5	700	6.0	6	50
草　原	24.0	790	18.9	3.27	74
サバンナ	15.0	900	13.5	4	60
温帯草原	9.0	600	5.4	1.6	14
荒　原	50.0	56	2.77	0.36	18.5
ツンドラ・高山草原	8.0	140	1.1	0.6	5
砂漠・半砂漠の低木林	18.0	90	1.6	0.7	13
真の砂漠（岩石，砂，氷）	24.0	3	0.07	0.02	0.5
耕　地	14.0	650	9.1	1	14
沼地・沼沢	2.0	3,000	6.0	15	30
湖沼・河川	2.0	400	0.5	0.02	0.05
陸地全域	149	782	117.5	12.2	1,837
外洋域	332.4	125	41.7	0.003	1.008
外洋	332.0	125	41.5	0.003	1.0
湧昇域	0.4	500	0.2	0.02	0.008
浅海域	28.6	460	13.3	0.1	2.87
大陸棚	26.6	360	9.6	0.01	0.27
付着藻類・サンゴ礁	0.6	2,500	1.6	2	1.2
入り江	1.4	1,500	2.1	1	1.4
海洋全域	361	155	55	0.01	3.9
地球全体	510	336	172.5	3.6	1,841

＊　Pg = 10^{15} g
『Communication and Ecosystems』（Whittaker PH），Macmillan，1975より

の葉をつけており，光は群落内部まである程度届く．

　また植物の葉は光環境に順化して光合成特性を変化させている．強い光の下で育った葉は厚くなり（図3-5），飽和光強度における光合成速度が高く，また呼吸速度や光補償点も高い（図3-3参照）．これを**陽葉**（sun leaf）と呼ぶ．一方，弱い光の下で育った葉は薄く，光合成能力や光補償点が低い．しかし，呼吸速度も低いため弱光下での光合成速度が高く，これを**陰葉**（shade leaf）と呼ぶ．このような違いは，同一個体内の葉の間でも観察される．例えば，背の高い植物では，茎の上部についている葉は陽葉で，下部の葉は陰葉となっている．すなわち，陽葉と陰葉はそれぞれの環境で適した光合成速度を実現するように，その生理機能を変化させているのである．

さまざまな生態系における生産

　生態系を構成するそれぞれの生物の機能を評価するには，適切な尺度でその生物を捉える必要がある．地球上の生態系を評価するとき，純生産を，ある一定期間に光合成生物によって生産された，新しいバイオマス（現存量）として測定する．**バイオマス**（biomass）は単位面積当たりの生物体の重量で表され，このとき，生物が含む水の量は変動が大きいため，一般に乾燥重量が用いられている．また土壌や海底には死んだ生物の遺体がさまざまな分解段階で蓄積している．バイオマスという概念は，生きている生物の物質量に対してだけでなく，死んだ生物が土地面積当たりどれだけ存在しているかにも使われる．

　表3-3に示すように，植物のバイオマスは生態系に

よって大きく異なっている．この表から，海洋を含めた地球上のバイオマスの約90％が森林地帯にあり，さらにそのうちの45％が熱帯多雨林地帯にあることがわかる．熱帯多雨林は面積では陸地の約10％を占めているのにすぎないが，面積当たりの純生産量も高く，生産力の大きい生態系であることがわかる．一方，疎林，サバンナ，砂漠などの乾燥地帯は，全陸上の半分の面積を占めているが，バイオマスは全陸地のわずか7％程度でしかない．

また海洋は地球の表面の70％を占めている．海洋のほとんどは外洋であり，最も深いところは約10,000 mもあるが，平均は約4,000 mである．この中で生物の多いところは，表層のせいぜい150 mまでの部分と海底である．

海洋では栄養塩が豊富な底層水が表層まで上がってくる湧昇域で高い生産力を示す．北極海や南極海に接している南北太平洋と南北大西洋がこの湧昇域にあたる．陸上の生態系では赤道直下の熱帯で最大の生産力を示すのに対し，海洋ではこのような寒冷な地域で大きな生産力を示すのは対照的である．また浅海域では，入り江やサンゴ礁域が地球で最も高い生産力を示す．これらは陸上と水域との接点に位置し，水が浅いことから光合成が可能であり，さらに河川から流れ込んだ栄養塩や有機物により生産力が大きく，生物相が大変豊かであるためである．

本章のまとめ　　　　　　　　　　Chapter 3

☐ 生物に影響する環境要因は無機的要因と他の生物要因があり，生物が環境に適合するのは自然選択の作用による．自然選択により遺伝的に固定された形態的・生理的・生態的な性質と環境との適合を適応と呼ぶ．

☐ 生態系では，太陽の光エネルギーが光合成により化学エネルギーとして蓄積され，それが上位の動物によって摂取される．地球上のほぼすべての生物は，光合成による有機物の生産に依存しており，光合成生物の生産力は生態系の種類や地球上の場所により大きく異なる．

4章 タンパク質と酵素

　タンパク質は，細胞を構成する4種類の重要な(生体)有機化合物の1つで，非常に多くの種類があり，あらゆる生命活動において重要な役割を果たしている．タンパク質の機能や役割は，通常その特異的な立体構造によって決まっているが，その遺伝子はタンパク質のアミノ酸配列だけを指定している．本章では，このようなタンパク質の構造の特徴を概説する．酵素はタンパク質からできた生体触媒であり，多様な酵素のセットは生命のほぼすべての化学反応を触媒している．後半では，酵素の特異性や活性とその調節について扱う．

1 タンパク質

　タンパク質（protein）は生物体を構成する有機化合物の中で最も量が多いだけでなく，細胞機能のほとんどをタンパク質が担っているという意味でも重要なものである．タンパク質は分子量が数万～数十万にもなる高分子であるが，いずれも単位となるわずか20種類のアミノ酸という低分子化合物が連なってできているだけである．しかし，それによって膨大な構造の多様性が生みだされており，この構造の多様性が，タンパク質の働きを決定している．タンパク質は，代謝を司るすべての酵素（10章，11章参照），細胞膜にあって細胞内外の物質輸送を司る輸送タンパク質（9章参照），シグナル伝達にかかわるタンパク質（14章，15章参照），細胞運動や筋収縮にかかわる運動タンパク質，細胞や個体の構造を維持する構造タンパク質（13章参照）など，生物の機能のほとんどを担っている．なお，他の生体高分子である核酸や多糖にも多様な分子種が知られている．タンパク質の構造はDNAの遺伝情報によって決められているが，DNAがほぼ一様な二重らせん構造をとるのに対し，タンパク質は分子種ごとに異なる構造をとる．多糖は同一分子種でも分子サイズが一定でないことが多いが，同一分子種のタンパク質はすべて同じ構造をとりやすいという特徴がある．

単位としてのアミノ酸

　アミノ酸（amino acid）は，アミノ基（–NH$_2$）とカルボキシ基（–COOH）をもった有機化合物である（図4-1A）．この定義によれば，アミノ酸の種類は膨大なものになるはずであるが，地球上の生物のタンパク質を構成するアミノ酸には，不思議なことが3つある．1つ目は，ほとんどがL型アミノ酸（L–amino acid）であること[※1]，2つ目は，わずか20種類しかないこと，3つ目は，アミノ基とカルボキシ基が同じ炭素に結合したαアミノ酸（α–amino acid）であることである．生命誕生と進化の過程で，これらのことが必然であったか否かについては謎である．

　アミノ酸の構造を詳しくみると（図4-1B），中性水溶液中ではアミノ基はプロトン（水素イオン，H$^+$）を結合して–NH$_3{}^+$となり，カルボキシ基はプロトンを解離して–COO$^-$となっている．塩基性基と酸性基の両方をもつ両性電解質（ampholyte）として水溶性が高い．20種類のアミノ酸は，側鎖（ペプチド結合形成後は，残基ともいう．図4-1AのRの部分）の部分の性質により，塩基性，酸性，電荷はもたないが親水性，疎水性のグループに分けられる．これらは立体構造の形成やタンパク質の働きにおいて重要な役割を果たすことが多い．なお，タンパク質の構成成分とならないアミノ酸には，D型のものやαアミノ酸でないもの（アミノ基とカルボキシ基が別の炭素原子に結合したもの）も存在する．

※1　立体的に可能なし，D型とは，図4-1Aの中央の炭素のキラリティによって分類した名前であり，この炭素をα炭素と呼ぶため，αアミノ　酸という．これらは，有機化学一般では，あまり用いられないが，生物のアミノ酸を分類するうえで非常に有用である．

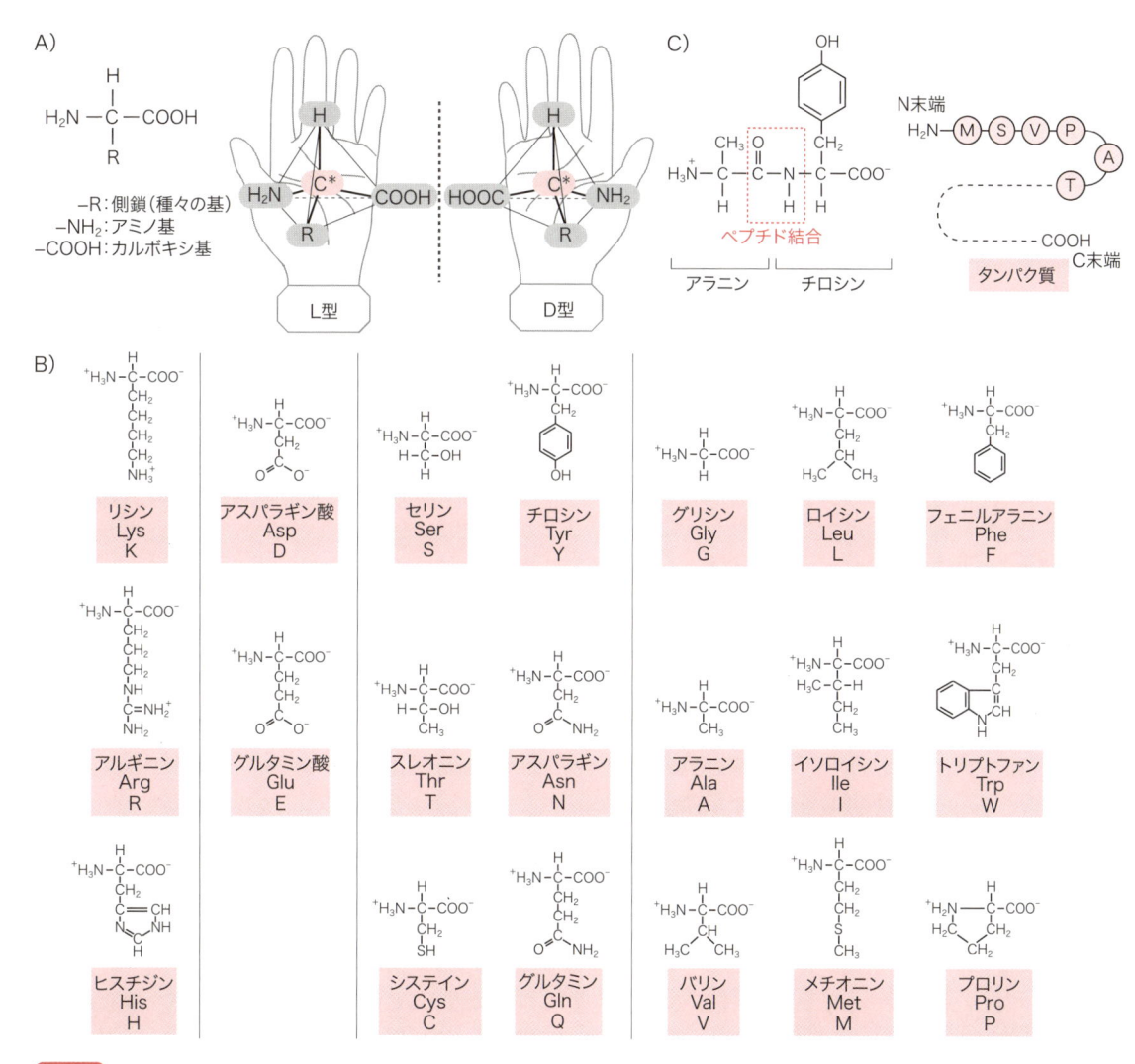

図4-1 タンパク質を構成するアミノ酸
A）αアミノ酸の構造，B）タンパク質を構成する全アミノ酸の構造と略記号．左から，塩基性，酸性，電荷はもたないが親水性，疎水性のグループである．C）ペプチド結合とポリペプチド鎖の末端

ペプチド結合

2つのαアミノ酸（以下，アミノ酸）のアミノ基とカルボキシ基の間で水が外れて結合する（縮合）．この結合を**ペプチド結合**（peptide bond）という（**図4-1C**）．2つのアミノ酸が結合してできたものをジペプチド，3つが連なったものをトリペプチド，数個連なったものをオリゴペプチドなどといい，数百〜数千も連なったものを**ポリペプチド**（polypeptide）あるいはタンパク質という．通常のタンパク質は，線状のDNA配列の指令でつくられるので，アミノ酸が連なったポリペプチド鎖は直鎖状になっている．この鎖の末端で，自由なアミノ基が残っている側を**アミノ末端**（**N末端**：amino terminus），カルボキシ基が残っている側を**カルボキシ末**端（**C末端**：carboxy terminus）という（**図4-1C**）．

タンパク質の構造

ペプチド結合によるアミノ酸のつながりを**一次構造**（primary structure）という．タンパク質の構造は一次構造によって決められる．20種類のアミノ酸が100個連なってできるタンパク質には20^{100}種類の可能性があることになり，実に多くの種類のタンパク質が存在しうることがわかる．実際には，生物はその中から目的に合った働きをもつものだけを，進化の過程で選別して利用している．しかし，40億年の進化でもそのすべてが検討されたのではなく，今後，全く新しい働きが創造される可能性もあると考えられている．タン

パク質の一次構造は，遺伝子によって決められており，そのしくみについては**6章**で紹介する．

αアミノ酸がつながったタンパク質の構造は，ペプチド結合が規則的に連なった主鎖と，主鎖から伸びるさまざまな側鎖に分けられる．これらは，細胞内ではランダムな線状の分子として存在するわけではなく，空間的に折りたたまれて一定の構造をもっている．すなわち**αヘリックス**（α–helix）や**βシート**（β–sheet）などの**二次構造**[※2]（secondary structure）として規則的に折りたたまれ，さらに全体が空間的にきちんとした**三次構造**（tertiary structure）をつくっている（**図4-2**）．同じ種類あるいは複数種類のタンパク質が一定の会合状態になって機能する場合も多く，これを**四次構造**（quaternary structure）という．例えば，赤血球の中にあるヘモグロビンは，2種類（αとβ）のヘモグロビンタンパク質が4分子集合したものとして機能している．

二次構造から四次構造までを総称して**高次構造**（higher–order structure）という．高次構造を維持するのは，システインの–SH基の間のジスルフィド結合などの共有結合のほか，アミノ酸の側鎖やペプチド結合同士の静電的結合，水素結合，疎水相互作用，ファンデルワールス力などの非共有性の**弱い結合**（weak bond）が重要な役割を果たしている．

タンパク質の立体構造をみると，球状のものが多いが，細く伸びた繊維状のものもある．サイトゾルなどに溶解している水溶性タンパク質が多いが，生体膜を貫通したり膜表面に結合している膜タンパク質もある（**9章2**参照）．

タンパク質の立体構造と機能

タンパク質の特有の機能にとって，タンパク質が立体構造をもつことは必須である．タンパク質の立体構造は，共有結合だけでなく，弱い結合で形成されているため「やわらかい」ので，その微妙な構造がタンパク質の機能を決定していることが多い．このようなタンパク質でも，驚くべきことに，結晶化できる．結晶とは，すべての分子が全く同じ構造をとることを意味しており，この結晶にX線を照射してタンパク質の立体構造を決定す

ることができる．一方で，溶液状態のタンパク質の構造を解析すると，いくつかの異なった立体構造がさまざまな割合で存在していることもわかっている[※3]．これは，タンパク質が可塑性と特異性を兼ね備えていることによる．

タンパク質の変性

タンパク質は，熱や酸，アルカリ，有機溶媒，重金属イオンなどによって**変性**（denaturation）する．変性とは，タンパク質の特定の立体構造が破壊されたことで，その機能が失われることである．これは，高次構造を形成していた弱い結合が切断されたり，変化したりするためである．多くの場合，変性すると不溶性になり沈殿する．球状タンパク質の多くは，アミノ酸の疎水性基を内部に，極性基（親水性基）を表面に出していて，水との親和性が高い．つまり，高分子でありながら水溶液中に浮遊（溶解）している．高次構造が破壊されると内部の疎水性基が露出し，タンパク質分子間での疎水性基同士が会合するため，タンパク質全体が疎水性の集合体になって沈殿するわけである．

遺伝子が決めているのはタンパク質の一次構造である．一次構造としてタンパク質が合成された後，高次構造はどのように形成されるのであろうか．一次構造から二次構造はある程度自動的にでき，三次構造もある程度自動的に形成されると考えられている．ただ，多くの場合，高次構造の形成には，それを介添えする**シャペロン**（chaperone）が存在する．シャペロンタンパク質が具体的にどのように高次構造形成を介助しているかは，まだ十分わかっていないが，生体内で変性したタンパク質の構造を回復させる役割もあると考えられている．

タンパク質の修飾

タンパク質は合成された後，一部のペプチド結合が切断されることがある．また，糖鎖や脂質分子などの付加（**12章**参照），メチル化やアセチル化，リン酸化など，多くの修飾を受ける．これらの修飾は，それぞれのタンパク質の機能変化に大きくかかわっており，特に，リン

※2　**図4-2AB**をよくみるとわかるが，αヘリックスもβシートも，ペプチド結合–CO–NH–を構成するO原子とH原子の間の水素結合でつくられている．ポリペプチド鎖はαアミノ酸が直鎖状につながったものな

ので，これらの水素結合は非常に普遍的でしかも規則的であるといえる．
※3　核磁気共鳴法（NMR）で溶液状態のタンパク質の構造を決定することができる．

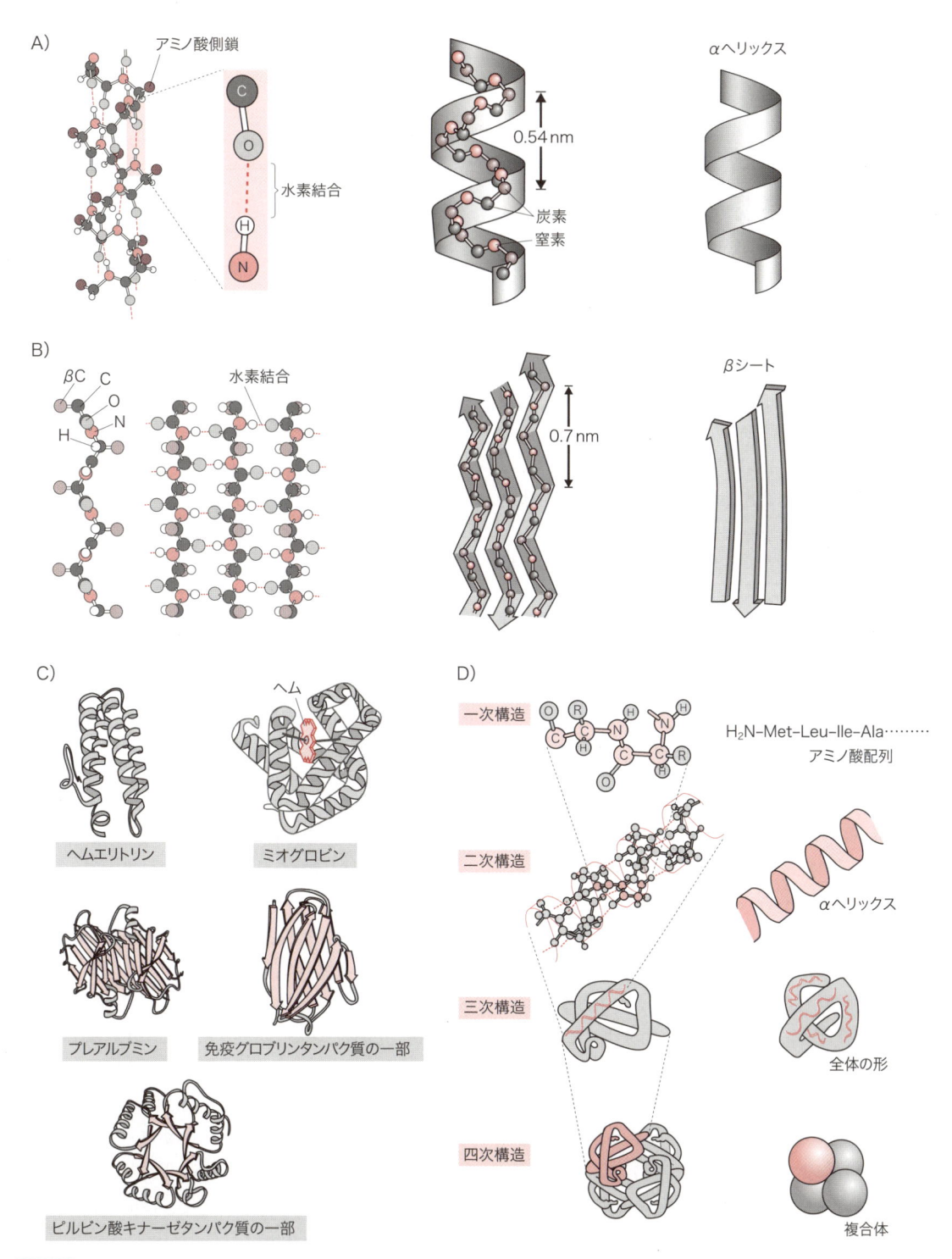

A) アミノ酸側鎖

C

O

水素結合

H

N

0.54 nm

αヘリックス

炭素
窒素

B)

βC
C
O
N
H

水素結合

0.7 nm

βシート

C)

ヘム

ヘムエリトリン

ミオグロビン

プレアルブミン

免疫グロブリンタンパク質の一部

ピルビン酸キナーゼタンパク質の一部

D)

一次構造

O R H
C C N
H C
O

二次構造

三次構造

四次構造

H₂N–Met–Leu–Ile–Ala………
アミノ酸配列

αヘリックス

全体の形

複合体

図4-2 タンパク質の高次構造

A) 二次構造の1つのαヘリックスで, らせん (ヘリックス) 内部の規則的な水素結合により安定化されており, 単純ならせん記号で示すこともある. B) 二次構造の1つのβシートは, 伸びた鎖 (βストランドともいう) 同士の規則的な水素結合により安定化されており, 太い矢印で示すこともある. C) 三次構造は, ポリペプチド鎖全体がとる立体構造で, αヘリックスとβシートを記号化して示すと, 全体構造がよくわかる. D) タンパク質の一次構造, 二次構造, 三次構造, 四次構造の関係

酸化と脱リン酸化は，酵素活性をはじめとするタンパク質機能の調節に，さまざまな場面で大きな役割を果たしている（**本章4**参照）．

2 生物の生き様を決めるさまざまな酵素

生命の化学反応

細胞を構成する生体物質の多くは有機化合物であり，種類が非常に多い．これらをつくる生命の化学反応には特異性がある．しかも，生体物質の分子種は1個の細胞をとっても，数千〜数万種あるといわれている．

生命の化学反応の1つ目の特徴は，ほとんどすべての生命現象に関与することにある．膨大な種類の生体物質の合成と分解は生命の構築や増殖に必須である．さらに，運動や輸送などの物理反応にも，エネルギーを投入する化学反応とリンクして起こるものがある．シグナル伝達や細胞分裂も物理反応と化学反応の組合せである．このように，化学反応を介さない生命現象はないといっても過言ではない．

生命の化学反応の2つ目の特徴は，そのほとんどすべてが生体触媒である酵素によって進行することである．**酵素**（enzyme）は，タンパク質でできた触媒である．そのため，酵素の特徴は，タンパク質の特性を色濃く反映している．タンパク質は柔らかくて可塑性があるが，固有の立体構造をとることができる．酵素はこの特性を生かして，さまざまな特異性を発揮し，しかも複雑な調節も可能にしている．

生命の化学反応の3つ目の特徴は，さまざまな反応が細胞で同時進行することである．いわば，「ごった煮」の状態であり，一般触媒を利用する化学工業ではありえない．このなかには，同一物質の合成反応と分解反応が進行するものさえある．これらの化学反応を交通整理したり統合したりするのも酵素である．

なお，生命を構成する重要な分子としては，酵素以外にもさまざまなタンパク質が知られている．細胞周期やシグナル伝達，発生分化などの現象は，単なる化学反応とは異なり，定量的に理解しにくく，その現象にかかわるタンパク質の働きは酵素の理解を超えたものも多い．しかし，これらの現象を理解したり，そのしくみを改変したりする際にも，もっとも詳しくわかっている酵素の分子的ふるまいが，すべての基礎となっている．

酵素の分類

生命のさまざまな化学反応を触媒する酵素の反応は大まかに次の6種類に分けられる．①酸化還元反応，②分子の一部の分子間転移反応，③加水分解反応，④分子の一部の脱離またはその逆の付加反応，⑤分子の一部の分子内転移反応，⑥ATPの加水分解を伴う結合の生成反応，である．これらの反応にもとづき，既知の酵素は次の6群に分類されている．つまり，

①酸化還元酵素（オキシドレダクターゼ）
②転移酵素（トランスフェラーゼ）
③加水分解酵素（ヒドロラーゼ）
④付加脱離酵素（リアーゼ）
⑤異性化酵素（イソメラーゼ）
⑥連結酵素（リガーゼ）

である．すべての酵素は，さらに反応を細分化し基質で分類して，4種の番号（EC番号という）が割りふられている．例えば，アルコールデヒドロゲナーゼは，エチルアルコールからアセトアルデヒドをつくる反応を触媒する酵素で，EC. 1.1.1.1とされている．

3 酵素の基本的性質

細胞内のすべての代謝反応は，酵素による触媒作用によって行われている．**触媒**（catalyst）というのは，反応の前後で自分自身は変化しないで，反応速度を高める物質である．しかし，全く反応にかかわらないで反応を促進することなどできない．実際には，酵素は反応物質〔**基質**（substrate）と呼ぶ〕と結合し，反応を引き起こしたあとで，反応生成物から離れるということを繰り返し行うことで，特定の反応を促進している．つまり，酵素タンパク質に基質が結合し，作用する分子レベルのしくみが，理解の鍵である．

タンパク質はわずか20種類のアミノ酸が重合したものであるが，多様な化学反応を触媒するさまざまな酵素が知られている．しかし，タンパク質ではない低分子の物質の助けを借りていることも多い．このような物質を

補因子（cofactor）といい，酵素タンパク質に強く結合しているものを補欠分子族，そうでないものを補酵素というが，両者の区別がはっきりしないものも多い．ミオグロビン（図4-2C）やシトクロムは酵素ではないが，それに含まれるヘムは，補欠分子族の代表である．また，鉄や亜鉛などの金属イオンと結合している酵素もある．人体で合成できない補酵素などは，ビタミンとしてよく知られている[※4]．

■ 酵素の特異性と反応機構

酵素は，特定の物質に働きかけ，特定の反応を触媒する．これを言い換えると，酵素には2種類の**特異性**（specificity），すなわち**基質特異性**（substrate specificity）と**反応特異性**（reaction specificity）がある，ということになる．

酵素が特定の基質を認識し特異的に結合することは，「鍵と鍵穴」の関係によくたとえられるが，酵素の構造は柔らかいため，基質分子と結合することにより，酵素自身の構造も変化することが多い．酵素タンパク質が基質と結合したり，抗体タンパク質が抗原と結合したりといった相互作用により新たな機能をもった高次構造が生まれることを**誘導適合**[※5]（induced fit）と呼ぶ．触媒する反応も決まっている．例えば，アミラーゼという酵素は，デンプン（α-1,4結合でグルコースが重合したもの）に作用して，マルトース（2個のグルコースが結合した二糖類）を生成するが，グルコースを遊離させることはない．一方，無機触媒の例として酸（水素イオン）を考えると，デンプンの糖鎖をランダムに切断してさまざまな長さのグルコース重合体を生じる．また，酸はデンプン以外の多糖，タンパク質や他の高分子物質にも作用するので，反応特異性も基質特異性も高いとはいえない．

酵素の高い特異性は酵素の立体的構造に支えられていることがわかっている．酵素の活性中心は，特定の基質と特によく結合するような形になっていて，基質の特徴的な官能基と結合できるようにアミノ酸側鎖が配置されている．タンパク質である酵素が効率よく触媒として働くのは，活性中心に特別なアミノ酸残基があるため

抗体

抗体は免疫グロブリンというタンパク質である．このタンパク質の特徴は，あらゆる抗原（**23章**参照）に結合できる多種類の構造を結合部位にもつことである．タンパク質のこの部分は相補性決定部位または超可変領域と呼ばれ，多様性は遺伝子組換えと変異によってリンパ球のDNAに生じている（p.233コラム参照）．免疫グロブリンは基本的には分子量約50,000の**重鎖**（heavy chain）2本，分子量約30,000の**軽鎖**（light chain）2本から成り，ヒトやマウスでは重鎖の違いによって免疫グロブリン（Ig）M，D，G，A，およびEの5種類があり，クラスまたはイソタイプと呼ばれる．IgAは上皮を通して分泌され粘膜表面などで機能する，IgEはこれに対する受容体をもつ好塩基球や肥満細胞（マスト細胞）を活性化して

アレルギーを起こす．つまり，免疫グロブリンのクラスによって，特殊化した機能をもつ．これは抗体の抗原認識部位とは反対側にある定常領域と呼ばれる部分が，多様な免疫細胞の表面にある免疫グロブリン受容体（Fc受容体とも呼ばれる）との相互作用や，血清中の自然免疫担当分子である補体の活性化において，それぞれに特徴をもつからである．

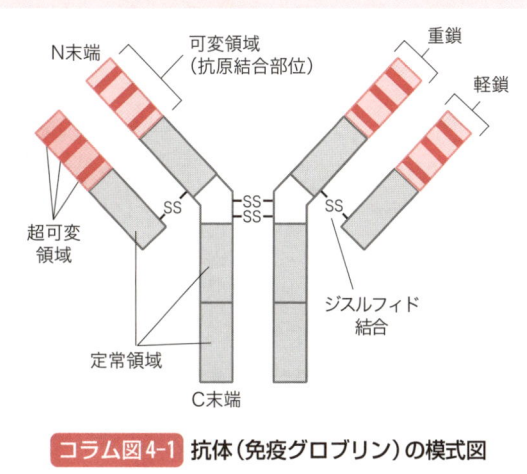

コラム図4-1 抗体（免疫グロブリン）の模式図

[※4] 実際は，ビタミンは補酵素を合成する前駆体であることが多い．

[※5] 誘導適合による酵素タンパク質の構造変化を利用して，触媒機能を調節している酵素もある．ヘキソキナーゼなどがその例である．

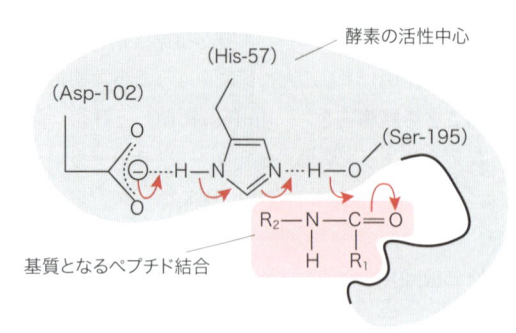

図4-3 キモトリプシンの活性中心を構成する触媒3つ組

195番目のセリン残基のヒドロキシ基（OH基）の水素原子核（プロトン）は、57番目のヒスチジン残基のNの孤立電子対に強く引き寄せられており、そのため、セリン残基のOは負電荷を帯び、基質のペプチド結合のカルボニル炭素（わずかに正に帯電している）を攻撃する。これがペプチド結合加水分解の最初の段階である。→ は、電子の移動を示す。また、基質のR₁と相互作用する部位には、キモトリプシンの基質特異性を決める役割がある

で、これは他のアミノ酸残基との相互作用などによって、同じ種類の通常のアミノ酸残基に比べて特別な反応性を獲得している。例として、キモトリプシンの**触媒3つ組**（catalytic triad）を図4-3に示す。ここでは、この酵素をつくり上げているアミノ酸のうちの、セリンと呼ばれるヒドロキシ基をもつアミノ酸が活性中心としてペプチド結合への攻撃を行う。それは、立体的に近接した別のアミノ酸であるアスパラギン酸とヒスチジンによって水素イオンが引き抜かれ、セリン側鎖が-CH₂-O⁻のようにイオン化状態に近くなることによって可能になっている。こうした特徴と立体構造維持のため、酵素は一般に活性に最適なpHがある。また、反応速度は温度とともに上昇するものの、高温では変性により立体構造が壊れるため、最適温度が存在する。

ここで述べた酵素の基質特異性や反応特異性はタンパク質の構造によって厳密に決定されている。しかし、その特異性をすり抜ける物質やタンパク質の特異性に厳密さが欠けることもある。例えば、基質のように結合するが、その触媒作用を受けない物質は、酵素反応を阻害する阻害剤となる。酵母によるアルコール発酵で、エタノールとともに少量のプロピルアルコールがつくられ、これが悪酔いの一因といわれる。これはアルコール脱水素酵素の特異性のあいまいさによる。また、わずかなアミノ酸配列の変化（変異）で、特異性が変化する例も

よく知られている。例えば、ヒトの血液型を決めている糖転移酵素（グルコシルトランスフェラーゼ）の場合、わずか4個のアミノ酸の変異でA型酵素からB型酵素に変化したといわれている。

酵素反応速度論

酵素反応のしくみについては、酵素がタンパク質でできていることやその立体構造が解明されるよりもずっと前から研究されていた。20世紀の初め、インベルターゼと呼ばれる酵素の研究をしていたドイツの学者ミカエリス（Leonor Michaelis）とメンテン（Maud Menten）は、次のような実験事実に基づいて、あとに述べる式を提出した。

酵素反応では、**基質**（substrate）Sの濃度 [S] を高めていくにつれて反応初速度 V が増加するが、反応系に加える酵素の量を一定にした場合、いくら [S] を高くしても V はある限度より高くなることはない（図4-4）。この外挿値を V_{max} とする。言い換えれば、[S] に関して V は飽和する。**飽和**（saturation）現象は、触媒反応の特徴であり、触媒と基質が結合することで説明される。基質分子がたくさんあっても、触媒の基質結合部位の量には限りがあるので、飽和現象がみられるのである。

これを数式で表したものが、酵素反応の**反応速度論**（kinetics）である。以下のような単純な酵素反応を考える。インベルターゼは、スクロースを加水分解して、グルコースとフルクトースを生じる酵素であるが、ここで水は大量にあって、反応速度に影響を与える変数とならないため、基質はスクロースだけとし、Sで表す。酵素分子をEで表す。また、生成物は2種類あるが、以下の反応式では、まとめてPとして示す。各反応の速度定数を k_1、k_{-1}、k_2 とする。反応生成物の濃度が反応速度に影響を及ぼさない範囲で考えることにする。この仮定の重要な点は、酵素と基質が可逆的に結合するという点で、結合したものの一部が一次反応により生成物を生み出すのである。

$$E + S \underset{k_{-1}}{\overset{k_1}{\rightleftarrows}} ES \overset{k_2}{\rightarrow} E + P$$

このとき、反応の初速度を V、基質のモル濃度を [S] とすると、一般に以下の式が成り立つ。

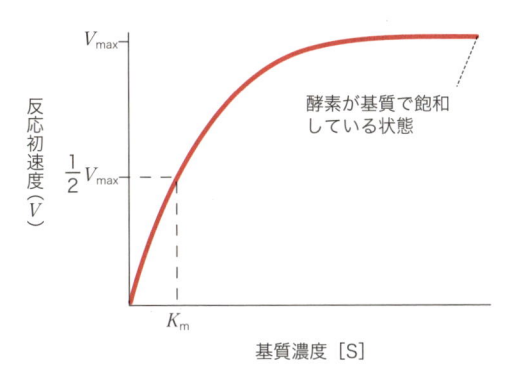

V_{max}

反応初速度（V）

$\frac{1}{2}V_{max}$

酵素が基質で飽和
している状態

K_m

基質濃度 [S]

図4-4 酵素反応の初速度と基質濃度の関係

表4-1 酵素，基質のK_m，k_{cat}の例

酵素	基質	K_m (M)	k_{cat} (s^{-1})
カタラーゼ	過酸化水素	2.5×10^{-2}	1.0×10^7
フマラーゼ	フマル酸	5.0×10^{-6}	8.0×10^2
キモトリプシン	ATEE*	6.6×10^{-4}	1.9×10^2

*N-アセチルチロシン・エチルエステル，基質を摸した合成基質
『生化学 第4版（上）』（D.ヴォートほか／著），東京化学同人，2012より

$$V = \frac{V_{max}}{1 + K_m/[S]} \qquad K_m = \frac{k_{-1} + k_2}{k_1}$$

これを**ミカエリス・メンテンの式**（Michaelis–Menten equation）と呼ぶ．ここで，V_{max}を最大反応初速度，K_mを**ミカエリス定数**（Michaelis constant）と呼ぶ．K_mはV_{max}の1/2の反応初速度を与える基質濃度ということができる．この式は本質的には，飽和現象を表現する双曲線関数である．この式はある仮定に基づいて導かれた式であるので（導き方はp.57コラム参照），本当にすべての酵素反応がこの仮定に当てはまるとは限らない．しかし多くの酵素反応では，現象的に上の式に当てはまり，K_mは酵素と基質の親和性を示す指標（K_mが小さいほど

親和性が大きい）として利用されている．酵素の触媒効率は，V_{max}を酵素の活性中心あたりの活性として求めることができる．これを回転率といい，k_{cat}[6]と表す．**表4-1**には，いくつかの酵素の例を示す．酵素によって，K_mがμM〜mMレベル，k_{cat}が$1 \sim 10^7$まで，実にさまざまな活性特性をもつものがある．

この式の利用の1つは，酵素反応の阻害剤の分類である．K_mやV_{max}に対する影響により，阻害剤が分類されており，例として**拮抗阻害剤**（competitive inhibitor）だけをあげておく．基質とよく似た構造をもつ物質で，酵素の基質結合部位に結合するが酵素反応を受けないものは，本来の基質の反応を妨害するので，拮抗阻害剤となる．例えば，クエン酸回路（図10-7参照）の酵素であるコハク酸脱水素酵素は，コハク酸（HOOC–CH$_2$–CH$_2$–COOH）の類似物質であるマロン酸（HOOC–CH$_2$–COOH）によって阻害を受ける．この特徴は，阻害剤の添加によって，見かけのK_mは大きくなるが，V_{max}は変わらないことである．

ミカエリス・メンテンの式の導き方

ミカエリス・メンテンの式を現在のような形式で導いたのは，ブリグス（George Briggs）とホールデーン（John Haldane）である（1925年）．本文にあげた単純な酵素反応において初速度の基質濃度依存性を考える．酵素の総濃度をE_0とすると，

$$E_0 = [E] + [ES] \cdots\cdots\cdots ①$$

定常状態の仮定により，中間体ESの濃度は変化しない．

$$\frac{d[ES]}{dt} = k_1[S][E] - (k_{-1} + k_2)[ES]$$
$$= 0$$

これを書き換えると，

$$[S][E] - K_m[ES] = 0 \cdots\cdots\cdots ②$$

$[S] \gg [ES]$なので，遊離の基質濃度を基質の全濃度とみなす．

①と②から[E]を消去すると，

$$[ES] = \frac{E_0[S]}{[S] + K_m} \cdots\cdots\cdots ③$$

③を反応速度Vの式に代入することで結果が得られる．

$$V = k_2[ES] = \frac{k_2 E_0}{1 + K_m/[S]}$$
$$= \frac{V_{max}}{1 + K_m/[S]}$$

ここで$V_{max} = k_2 E_0$とおいた．なお，酵素Eと基質Sが速い平衡にあり，$k_1, k_{-1} \gg k_2$であれば，K_mは酵素と基質の解離定数 $K = \dfrac{k_{-1}}{k_1}$ とみなすことができる．

---

[6] k_{cat}は反応速度論におけるk_2と同等であるが，実際に式と実測値から求められる数値であるので，固有の名称が与えられている．

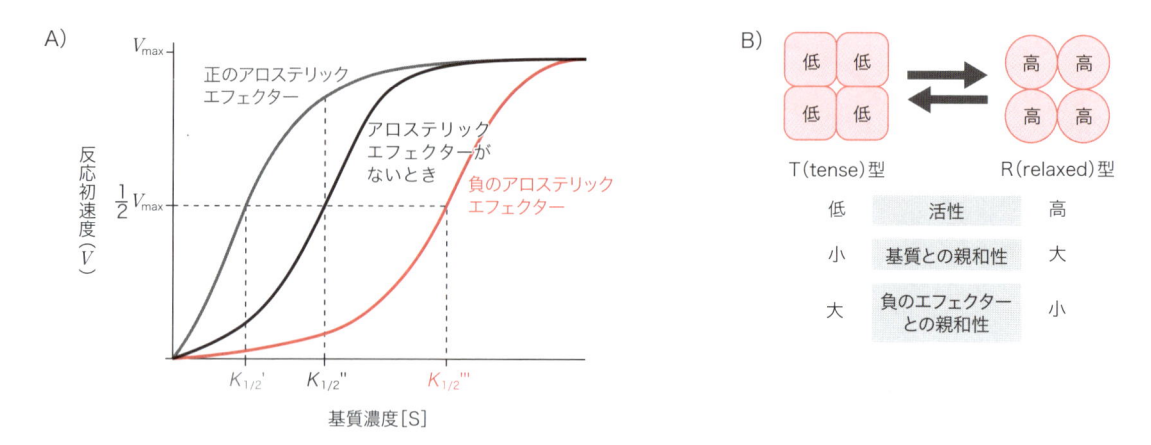

図4-5 アロステリック調節
A）アロステリック調節を受ける酵素では，酵素反応の初速度と基質濃度の関係は**図4-4**とは異なりS字形となる．この曲線はエフェクターのアロステリック部位への結合により左右にシフトする．B）アロステリック調節におけるタンパク質の協調的構造変化（協同作用）のモデル．アロステリック調節を受ける酵素は一般に複数のサブユニットからなる四次構造をもち，全サブユニットが協調的に構造変化を起こす．これによって，酵素活性をスイッチのように調節することができる

4 酵素活性の調節例

アロステリック調節

酵素の活性が，活性中心とは異なる部位（アロステリック部位）に結合する代謝物質など（**エフェクター**：effector）によって可逆的に調節されることを，**アロステリック調節**（allosteric regulation）という．解糖（図10-6参照）でもっとも重要な調節を受けるホスホフルクトキナーゼは，その一例である．ホスホフルクトキナーゼ活性はATPやクエン酸などによって阻害され，AMP, ADPによって促進される．このような調節は可逆的で，解糖が供給するATPやクエン酸を一定にすることができる．なお，ATPはホスホフルクトキナーゼの基質として酵素の活性中心に結合し酵素反応に参加する一方で，アロステリック部位にも結合し酵素活性を阻害する．このような複雑な関係は，ATP結合の親和性の違いによってうまく説明できる．また，酵素ではないが，ラクトースリプレッサーによる遺伝子の発現制御（20章**2**参照）や，ヘモグロビンの酸素親和性の調節も，アロステリック調節の有名な例である．なお，タンパク質は大きな分子で，活性中心とアロステリック部位が離れていても，タンパク質の三次構造としてつながっている．

さらに，活性調節される酵素は，複数のサブユニットからなる四次構造をとり，その活性は基質濃度に対してS字形曲線になることが多い（**図4-5A**）．S字形になるということは，曲線の変曲点に相当する基質濃度で活性の変化率が最大になることを意味しており，基質の生理的濃度の近くで調節効果が大きくなるといえる．一方，活性調節を受けない酵素の曲線（**図4-4**参照）をみると，活性の変化率は基質濃度ゼロのとき最大であることがわかる．S字形の「めりはり」のきいた調節が可能になる分子機構は，酵素分子の四次構造を構成するサブユニットの協調的構造変化で説明される．これを協同作用という．つまり，各サブユニットが立体的に対称構造をとるときがもっとも安定で，エフェクターの結合の有無によって，**不活性型**〔T（tense）型〕と**活性型**〔R（relaxed）型〕のどちらかの構造に一斉に変化すると仮定すると，S字形曲線をよく説明できる．なお，S字形であることと，エフェクターの結合によってその曲線が左右にシフトすることは別の現象であるが，ほとんどの調節酵素で両者がともに働いて効率的な活性調節を実現している．

解糖のような一連の代謝経路が，その経路の最終物質や関連物質でアロステリックに阻害されると，その最終物質を一定濃度で供給できる．このようなしくみは，負のフィードバック制御という．アロステリック部位へのエフェクターの結合は可逆的で，細胞内の重要な代謝物質の濃度を常に一定に保つことができる．そのた

め，代謝経路の負のフィードバック制御の例は多数知られている．これらがあわさると，ボトムアップ的に細胞や個体の状態を一定に保つ恒常性が実現される．なお，正のフィードバックは調節を加速するように作用するもので，神経の興奮などにみられる．この場合は，調節は加速する一方なので，別のしくみで暴走しないようになっている．

リン酸化による調節

酵素の活性は，共有結合による化学修飾によっても調節されることがある．その代表的なものが，リン酸化であり，アロステリック調節よりももっと永続的な制御に適している．つまり，シグナル伝達のように，オンとオフのそれぞれの状態を保つのに適している（15章2参照）．真核生物では，タンパク質のリン酸化のほとんどは，セリン，スレオニン，チロシン残基のヒドロキシ基のリン酸エステル結合形成によるもので，ATP依存反応なので，リン酸化酵素はプロテインキナーゼという．どのタンパク質のどのアミノ酸残基をリン酸化するかは，個々のプロテインキナーゼによって決まっている（図4-6）．リン酸基は大きな負電荷を与えタンパク質の構造を変えるが，活性化するか不活性化するかは個別の酵素で異なる．また，このリン酸エステル結合を切って元の状態に戻すには，プロテインホスファターゼという酵素の働きが必要である．これらのプロテインキナーゼやプロテインホスファターゼの特異性によって，基質となるタンパク質やそのリン酸化部位が決まっている．

代謝酵素のリン酸化による調節としては，ホスホリラーゼやピルビン酸脱水素酵素などがよく知られている．ヒトの肝臓や筋肉での糖供給のホルモンによる制御におけるホスホリラーゼの活性調節経路では，アドレナリンやグルカゴンというホルモンシグナルは細胞外から作用し，細胞内でcAMPに変換され，リン酸化酵素群を介して，さまざまな酵素タンパク質をリン酸化し，その活性化や不活性化を引き起こすことが知られている．このようにして，さまざまな酵素が協調して調節され，代謝系全体が1つの目的に向かって調節される．このようなトップダウン型の調節と，フィードバック制御のボトムアップ型調節が組み合わさって，細胞内の複雑な代謝ネットワークが統一的に制御されている．

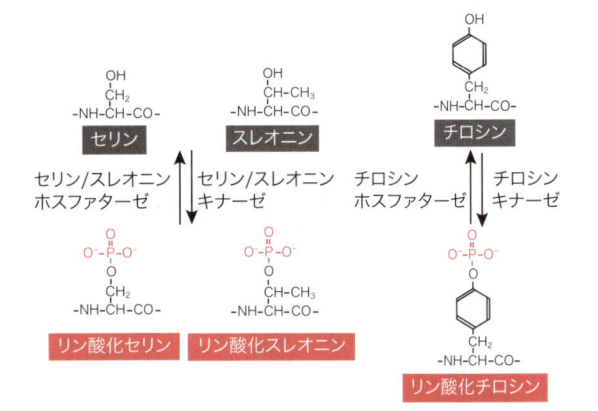

図4-6 タンパク質のリン酸化と脱リン酸化

代謝経路の進化多様性と合成生物学

解糖やクエン酸回路は生化学の講義ではあたかも全生物に共通の代謝経路のように学ぶが，生物群によっては，解糖が分岐するものや，クエン酸回路が部分的に欠けている生物も多く知られている．つまり，長い進化の過程で，経路のスクラップアンドビルドが何度も行われてきたことは明白である．これまでのモデル生物の生物学では，このような生物多様性はあまり研究されてこなかったが，近年のゲノム生物学と遺伝子工学によってその多様性から新規の酵素をコードする遺伝子を活用することができるようになり，注目を浴びている．

細胞や個体を，それを構成する個々の因子とその関係によって記述したシステムとして理解し，改変しようとするアプローチを合成生物学（27章5参照）といい，近年，急速に進展している．これはゲノム，トランスクリプトーム，プロテオーム，メタボロームなどの包括的な細胞の理解を基礎としている（21章5参照）．テーマとしてはさまざまな生命現象があげられるが，なかでも物質生産などを目的とした代謝ネットワークは重要で，しかも評価しやすい．このようなシステム構築には本章で解説した個々の因子としての酵素の特徴とその活性の調節機構の理解が不可欠である．もちろん，特定の遺伝子の機能を強化するだけでは，自律性が破綻したり，物質の生産性や生物全体のパフォーマンスの上昇につながらないとのこともよく知られている．合成生物学では生命システムを理論的に構築し，実験によって評価することで，物質生産性など高次生命現象の理解に迫ることが期待されている．

- [ ] タンパク質は20種類のアミノ酸が結合した高分子で，特有の立体構造をとり，固有の機能や特性をもつ．遺伝子により決定されるアミノ酸配列（一次構造），局所的な立体構造（二次構造），全体的な立体的構造（三次構造），タンパク質間の会合（四次構造）に分けられる．

- [ ] 生物のほぼすべての化学反応は，酵素が触媒する．酵素の反応は大まかに6種類に分けられる．

- [ ] 生物はさまざまな特性の酵素をもつ．酵素は特定の基質と結合し（基質特異性），特定の化学反応を触媒する（反応特異性）．

- [ ] 代謝経路における酵素の活性は，エフェクターの可逆的な結合によるアロステリック調節や，シグナルによる活性調節でよくみられるリン酸化によって調節される．

5章　核酸の構造とDNAの複製

生命の単位としての細胞は共通に，分裂・増殖して子孫の細胞を残すという基本的な性質・機能をもっている．DNA分子は遺伝情報を担うので，細胞増殖の際には，親細胞のもつDNA分子を正確に複製して全く同じ2コピーにし，2つの娘細胞に正確に1コピーずつ分配しなければならない．本章では，遺伝情報の担い手として理想的な化学・物理的性質を備えているDNAの構成単位や構造を扱う．そして，このDNAが正確に同じ分子を複製するために，他の高分子合成にはみられない，親のDNA鎖を鋳型として使った巧妙なしくみを解説する．

1　DNAと遺伝子，その伝達と発現

遺伝情報の伝達と発現

生物の構造や働きを決める設計図にたとえられるDNA分子には2つの役割がある．1つは，親から子へ遺伝情報を伝える役割である．もう1つは，設計図が保有する遺伝情報を使って，細胞や個体の形や働きを実現することである．

DNA複製：遺伝情報を伝える

単細胞生物では細胞から細胞へ伝えられる．多細胞生物の個体レベルでは個体から個体への伝達であるが，生殖細胞を通じて伝達されるので，基本的には，遺伝情報は細胞から細胞へ伝えられている．細胞分裂の前には，DNAの**複製**（replication）が起こる．細胞は分裂によって増殖する．分裂する前には，**親細胞**（parent cell）のすべての細胞内構成成分が2倍にならなければならない．とはいえ，細胞を構成する成分は分子数でみれば，どの種類の成分でも非常にたくさんの分子からなり，それが2つの細胞〔**娘細胞**（daughter cell）という〕に正確に2等分されるわけではない．

これに対して遺伝情報を担うDNA分子では全く異なる．細胞増殖の際に，親細胞のもつDNA分子と全く同じ分子を複製して2コピー[※1]とし，2つの娘細胞に正確に1コピーずつ配分されなければならない．1コピー

を対象とするDNA複製という現象は，生体を構成する他の分子にはみられない際立った特徴である．本章では具体的に遺伝情報を担う分子であるDNA分子が2倍に増えるしくみについて学ぶ．

遺伝子発現：遺伝情報を使う

タンパク質は，細胞や個体の構造と機能を担う主要な高分子であるが，遺伝情報は，どのような構造のタンパク質を，どの細胞が，どのような環境の下で，どれだけの量をつくるべきかだけでなく，つくられたタンパク質が運ばれる場所や分解速度まで指令する情報を含んでいる．その結果，細胞それぞれと，その集合体としての個体を形成・維持し，機能を果たすことができる．これが遺伝情報の発現，すなわち**遺伝子発現**（gene expression）である．

DNA上の塩基配列は，タンパク質のアミノ酸の配列情報を規定しているが，アミノ酸配列の情報はわずかであり，ヒトではゲノムの1.3％を占めるに過ぎない．このタンパク質のアミノ酸の配列情報を規定している領域を，コード領域または**翻訳領域**（coding region）という．遺伝情報が発現するためには，翻訳領域の始まりと終わりの情報や，遺伝子の発現を調節するための情報も必要である．すなわち，翻訳領域の情報と，その翻訳領域の発現を調節する情報をもつ領域を合わせて**遺伝子**（gene）と呼ぶ．タンパク質のアミノ酸配列情報を受けとったRNAを合成する過程がある．それは**転写**（transcription）と

[※1]　分子と同様の意味で用いているが，真核生物の遺伝子DNAは染色体ごとに分かれているため厳密には分子といえない．本書では，総称　としてコピーとした．

呼ばれる（**6章4**，**20章**参照）．タンパク質はこのRNA上の塩基配列をアミノ酸配列に置きかえる**翻訳**（translation）と呼ばれる過程で合成される（**6章6**参照）．

ゲノムとは

ある生物がもつすべての遺伝情報をゲノムという．具体的には，1つの配偶子に含まれるDNAの塩基配列情報の1セットを**ゲノム**（genome）と呼ぶ．1セットのゲノムをもつ細胞（あるいはそれからなる個体）を一倍体と呼び，原核生物に多い．これに対し真核生物の体細胞は2セットのゲノムをもつ二倍体である場合が多い．ヒトの場合でも，体細胞は母親由来と父親由来の2セットのゲノムをもつ二倍体細胞である（**21章**参照）．

生物の遺伝子数

ヒトは大腸菌に比べて約700倍のDNA量をもつが，遺伝子数では，ヒトは大腸菌の5倍程度であり，大腸菌（K12株）の遺伝子数は約4,100，ヒトではタンパク質をコードしている遺伝子数は20,000程度，その他にncRNA[※2]をつくる遺伝子がかなり多数あることがわかっている．ショウジョウバエ，シロイヌナズナ，ヒトの間でそれぞれの遺伝子数は大きく変わらない．

ヒトの遺伝子数は大腸菌に比べて非常に多いだけでなく，ヒトを含め真核生物は1つの遺伝子からアミノ酸配列の異なる複数種のタンパク質を合成することができ，10万を超える種類のタンパク質をつくっているものと推定される．このしくみについては**6章**で述べる．

2 核酸

構成単位としてのヌクレオチド

ヌクレオチドは，塩基，五炭糖，リン酸からなる高分子化合物で，核酸の構成単位である（**図5-1A**）．**塩基**（base）は，窒素を含む芳香環（複素環という）化合物で，**プリン**（purine）と**ピリミジン**（pyrimidine）とに大別される．天然の核酸中の主な塩基には，アデニ

ン，シトシン，グアニン，チミン，ウラシルの5種があり（**図5-1B**），それぞれA，C，G，T，Uと略記される．五炭糖は，**リボース**（ribose）とその2′位が還元された**2-デオキシリボース**（2-deoxyribose）の2種類がある（**図5-1C**）．塩基と五炭糖が付いた化合物を**ヌクレオシド**（nucleoside）と総称する．ヌクレオシドでは，糖の炭素番号は数字に「′」（プライム）をつけて表す．糖のヒドロキシ基にリン酸が付いた化合物を**ヌクレオチド**（nucleotide）という（**図5-1D**）．付加するリン酸は1つとは限らず，むしろ，3つのリン酸が付いたものが多い（**図5-1A**）．リン酸が付く位置は5′位とは限らないが，体内にあるのは5′-リン酸が多い．

体内には，多くの種類の機能するヌクレオチドがある．エネルギーを必要とする酵素反応にエネルギーを供給する**ATP**（adenosine 5′-triphosphate：アデノシン三リン酸，**10章2**参照）や，シグナル伝達経路で働く**cAMP**（adenosine 3′, 5′-cyclic monophosphate：サイクリックAMP，**15章3**参照）はその例である．なお，塩基を特定しない場合は一般化して**NMP**（ribonucleoside monophosphate），**dNTP**（deoxyribonucleoside triphosphate）などと表す．

核酸

核酸は，ヌクレオチドの5′位のリン酸基が他のヌクレオチドの3′位のヒドロキシ基とホスホジエステル（リン酸ジエステル）結合し，糖を連続的につないだポリヌクレオチドである（**図5-2**）．糖の種類により，DNA（deoxyribonucleic acid：デオキシリボ核酸）とRNA（ribonucleic acid：リボ核酸）とに大別される．五炭糖が2-デオキシリボース（DNA）であるかリボース（RNA）であるかによる違いである．DNAとRNAとの違いは塩基にもみられ，A，C，Gは両者に共通であるが，TはDNAにのみ，UはRNAにのみ含まれる[※3]（**図5-1D**）．

遺伝情報を保存し，遺伝子の物質的な実体分子であるDNAと，遺伝子が働くときに必須であるRNAは非常によく似ている（**図5-2**）．核酸の構造を簡単に表すとき，DNAかRNAかを断り，塩基を1文字表記して並べて表せる．これを**塩基配列**（nucleotide sequence）と

※2　タンパク質の情報をもたないRNAをまとめてncRNA（non-coding RNA）という（**20章6**参照）．
※3　このため，Tを含むヌクレオシドは2′-デオキシを省略してチミ

ジンと称することも多い．ただし，tRNAには少量のリボチミジンを含むものがある．

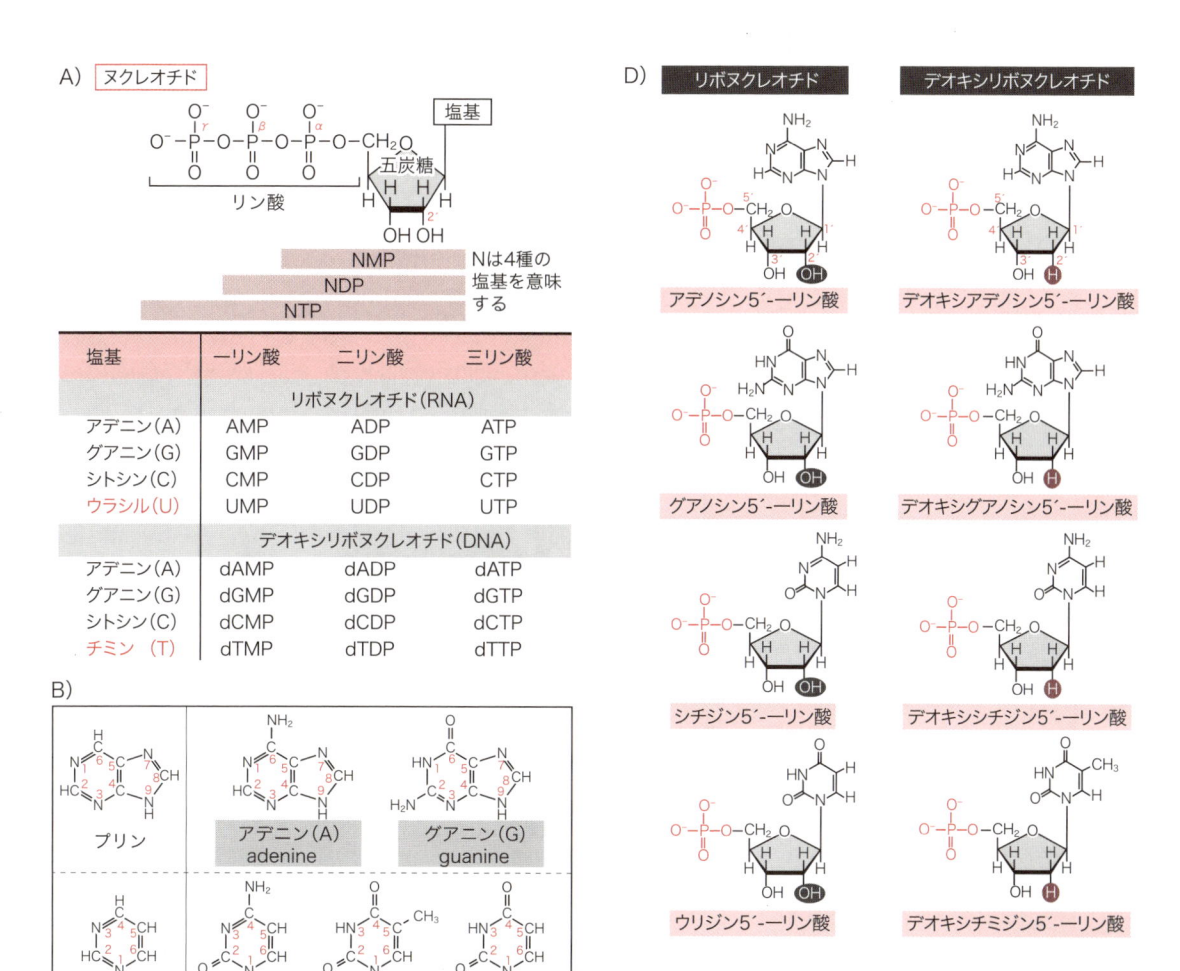

図5-1 構成単位としてのヌクレオチド

A) ヌクレオチドの模式図と種類. B) 塩基. C) 五炭糖. D) リボヌクレオチドとデオキシリボヌクレオチド. 2位に2つのHをもつものをデオキシリボヌクレオチドという. 赤で示すリン酸基をもたないものはヌクレオシドという

いい，この配列が遺伝暗号（**6章1**参照）を構成する．塩基配列を横書きに表すとき，断らない限り5′末端から，3′末端の方に向かって書く約束になっている．

DNAの二本鎖構造

　自然界の生物にみられる高分子DNA（ウイルスを除く）は，すべて**二本鎖**（double strand）であることが特徴である（**図5-3A**）．DNAは**B型**（生理条件下での標準的なDNA構造）と呼ばれる構造をとり，**図5-3B**に示すように，互いのDNA鎖の塩基のAとTの間で2本

の水素結合，CとGの間で3本の水素結合を形成して**塩基対**（base pair）をつくり[4]，直径約2 nmの**右巻き二重らせん**（right-handed double helix）を形成している（**図5-3A**）．2本のDNA鎖の向き（5′から3′への方向）が互いに逆向き（**逆平行：antiparallel**）のとき，どの塩基対も同距離で（**図5-3B**）二重らせんの内側に安定して配置されるため，DNA分子の二本鎖間の距離は一定となる．DNAの一方の鎖の塩基配列がわかれば，他方の鎖の対応する塩基が必然的に決まる．このような二本鎖を互いに**相補鎖**（complementary strand）であ

※4　DNAの長さをしばしば塩基対の数（bp：base pairs）で表す．

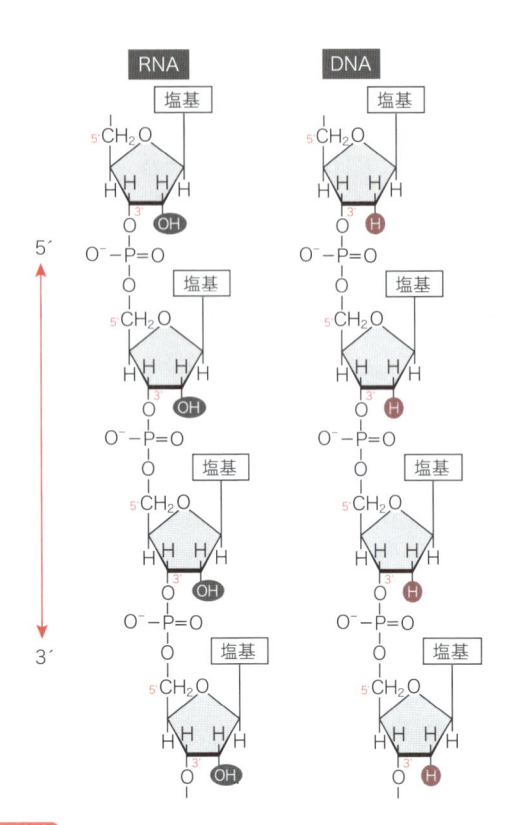

図5-2 核酸の構造
ヌクレオチド間の五炭糖のつながり方が一様なため，ポリヌクレオチド鎖には化学的な極性（方向性）が生じている．このため糸状の分子である核酸の両端は異なった構造となり，5′位にリン酸基をもつ上方の端を5′方向（あるいは5′末端）といい，3′位にヒドロキシ基をもつ下方の端を3′方向（あるいは3′末端）という

るという．このように相補的に塩基対が形成されるため，忠実なDNA複製が可能となり塩基配列を世代から世代へと受け継ぐことが可能となる．

らせん階段の踏み板とも喩えられる塩基対は，らせんの中央からやや片寄っているために，DNA全体には大きな溝（**主溝**：major groove）と小さな溝（**副溝**：minor groove）がみられる（**図5-3A**）．この溝は重要で，DNA塩基配列を認識して複製や遺伝子情報の発現を調節するタンパク質が結合する場となる．

3 DNA 複製のしくみ

DNA 複製のアウトライン

DNA複製は，単位となるデオキシリボヌクレオチドを重合して高分子DNAにする反応である．一般には

$$[dNMP]_n + dNTP \rightarrow [dNMP]_{n+1} + PP_i$$
$$(PP_i はピロリン酸^{※5}を表す)$$

と表される．dNTPのピロリン酸（PP_i）が外れると同時に $[dNMP]_n$ の 3′-OH に，dNMPに残る1つのリン

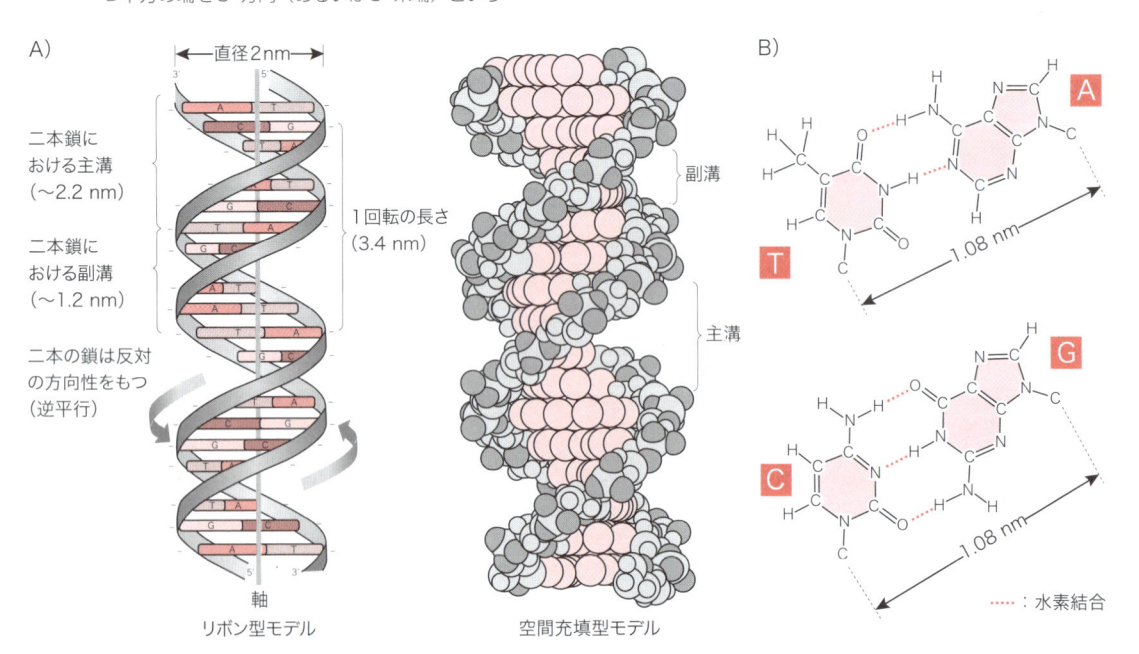

図5-3 二本鎖DNAの構造
A）二本鎖DNAの構造（B型）．B）ワトソン-クリック型の塩基対をつくる水素結合

酸基を付加する．dNTPのリン酸におけるピロリン酸の脱離およびこのピロリン酸をさらに2個のリン酸に加水分解することが，DNAの重合反応の駆動力となる．DNA合成に限らずRNA合成の場合も同様で，核酸の合成方向は常に5'から3'である．

DNAポリメラーゼ

DNA合成を触媒する酵素は**DNAポリメラーゼ**（DNA polymerase：DNA合成酵素）である．この酵素は，4種類のdNTPの付加反応を1箇所の活性部位で触媒する．これは各dNTPを認識するのではなく，AT塩基対やGC塩基対の形成を，外寸や構造がほぼ同一であることを用いて認識するためである．塩基対が正しく形成されたときのみ触媒効果が高まる．大腸菌ではI〜

III，真核生物では $\alpha \sim \varepsilon$ などのDNAポリメラーゼが知られている（表5-1，表5-2）．

半保存的複製

複製の過程では，元からある二本鎖をほどき，両方の鎖の塩基に対して同時に相補的なヌクレオチドをつないでいく．図5-4は，ワトソン（James Watson）とクリック（Francis Crick）が1953年に発表したDNA二重らせん構造のモデルで，複製が**鋳型**（template）を使って行われる可能性を示した．実際，DNA複製の過程では，元の鎖のそれぞれを鋳型として使って，CとG，AとTがそれぞれ対をつくって新しい鎖を合成する．したがって，複製が完了したとき，それぞれ元の二本鎖DNAと完全に同じ塩基配列をもっている二本鎖のDNAが2つできる．二本鎖の1本は鋳型となった元の鎖（親鎖），もう1本は新しい鎖（娘鎖）で，このような複製方法を**半保存的複製**（semiconservative replication）という．体内には，タンパク質や糖鎖などたくさんの高分子が存在するが，鋳型を使った半保存的な合成は，DNA複製の特徴である．

2本のDNA上で異なる伸長方法

完成したDNAでも複製途上のDNAでも，DNAの二本鎖は必ず逆方向を向いている．ワトソンとクリックのモデルでDNA合成を考える（図5-4）と，片方の娘鎖は3'から5'方向へ合成が進行しなければならない．し

表5-1 大腸菌の主なDNAポリメラーゼ

性質	I	II	III
構造遺伝子	*polA*	*polB*	*polC*
分子量	103,000	90,000	130,000
分子数/細胞	400	100	10
最大初速度（ヌクレオチド/秒）	16〜20	2〜5	250〜1,000
3'エキソヌクレアーゼ活性	あり	あり	なし
5'エキソヌクレアーゼ活性	あり	なし	なし
進行性*	3〜200	10,000	500,000
生物学的役割	DNA修復，プライマーRNA切断	DNA修復	DNA複製

＊ポリメラーゼとDNAが遭遇するたびに取り込まれるヌクレオチド数

表5-2 真核細胞の主なDNAポリメラーゼ

性質	α	β	γ	δ	ε
細胞内区画	核	核	ミトコンドリア	核	核
プライマーゼの結合	あり	なし	なし	なし	なし
生物学的機能	複製中のプライマー合成	DNA修復	ミトコンドリアDNA複製	ラギング鎖複製	リーディング鎖複製
サブユニット数	4	1	3	2〜3	4
触媒部位の分子量（×10³）	160〜185	40	125	125	210〜230または125〜140
dNTPに対する K_M（μM）	2〜5	10	0.5	2〜4	?
3'エキソヌクレアーゼ活性	なし	なし	あり	あり	あり
アラビノシル-CTPに対する感受性	高い	低い	低い	高い	?
アフィジコリンに対する感受性	高い	低い	低い	高い	高い

※5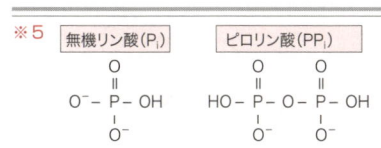

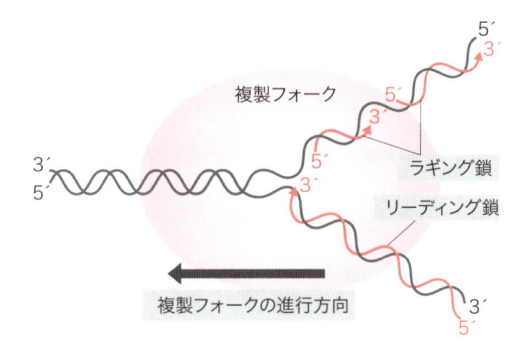

図 5-5 ラギング鎖の不連続複製

かし，DNAポリメラーゼが行う反応は常に 5′ から 3′ 方向に進む（図 5-2 参照）.

2本の親鎖がほどけて娘鎖が合成されるとき，二本鎖DNAが3本見えるので，この部分を**複製フォーク**（replication fork）という（図 5-5）. 複製フォーク部分を細かく見ると，DNA合成が起きている場所（**複製点**：replication point）では，一方の娘鎖〔**リーディング鎖**（leading strand）という〕の合成は複製フォークの進行方向と同じで連続的に重合反応が進むが，他方の娘鎖〔**ラギング鎖**（lagging strand）という〕の合成は 5′ から 3′ に進むため複製フォークと逆方向に進行する（図

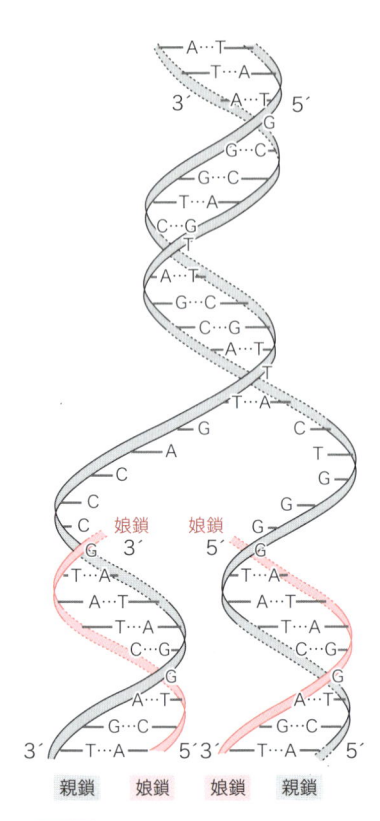

図 5-4 鋳型を使った半保存的複製

多くの酵素が複製にかかわる

Column

複製反応は実はもっと複雑である（コラム図 5-1）. 複製フォークの先では親の二本鎖をほどくヘリカーゼが働いている. ヘリカーゼによって露出した一本鎖を安定に保つ一本鎖結合タンパク質がある. プライマーゼがRNAプライマーを合成する. DNAポリメラーゼが働いてDNA鎖を延長する. クランプローダーの働きで，スライディングクランプ（滑る留め金）が環状になって鋳型DNA鎖を捕え，これにDNAポリメラーゼが結合するため，DNAポリメラーゼは鋳型鎖から外れることなく複製を継続できる. ラギング鎖では本文中で述べたように，RNAプライマーを分解しながらDNA合成が進行する. 真核生物のDNAポリメラーゼにはRNA分解活性がないため，専用の分解酵素が働く. やがてラギング鎖の DNA同士がDNAリガーゼによってつながる. 複製フォークが進行するさらに先の方ではトポイソメラーゼ（DNAジャイレース）が働いて，DNA鎖を切断して親鎖にたまるひずみ（ねじれ）を解消し，再結合する. このような機能をもったさまざまな酵素やタンパク質が，大きな複製複合体をつくっていて，基本的には細菌からヒトまで似た機構が働いている.

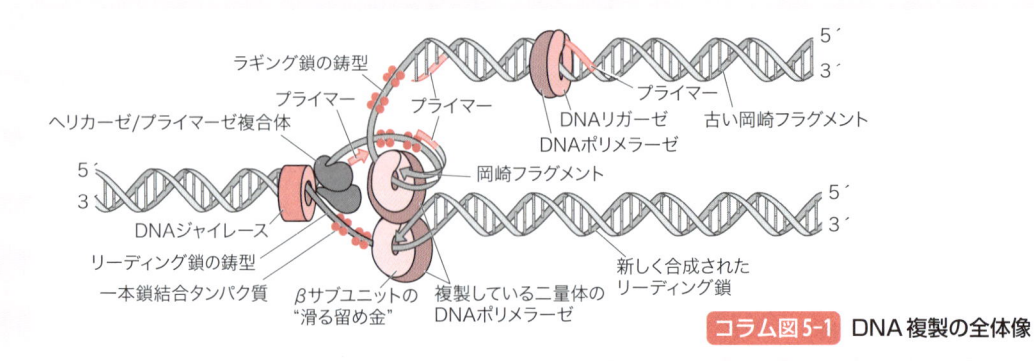

コラム図 5-1 DNA複製の全体像

5-5). ラギング鎖では，細菌の場合1,000〜2,000ヌクレオチド，真核生物の場合100〜400ヌクレオチドの短いDNA鎖が**不連続複製**（discontinuous replication）され，後でつながることを繰り返している。この短い鎖を発見者（岡崎令治）の名前から**岡崎フラグメント**（Okazaki fragment）と呼ぶ。

▌複製のプライマー

複製開始はDNAポリメラーゼのみではできない。実はDNA合成に先立って，プライマーゼ[※6]によって**RNAでできたプライマー**（RNA primer，5〜10ヌクレオチド）が合成されている。DNAポリメラーゼがこのRNAプライマーからDNAを伸長する（**図5-6**）。これも岡崎らの発見である。連続的な合成反応をするリーディング鎖では，伸長ごとに1個のRNAプライマーで済むが，不連続な合成反応をするラギング鎖では，岡崎フラグメントごとにRNAプライマーを必要とする。

DNA合成が進行して複製開始に利用したRNAプライマーまでくると，プライマーとして機能し終えたRNAを分解しながらさらにDNA合成が進み，最後にDNAの短い鎖同士の隙間（ギャップ）を**DNAリガーゼ**[※7]（DNA ligase）が結合する。

▌複製開始点と複製終了点

長いDNA鎖の中で，原核生物では**複製開始点**（origin of replication：**ori**）が1箇所あり，ここから複

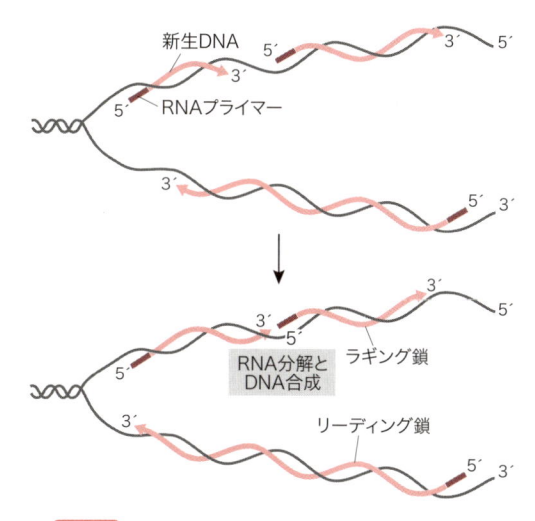

新生DNA
RNAプライマー
RNA分解とDNA合成
ラギング鎖
リーディング鎖

図5-6 DNA合成にはRNAプライマーが必要

製フォークは両側へ向かって進行する。原核生物のDNAは環状なので反対側で出会い，ここに**複製終了点**（termination point：**ter**）がある。複製開始点も複製終了点もそれぞれ特徴的な塩基配列をもっていて，開始および終了を司るタンパク質がある。複製開始から終了に至る1つの単位を**レプリコン**（replicon）という。原核生物のDNAは1つのレプリコンからなる。真核生物では原核生物に比べてDNA量が多く，1つのDNA分子上に複数の複製開始点がある。つまり，**マルチレプリコン**（multireplicon）からなる。複数の複製開始点からそれぞれ両側へ向かって複製フォークが進行し，1つのレプリコンの複製にかかる時間はおよそ1時間程度である。

▌複製の正確さ *Column*

DNAの複製は非常に正確でなければならない。複製の際に，本来のペアとは異なるヌクレオチドを使ってDNAが合成されれば，娘鎖では塩基配列が変更され，これは変異となる。重要な遺伝子の領域に起きる変異は，最も影響が大きい場合には細胞の死を招き，場合によっては細胞ががん化することになる。ヒトの場合，1つの体細胞は二倍体として60億の塩基対を含み，1日に1,000億〜1兆個の細胞が分裂するといわれる。

DNAポリメラーゼによる娘鎖の延長では，誤ったヌクレオチドをつなげる可能性は10^{-6}〜10^{-4}程度といわれる。DNAポリメラーゼには，誤ってつなげたヌクレオチドを外して正しいヌクレオチドにつなぎ換える校正活性があって，誤りを修正する。さらに，そこで見逃された誤りは，これを検出し

て誤ったヌクレオチドを切り取って正しいものに置き換える機構，すなわち塩基対のミスマッチ修復機構で修復される（**本章4**参照）。これらの修復系は複数あり，最終的な誤りは10^{-11}〜10^{-10}程度に抑えられるという。これほど誤りの少ない反応系を人工的に構築することは，精密な工学的領域でもなかなか難しい。

※6　DNAを鋳型としてn＝1からRNAを合成することができるRNAポリメラーゼ活性をもつ。
※7　二本鎖DNAの一方の鎖に，3′-OHと5′-リン酸の間の切れ目

があったとき，これをつなげる酵素。切れ目が1塩基でも抜けていれば，つなぐことはできない。

表5-3　複製にかかわる種々のパラメータ

	複製経過	
	大腸菌	ヒト
DNA含量，細胞あたりのヌクレオチド対の数	4.6×10^6	6×10^9
複製フォーク進行の速度（μm/分）	30	3
DNA複製の速度（ヌクレオチド数/秒/複製フォーク）	850	60〜90
細胞あたりの複製開始点の数	1	10^3〜10^4
細胞あたりの完全なDNA複製にかかる時間	40分	8時間
細胞分裂から細胞分裂までの時間	20分	24時間

▌複製開始の調節

　大腸菌の場合，DNA合成が開始してから終了するまでに（すなわちレプリコンの複製に）約40分かかる．DNA合成が終了してから，細胞分裂には約20分かかる．これ以上短縮することはできない．しかし，最もよい条件で大腸菌を培養すると，20分に1回分裂して1時間で8倍に増える．これは，DNA合成が開始してから20分後には，複製開始点から次のDNA合成が始まるからである．複製フォークが多数存在するので，このような複製をマルチフォーク型という．細胞分裂期には，複製を継続中のマルチフォーク型DNAが，2つの細胞に分配される．

　これに対して哺乳類の細胞では，DNA合成がすべて終了し，細胞分裂期を経ない限り，複製開始点が再度働くことはない．これをS期内再複製禁止という．原核生物と真核生物を比較したとき，複製の基本はよく似ているが，定量的にはさまざまな違いがある（表5-3）．

4　DNA 損傷と修復

▌DNA 損傷と変異

　遺伝情報はDNA複製のミスや，化学物質，放射線などによる損傷により，常に変化を受けている．遺伝情報が変化すると生命活動に支障を生じる場合が多く，生物にはDNAの損傷を修復するしくみが備わっている．一方で，遺伝的変化は進化の重要な要因ともなっている．

　酸素呼吸により生じる**活性酸素**（reactive oxygen species）は反応性が高く，DNAを傷つける．活性酸素とは，酸素がより反応性が高い化合物に変化したものの総称である．活性酸素には過酸化水素などがある．また，太陽光に含まれる**紫外線**（ultraviolet radiation）はDNAに損傷を与える．特にピリミジン塩基は260 nm付近の波長をよく吸収する性質があり，DNA鎖のなかでピリミジン（チミン，シトシン）が隣同士にあると，紫外線を吸収して化学反応性が増しピリミジン間で架橋した二量体が形成される（図5-7A）．ピリミジン二量体が遺伝子，または遺伝子の発現調節領域の中で形成されると遺伝子の発現が異常になる．DNA複製の際には，ピリミジン二量体のところでDNAポリメラーゼがいったん停止し，少し離れたところからDNA合成を再開する．その結果，塩基の欠失が生じ，変異が生じる．

　電離放射線（ionizing radiation）は紫外線よりも波長の短い電磁波であり，分子をイオン化する作用がある．電離放射線はDNA鎖のリン酸や糖の部分での切断を起こす．電離放射線はDNA二本鎖を切断することがあり，その場合は染色体が切断されることになる．

　自然界の放射線は，宇宙線に由来するものと地中の

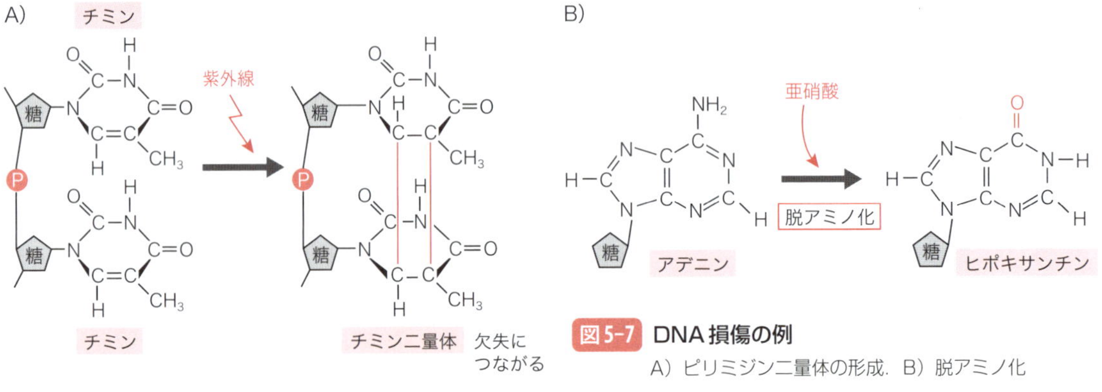

A) チミン / 紫外線 / チミン / チミン二量体　欠失につながる

B) アデニン / 亜硝酸 / 脱アミノ化 / ヒポキサンチン

図5-7　DNA 損傷の例
A) ピリミジン二量体の形成．B) 脱アミノ化

放射性核種によるものがある．しかし自然放射線の線量は低い．原爆や原子力発電所の事故，放射線治療時の照射などの人為的な放射線以外はDNA損傷や変異を引き起こすことはまれである．食品の発色剤として用いられていた**亜硝酸**（nitrous acid）は，アデニン，グアニン，シトシンを脱アミノ化する（**図5-7B**）．アデニンが脱アミノ化されると，ヒポキサンチンになり，チミンよりもシトシンと結合しやすくなる．シトシンが脱アミノ化されると，ウラシルとなりグアニンではなくアデニンと結合しやすくなる．その結果，複製されると異なる塩基に変化（点変異）することになる．

DNA 修復

鎖切断を伴わないDNAの損傷の修復には，塩基除去修復とヌクレオチド除去修復がある．塩基除去修復では，DNAグリコシラーゼが糖と塩基を結ぶ N–グリコシド結合を切る．塩基が除去された部位はエンドヌクレアーゼにより切断され，生じたギャップはDNAポリメラーゼが埋めて修復を完了させる（**図5-8A**）．一方，DNA二本鎖間の架橋や，大きな化合物による修飾があった場合，損傷をもつDNAの構造的なゆがみを検出し，損傷を受けた箇所の周辺も含めて切除するヌクレオチド除去修復が行われる．その際さまざまなエンドヌクレアーゼが働き，生じたギャップは相補鎖の塩基配列を鋳型に

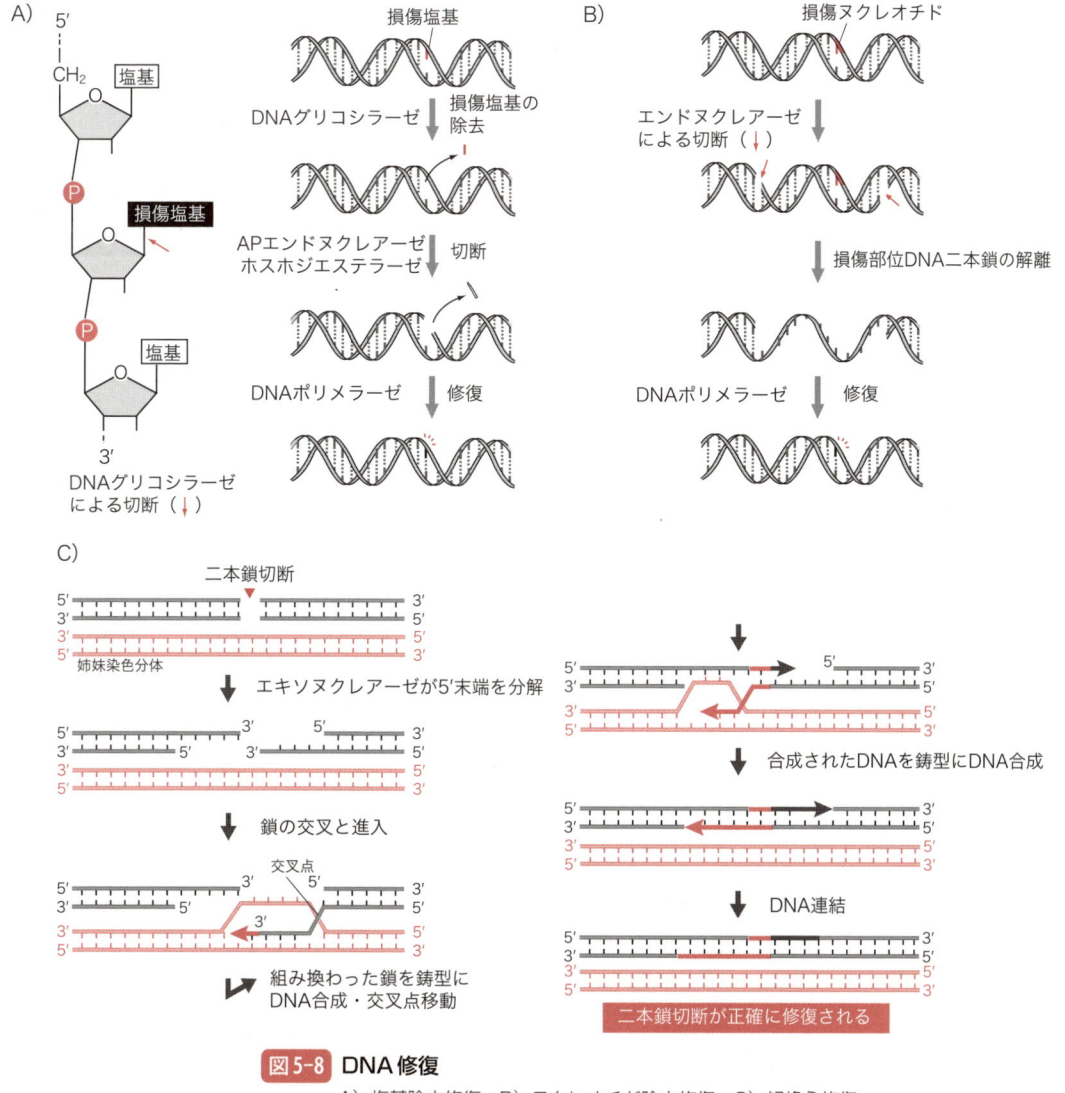

図5-8 DNA 修復

A）塩基除去修復．B）ヌクレオチド除去修復．C）組換え修復

DNAポリメラーゼが合成して修復する（図5-8B）.

二本鎖とも切断した際には，相補鎖の情報を利用して修復することはできないが，姉妹染色分体の配列の情報を利用する組換え修復がある（図5-8C）. この修復では，切断端が切断を受けていない相同の配列部位に進入し，同時に相同配列が切断部位と対合し，両方でDNA合成が行われ，両方の二本鎖が再度分かれることで修復が完了する.

ヒトの場合には「22本の染色体＋X染色体＋Y染色体」に存在するすべてのDNAの塩基配列情報をゲノムとするのが定義である. これはヒトに限らず性染色体をもつ生物では同様である. 他方，生殖細胞は1セットのゲノムをもつ一倍体であるといわれるが，生殖細胞がもつのは，卵では22本の染色体＋X染色体，精子では22本の染色体＋XまたはY染色体である. 正しい1セットには，どちらの場合も染色体1本分が不足する. 体細胞は2セットのゲノムをもつというが，女性の体細胞にはY染色体が含まれないから1セット分にも不足がある. 男性も性染色体に関しては二倍体になっていない. しかし，通常はそこまで追求しない.

原核生物におけるプラスミドDNAや，真核生物のミトコンドリアや葉緑体に含まれるDNAは，プラスミドゲノム，ミトコンドリアゲノムなどとして別に扱われることが多く，**染色体外ゲノム**（extrachromosomal genome）ともいう. これに対して，細胞本来ともいえる核内のDNAを**染色体ゲノム**（chromosomal genome）という.

本章のまとめ　　　　　　　　*Chapter 5*

☐ DNAには，親から子へ遺伝情報を伝える遺伝子としての役割と，遺伝情報を使って細胞や個体の形や働きを実現する役割がある.

☐ ヌクレオチドは塩基，五炭糖，リン酸からなる核酸の構成単位である. DNAを構成する塩基はA，C，G，T，五炭糖は2-デオキシリボースで，RNAを構成する塩基はA，C，G，U，五炭糖はリボースである. 高分子DNAの二本鎖の間では塩基同士が水素結合をして，塩基対ができる.

☐ DNA複製は親の二本鎖DNAを鋳型として使い，塩基対を形成しながらヌクレオチドをつなげて，相補的な娘鎖を合成する. 複製反応はDNAポリメラーゼを中心とした，多くの酵素やタンパク質がかかわる複雑な反応である.

☐ DNAは活性酸素や紫外線，電離放射線などにより傷つけられる. DNAの損傷修復には，塩基除去修復とヌクレオチド除去修復がある.

6章　遺伝子の発現

　生物の遺伝情報はDNAの塩基配列にある．しかし，DNAという分子は生物とともに進化する中で，一部が遺伝子となっている．一般に，原核生物では遺伝子と遺伝子との間は非常に狭く，遺伝子が密に並んでいる．真核生物では遺伝子間の領域が広く，遺伝子はゲノムに点在するように分布している．DNAは核のタンパク質と結合してクロマチンと呼ばれる複合体を形成しており，クロマチンが凝縮すると光学顕微鏡で観察することができる太さの染色体となる．本章では，遺伝子の構造とクロマチンの構造について扱い，遺伝子の転写と翻訳についても解説する．

1　セントラルドグマ

セントラルドグマとは

　遺伝子がもつタンパク質の情報とは，タンパク質のアミノ酸の並び順の情報である．DNAの情報は，DNAを鋳型として合成されるmRNAに写され，最終的にタンパク質のアミノ酸配列として現れる．遺伝情報はDNA→mRNA→タンパク質という方向へ流れる概念を，分子生物学の**セントラルドグマ**（central dogma）という（図6-1）．この概念は細菌からヒトまで，原核生物，真核生物を問わず全生物に共通した基本原理である．

遺伝暗号

　遺伝暗号（genetic code）は，DNAを鋳型として読み取られたmRNAの塩基配列として定義されており，特定の3つの塩基の配列（**コドン**：codon）が1つのアミノ酸に対応する．コドンは4^3個で64種類あり，コドンによって20種類のアミノ酸を規定する（図6-2）．例えば，mRNA上の5′–AUG–3′というコドンは，タンパク質中のアミノ酸としてメチオニンに対応する．

　AUGはメチオニンの暗号であると同時に，タンパク

質合成の**開始コドン**（initiation codon）として働く．最初のアミノ酸が決まれば，次の3つずつの塩基が次のアミノ酸を決める．**終止コドン**（termination codon）には対応するアミノ酸がなく，タンパク質合成が終止コドンのところまで進行すると合成は終了する．

DNAのセンス鎖

　DNAの二本鎖のうち，RNAの鋳型になる鎖に対する相補鎖のことを**センス鎖**（sense strand）という（図6-3A）．すなわち，センス鎖のTをUに変えればmRNA

		第2		
	U	C	A	G
U	UUU UUC }Phe UUA UUG }Leu	UCU UCC UCA UCG }Ser	UAU UAC }Tyr UAA 終止 UAG 終止	UGU UGC }Cys UGA 終止 UGG Trp	U C A G
C	CUU CUC CUA CUG }Leu	CCU CCC CCA CCG }Pro	CAU CAC }His CAA CAG }Gln	CGU CGC CGA CGG }Arg	U C A G
A	AUU AUC }Ile AUA AUG Met	ACU ACC ACA ACG }Thr	AAU AAC }Asn AAA AAG }Lys	AGU AGC }Ser AGA AGG }Arg	U C A G
G	GUU GUC GUA GUG }Val	GCU GCC GCA GCG }Ala	GAU GAC }Asp GAA GAG }Glu	GGU GGC GGA GGG }Gly	U C A G

第1（5′端）／第3（3′端）

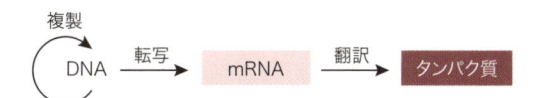

図6-1 セントラルドグマ（複製 DNA ─転写→ mRNA ─翻訳→ タンパク質）

図6-2 遺伝暗号表

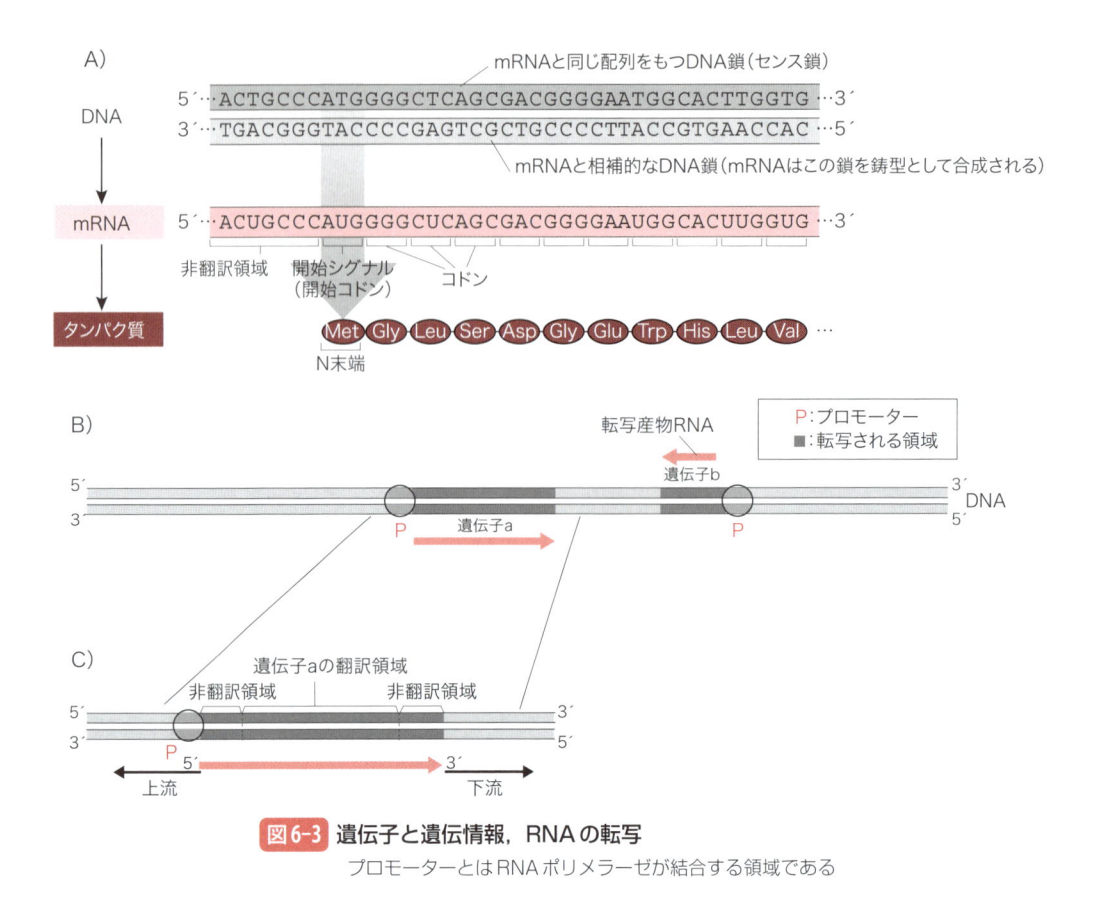

図6-3 遺伝子と遺伝情報，RNA の転写

プロモーターとは RNA ポリメラーゼが結合する領域である

と同じ塩基配列になる．DNAの二本鎖のうち，どちらがセンス鎖であるかは遺伝子によって異なる（図6-3B）．mRNAの配列の中で，アミノ酸の情報をもつ開始コドンから終止コドンまでの間を**翻訳領域**（コード領域：coding region）といい，翻訳領域の5′末端側と3′末端側にはそれぞれ5′非翻訳領域，3′非翻訳領域がある（図6-3C）．

2 原核生物の遺伝子

さて，原核生物と真核生物のそれぞれのDNA上にある遺伝子の構造をみてみよう．大腸菌は，アンモニアとグルコースからすべてのアミノ酸，糖，脂質，核酸を合成する酵素の遺伝子をもっていて，必要に応じて遺伝

子発現を調節する．例えば，ヒスチジンというアミノ酸が培地中にあれば，ヒスチジン合成にかかわる10種類の酵素遺伝子をすべて抑制し，ヒスチジンがなければ10種類の酵素遺伝子を一斉に発現する．ラクトースという糖が培地中にあれば，ラクトース資化に関するβガラクトシダーゼ（β–gal）など関連する3種類の遺伝子を一斉に発現する．これら複数の遺伝子はDNA上に並んで存在し，複数の遺伝子は1本のmRNAとして転写される．このようなmRNAを**ポリシストロニックmRNA**（polycistronic mRNA）という（図6-4A）．

1つの転写調節領域によって発現が調節される複数遺伝子のまとまりを1つの単位と考えて，**オペロン**（operon）と呼ぶ．例えば先に紹介した複数の遺伝子はヒスチジンオペロン，ラクトースオペロン（20章**2**参照）を構成している．原核生物では一般に，多数のオペロンを形成している．

3 真核生物の遺伝子

真核生物の遺伝子構造の特徴

図6-4Bに示すのは真核生物の遺伝子の模式図である．翻訳領域は**エキソン**（exon）に含まれており，エキソンは**イントロン**（intron）によって分断されている（詳しくは図6-9参照）．イントロンはアミノ酸配列の情報をもたないが，転写調節にかかわる情報をもつものもある．遺伝子によってはエキソンの10倍〜数百倍もの長さのイントロン部分をもっている．

クロマチン

真核生物では，DNAは**ヒストン**（histone）と呼ばれるタンパク質に巻き付いており，タンパク質とDNAの複合体を**クロマチン**（chromatin）という．光学顕微鏡

A)

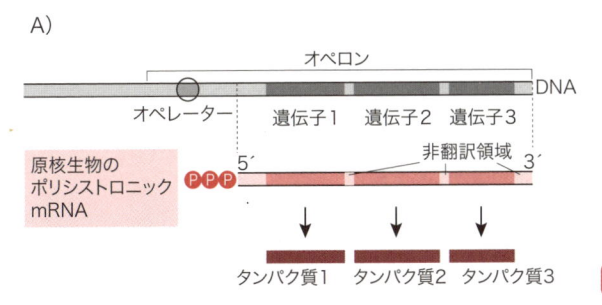

B)

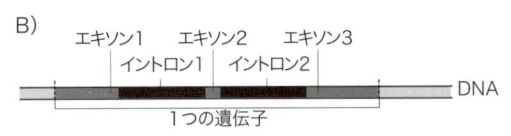

図6-4 原核生物（A）と真核生物（B）の遺伝子構造

遺伝暗号はどのように解読されたか？

Column

1953年にDNAの二重らせんモデルが提唱された後，次なる大問題は塩基配列がどのようにアミノ酸配列に変換されるかということであった．この問題を解くために，1954年にプロジェクトチームが結成された．その名は「RNAタイ・クラブ」．RNAが描かれたネクタイがシンボルである．会員は20名限定であり，各メンバーに20種類のアミノ酸のいずれかが呼称として割り当てられていた．会員は，生物学，物理学，化学，数学，暗号理論などのさまざまな分野から蒼々たるメンバーが選出された．彼らは4×4×4＝64通りの塩基3つの組み合わせが，「美しい法則」によって20種類のアミノ酸情報へと変換されると信じていた．会員のひとりの大物理学者ガモフ（George Gamow）はダイヤモンド暗号モデルという驚くべき仮説を提唱した[1]．残念ながらこれは間違いであったわけだが，大御所が結集したこのクラブから答えが出てくるはずだと期待されていた．

しかし，刺客は現れた．無名であったアメリカの研究者ニーレンバーグ（Marshall Nirenberg）らが，試験管内で人工RNAをもとにしてタンパク質を翻訳することに成功した[2]．まず，ウラシルが連続したUUUUUUUUUUUUUUUというRNAを加えたところ，フェニルアラニンだけからなるペプチドが産生された．このことからUUUがフェニルアラニンのコドンになっていることがわかった．その後，ほとんどのコドンはニーレンバーグらによって，また一部は他の研究者によって解読された．1966年にコドンは完全に解明され，そこには数学者や物理学者が期待していたような美しい法則は存在しないことが明らかにされたのだ．

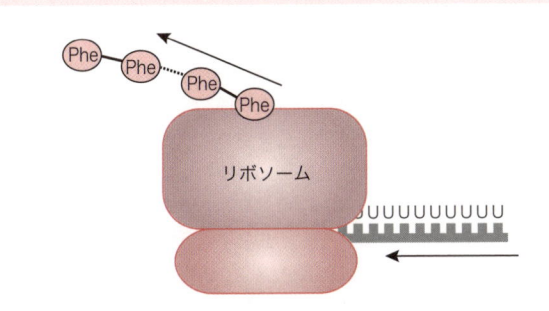

コラム図6-1 人工ポリウラシルを用いたコドン解読

試験管内（無細胞系）翻訳系を用いて，ウラシル（U）だけからなる人工mRNAを翻訳させると，フェニルアラニン（Phe）のみを含むペプチドが合成される

参考文献

1) Gamow G：Nature, 173：318, 1954
2) 「The Least Likely Man」（Portugal FH／著），MIT press, 2015

で観察される染色体はクロマチンが凝縮したものである.

クロマチンの主要なタンパク質であるヒストンにはH1, H2A, H2B, H3, H4の5種類あり, H2A, H2B, H3, H4がそれぞれ2個ずつ集まった球状のヒストン八量体にDNAが巻き付き**ヌクレオソーム**（nucleosome）という構造をとる. これがらせんをつくって, それがさらに幾重ものらせん構造をとることにより, DNAの長さが圧縮されている. H1はヒストン八量体とDNAに結合し, らせん構造をさらにコンパクトにする働きがある.

ヒトの細胞核の直径は約10 μmであるが, 細胞あたりのDNAの長さは46本の染色体DNAをつなぎあわせると2 mにも達する. こうして長いDNAは, もつれないように核に収まっている. 遺伝情報が読み取られる際には, クロマチン構造がほどけ, 情報が写し取られる（**図6-5**, 詳細は**20章**参照）.

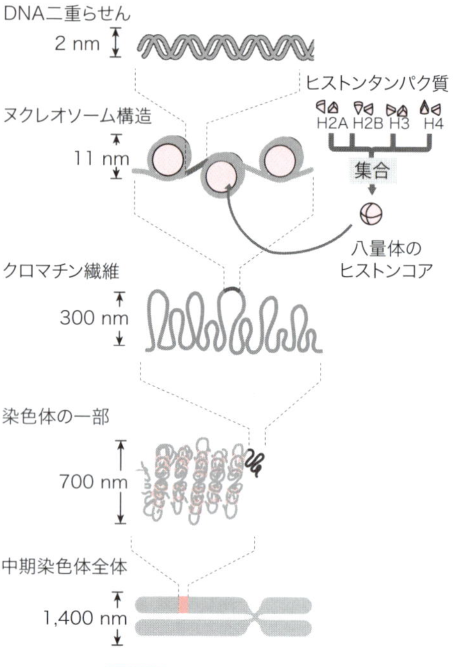

図6-5 クロマチンの構造

4 転写のしくみ

RNAポリメラーゼと転写

大腸菌は1種類の**RNAポリメラーゼ**（RNA polymerase：RNA合成酵素）で全RNAを合成する. 真核生物のRNAポリメラーゼは, Ⅰ, Ⅱ, Ⅲがあり, Ⅰは主にrRNA合成, ⅡはmRNA合成, ⅢはtRNA合成を担う.

転写はDNAの二本鎖のうちの1本を鋳型にして, 塩基のペアができるように1つ1つヌクレオチドをつなげる. RNA合成の方向は, DNA合成と同様に5′から3′へ向かう合成反応であり, 合成されたRNA鎖と鋳型鎖DNAは逆向きの関係にある.

DNA複製後の塩基修飾と遺伝情報複製

Column

真核生物では複製が終わった後, DNA配列上の特定の位置のシチジン塩基が, メチル化酵素の働きによってメチル化される（**20章4**参照）.

DNAのメチル化はさまざまな生物学的意義をもつが, 重要なことの1つは, 高度にメチル化された領域では遺伝子の働きが抑制されることである. 細胞の分化機能は, それを担当する遺伝子の発現（遺伝子が働くこと）によって担われており, 例えば肝細胞では, 肝細胞として機能するための遺伝子は発現するが, 神経細胞や上皮細胞を特徴づける遺伝子の発現は抑制されている. 肝細胞が増殖したとき肝細胞だけが誕生する（神経細胞や上皮細胞を生まない）のは, 肝細胞としての遺伝子発現の特徴が, DNAのメチル化を通じて子孫細胞に伝わるためである. こうしたDNAの複製後修飾をエピゲノムと呼ぶ.

以上のような最近の研究の進展から, 「DNAの複製」とはDNAのもつ塩基配列が正確に複製されることであるが, 「遺伝情報の複製」という場合には, 遺伝子発現のあり方を指定する情報（DNAのメチル化）が複製されることも含めるべきである, との見解が生まれつつある.

なお, メチル化のもう1つの重要な生物学的意義は, 複製直後に起きるミスマッチ修復の際に, 修正すべき塩基と正しい（修正すべきでない）塩基の見分けである. メチル化されていない鎖が新生鎖であって, この鎖上にあるミスマッチ塩基が修正の対象になる.

重要な転写開始：プロモーターとRNAポリメラーゼの結合

転写を開始する点を転写開始点といい，転写が終わる点を転写終結点という．転写開始点の情報は**プロモーター**（promoter）にあり，プロモーターは転写開始点の上流[※1]に存在する．

プロモーターの重要な役割は，RNAポリメラーゼが結合する位置と向きを決め，転写を開始することである．結合した基本転写因子とRNAポリメラーゼ複合体によってDNAの二本鎖が開かれ，3′から5′方向へ向かうDNA鎖が鋳型鎖となり，RNAは5′から3′へ向かって合成される．

真核生物のプロモーター領域（図6-6）には，**基本転写因子**（general transcription factor）[※2]が認識するTATAボックスといった特徴的な塩基配列がみられる（p.235コラム参照）．原核生物では複数種類の**σ因子**（σ factor）と呼ばれるタンパク質が，特定のプロモーターへのRNAポリメラーゼの結合を促す．

mRNAの延長反応と終結

RNAポリメラーゼはDNA上を移動するが，基本転写因子の多くは酵素と一緒に移動するわけではない．合成が進んで伸びたRNAの鎖は，速やかにDNAから離れて，RNA合成が終わった部分のDNAは元の二本鎖DNAに戻る．

原核生物では，転写終了を指示するDNAの塩基配列があり，**ターミネーター**（terminator）という．ターミネーター領域まで合成されたRNAが，DNAとの対から離れてRNA自身の中で二本鎖構造（ヘアピン構造）をつくることで，RNAはDNAから外れるなどの機構が知られている．真核生物でも似たしくみで転写が終結すると考えられているが，明らかになってはいない．

5 転写後の修飾

RNAの種類

遺伝子DNAから転写され，細胞内に存在する主なRNAは3種類に大別される．それはrRNA，mRNA，tRNAであり，いずれもタンパク質合成にかかわる（図6-7）．

❖ rRNA

rRNA（ribosomal RNA：リボソームRNA）は原核生物では，5S，16S，23S[※3]の3種類（図6-7枠内），真核生物では，5S，5.8S，18S，28Sなどの種類がある．細胞内にあるRNAのおよそ95％はrRNAで，これらのrRNAは，たくさんのタンパク質とともにタンパク質合成の場として働く**リボソーム**（ribosome）を形成している（図6-8A）．rRNAには複数種類あるが，そのうちの3つのrRNAは1本の**前駆体RNA**（precursor RNA：pre-RNA，図6-8B）として転写される．転写後に切断されて，それぞれのrRNAができる（1つのリボソームに全種類のrRNAが1分子ずつ必要なので，これはきわめて合理的な方法である）．

❖ mRNA

タンパク質の情報を転写して，タンパク質合成系へ運ぶのは**mRNA**（messenger RNA：メッセンジャーRNA）である．

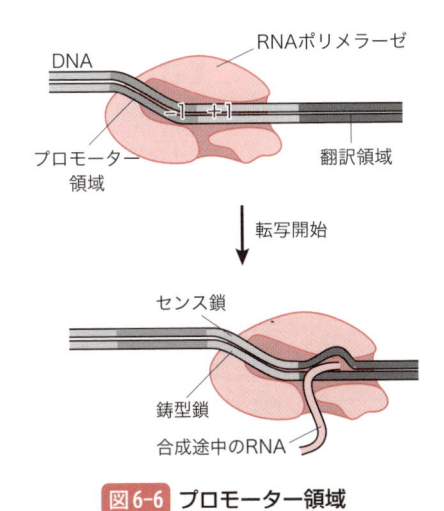

DNA
RNAポリメラーゼ
プロモーター領域
翻訳領域

↓ 転写開始

センス鎖
鋳型鎖
合成途中のRNA

図6-6　プロモーター領域

[※1]　転写開始点を＋1と表し，転写開始点を基準として転写する方向を**下流**（downstream）という．逆方向を**上流**（upstream）といい，塩基の番号を−1番から上流へ向かって，−2，−3と順に番号をふる．

[※2]　転写を促進するタンパク質，すなわちRNAポリメラーゼがプロモーターに結合する際に必要なタンパク質．プロモーター上の特定の塩基配列に基本転写因子が結合することによって，RNAポリメラーゼが結合しRNA合成を開始することができる．

[※3]　S：超遠心分離による沈降速度を示す単位（スウィードベリ単位）．分子量が大きいものほど値が大きいが，分子量と直線関係にはなく，分子量が2倍になってもSの値は2倍にはならない．

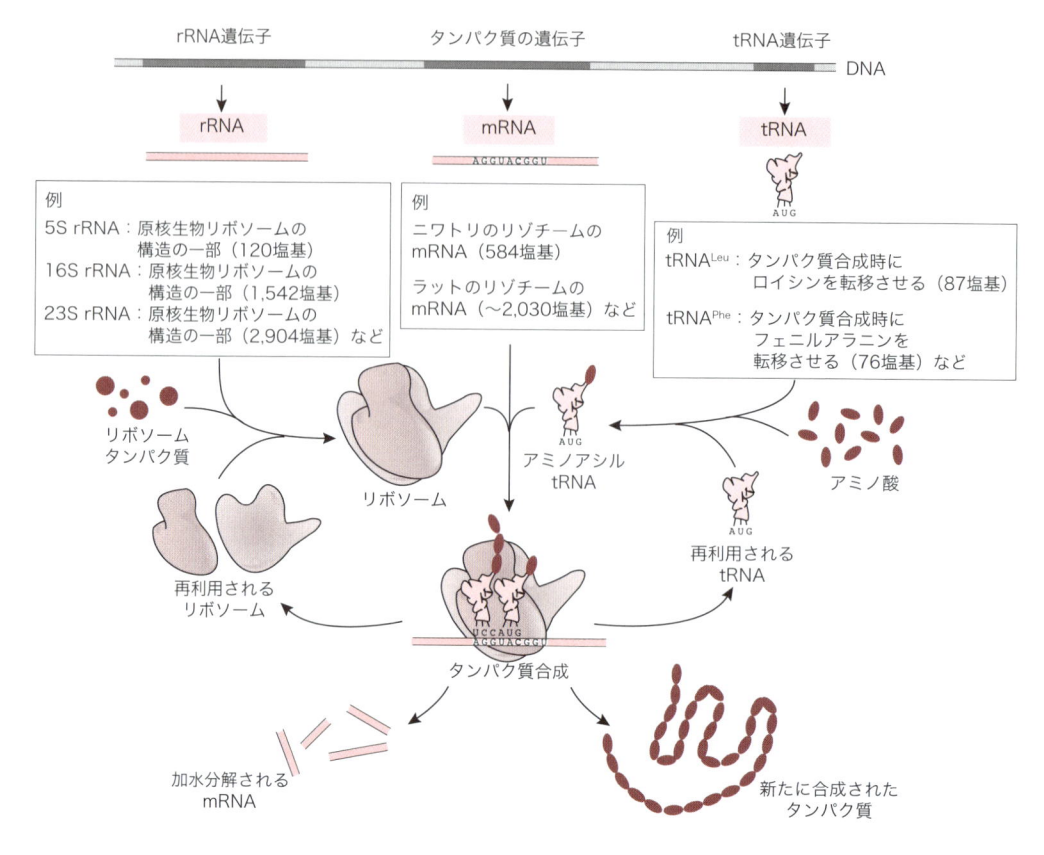

図6-7 3種類のRNAの種類と役割

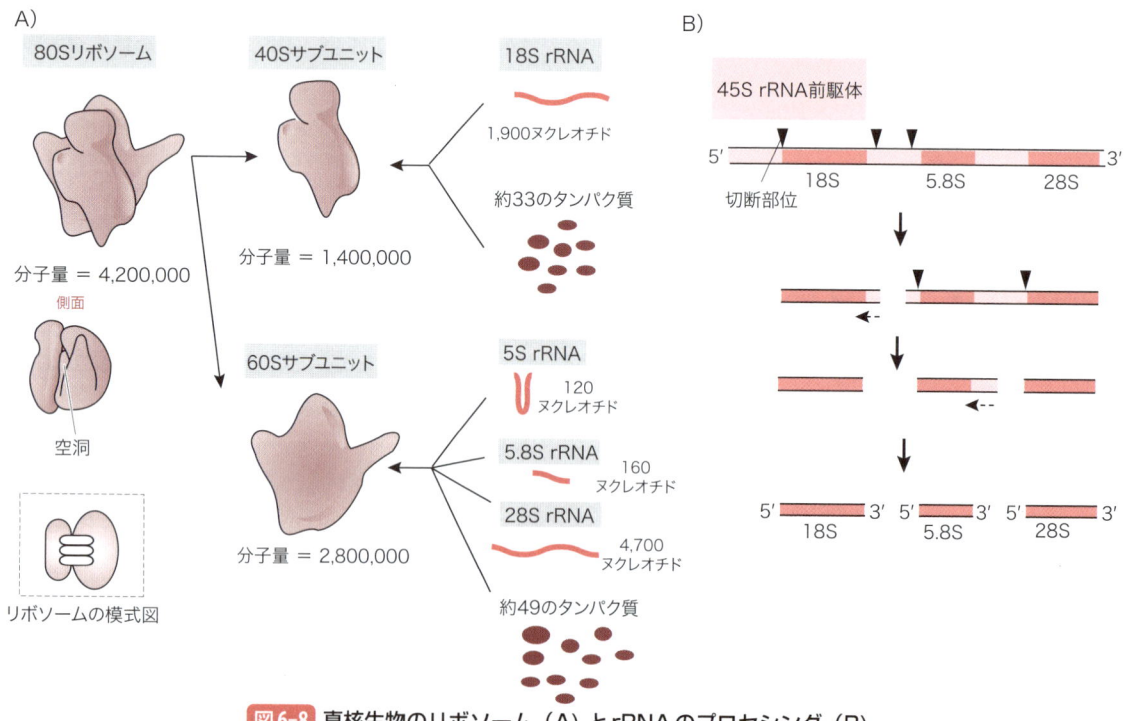

図6-8 真核生物のリボソーム（A）とrRNAのプロセシング（B）

❖ tRNA

tRNA（transfer RNA：転移RNA，または運搬RNA）は，4S程度の大きさであり，長さは70〜90ヌクレオチド長ほどである．種類は細胞中に40〜50種類くらいあり，RNA全体の5％程度を占める．タンパク質合成の際に，アミノ酸と結合してタンパク質合成の場であるリボソームへ運ぶ役割をもつ．それぞれのtRNAが結合するアミノ酸は決まっていて，フェニルアラニンを結合するtRNAをtRNA^{Phe}，メチオニンを結合するtRNAをtRNA^{Met}のように表記する．

❖ rRNAおよびtRNAの遺伝子増幅と塩基の修飾

多数のmRNAからのタンパク質合成に必要なrRNAやtRNAは大量に合成されるように転写が盛んに行われるだけでなく，rRNAやtRNAの遺伝子のコピー数は多くなっている．

また，こうしたrRNAもtRNAもRNA鎖ができた後で，塩基の修飾を受ける．tRNAについては多くの塩基修飾が起き，シュードウリジンなどのマイナー塩基[4]ができる．マイナー塩基は，tRNAが機能するうえで必要である．

真核生物ではこの他にも，snRNA（small nuclear RNA，図6-9参照），miRNA（図20-9参照）など先の3種のRNAと比べて小さいいくつかのRNAが知られている．

▌mRNAプロセシング

細菌のmRNAは転写後の修飾を受けないが，真核生物のmRNAは前駆体であるpre-mRNAとしてDNAから転写され，3種類の修飾を受けることにより完成したmRNAになる[5]（図6-9）．これらの修飾をmRNAプロセシングという．ここでは真核生物の場合を紹介する．

❖ キャッピング

mRNAの5′端には7-メチルグアノシンが付加される．これをキャップ構造（cap structure）という（図6-9）．キャップ構造はタンパク質合成に必須の構造であり，mRNAはキャップに結合する特殊なタンパク質を介してリボソームと結合する．原核生物のmRNAにはキャップ構造がない．

❖ ポリA付加

pre-mRNAの3′末端近傍には，ポリA付加シグナル配列（AAUAAAなど）があり，ここから20塩基程度下流で酵素的に切断された後，ポリA付加酵素によってA（アデニル酸）が付加される．この合成には鋳型は不要である．1種類のmRNAでもポリA鎖の長さが異なるため，完成したmRNAのサイズは一定ではない．ポリA鎖は，真核生物の翻訳の促進に重要である．

❖ スプライシング

真核生物の遺伝子は，mRNAとなるエキソン部分と，mRNAにならないイントロン部分とからなり，pre-mRNAは両方を含んだ形で合成される．転写されたpre-mRNAからイントロン部分のみを切り取って除去し，エキソン部分のみが連結されてmRNAとなる．こ

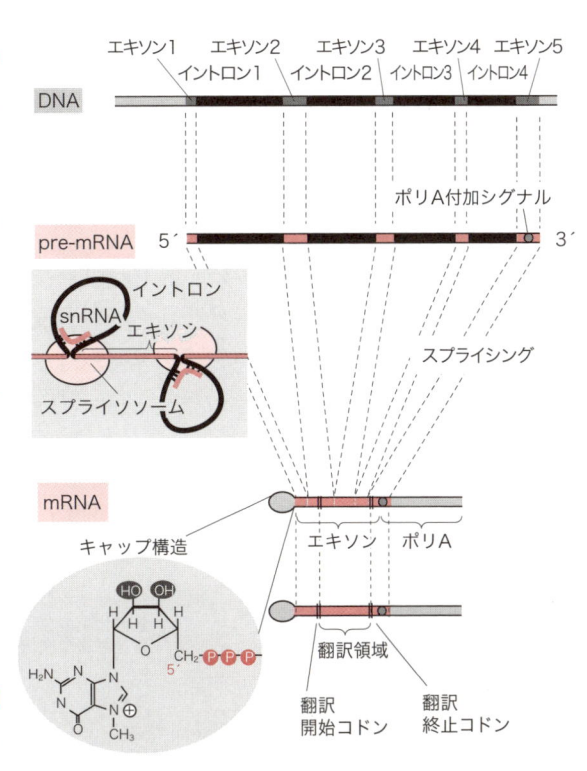

図6-9 真核細胞mRNA完成までの修飾

の過程を**スプライシング**（splicing）という（図6-9）.

スプライシングの過程で，エキソンの組み合わせを変えることにより完成品として複数種類のmRNAができる場合がある．これを，**選択的スプライシング**（alternative splicing）という．結果として，アミノ酸配列の異なる複数種類のタンパク質が合成され，それぞれが異なった機能をもつ．選択的スプライシングにより，1つの遺伝子から複数種類のタンパク質が合成される．こうしたしくみもあってヒトの遺伝子数は20,000程度である

が，10万種を超えるタンパク質が合成される．

RNAの細胞質への輸送

真核生物ではRNAは核内で合成され，転写後の修飾を受けて完成したrRNA，tRNA，mRNAはいずれも核膜孔を通って細胞質へ輸送された後，タンパク質合成に使われる．タンパク質合成の材料であるアミノ酸は，tRNAと結合したのちにタンパク質合成に使われる．

スプライシングの微妙な調節

Column

筋強直性ジストロフィー1型という病気がある．この病気の主症状は筋肉の弛緩障害で，例えば握った吊革から簡単に手が離せなくなる（筋強直という）．しかしその他にも，過睡眠，白内障，耐糖能異常（糖尿病のような症状），筋力低下，精巣萎縮，禿頭などの全身症状がみられる難病である．この病気は，わが国の筋ジストロフィーの中では一番多いが，原因は驚くべきものだった．それは，19番染色体にあるDMPK遺伝子の変異であり，それも3′非翻訳領域に存在するCTGCTG…という3塩基のリピートが伸長していたのである．正常では30回以下しかないCTGのリピートが，病気の人では数千回に伸びていたのであった．その後，筋強直性ジストロフィー2型も発見されたが，これは3番染色体にあるZNF9/CNBP遺伝子中のイントロン1にあるCCTG 4塩基繰り返しの伸長であった．

非翻訳領域やイントロンに異常があっても，翻訳されるタンパク質には変化がないはずである．どうしていろいろな症状が出るようになるのだろうか．そのヒントは，動物実験から明らかになった．伸長した3塩基リピートだけを発現させた遺伝子改変マウスでも同じ症状がみられたのである．すなわち本症の原因は，転写されたmRNAにあり，伸長したリピートmRNAが何

らかの悪さをしているということになる．研究の結果，mRNA前駆体の伸びたCUGまたはCCUGの繰り返し領域にMBNL1というスプライシング因子が特異的に結合して本来のスプライシング機能が果たせなくなるために，いろいろな症状が引き起こされることがわかった．例えば塩素チャネル遺伝子のスプライシング異常が起こると筋強直になる，というわけである．

まだ他の症状である筋力低下や白内障がどの遺伝子のスプライシングが異常になり起こるかわかっていないが，原因がはっきりすると治療戦略が立ってくる．つまり，長いCTGから転写されるmRNAの発現を抑えてしまえば，理論的にはすべての症状がよくなる可能性がある．このように，原因の発見が治療法に結びついていく．

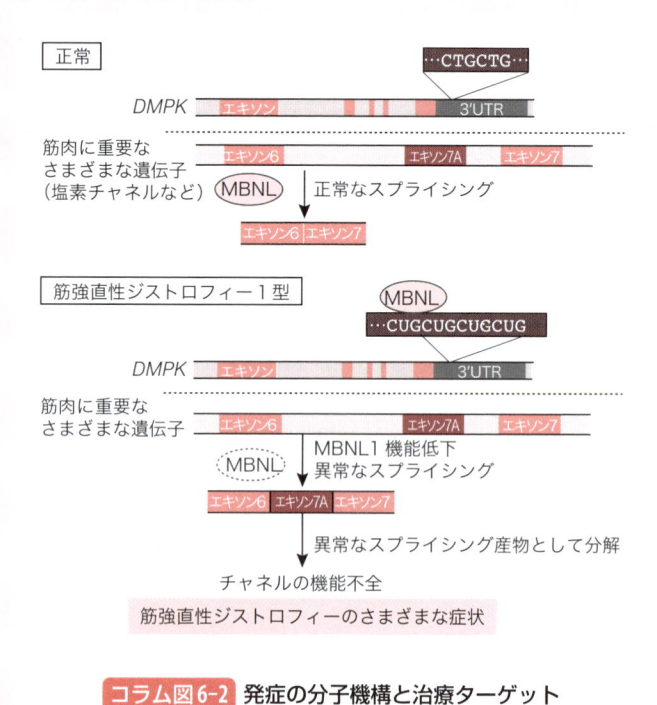

コラム図6-2 発症の分子機構と治療ターゲット

6 翻訳のしくみ

リボソームと翻訳

　原核生物でも真核生物でも，リボソームは大サブユニットと小サブユニットが1つずつ会合した複合体である．どちらのサブユニットも，rRNAと多くの種類のタンパク質から構成され，特定の形をもった複合体である．このリボソームの上で，mRNAの塩基配列によるコドンによって順番にアミノ酸が結合しポリペプチドが合成される（図6-10A）．この一連の反応がリボソーム上で起こることを**翻訳**（translation）という．タンパク質合成の材料であるアミノ酸は，そのままではタンパク質合成に使われず，まずいったんtRNAと結合することが必要である．

tRNAの構造とアミノアシルtRNA

　すべてのtRNAに共通の形として，大部分が分子内二本鎖を形成している（図6-10B）．ここに示したのはフェニルアラニンを結合するtRNAの1つで，アンチコドンループは，mRNA上のコドンと相補的に結合する**アンチコドン**（anticodon）配列を含んでいる．3′端には，すべてのtRNAに共通なCCA配列があり，ここにアミノ酸が結合する．立体的な三次構造は，図6-10Cのような L 字形になっている．

アミノアシルtRNA合成酵素

　各アミノ酸を，それに対応するアンチコドンをもったtRNAに正しく結合させるのは**アミノアシルtRNA合成酵素**（aminoacyl–tRNA synthetase）である．アミノ酸ごとに特異的なアミノアシルtRNA合成酵素があり，

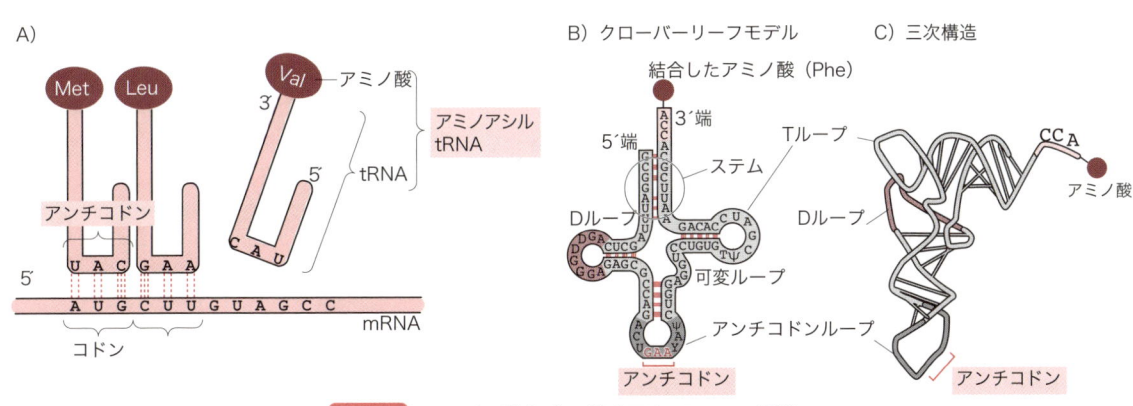

図6-10 タンパク質合成の模式図とtRNAの構造

遺伝子の定義の歴史的変遷　Column

　遺伝子の定義には歴史的変遷とゆらぎがある．遺伝子の用語は，遺伝子の本体が解明される前から概念として使われていた．メンデル（Gregor Mendel）は19世紀後半にエンドウの実験から，親から子へ伝わる「形質を支配する何ものか」が存在することに気づき，遺伝子と命名した（**7章1**参照）．その後，染色体に遺伝子があることが示され，1910年代にモルガン（Thomas Hunt Morgan）がショウジョウバエの突然変異体の遺伝学により染色体の遺伝学的地図を作製した．現在の生物学では，タンパク質の情報が変化するだけではなく，遺伝子の転写調節にかかわる領域が変化しても，突然変異の形質が現れることが明らかになっており転写調節領域も遺伝子の一部と考えられている．モルガンらが遺伝子として染色体上に記録したものにも転写調節領域が多く含まれている．

　1940年代初頭にビードル（George Wells Beadle）がアカパンカビの遺伝学と代謝酵素の生化学により，1遺伝子1酵素説を提唱した．これにより酵素は遺伝子と一対一で対応していると考えられるようになった．実際には，複数種類のタンパク質で構成される酵素も多くあることから，現代ではこの概念は正しいとはいえないが，ビードルによりタンパク質でできている酵素が遺伝子で規定されていることが示されたといえる．

それぞれのアミノアシル tRNA 合成酵素はアミノ酸の構造と適切な相手となる tRNA の構造を認識して，CCA 配列のうしろにアミノ酸を連結する．

mRNA 上のコドンと アミノアシル tRNA の出会い

リボソームには3カ所，tRNA が入る部位がある．あるコドンと適合したアンチコドンをもった tRNA（実際にはアミノアシル tRNA）が結合する場（A部位）と，その直前段階まで合成途中のポリペプチドをつなぎとめている tRNA が納まる場（P部位）が近距離に隣り合っている．するとポリペプチド部分が tRNA から，A部位にいるアミノ酸と結合する反応が起こる．その結果，ポリペプチド鎖としてアミノ酸1つ分が伸びることになる．すると延長因子と呼ばれるタンパク質の作用によって，空となった tRNA は隣のE部位へ，ペプチドを結合した tRNA はP部位へと移動する．このあとはくり返し，mRNA 上のコドン配列に基づいてアミノ酸が一つひとつ伸びていく（図6-11）．この反応を触媒しているのは，実はリボソーム中の rRNA である．このように酵素活性をもつ RNA を**リボザイム**（ribozyme）と呼ぶ．

翻訳の開始，終了

開始の際には開始因子と呼ばれる調節タンパク質などの働きで，細胞の環境なども反映させながら，特定の mRNA の翻訳を開始コドンからはじめる．非常に多くの因子が関与することが知られており，これは翻訳の開始段階が遺伝子の発現の制御において重要なことを示している．

終了の際には終結因子と呼ばれる調節タンパク質などの働きで，終止コドンの位置で，1本のポリペプチド鎖（タンパク質）の翻訳が完結する．

原核生物での翻訳

原核生物には核膜が存在しないために，遺伝子 DNA から転写されつつある mRNA をもとに，すぐに翻訳が並行して行われる．

ポリソーム

1本の mRNA には複数のリボソームが付着して同時にタンパク質を合成しており，mRNA が長いほどたく

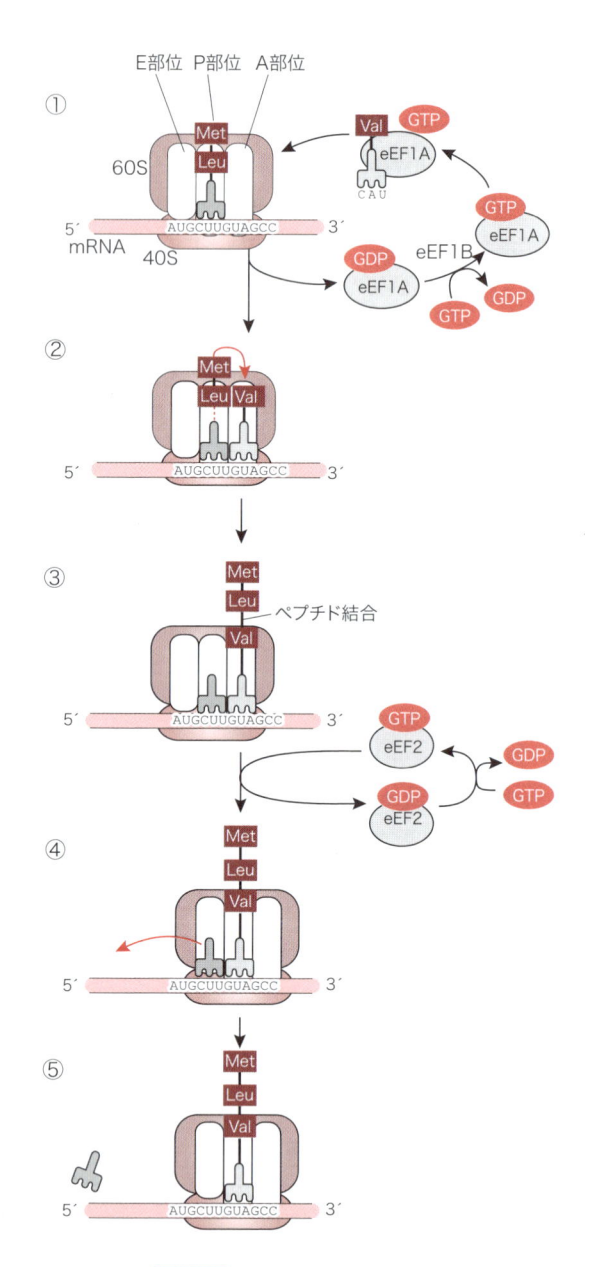

図6-11 ペプチド鎖の延長反応

さんのリボソームが結合している．複数のリボソームがmRNAでつながったものを**ポリソーム**（polysome）という．ポリペプチドの伸長速度は真核生物では毎秒2アミノ酸，原核生物で毎秒約20アミノ酸ほどである．

本章のまとめ　　*Chapter* **6**

☐ 遺伝情報がDNA→mRNA→タンパク質という流れで発現する概念をセントラルドグマと呼ぶ．DNA二本鎖のうち，RNAの鋳型となる鎖に対する相補鎖をセンス鎖と呼ぶ．

☐ 原核生物では一般に多くの遺伝子がオペロンを形成し，1つのmRNAに複数種のタンパク質の情報が載っている．真核生物では多くの場合，1つのmRNAには1種のタンパク質の情報のみが載っている．

☐ 真核生物の遺伝子から転写された前駆体mRNAにはイントロン部分が含まれる．スプライシングを受けて，エキソン部分が結合したmRNAが完成し，翻訳の鋳型となる．翻訳領域の配列はエキソン部分に含まれる．

☐ 転写は二本鎖DNAのうち鋳型鎖を元に，塩基対ができるようにRNAポリメラーゼがヌクレオチドを重合させて進む．

☐ 細胞内にある主なRNA種として，タンパク質のアミノ酸配列情報を遺伝子DNAから写しとりタンパク質合成系へと運ぶmRNA，翻訳の場となるリボソームを形成するrRNA，翻訳の際に適切なアミノ酸と結合してリボソームへと運ぶtRNAなどがある．

☐ リボソーム上で，mRNAの塩基配列が構成するコドンの種類，順番によって，アミノ酸が重合しポリペプチドが合成される反応を翻訳と呼ぶ．

7章　有性生殖と個体の遺伝

親から子へ遺伝情報が継承されるしくみに関する研究は，メンデルの遺伝の法則の発見に始まり，モルガンの染色体説などを経て，現代的なDNAを基盤とする分子遺伝学へと発展した．多くの有性生殖を行う生物は，生殖細胞において染色体数の半減を伴う減数分裂を行う．減数分裂では，両親の遺伝情報の一部を交換する遺伝的組換えが起こり，子孫への染色体の分配や，卵や精子などの配偶子形成が正常に実行される．卵と精子は受精により1つになり，再び染色体数は倍加し，成熟した個体へと発生していく．本章では，以上の生命情報伝承における法則性や，そのプロセスを解説する．

1 メンデルの法則と遺伝子

一人一人の人間は，目の色や髪の毛の色など，外見的な性質が人によって少しずつ異なる．また，血液型など外見ではわからない違いも存在する．このような性質は**表現型**（phenotype）または**形質**（trait）と呼ばれる．これに対し，遺伝子の塩基配列の構成は，**遺伝子型**（genotype）と呼ばれる．表現型や遺伝子型は，親から子へと次世代に受け継がれていく．

親から子に形質が伝わることは古くから認識されていた．メンデルが遺伝の法則を見出す以前は，両親の形質が混ぜ合わされて子に伝わるという「混合説」が主流であった．1866年，オーストリアのアウグスティノ修道会の教師であったメンデルは，修道院の庭でエンドウ（*Pisum sativum*）の育種をはじめ，数学を使った新しい手法を用いることで，遺伝の粒子性を示す法則を見出した．

1組の対立形質[※1]に注目して交配した場合，法則性をもって雑種が生じることを発見した（**図7-1**）．まず，自家受精して丸い豆が得られるエンドウとしわになるエンドウを親（P）としてかけあわせると，雑種第一代（F₁）は必ず全部丸となった．この丸い豆をもつエンドウを自家受精させると，雑種第二代（F₂）では丸い豆が5,474個，しわの豆が1,850個得られた．

この結果は，**図7-1**で説明ができる．豆の形を決める粒子性の因子があり，丸い豆をつくるものをA，しわの豆をつくるものをaとすると，この場合のPは純系のAA

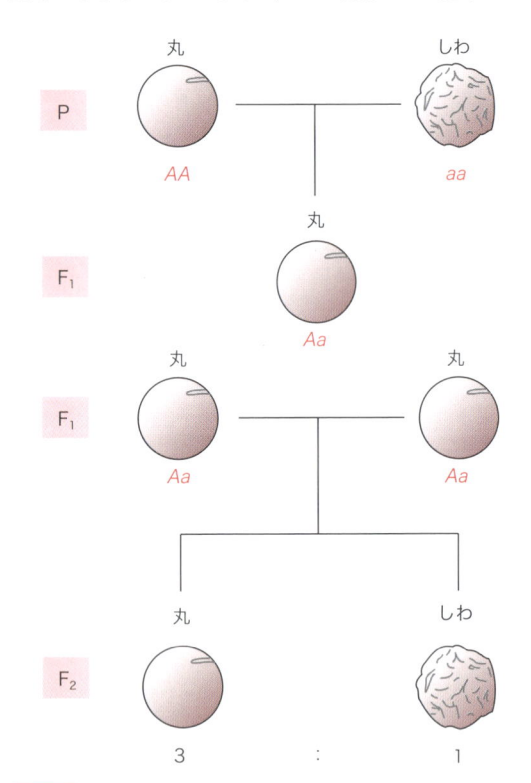

図7-1　交配による形質の変化（エンドウ）
純系の丸としわをかけあわせると，F₁ではすべて丸となる．F₁同士のかけあわせでは，丸としわの比が3：1に分離する

※1　例えば，種子の形が「丸」に対して「しわ」のように，互いに対をなす形質．

とaaと考えられる[※2]．この表記を用いると，この実験で生じたF_1はAaと表される．F_1（ヘテロ接合体）では，丸い豆の形質が現れたが，これはしわの豆形質を覆い隠して現れる形質である．このような丸い豆の形質を，メンデルは**顕性**（優性，dominant）と定義した（顕性効果）．また，表面に現れなくなったしわのような形質を**潜性**（劣性，recessive）と呼ぶ．この考えに従うと，F_1同士の交配により得られたF_2では$AA:Aa:aa=1:2:1$となり，丸：しわ＝3：1となって，実際の数に合う．これを**顕性の法則**（The law of dominance）と呼ぶ．また，メンデルが仮定した遺伝伝達因子は，後に**遺伝子**（gene）と命名された．

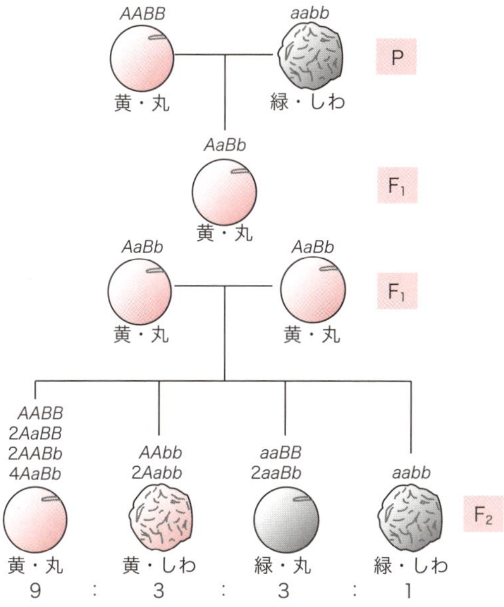

メンデルは，さらに2つの対立形質に注目して交配を行い，異なるアレル（対立遺伝子，allele）が，それぞれ独立して遺伝することを発見した（図7-2）．これを**独立の法則**（The law of independence）と呼ぶ．メンデルは，胚乳の色（黄，緑）と種子の形（丸，しわ）の違う豆を交配した．Pは黄・丸と緑・しわとし，F_1をとるとすべて黄・丸になっていた．このF_1の自家受精で得られたF_2の個数は，黄・丸：黄・しわ：緑・丸：緑・しわ＝315：101：108：32となっていた．この比率（分離比）を計算すると，だいたい9：3：3：1になっている．これは，図7-2のように，黄，緑，丸，しわの遺伝子をA, a, B, bとすると，Pは$AABB$と$aabb$であり，F_1は$AaBb$で黄・丸となっており，F_2は9：3：3：1となって結果が説明できる．

このように，$AaBb$から得られる配偶子が$AB:Ab:aB:ab=1:1:1:1$の割合に分離することを**分離の法則**（The law of segregation）と呼ぶ．異なる遺伝子座がお互いの形質に影響を与えずに遺伝することを「独立に遺伝する」という．

図7-2 メンデルの2遺伝子雑種

2 連鎖と遺伝的組換え

上記のようにメンデルは，個体の遺伝的形質は粒状の2つの因子によって決定され，この対になっている因子は配偶子に1つずつ配分されて，受精によって再び2つの因子をもつようになる，と考えた．しかし，これ

メンデルの法則に合わない母性遺伝

Column

細胞内に存在するミトコンドリアは，ふつう母性遺伝することが知られている．これは，受精の際に，精子に存在するミトコンドリアは卵に容易に侵入できないことと，もし侵入してもすぐに分解されてしまうしくみが備わっているためである．そのため，受精卵の中のミトコンドリアは，基本的にはすべて母親由来となる．これを利用すると，人類の祖先をたどることができる．ミトコンドリアには環状のDNAが存在しており，その16,569塩基のうちの変異をたどることによって，現人類の祖先は，今から15〜20万年前にアフリカに住んでいた1人の女性であることが明らかになった（男性の祖先は，男性だけがもつY染色体をたどることによって可能になる）．

[※2] このようなAA，aaなどを遺伝子型という．また，対立因子がAA，aaのように同じものを**ホモ接合体**（homozygote），Aaのように異なるものを**ヘテロ接合体**（heterozygote）という．すべての遺伝子がホモ接合体の系統を**純系**（pure line）という．

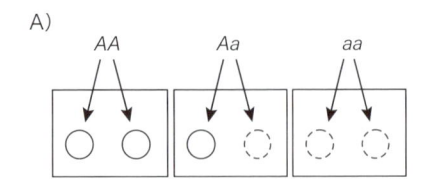
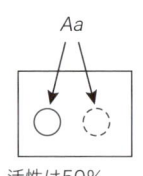
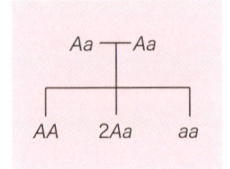

A)
AA Aa aa

○ 生理機能をもつ
　タンパク質

⚬ 生理機能をもたない
　タンパク質

Aa ── Aa
AA 2Aa aa

B)
BB BB* B*B*

○ 正常機能をもつタンパク質

🔴 別種の機能をもつタンパク質

C)
Aa

活性は50%
しかし病気になる

○ 活性をもった
　タンパク質

⚬ 活性をもたない
　タンパク質

図7-3 さまざまなタイプの変異
A）機能喪失と表現型，B）機能獲得と表現型．ここではわかりやすくするために，機能獲得が顕性形質であった場合のことを示す．C）ハプロ不全

は抽象的概念であり，物質的な基盤はなかった．

　細胞生物学者が顕微鏡を用いて染色体を観察し，1875年に**体細胞分裂**（mitosis，有糸分裂ともいう，**2章1**参照）を，1890年に**減数分裂**（meiosis）を明らかにした．この過程で，メンデルが示唆した遺伝子の挙動が，染色体のそれと共通性をもつことが見出された．例えば，減数分裂とともに染色体数の半減が起こり，受精で再び元に戻ることがわかった．そして，遺伝子は染色体上の特定部位に存在し，染色体の挙動とともに遺伝子が分配されるという**染色体説**（chromosome theory of inheritance）が提唱された．

　モルガンらは，ショウジョウバエを用いた研究で，染色体説を実証した．モルガンは目に見えない遺伝子を調べるため，苦労の末，眼が白い異常な個体を得ることに

成功した．ショウジョウバエは本来眼が赤いのだが，眼色にかかわる遺伝子が欠損することで，眼が白くなったのである．

さまざまなタイプの変異

　ここで変異についてまとめておこう．遺伝子に生じる異常を**変異**（mutation）という．変異は基本的にはDNA配列の変化による．変異の入っている遺伝子または個体の型を**変異型**（mutant type），変異の入っていないものを**野生型**（wild type）という．多くの場合，遺伝子に変異が入るとその機能が失われるが，これを**機能喪失**（loss-of-function）型変異という（**図7-3A**）．一方，変異により新たな機能が生じる場合があり，このような変異を**機能獲得**（gain-of-function）型変異とい

ハーディー・ワインベルクの法則

Column

　集団内の2種類のアレルAとaの頻度をp, q $(p+q=1)$ とし，任意のかけあわせを行ったとき，AA, Aa, aa

の遺伝子型頻度は，それぞれ$AA：p^2$, $Aa：2pq$, $aa：q^2$となる（**コラム表7-1**）．これをハーディー・ワインベルクの法則という．

　1つ具体例を挙げる．ヒト集団の交配（結婚）のランダムネスについて知見を得るには，血液型の遺伝子頻度を用いる．それぞれA = 0.22，B = 0.16，O = 0.62であり，この法則を使うと血液型の分布が計算できる．

$(0.22A + 0.16B + 0.62O)^2$を計算すると，

[A] = AA + AO = 0.32
[B] = BB + BO = 0.22
[AB] = 0.07
[O] = 0.39

となり，この値は全世界の血液型の割合とほぼ一致する．このように，ABO式血液型でみる限り，われわれは全くランダムに結婚していることがわかる．

コラム表7-1
ハーディー・ワインベルクの法則

		A p	a q
A	p	AA p^2	Aa pq
a	q	Aa pq	aa q^2

う（図7-3B）．機能喪失型の変異と，野生型遺伝子がヘテロ接合の状態になると，通常野生型遺伝子が顕性となり，変異の形質は見かけ上観察されない．ところが，ある種の機能喪失型変異の場合は，野生型遺伝子とヘテロ接合の場合でも，変異に伴う表現型が現れることがある．これは，2本の染色体の片方からしか正常な遺伝情報が発現せず，量的に不足が生じるからである．このような現象を，**ハプロ不全**（haploinsufficiency）という（図7-3C）．

伴性遺伝

モルガンは，赤眼の野生体と白眼の変異体を交配させてみたところ，F_1 ではすべてが赤眼になり，F_2 では赤眼：白眼が3：1になったことから，この変異が潜性であることがわかった．ところが，驚くべきことに，F_2 の雌はすべて赤眼であったのに，雄は白眼と赤眼が半々であった．このことから，モルガンはこの遺伝子が性色体であるX染色体に存在すると推論した（図7-4）．なお，このような性と関連する遺伝様式を，**伴性遺伝**（sex-linkage）と呼ぶ．

連鎖と遺伝的組換え

個々の染色体には，数百～数千個の遺伝子（Y染色体は例外的に遺伝子数が少ない）が整列して存在している．同一染色体上の近傍に存在する2つの遺伝子は，交配の際に同じ子孫に受け継がれる確率が高い．このような組み合わせの場合，互いに**連鎖**（link）している

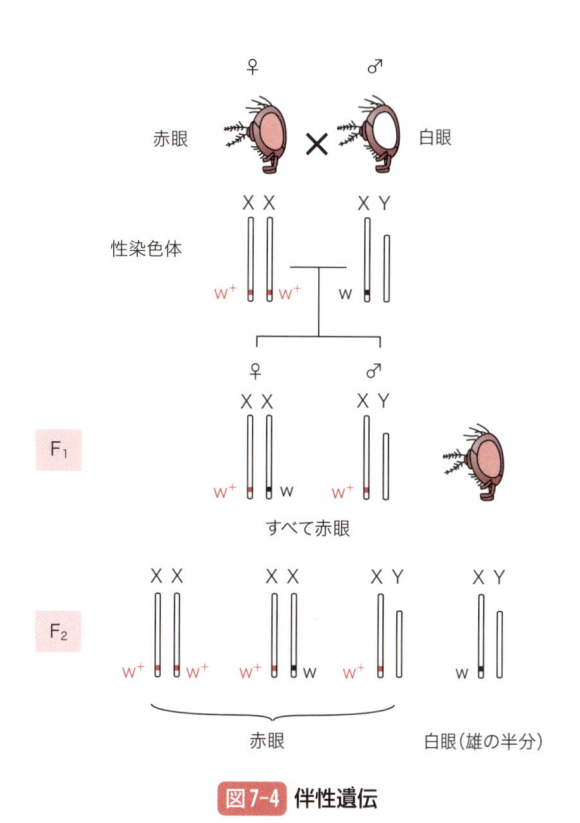

図7-4 伴性遺伝

遺伝性疾患と確率

●潜性遺伝疾患

例として，ある特定の民族集団で3,600人の新生児に1人発病するテイ・サックス病を考える．これは糖鎖分解酵素ヘキソサミニダーゼAの潜性変異で発病し，5年以内に亡くなる難病である．潜性致死性変異なので，両親双方がこの変異をヘテロにもつ場合（キャリアー）にのみ，その子の1/4がホモとなり，発症する．親がヘテロ接合体のキャリアーである確率を1/xとすると，病気になるのは，

$$\frac{1}{x} \times \frac{1}{x} \times \frac{1}{4} = \frac{1}{3,600}$$

であるから，x＝1/30となる．すなわち，3,600人に1人出現する遺伝性疾患のキャリアーは，30人に1人いることになる．

●いとこ婚

いとこ婚の例を**コラム図7-1**にあげた．この場合，共通祖先であるA～Dいずれかがもつ遺伝子（この例では，Bがもつ遺伝子を●とした）が，いとこ婚で生まれた子供でホモになる確率は，図のように

$$\frac{1}{2} \times \frac{1}{2} \times \frac{1}{2} \times \frac{1}{2} \times \frac{1}{4} \times 4 = \frac{1}{16}$$

となる．このように，共通祖先の遺伝子がホモになる確率が1/16よりも大きくなる場合には，日本では結婚が許されていない．異母兄妹の結婚では値が1/16より大きくなる．

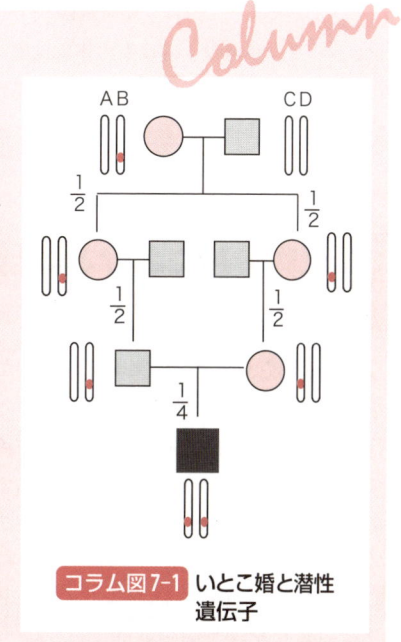

コラム図7-1 いとこ婚と潜性遺伝子

といい，メンデルの遺伝の法則に従わない分離をする．モルガンたちは，連鎖した2つの遺伝子の形質が交配時にどのように分離するかを調べた．その結果，一部の子孫に親世代にはみられない表現型の組み合わせをもつ個体が観察された．この結果に対し，モルガンらは同一の染色体上にある2つの遺伝子が，交配の過程で染色体が切断され，異なる染色体とつなぎ替えられたと考えた．すなわち，**遺伝的組換え**（genetic recombination）により，両親由来の遺伝情報の交換が起こったと推論した．

遺伝学的地図

また，さまざまな連鎖遺伝子について交配実験を行い，組換えの頻度を測定したところ，最大値を50％として，さまざまな値が得られることがわかった．モルガンらは，互いに離れた遺伝子間では組換え頻度が大きくなり，近接した遺伝子間では組換え頻度が小さくなると推論した．

モルガンの弟子スタートバント（Alfred Sturtevant）は，実際に得られた組換え頻度の情報をもとに，上記の推論にしたがって，遺伝子を直線上に並べ，**遺伝学的地図**（genetic map）を作成する方法を考案した（p.79 コラム参照）．この方法でショウジョウバエの多数の遺伝子を調べると，4本の連鎖した遺伝子群に分類されることがわかった．これは，顕微鏡観察で明らかになったショウジョウバエの4対の染色体に見事に対応する．現在この地図上で1％の組換え頻度となる距離を，モルガンにちなんで1センチモルガン（cM）と呼んでいる．

3 減数分裂における染色体の挙動と遺伝的組換え

メンデルやモルガンの実験では，親から子への遺伝子の継承の法則性が明らかにされてきた．有性生殖を行う真核生物では，減数分裂による子孫への遺伝子継承が不可欠な役割を果たす．次に，減数分裂における染色体の挙動を解説する．

減数分裂とは

体細胞分裂は，細胞周期に沿って二倍体の細胞が

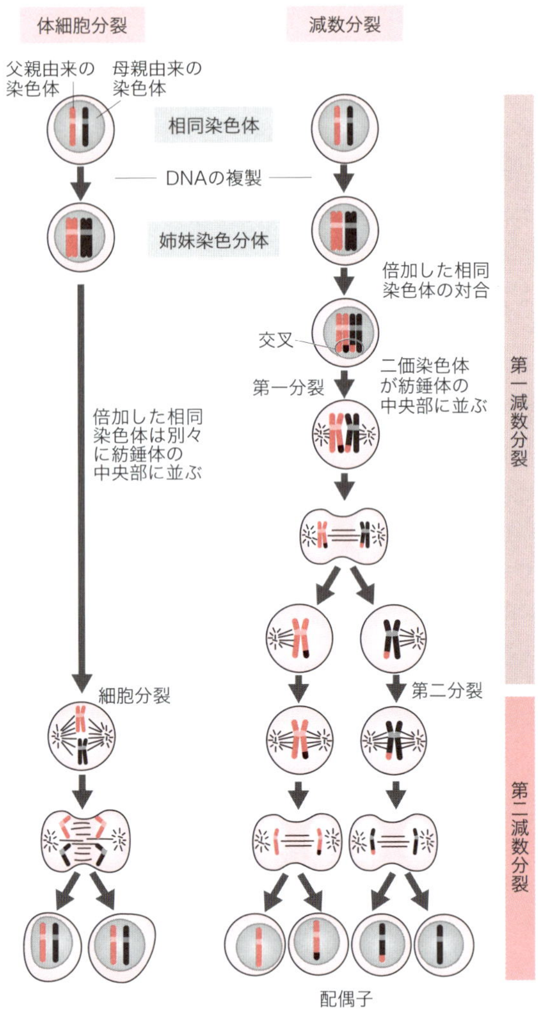

図7-5 体細胞分裂と減数分裂

A）体細胞分裂周期．細胞はDNA合成期であるS期に染色体を倍加し，G2期を経て核分裂期（続く細胞質分裂）であるM期に進行する．M期では倍加された染色体が均等に分配され，2つの娘細胞が生み出される．その後，G1期を経てS期に進行し，細胞周期が繰り返される．B）減数分裂周期．減数分裂過程が誘導された細胞は，1回のDNA複製（減数分裂前DNA合成）を行った後，第一減数分裂と第二減数分裂を続けて行い，最終的に倍数性がnの細胞を形成する

DNAを倍に複製し，それを2個の娘細胞に分配する．これに対し減数分裂は，二倍体の細胞から一倍体の細胞をつくり出す．減数分裂では二倍体の細胞でDNAが複製されたあと，2回の連続的な分裂を経て一倍体の細胞を4個つくる（図7-5）．減数分裂では1回目の細胞

分裂（第一減数分裂）のあとでDNA複製を省略して染色体分配が起こることが，体細胞分裂との大きな違いである．

二倍体の細胞では，染色体ごとに父親由来のものと母親由来のものが1対あり，これらを**相同染色体**（homologous chromosome）という（図7-5）．また，DNA複製によってコピーである**姉妹染色分体**（sister chromatid）が生じる．体細胞分裂では，相同染色体はそれぞれ独立に行動し，姉妹染色分体がそれぞれ2つの細胞に分配される．一方，減数分裂では，相同染色体はペアをつくり（対合），第一減数分裂では姉妹染色分体は分かれず，相同染色体が娘細胞に分配される．ヒトなどでは**性染色体**（sex chromosome）がXとYの2種類あるが，両者で配列が相同な短い領域が存在し，この間で対合が生じる．

対合した相同染色体間では，前述の遺伝的組換えが起こる．遺伝的組換えには，染色体の交換を伴う**交叉**（crossing-over，乗換えともいう）と，交換を伴わないコピー・ペースト型の組換えである遺伝子変換がある．交叉は染色体が長くても短くても，染色体あたり1〜数回程度生じる．交叉が生じると，その帰結として染色体

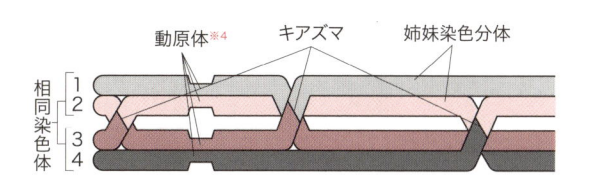

図7-6 キアズマ

相同染色体の姉妹染色分体が交叉型の遺伝的組換えを起こすと，X字型の染色体連結構造であるキアズマが形成される．キアズマはどのような長さの染色体でも約2個程度形成され，相同染色体の分配に必須の役割を果たす

に**キアズマ**（chiasma）と呼ばれる構造ができる（図7-6）．このキアズマが形成されることが，正常な染色体分配に必須である．

染色体分配は体細胞分裂と同様，紡錘体を構成する微小管（13章1参照）が，**動原体**（kinetochore）※3に結合して実行される．ただし，体細胞分裂では染色分体は反対方向に運ばれるので，動原体の位置も反対方向にあるが，第一減数分裂では2つの染色分体が同じ方向に運ばれるために，同じ方向にそろっている（図7-7）．

▌組換えの開始はホットスポットで起こる

遺伝学的地図の作成法は，染色体上で遺伝的組換えがどこでも均一に起こることを前提にしている．しかし，減数分裂期の組換えを詳しく調べると，染色体上には組換えが起こりやすいホットスポットや，逆に起こりにくいコールドスポットがあることがわかってきた．

ホットスポットでは，減数分裂期にSpo11というタンパク質が作用して一次的にプログラムされたDNA切断を導入する（図7-8参照）．つまり，生物自身でDNAを切断するという危険を冒して，組換えを行っているのである．出芽酵母では，ホットスポットの90％が遺伝子上流のプロモーター領域に存在

する．Spo11は染色体DNAの露出度が高い領域や，特殊なヒストン修飾を受ける領域に作用しやすい．ヒトのホットスポットの一部は，先天性の遺伝疾患をもたらす染色体再編成の起こる位置とよく対応していることが知られている．

一方，コールドスポットにある連鎖遺伝子は，交配の際にほとんど分離しない．例えば，イネのゲノム上でおいしい米をつくる遺伝子と，病害虫に弱い遺伝子が，コールドスポットの近くで連鎖していると，交配の際にこの2つの形質が常に同じ配偶子に分離する．このことが，農作物や家畜などの品種改良におけ

る限界をもたらしている可能性がある．配列特異的なDNA結合タンパク質とDNA切断酵素を融合させたジンクフィンガーヌクレアーゼやTALEN，CRISPR/Cas9 [1,2] などにより，ゲノムDNAの狙った位置で組換えを活性化する技術（8章3参照）が開発されており，この問題の解決の糸口になると期待されている．

参考文献

1) Hsu PD, et al：Cell, 157：1262-1278, 2014
2) Doudna JA & Charpentier E：Science, 346：1258096, 2014

※3 動原体とセントロメア：セントロメアは分裂期の染色体像を観測した際にみられるくびれの部分を指し，特定の繰り返しDNA配列があることが知られている．このセントロメアDNA周辺にタンパク質とともに形成しているのが動原体（キネトコア複合体）で，分裂時の微小管との相互作用など重要な役割をもつ．

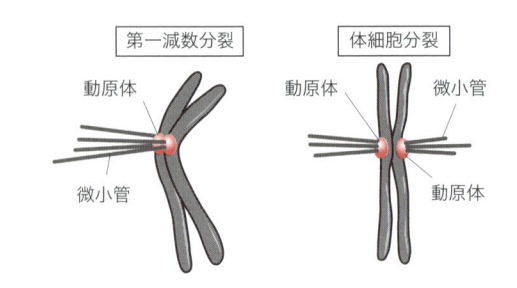

図7-7 **第一減数分裂時の動原体の向き**
第一減数分裂では2つの染色分体上の動原体は同じ方向に向いている（左）が，体細胞分裂では動原体の位置は反対にある（右）

その後，相同染色体の間をつないでいた交叉部分のDNAが切断され，相同染色体は分離し，紡錘体により2つの細胞に分配される．続いて第二分裂が起こる．第二分裂では，有糸分裂同様に姉妹染色分体が分離し，それぞれの娘細胞に分配される．

減数分裂過程での遺伝的組換えを通して，染色体上に存在するDNAが再編成を受ける．相同染色体間の組換えでは，まず相同なDNAのどちらかに二本鎖切断が起こり，その後切断部で5′末端からのDNAの部分分解が起き，3′末端をもつ一本鎖DNAが突出する（**図7-8**）．DNAの類似配列を認識して対合させるタンパク質の働きによって，この一本鎖DNA部分が無傷の相同染色体の相同領域でDNA二本鎖の中に侵入し，DNA鎖が対合する．これにより，修復DNA複製が開始され，ホリデー構造という十字型のDNA構造が2つ生じる．最後にホリデー構造が切断され，新たなDNAの結合が起こり，DNA鎖の交換反応が完了する．

減数分裂の意義

減数分裂の意義の1つは，父親と母親由来の遺伝子を混合し，次世代を担う配偶子に遺伝的多様性を提供することにある．減数分裂過程では，それぞれの相同染色体がランダムに別々の配偶子に分配されるため（**図7-9A**），個々の配偶子は多様な組み合わせの相同染色体をもつことになる．**図7-9**の例では3対の相同染色体がある場合を示すが，減数分裂によって2^3の8通りの配偶子が生じる．ヒトでは23対の相同染色体があるので，その組み合わせは2^{23}（8.4×10^6）にもなる．さらに相同染色体間では**本章2**で述べたように遺伝的組換えが

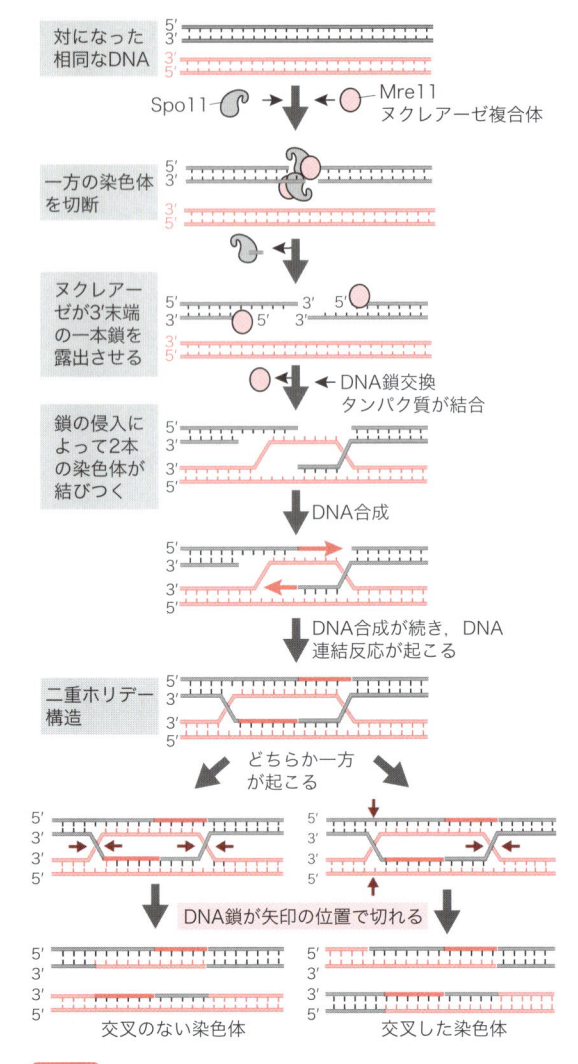

図7-8 **遺伝的組換えにおけるDNAの再編成**
「Molecular Biology of the Cell 6th」（Bruce Alberts, et al, eds），Garland Science, 2014より

起こる（**図7-9B**）．以上により，父親由来の染色体と母親由来の染色体がさまざまな形で混じった，新たな染色体のセットが子孫に継承される．

また，遺伝的組換えは対合した相同染色体間で生じるので，組換え後に染色体構造が大きく変わる危険性が少ない．このように，減数分裂における遺伝子再編成は，一定の枠組みを維持しながら行われる「保守的な変革」である．

減数分裂過程で生み出される遺伝的多様性により，種内の個体に形質的な多様性がもたらされる．この多様性

は，環境の急激な変化の中で適応できる個体を生み出すのに有利に働くと考えられる．なお，ロバとウマの雑種であるラバや，ヒョウとライオンの雑種であるレオポンのように，異種の掛け合わせは子孫を残せない．その理由の1つには，相同染色体の対合に支障が生じ，減数分裂が正常に進行しないことが挙げられる．

配偶子の形成

減数分裂で一倍体細胞ができたのち，卵や精子などの配偶子が形成される．ヒトでは，母胎内で卵巣が発生する段階で減数分裂と卵の分化が開始され，誕生後も最長数十年の間，二倍体の状態の第一減数分裂前期で停止している（図7-10）．個体が成熟し，ホルモンが

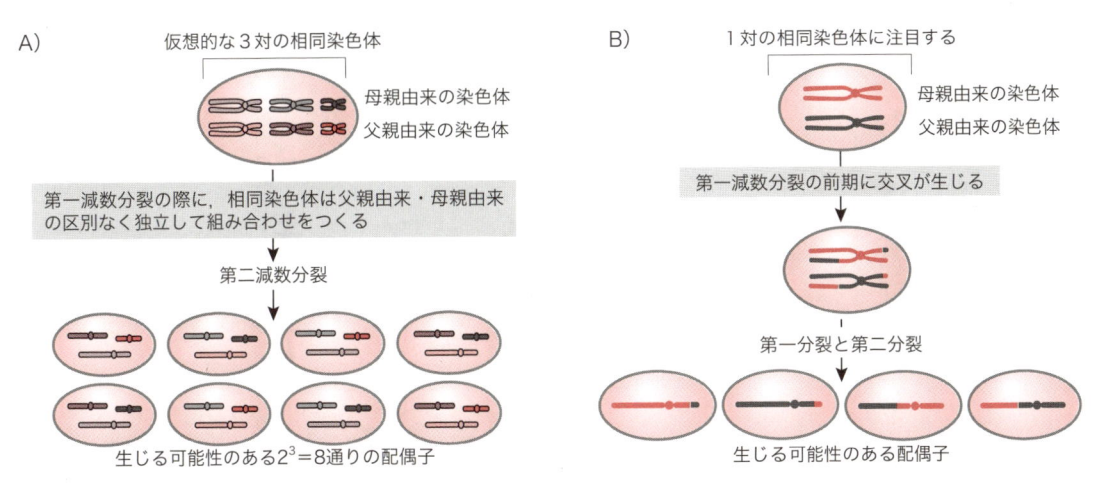

図7-9 減数分裂の意義のモデル図

卵の老化と不妊症・染色体異常の関係，おばあちゃん効果

Column

ヒトの卵巣は胎児期に発生が始まり，卵は第一減数分裂前期で停止した状態で長い年月を過ごす．長期間細胞分裂周期が停止した状態であるため，35〜40歳以上の女性では，卵の老化に伴う染色体分配異常の確率が高くなり，不妊症や流産，ダウン症の発症率が高くなる[1]（コラム図7-2）．

また，妊娠中の栄養条件悪化や環境の変化は，胎児の卵成熟に影響を及ぼす可能性があることが指摘されている[2]．この場合，人体への影響は，1世代後の孫の世代になってはじめて顕在化する．このような効果のことをおばあちゃん効果という[3][4]．

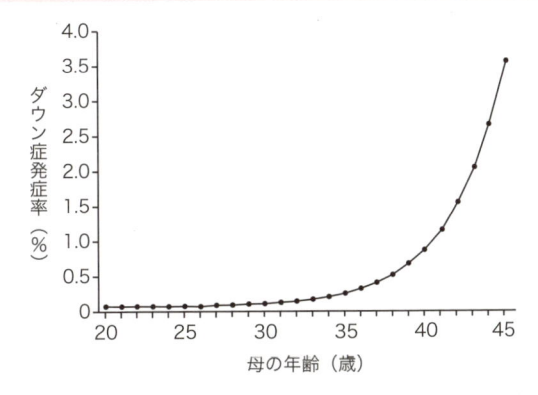

コラム図7-2 母親の年齢と21番染色体トリソミー（ダウン症）との関係

文献1より

参考文献

1) Newberger DS：Am Fam Physician, 62：825-832, 2000

2) Barker DJ, et al：N Engl J Med, 353：1802-1809, 2005

3) Youngson NA & Whitelaw E：Annu Rev Genomics Hum Genet, 9：233-257, 2008

4) Pembrey ME, et al ： Eur J Hum Genet, 14：159-166, 2006

7章　有性生殖と個体の遺伝

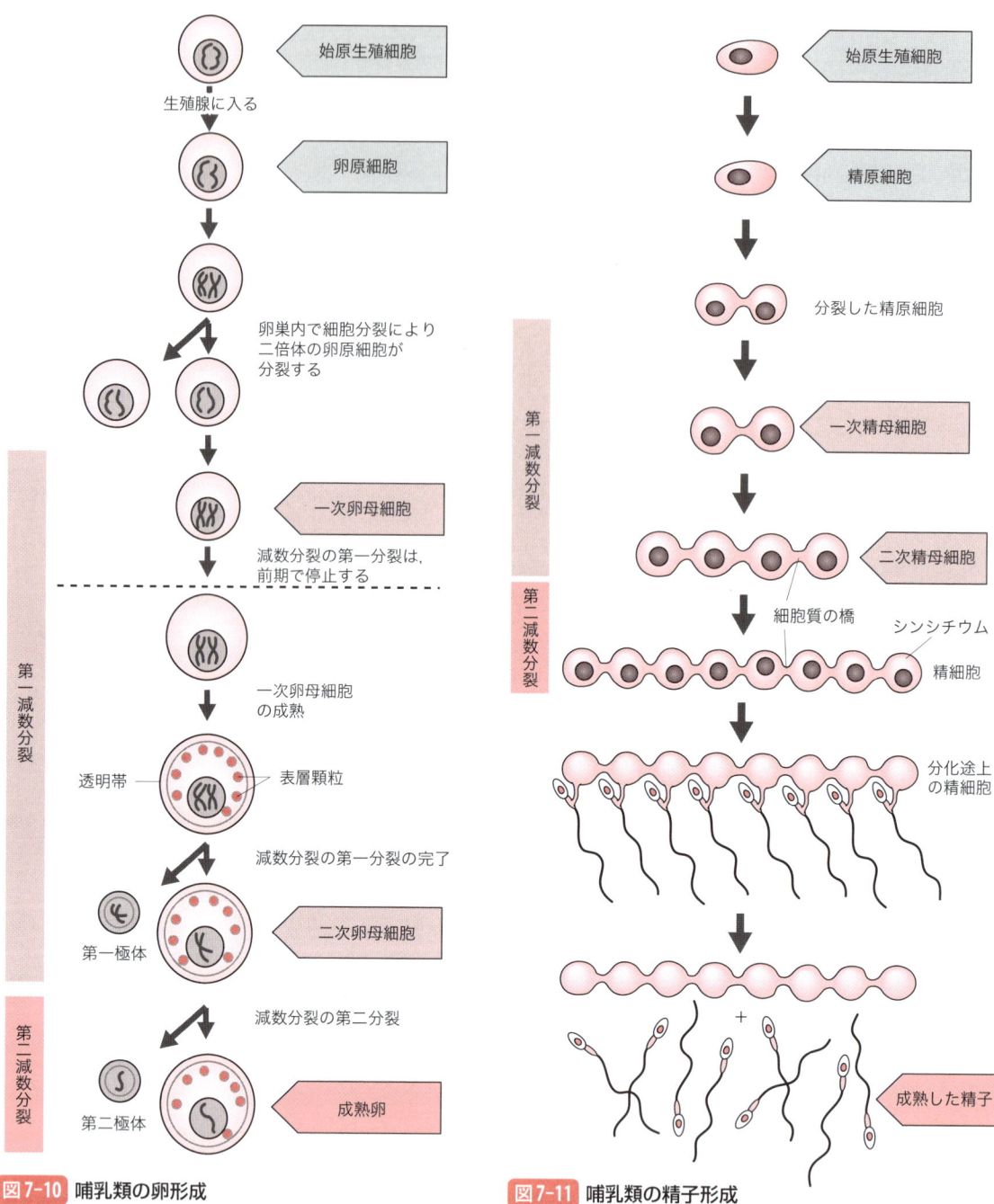

図7-10 哺乳類の卵形成

胚形成の初期に卵巣中に移動してくる始原生殖細胞が，卵原細胞になる．卵原細胞は，細胞分裂を何回も繰り返したのち減数分裂の第一分裂を開始し，一次卵母細胞となる．哺乳類では，一次卵母細胞は非常に早い時期に形成され（ヒトでは胎児期につくられる），個体が性的に成熟するまで第一分裂の前期で停止している（図中破線）．個体が成熟した時点で，少数の細胞がホルモンの影響下で周期的に成熟し，第一減数分裂を完了して二次卵母細胞となり，さらに第二減数分裂を経て成熟卵になる．卵形成のどのステージで，卵あるいは卵母細胞が卵巣から放出され受精するかは種によって異なる．ヒトでは第二減数分裂中期で放出され，受精後に成熟が完了する

図7-11 哺乳類の精子形成

1個の精原細胞に由来する子孫の細胞は，成熟した精子に分化するまでの期間，細胞質の橋によって互いに連結している．この構造をシンシチウムと呼ぶ．簡略化のために，減数分裂によって，連結した2個の精原細胞から連結した8個の一倍体精細胞が生じたところを示してある．実際は，2回の減数分裂を終えて同時に分化する連結細胞の数は，はるかに多い

分泌されると，減数分裂が再開し，受精が刺激となって卵が最終的に成熟する．このことは，高齢出産のリスクと大きな関係がある（p.89 コラム参照）．受精の成立しなかった卵細胞は速やかに排除される．

哺乳類の雄では，精子形成は性的に成熟して初めて開始される．卵と異なり，精子ではその分化の大半が一倍体となった後で起こる．精細胞は**シンシチウム**（syncytium）という構造をつくる（**図7-11**）．このとき精原細胞は最初の体細胞分裂とそれに続く減数分裂の過程で細胞質分裂をせず，細胞質がつながったままである．多数の一倍体細胞の細胞質が連続することで，一倍体による遺伝的欠損の顕在化が抑制される．

植物の配偶子形成と受精

被子植物の配偶子形成と受精を見てみよう．大胞子母細胞は第一，第二減数分裂により4個の一倍体細胞となるが，そのうち1細胞のみが大胞子として成熟する．この一倍体細胞はさらに3回の有糸分裂を経て7個の細胞からなる胚嚢をつくり出し，その1つが卵細胞となる．花粉母細胞から減数分裂により花粉四分子が形成される．四分子は解離し4つの小胞子ができる．小胞子は不等分裂し，大きな栄養細胞と凝縮したクロマチン構造をもつ核のある小さな雄原細胞が生じる．雄原細胞は栄養細胞の中に移動後，第二有糸分裂を起こし，2つの**精細胞**（spermatid）が形成される（**コラム図7-3A**）．分裂してできた2つの精細胞は将来的には雌の卵細胞と中央細胞それぞれと受精（重複受精）する．

植物の受精においては，雄の配偶子である精細胞は運動能をもたないので，雄の配偶体である花粉管が精細胞を運ぶ．柱頭①に付いた花粉は花粉管（雄性配偶体）を伸ばす．花粉管は花柱②，胎座③，珠柄④，珠孔⑤を通り，胚嚢（雌性配偶体）に達する．破線で囲んだ領域では花粉管が迷走することがあるので，この領域には花粉管の行く先をガイドするシグナルがあると考えられている（**コラム図7-3B**）．花粉管の伸長は花柱に含まれる因子により促進される．したがって，花柱を通らない花粉管はあまり伸長しない．胚嚢に達した花粉

管は助細胞から分泌される誘因物質に従って，線形装置から1つの助細胞に入る．そこで花粉管は崩壊し，2つの精細胞は中央細胞および卵細胞とそれぞれ融合する（**コラム図7-3C**，19章 **3** 参照）．

A)

雌性配偶子

大胞子形成				大配偶体形成（胚嚢）		
大胞子母細胞	第一減数分裂	第二減数分裂	機能をもった大胞子	有糸分裂	有糸分裂	有糸分裂

退化して消失（第4列）／反足細胞・中央細胞・極核・卵細胞・助細胞（第7列）

雄性配偶子

花粉母細胞 → 花粉四分子 → 小胞子 → 栄養細胞 → 雄原細胞 → 精細胞

減数分裂　解離　核の移動　第一有糸分裂　雄原細胞の移動　第二有糸分裂

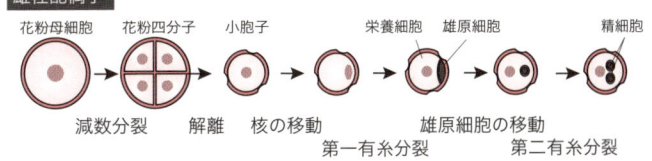

B)

花粉
柱頭①
花粉管
花柱②
胎座③
珠柄④
珠孔⑤
胚嚢（雌性配偶体）

C)

誘引
受精
2つの精細胞
花粉管核
花柱を通った花粉管は勢いよく伸長する
花柱を通らない花粉管はあまり伸長しない

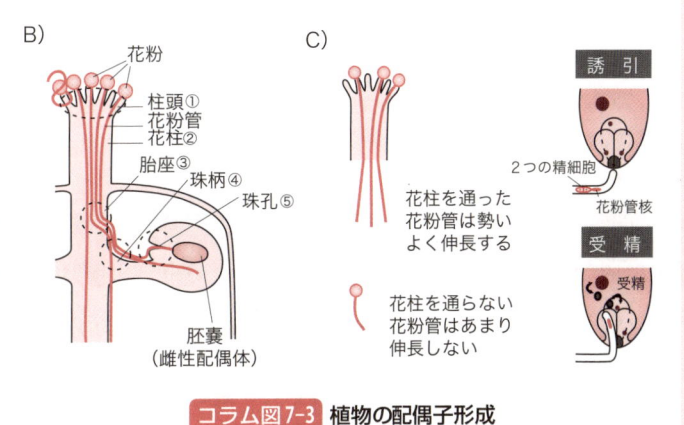

コラム図7-3 植物の配偶子形成

※4（次ページ）　中心小体とは真核動物細胞の多くに見られる細胞小器官で，中心体の核をなす．三重微小管が9本束になった小さな構造体で，中心体においてはその周辺に中心子外周物質を結合している．S期に複製されて2本となり，分裂期には互いに直交する2本の束から構成されるようになる．

7章　有性生殖と個体の遺伝

4 受精

雌性配偶子と雄性配偶子の融合を**受精**（fertilization）という．受精が種特異的に，多受精せずに正しく行われるためには双方の細胞間の緊密な相互作用が必要となる．受精に先立って，まず，雄の配偶子あるいは配偶体は活性化を受ける必要がある．ヒトの**精子**（sperm）では，雌の生殖管内の重炭酸イオンが精子内に入ることで活性化される．活性化され，受精能を獲得した精子が卵表面に接近するが，**透明帯**（zona pellucida）または卵の細胞膜が行く手を阻む（**図7-12**）．ここで種特異的な精子と透明帯との結合が引き金となって，**先体反応**（acrosome reaction）が始まる．先体反応では，精子内の先体胞中に蓄積されていた加水分解酵素が放出され，透明帯を分解して，精子の進入を可能にする．続いて，卵の細胞膜と精子の細胞膜の間で融合が起こり，精子の核が卵内に入る．

精子は卵の活性化も行う．哺乳類の卵の表面に精子が融合すると，局所的な細胞内 Ca^{2+} が増加し，これが卵全体に波として伝わり，卵の発生を活性化する．活性化された卵では，表層顆粒から透明帯に向けて加水分解酵素が分泌され，透明帯の性質を変え，他の精子の追加進入を防止する．

精子が卵内に進入すると，精子核のタンパク質の変換が起こり，雄性前核が生じる．また鞭毛の基部由来の中心小体[※4]は，卵内で**星状体**（aster）を形成し，その微小管をレールとして雌性前核が雄性前核近くに運ばれる．ウニでは，雄性前核と雌性前核が融合し $2n$ の受精核が形成される．哺乳類の場合，第二減数分裂中

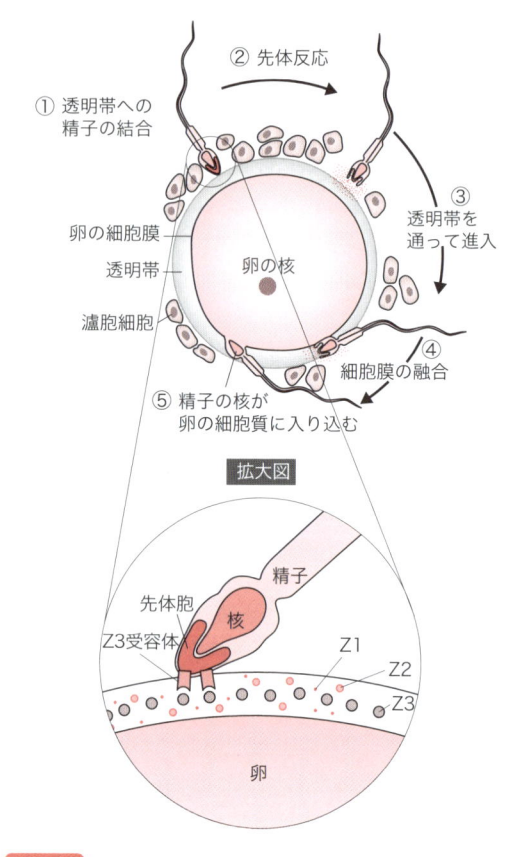

① 透明帯への精子の結合
② 先体反応
③ 透明帯を通って進入
④ 細胞膜の融合
⑤ 精子の核が卵の細胞質に入り込む

卵の細胞膜
透明帯
濾胞細胞
卵の核

拡大図

先体胞
核
Z3受容体
精子
Z1
Z2
Z3
卵

図7-12　哺乳類の精子と卵の受精の過程
哺乳類精子の膜受容体と透明帯の糖タンパク質 Z3 が結合し，精子の先体反応が①〜⑤の順に進行する

期の状態で排卵が起こり，受精後に第二減数分裂が再開し，ウニと同様のしくみで雄性前核と雌性前核が近接する．しかし，お互いが融合することはなく，分裂時の核膜崩壊のあとに初めて，両核由来の染色体が同じ行動をとる．$2n$ に戻った受精卵は，卵割を繰り返し，個体発生が進む（**18章**参照）．

本章のまとめ　　　　　　　　　　　*Chapter 7*

☐ 親から子への遺伝情報の継承は，原則的にメンデルの法則に従う．個体の遺伝的形質は遺伝子によって決定され，対になっている因子は配偶子に1つずつ配分されて，受精により再び2つに戻る．

☐ 遺伝子に変異が入ると，さまざまな表現型が現れる．遺伝子には顕性と潜性があり，潜性遺伝子の表現型はホモ接合のときのみ現れる．

☐ 減数分裂により一倍体の卵や精子などの配偶子がつくられる．減数分裂の意義の1つは，父親と母親由来の遺伝子を混合し，次世代を担う配偶子に遺伝的多様性を提供することである．

☐ 一倍体である卵と精子の受精により，細胞は再び二倍体となり，受精卵から個体へ発生が進む．

8章　バイオテクノロジー

5章では生物の遺伝情報をもったDNAが複製，修復される機構を，6章では必要な遺伝情報を発現するためにmRNAが転写され，さらにタンパク質へと翻訳される過程を学んだ．本章ではこうした知見を明らかにした実験手法，あるいはそれらの知見に基づいて開発された実験手法のいくつかを概観する．生命現象にかかわる新しい知見は生命科学における技術開発を加速し，それによってまた新しい知見が得られるという美しいサイクルがある．実験の背景にある技術を学ぶことによって生命科学を異なる視点で感じ，次の技術と次世代の生命科学を創造する力を身につけてほしい．

1　核酸の操作と計測

PCR法

5章3ではDNAポリメラーゼによる二本鎖DNAの半保存的複製機構について学んだ．この機構を利用した**PCR**（polymerase chain reaction：ポリメラーゼ連鎖反応）法はDNAのターゲット領域を簡便に増幅することができる生命科学の基礎技術である（**図8-1**）．ターゲットDNA領域の両端を5′→3′方向に挟むように，20塩基程度のプライマーDNAを化学合成し，これと鋳型DNA，デオキシリボヌクレオチド（dNTP），好熱性細菌などから得られた耐熱性のDNAポリメラーゼなどを混合する．この反応液が入ったチューブをサーマルサイクラーという機器にセットし，適切な温度変化のサイクルを実現するだけで鋳型DNAを増幅することができる．

はじめに，反応液を95〜100℃程度に加熱すると，二本鎖の鋳型DNA分子が解離し，一本鎖になる（**熱変性：heat denaturation**）．これを50〜65℃程度に冷却

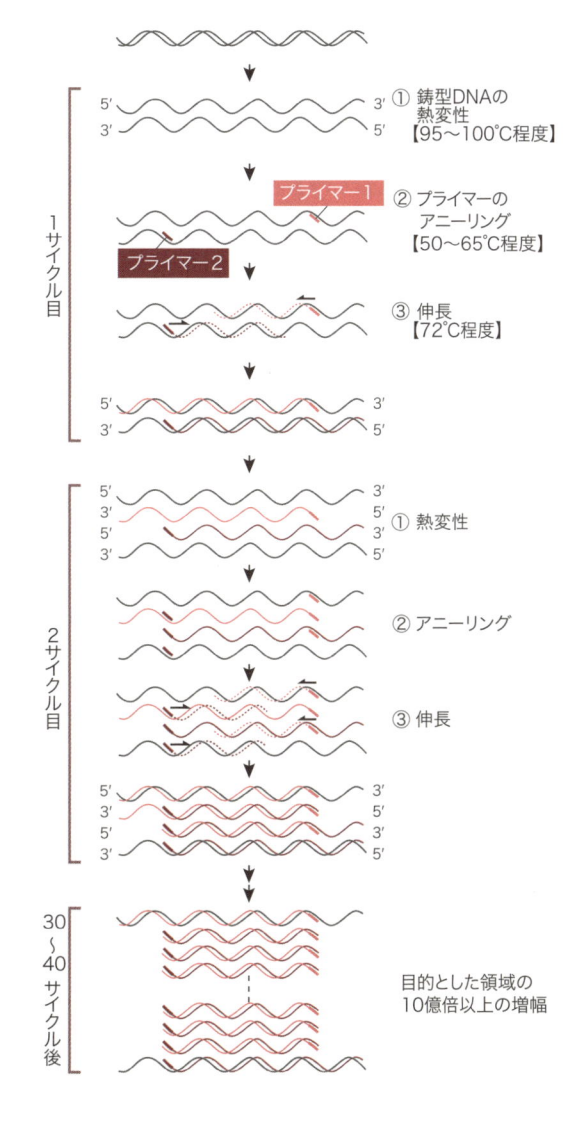

図8-1　PCRの概略

熱変性によって鋳型DNAが一本鎖になる．アニーリングによって再び二本鎖DNAの形成が促されるが，圧倒的に分子数の多いプライマーDNAが競合的優位に鋳型DNAと二本鎖を形成し，DNAポリメラーゼによる伸長反応が鋳型DNA鎖の逆鎖にDNAを複製する．図に示すような温度サイクルを繰り返すことによって最終的に鋳型DNAのターゲット領域を10億倍以上に増幅させることができる

図中の注記：
① 鋳型DNAの熱変性【95〜100℃程度】
② プライマーのアニーリング【50〜65℃程度】
プライマー1
プライマー2
③ 伸長【72℃程度】
1サイクル目
① 熱変性
② アニーリング
③ 伸長
2サイクル目
30〜40サイクル後
目的とした領域の10億倍以上の増幅

8章　バイオテクノロジー

すると，プライマーDNAがそれと互いに相補的な配列をもつ鋳型DNA鎖と対合し二本鎖を形成する（**アニーリング**：annealing）．さらに温度を72℃程度にすると，DNAポリメラーゼが活性化し，DNAプライマーを起点として5′→3′方向にdNTPの付加反応が起こり，鋳型DNA鎖の逆鎖にDNAが複製される（**伸長**：extension）．この温度変化による熱変性→アニーリング→伸長の反応サイクルによってターゲットDNA領域の分子数は2倍になるが，このステップを何度も繰り返すことによってターゲットDNAの分子数を4倍，8倍，16倍と指数関数的に増加させることができ，最終的にはDNAプライマーに挟まれたターゲット領域のみについて二本鎖DNA分子を大量に得ることができる．

PCR法は現代では当たり前となったDNAシークエンシング技術（後述）が登場する以前から，あらゆる場面において生命科学研究の根幹を担っている．得られたPCR産物は，負電荷をもつDNAをサイズ別に分離する電気泳動法によって解析できる．したがって，任意のDNA配列が試料中に含まれるかどうかについては，その両端の配列をそれぞれもつプライマーDNAによって特定のサイズのDNA断片がPCR増幅されるかどうかを調べることで簡便に試験できる．原理的には1分子の鋳型DNAからでも増幅でき，古人骨から採取された骨髄細胞のDNAを増幅することも可能である（p.249コラム参照）．遺伝子操作のためにmRNAから逆転写したcDNA[※1]（complementary DNA）を増幅するなどの基礎実験に用いられるだけでなく，犯罪捜査や裁判の証拠としてその結果が用いられるなど，PCRは非常に応用性が高い技術である．PCR法を開発したキャリー・マリス（Kary Mullis）は1993年にノーベル化学賞を受賞した．

PCR法を利用して，試料中の微量なDNAを定量する手法も開発されている．**定量PCR**（qPCR：quantitative PCR）法では，化学合成された蛍光DNAプローブや蛍光染料によってPCR反応中に増幅していく二本鎖DNAの総量を機器内で経時的に測定する．同じ塩基配列をもつさまざまな既知濃度のDNA試料とともに計測される増幅パターンから，正確に濃度を定量することができる．

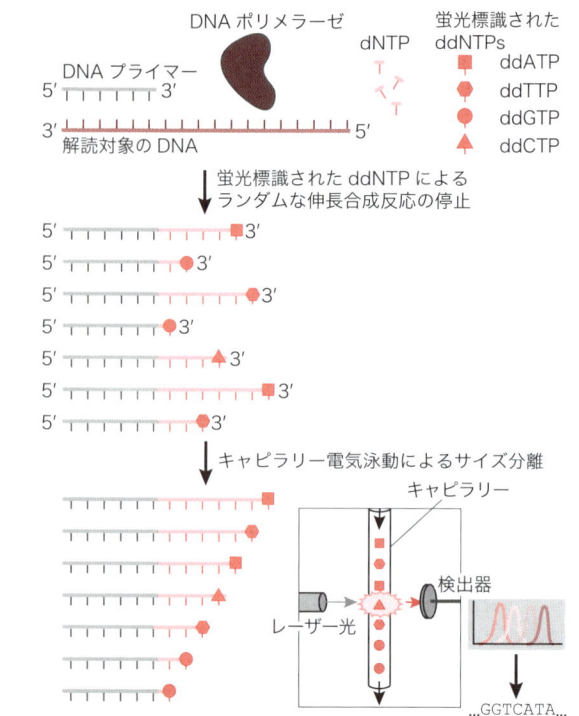

図 8-2 **キャピラリー電気泳動と蛍光検出を用いたサンガー法（ジデオキシ法）**
少量の蛍光標識したddNTPの混入によって対象DNAを鋳型にしたDNA伸長合成反応をランダムに停止させ，末端塩基特異的な蛍光色素をもったさまざまなサイズの一本鎖DNAを得る．これをキャピラリー電気泳動によってサイズ別に分離し，蛍光検出機によって順にプライマーDNAからそれぞれの位置にある塩基を同定する

DNAシークエンシング法

表現型の変化をもたらす遺伝子変異の同定や対象となる生物種の全ゲノムDNA配列を解析するために，これまでにさまざまな**DNAシークエンシング**（DNA sequencing：塩基配列決定）法が開発された．初期に考案されたDNAシークエンシング法は，1958年と1980年にそれぞれタンパク質のアミノ酸配列とDNAの塩基配列決定法の開発によって2度ノーベル化学賞を受賞したフレデリック・サンガー（Frederick Sanger）の技術を基礎とした**サンガー法**（Sanger method）と呼ばれる一連の技術であり（多くの改良が重ねられた），その発展の鍵となったのが**ジデオキシ法**（dideoxy method）である（図8-2）．現在のサンガーシークエン

※1　レトロウイルスと呼ばれるウイルスがもつ**逆転写酵素**（reverse transcriptase）の働きを利用してRNA分子を鋳型にDNAを伸長合成できる．

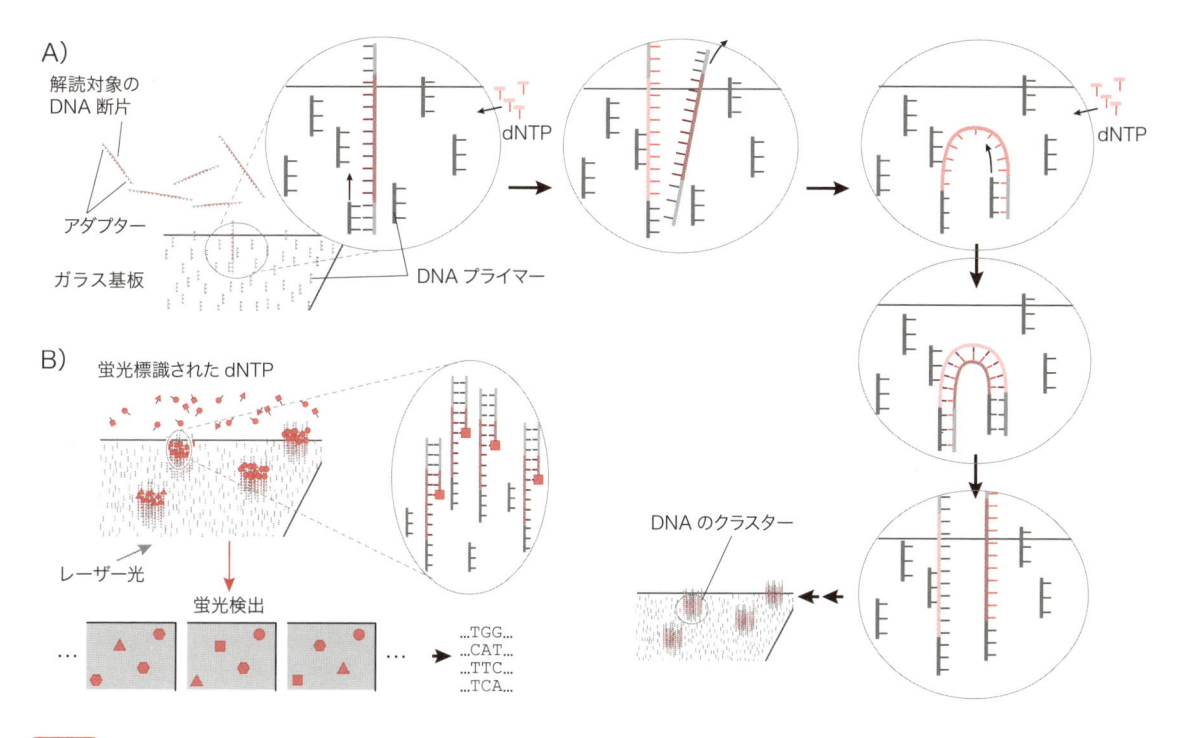

図8-3 SBS法による超並列短鎖DNAシークエンシング（第二世代シークエンシング）

A）増幅用DNAアダプターが付加されたDNAをガラス基板上に非常に疎になるように加える．ガラス基板上に固相化された増幅用プライマーでPCR反応を進めると，1分子DNA由来の増幅産物が基板表面上でクラスターを形成する．B）DNA合成伸長反応のサイクルごとに異なる蛍光標識されたdATP，dCTP，dGTP，dTTPが取り込まれる様子を各クラスター位置についてすべて観察する

サーに実装されているジデオキシ法では，解読対象となるDNAにそれと相補鎖を形成するプライマーDNA，dNTP，DNAポリメラーゼおよび少量の蛍光標識[※2]されたジデオキシリボヌクレオチド（ddNTP）などを加えてDNA伸長合成反応を行う．ここで，ddATP，ddCTP，ddGTP，ddTTPはそれぞれ異なる蛍光色素で標識されている．PCR法と同様に，対象となるDNAを一本鎖化したものと相補鎖を形成したDNAプライマーを起点にdNTPの付加によるDNAの伸長合成反応が起こるが，ある一定の確率で標識をもつddNTPが付加されると伸長は停止する．したがって，さまざまな塩基長で伸長反応が停止し，末端が標識された一本鎖DNAが得られる．これを分解能の高いキャピラリー電気泳動でサイズ分離するとともに，蛍光検出器によって，プライマーDNAからの距離ごとのddNTPを同定することで塩基配列が決定できる．かつては，放射性同位元素 ^{32}P

などで標識された ddATP，ddCTP，ddGTP，ddTTP それぞれを別々に加える反応を行い，反応産物のポリアクリルアミドゲル電気泳動によるサイズ分離後，オートラジオグラフィーによって各サイズの一本鎖DNAを検出していた．

2003年にサンガーシークエンサーの活用によってヒトのほとんどの塩基配列決定（ヒトゲノム計画，**21章 1** 参照）が達成された．その後，2005年から超並列短鎖DNAシークエンシング機器が**第二世代（次世代）シークエンサー**としていくつも商品化され，現在では個人のゲノム配列が1日かからずに決定できるようになった．2018年現在，最も利用されている第二世代シークエンサーは**SBS**（sequencing by synthesis）**法**によるものである（**図8-3**）．SBS法では，数十〜数百塩基程度に断片化したDNA分子群の両端にPCR法で増幅可能な共通アダプター配列を付加する．これを非常に疎な状態でDNAプ

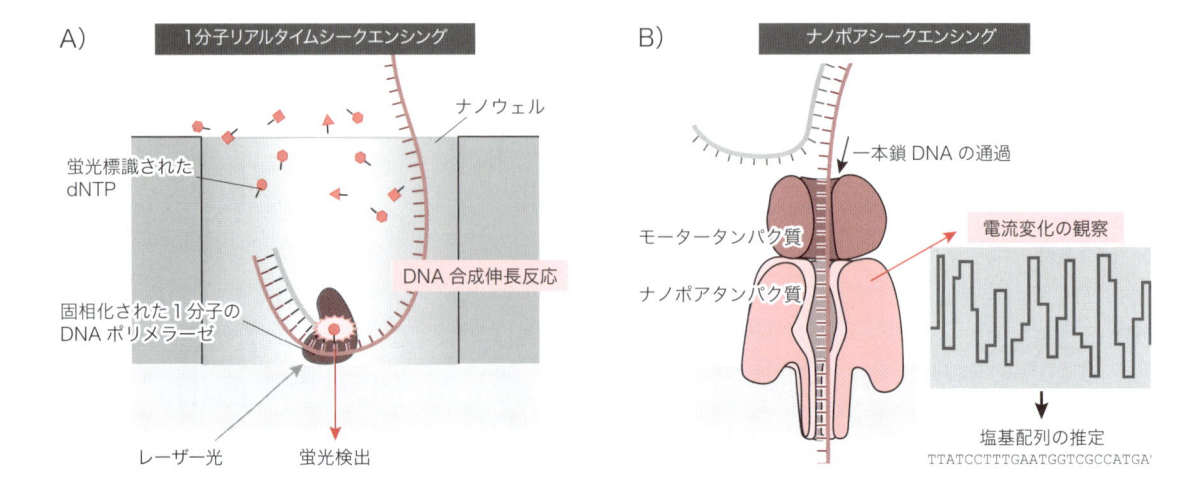

図8-4 **長鎖DNAシークエンシング（第三世代シークエンシング）**

A）1分子リアルタイムシークエンシング．大量に準備されたきわめて小さいウェル（ナノウェル）それぞれに1分子のDNAポリメラーゼを固相化し，すべてのナノウェルについて，蛍光標識されたdNTPによるDNA合成伸長反応を蛍光検出によって時系列に追跡する．B）ナノポアシークエンシング．イオン電流を微小チャネルであるナノポアに流したうえで，一本鎖DNA分子をナノポアに通過させる．通過する塩基に応じて観察される電流変化から塩基配列を同定する．数百のナノポアについて同時に計測が行え，それぞれのナノポアには何度も異なるDNAを通過させることができる

ライマー2種類が表面に固相化されたガラス基板上に加えてPCR反応を行う．DNA増幅反応が基板上に固定化された状態で尺取り虫のように進むPCR反応（Bridge PCR）の結果，基板表面上のそれぞれの位置で1分子由来の増幅されたDNAがクラスターを形成する．このように前処理した基板上で，DNA伸長合成反応が蛍光標識されたdNTPを取り込む様子を観察することですべてのクラスターを形成するDNA配列をシークエンシングできる．各クラスター内ではDNA伸長合成反応のサイクルごとに同じ塩基が取り込まれるため，それぞれの位置において取り込まれた塩基特異的な蛍光シグナルのスポットが順々に観察される．シグナルの多点検出システムは数十億クラスターを同時に捕捉することができ，各クラスターについて数百塩基程度を高品質にシークエンシングすることができる．また，第二世代シークエンサーが大量のDNA配列を同時に解析できるという特性は，細胞内のRNA転写産物を網羅的に逆転写してシークエンシングすることを可能にし，染色体のどこからどのくらいの転写が起こっているか網羅的なトランスクリプトーム情報が取得できるようになった．さらに，免疫沈降した任意のタンパク質と結合しているDNA分子を網羅的にシークエンシングすることによって，遺伝

子発現や染色体構造を制御するエピゲノム情報も網羅的に取得できる．

近年登場した長鎖のDNAを並列にシークエンシングする**第三世代シークエンサー**には固相化されたDNAポリメラーゼによるdNTP付加反応を1分子レベルで計測するものや，原理的に全く異なるナノポアと呼ばれる微小チャネルを用いたものがある（図8-4）．この**ナノポアシークエンサー**（nanopore sequencer）では微小チャネルにイオン電流を流し，対象DNAを通過させる際に発生する電流変化から塩基配列を読み出す．これらいずれの第三世代シークエンサーも数万塩基以上の長さのDNAを並列に解読することができる一方で，サンガー法や第二世代シークエンサーに比べて塩基あたりの読み取りエラー率が高い．また研究現場では，並列に大量のDNA分子をシークエンシングする必要がない場合も多く，サンガー法，第二世代シークエンサー，第三世代シークエンサーは使い分けられている．

遺伝子診断

ヒトの体から細胞を採取し，そこからDNAを回収して遺伝子配列を解析することを**遺伝子診断**（genetic diagnosis）という．PCRの利点は，極微量のサンプルから解

析に十分な量のDNAを増幅できることにある。このことは、遺伝子診断においてDNA提供者の負担が大幅に軽減されることを意味している。例えば、被験者から少量のDNAさえ得られれば、被験者がある遺伝病の遺伝子変異をもっているかどうか、その領域のDNAをPCRで増幅したのち、その塩基配列を調べることで容易に診断できるのである。ApoEと呼ばれる遺伝子の配列がE4と呼ばれるタイプだと、アルツハイマー病のリスクが高いといわれている。そのようなこともDNA配列を調べる遺伝子診断を行えば、容易に結果を知ることができる。

このような遺伝子診断の手法は、親子鑑定や刑事事件の鑑定、さらに遺伝子の多型を検出して疾患のかかりやすさを予想する遺伝子検査にも同様に利用されている。さらに、妊娠中の母親の羊水を採取して胎児の細胞を回収し、そこから精製したDNAをサンプルとして使うことで、胎児が遺伝病の遺伝子変異をもつか否かという出生前診断を行うことも可能である。

2 タンパク質の操作と計測

イメージングとレポーター遺伝子

ある生命現象への関与が明らかとなっているタンパク質に関して、細胞のどこで、どのような時間経過のなかでその機能が発揮されているかを明らかとすることは、生命科学の研究のなかで大きな位置を占める。遺伝子の発現などが空間的そして時間的な軸のなかでどう変化するのか、対象に関する情報を画像として視覚的に記録し、研究することを**イメージング**（imaging）と呼ぶ。タンパク質の機能と生命現象との関連を明らかにするうえでイメージングは重要である。ただしタンパク質の多くは無色であり、細胞のなかに発現していても、そのままでは顕微鏡下でその存在を確認することは困難である。次に述べる発見がこうした研究を可能にした。

緑色蛍光タンパク質（green fluorescent protein：

DNAマイクロアレイ

DNAの二重らせん構造中、2つのDNA鎖は互いに相補的な配列をもっている。加熱などによってこの二本鎖をはがしても、温度が下がると相補的な配列同士が出会って、元の二本鎖状態に戻っていく。これをアニーリング、あるいはハイブリダイゼーションと呼ぶ。ある配列情報をもった一本鎖のDNAは、このように相補的な配列をもったDNAとハイブリダイゼーションしようとする性質を利用して、あるDNA集団のなかから特定の配列をもったものを検出する方法がいくつも開発されている。

DNA上の塩基配列情報は、すべてがいつもmRNAに転写されているわけではない。ではどの配列が、その時点で発現しているかなどを調べる方法が必要である。

スライドガラス上に配列のわかっているDNA配列をスポット状にのせておく。1つのスポットは1つの遺伝子に相当し、そのようなスポットを何千個もスライドガラス上に貼り付けておく。一方で、生物組織、細胞などからRNAを抽出しそれを逆転写のあとに蛍光標識など加えたもの（プローブという）を、先ほどのスライドガラスにふりかける。ガラス上のスポットにあるDNA配列とプローブのDNA配列が互いに相補的なときに両者でハイブリダイゼーションが起こり、その結合量が多いほど蛍光強度も大きくなる。この手法によって同時進行で起こる多くの遺伝子の発現状況を相対的に把握することができる（**コラム図8-1**）。このような実験技術をDNAマイクロアレイ（もしくはDNAチップ）と呼ぶ。

この方法は組織や細胞における遺伝子発現の研究以外にも、染色体の欠失などの遺伝病研究、SNPの研究など、多様な研究に応用されている。

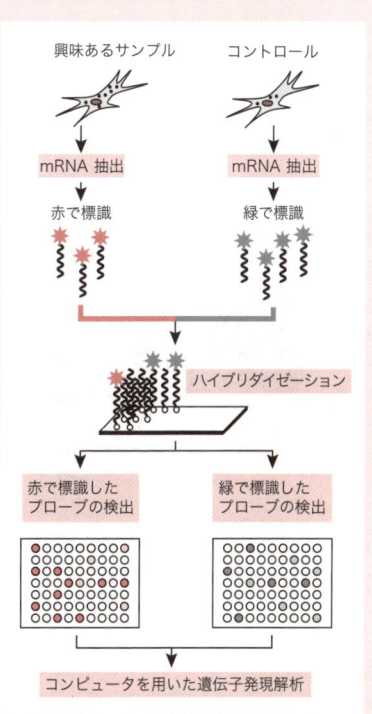

コラム図8-1 DNAマイクロアレイ解析の概略

興味あるサンプルと、その対照となるサンプルの各々からRNAを抽出し、プローブを作製する。その際、興味あるサンプルを赤、対照を緑というように、別々の色素で標識しておく

GFP）は，1960年代にオワンクラゲの発光器官から発見された．オワンクラゲに刺激を与えるとおわん型の傘の縁や生殖腺が青緑色に光る．1992年にGFP遺伝子が単離され，多くの研究で用いられるようになった．また，GFP発見者の下村脩は2008年にノーベル化学賞を受賞している．GFPに475nmの波長の光をあてると，509nmの蛍光を発する．例えばミトコンドリア構成タンパク質の遺伝子にGFP遺伝子を融合させ，細胞内で発現させた後に475nmの光をあてると，ミトコンドリアが緑色に光る．他の細胞小器官にあるタンパク質にも応用可能である．こうして機能未知の遺伝子とGFP遺伝子を融合させ，細胞で発現させることで，その遺伝子産物の細胞内局在を推論することができる．GFPのように，目印として用いられる遺伝子を**レポーター遺伝子**（reporter gene）という．遺伝子の発現を定量する際にはルシフェラーゼ遺伝子などが使われる[※3]．

蛍光タンパク質の利点は，細胞を生きたまま観察できることである．ゴルジ体に局在する蛍光タンパク質の光をいったんレーザーで消失させ，時間をおいて再び蛍光タンパク質がゴルジ体を満たすまでの間を観察することで，細胞内のタンパク質輸送システムを研究する，というような実験も可能である．

■ モノクローナル抗体を用いる方法

一般的に多細胞生物では，体のどの細胞を取ってきても，その細胞のゲノム配列はすべて同一のものである．しかし，免疫で重要な機能を果たすB細胞の場合は事情が異なり，遺伝子組換えが起こっていてその細胞ごとに異なる免疫グロブリンが産生されるようになっている[※4]（p.233コラム参照）．したがって免疫応答をしているB細胞を取り出し，こうした1細胞を培養皿で人工的に増殖させることができれば，理論的にはタンパク

脳神経細胞の活動を観る：GCaMPを用いたCa²⁺イメージング *Column*

GFPを改変することによりCa²⁺濃度で蛍光強度が変わるタンパク質GCaMPがつくられた．神経細胞は活動に応じて細胞内Ca²⁺濃度が変化するので，GCaMPを神経細胞で発現させることで神経活動を観察することができる．

ショウジョウバエの脳のケニヨン神経細胞（KCs）でGCaMP7[1]を発現させ神経活動を観察した例を**コラム図8-2**に示す．

KCsは匂い情報を識別する中枢である．頭部のクチクラを剥がして脳を露出したショウジョウバエを2光子顕微鏡で観察する（**コラム図8-2A**）と匂い

提示後，Ca²⁺の濃度が高い（神経活動の盛んな）細胞由来の繊維が明るく見える（**コラム図8-2B**）．

参考文献
1) Ohkura M, et al：PLoS One, 7：e51286, 2012

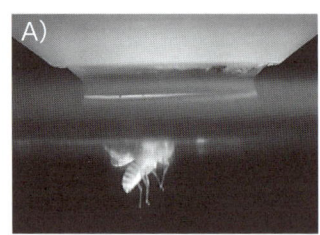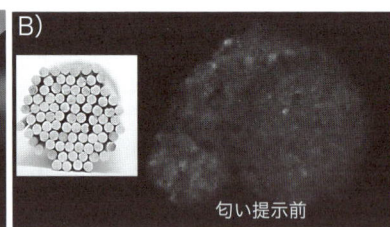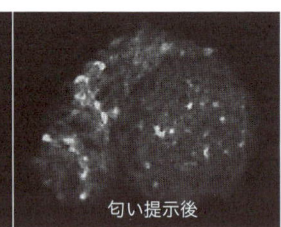

コラム図8-2 GCaMPを用いたイメージング
A）脳を露出したショウジョウバエの観察．B）匂いを嗅がせたときのKCsの応答を示す．背側から見るとKCsは1,000細胞以上の神経線維が束になっているのでその光学断面に焦点を当て観察する．竹串の束でその様子を模式的に示した．多羽田哲也博士のご厚意による

[※3] ルシフェラーゼは蛍光を発するのではなく，ルシフェリンという基質とATPを消費して化学発光する．
[※4] 逆にいえば，免疫グロブリン遺伝子の構造は個々のB細胞クローンにおいてそれぞれ異なっており，ヒトやマウスなどの脊椎動物が抗原に応答する際に産生されている抗体（あるいはT細胞受容体）は互いに異なる配列をもつものの混合物である．この状態をポリクローナルという．

質として単一のアミノ酸配列をもち，機能的にも単一の特異性をもつ抗体[※5]（p.55コラム参照）を取得することができるはずである．しかしB細胞は増殖速度が非常に遅く，人工的に大量培養するには適していない．

そこで上記のB細胞と，がん化したB細胞で免疫グロブリン遺伝子をもっていないもの（ミエローマ細胞という）を細胞融合させる．得られた融合細胞（ハイブリドーマという）は，B細胞とミエローマ細胞の両方の特徴をもち，特定の抗体遺伝子を発現しながら永久に増殖できる細胞となるのである．このようなハイブリドーマから産生された単一な抗体を**モノクローナル抗体**と呼ぶ[※6]（図8-5）．

単一の特異性をもつモノクローナル抗体の確立により，分子生物学的な研究や疾病の診断ツールとしての抗体の有用性は飛躍的に高まった．おかげで細胞表面にある抗原タンパク質の違いによって細胞の系譜，分化度，および活性化が明らかに定義できるようになった．ほかにも組織切片上，電気泳動法によって得られたパターン上での特定分子の同定，抗体による阻害効果を利用した分子機能の決定など，用いられている遺伝子実験の例は数多い．

■ 質量分析によるタンパク質の解析

タンパク質を解析するには，まず標的となるタンパク質をカラムクロマトグラフィーや電気泳動法などの方法で精製を行い，次に精製したタンパク質が何かを同定する．かつては末端からアミノ酸を一残基ごとに切断・遊離させて配列を決定するプロテインシークエンサーがタンパク質の同定に用いられていた．しかし，ヒトゲノム計画によってゲノム上の遺伝子情報が明らかになったことと，生体分子を破壊することなくイオン化するソフトイオン化法[※7]が発明されたことにより，質量分析計でのタンパク質の測定が可能となり，これが主流となった．

一般に質量分析計を用いたタンパク質の同定は，トリ

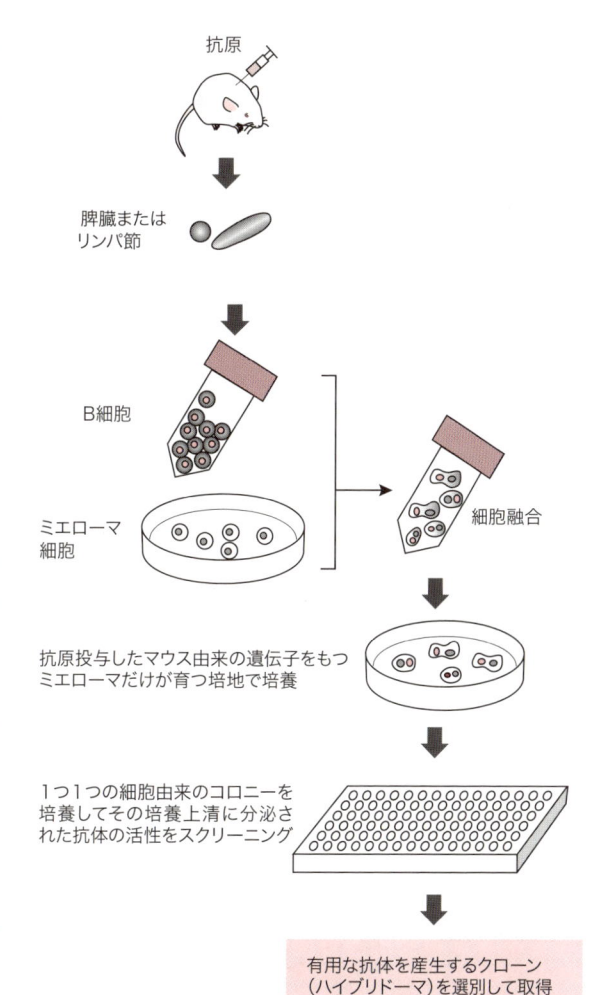

図8-5 ハイブリドーマ作製によるモノクローナル抗体の作り方

プシンなどのタンパク質消化酵素によってペプチド断片にされた試料に対して行う．ゲノム情報によって，対象サンプルに理論的に存在しうるタンパク質すべてと，それらから得られるペプチド断片すべての質量が参照データベースとして手に入るようになった．PMF（peptide mass fingerprinting）法と呼ばれる技術では質量分析計によって得たマススペクトル（MS）とデータベース

※5　つまり可溶性タンパク質である免疫グロブリン．
※6　この技術は，1970年代にケーラー（Georges Köhler）とミルステイン（César Milstein）によって開発された．
※7　質量分析計はイオン源，質量分析部，検出器からなり，イオン源で物質をイオン化し，質量分析部で質量／電荷数（m/z）に応じてイオンを分離し検出部で計測する．ソフトイオン化法はマトリックス支援レーザー脱離イオン化（matrix assisted laser desorption ioniza-

tion：MALDI）とエレクトロスプレーイオン化（electro spray ionization：ESI）の2種があり，それぞれに適した質量分析部（time of flight：TOF，qTOF，Orbitrap，Triple-Quadrapoleなど），検出器と組み合わせて装置が構成されている．このソフトイオン化法の発明によって2002年フェン（John Fenn），田中耕一がノーベル化学賞を受賞した．

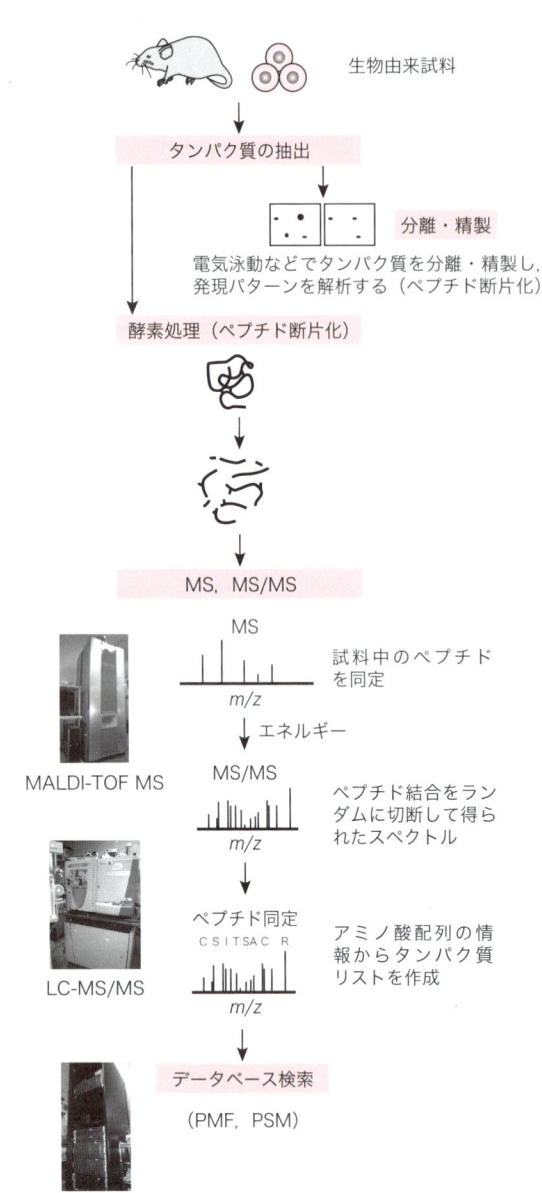

生物由来試料

タンパク質の抽出

分離・精製

電気泳動などでタンパク質を分離・精製し，
発現パターンを解析する（ペプチド断片化）

酵素処理（ペプチド断片化）

MS，MS/MS

MS

試料中のペプチド
を同定

m/z

MALDI-TOF MS

エネルギー

MS/MS

ペプチド結合をランダ
ムに切断して得
られたスペクトル

m/z

LC-MS/MS

ペプチド同定
C S I T S A C R

アミノ酸配列の情
報からタンパク質
リストを作成

m/z

データベース検索

（PMF，PSM）

解析用サーバー

図8-6 質量分析によるプロテオーム解析

生物由来試料からタンパク質を抽出した後，電気泳動法
などによりタンパク質の分離・精製を行う．網羅的なタ
ンパク質同定法であるショットガンプロテオミクス法で
は分離は行わずタンパク質混合物の状態で解析を行う．
タンパク質はタンパク質消化酵素を用いてペプチド断片
にする．特異性や感度の点からリシンとアルギニン残基
のC末端側で切断するトリプシンを用いるのが一般的
である．その後質量分析計で測定しMS（PMF）また
は，MSおよびMS/MS（PSM）データを取得する．
得られたスペクトルとデータベース上の理論スペクトル
とのマッチングによりペプチド同定を行いタンパク質リ
ストを作成する．川村 猛博士のご厚意による

上のペプチドの質量リストとのマッチングによって試料
中にどのようなペプチドが存在するか同定することがで
きる．タンデム質量分析計によるPSM（Peptide Spec-
trum Match，**図8-6**）法では，ペプチドの質量情報に
加えてアミノ酸配列情報も用いる．ペプチドにエネル
ギーを与え，ペプチド結合をランダムに切断して得られ
るフラグメントイオンスペクトル（MS/MS）はアミノ
酸配列パターンに依存するため，この情報を用いること
によってより信頼性の高いタンパク質の同定が可能に
なった．質量分析を用いたタンパク質解析法ではアミノ
酸修飾による質量変化を考慮することでタンパク質の翻
訳後修飾（**15章 2** 参照）も検出することができる．

　現在では質量分析計を用いることによって，精製した
個々のタンパク質の解析だけでなく，細胞内に発現して
いるタンパク質を網羅的に解析するプロテオーム解析が
広い研究分野で行われるようになった．培養細胞株を
用いた研究では1種類の細胞に発現している10,000以
上のタンパク質を同定している報告もある．また，プロ
テオーム解析によってタンパク質の同定だけでなく，比
較定量を行うことでバイオマーカー探索（**25章**参照）や
リン酸化修飾変動解析が可能になり，抗体を用いた免
疫沈降と組み合わせることでタンパク質複合体解析も可
能になった．正確に試料内のペプチド断片の試料を計
測できる質量分析では，特定のペプチドに対して安定
同位体ラベルしたものを内部標準として用いることで高
感度絶対定量[※8]も可能である．現在の生物学において
質量分析技術はタンパク質解析において必須の技術と
なっている．

<h2>3 形質変化をもたらす
遺伝子導入技術</h2>

　現在では，基本的に多くの生物に対して，技術的には
遺伝子導入が可能である．一方で，生物種によって遺伝
子導入の方法が異なるということも事実である．同じ生
物に対しても，組換え遺伝子がゲノムに組み込まれる手
法と組み込まれない手法の両者が存在することもあるし，
片方の手法しか用いることができない生物も存在する．

※8　Selected Reaction Monitoring / Multiple Reaction Monitoringと呼ばれる手法である．

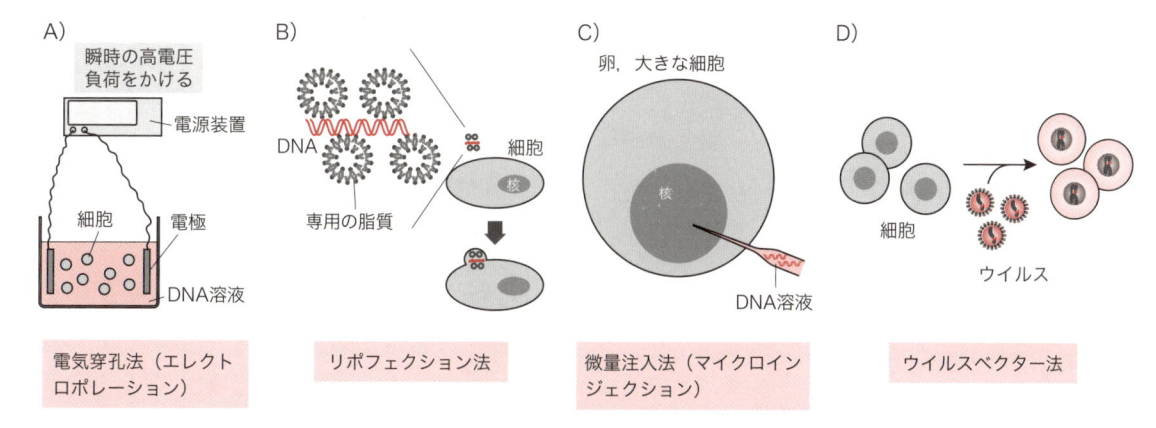

A) 電気穿孔法（エレクトロポレーション）

B) リポフェクション法

C) 微量注入法（マイクロインジェクション）

D) ウイルスベクター法

図8-7 細胞に外来DNAを導入するさまざまな方法

A）電気穿孔法[10]．細胞と外来DNAを混ぜ，そこに瞬間的に高電圧負荷（パルス）をかける．パルスをかけると瞬間的に細胞膜に穴があき，その穴を通過して外来DNAが細胞内に入る．B）リポフェクション法．あらかじめ，導入するべきDNAに専用の脂質を混ぜる．そうすると，DNAの周りに脂質が取り巻いた複合体ができる．次にこのDNA-脂質複合体を細胞と混ぜる．細胞膜は脂質でできているので，DNAを取り巻いた脂質が細胞膜と融合し，外来DNAが細胞内へと移動する．C）微量注入法．非常に細い針を用い，細胞の膜構造を破壊することなく，細胞内へ直接的に外来DNAを注入する方法である．この手法は組換えDNAの導入のみならず，クローン作製における核移植などの実験にも用いられる．D）ウイルスベクター法．目的の細胞に感染するウイルスを利用して，外来DNAを細胞に導入する

相同組換えを応用して任意の標的遺伝子を自在に破壊できる生物もあれば，それができない生物も存在する．

細胞に対する外来遺伝子の導入

通常，細胞はDNAを取り込まないが，ある条件で細胞に外来DNAを与えると，DNAが細胞に取り込まれることがある．さらに，取り込まれたDNAを発現させ，タンパク質にまで翻訳させることもできる．細胞に感染するウイルスを利用する方法，電気ショックでこのような条件をつくる方法や，DNAを脂質で包み，細胞膜と融合させるような方法でもDNAを取り込ませることができる（図8-7）．DNAの代わりにRNAを用いても，同様のことが可能である．

このような方法で短い二本鎖RNAを細胞に導入し[9]，ある特定の標的遺伝子の発現を人工的に抑制する手法が**RNAi**である（**20章5**参照）．RNAiで遺伝子発現を抑制する実験を**ノックダウン**（knockdown）と呼ぶ．

トランスジェニック技術において，細胞に外来DNAを導入する手法は非常に重要な位置を占める．このような実験を行うときには，外来DNAを壊すことなく，かつ細胞構造を壊すことなく細胞膜を通過させ，遺伝子と

しての機能をもたせたまま細胞内に取り込ませることがポイントとなる．図8-7では動物由来の培養細胞を念頭においた説明になっているが，同じような手法が大腸菌，酵母や植物細胞などにも用いられることがある．また，ここで紹介した以外にも，生物種に応じて外来遺伝子を導入するさまざまな手法がある．例えば，大腸菌はカルシウムイオンの存在下で外来DNAを取り込む能力を獲得する．この性質を利用して大腸菌の組換え体を作製することも多い．

トランスジェニックマウス

マウスの受精卵に，外からDNAを微量注入する．受精卵がそのまま発生を続け，微量注入した外来DNAが染色体に組み込まれると，その組換え遺伝子が体内で発現するマウス，すなわち**トランスジェニックマウス**（transgenic mouse）ができあがる（図8-8）．組換え遺伝子がいったん染色体に組み込まれ，それがきちんと生殖細胞まで維持されれば，そのトランスジェニックマウスの子孫も組換え遺伝子をもつ．GFPをレポーター遺伝子としてトランスジェニックマウスをつくれば，緑色に蛍光を発するマウスをつくることができる．

8章 バイオテクノロジー

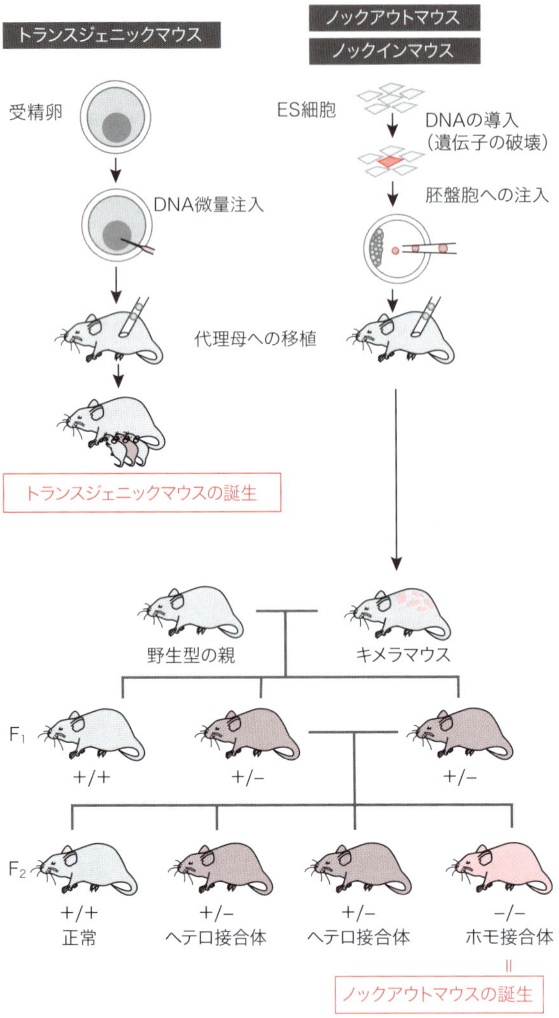

図8-8 遺伝子操作マウスの作製方法
詳しくは本文を参照のこと

トランスジェニックマウスの場合，どの染色体のどの位置に外来遺伝子が組み込まれるのか，あらかじめ特定することはできない．さらに1匹のトランスジェニックマウスのゲノムには，複数の外来遺伝子が組み込まれる可能性がある．多くの場合，トランスジェニックマウスの体内では組換え遺伝子が過剰発現している．

ノックアウトマウス

トランスジェニックマウスが遺伝子の過剰発現モデルであるのに対し，特定の遺伝子を破壊してその作用をみるモデルが**ノックアウトマウス**（knockout mouse）である．遺伝子の破壊，つまりノックアウトマウスの作製は一般にトランスジェニックマウスよりも手間がかかる．遺伝子破壊の作業を，分化能をもつマウスのES細胞（**18章⑥**参照）に対して行っておく．その細胞を，卵割途中のマウスの胚盤胞に注入し，マウスの発生に紛れ込ませる．そのようにして発生したマウスは，自前の細胞と紛れ込ませたES細胞由来の細胞とが混ざった状態になっており，これを**キメラマウス**（chimeric mouse）という．キメラマウスの個体において，遺伝子破壊されたES細胞がうまく生殖細胞に入ってくれれば，そのマウスから生まれた子供の遺伝子も破壊されたものとなる．このようにして作製されたノックアウトマウスは，個体における遺伝子の機能を探るためのモデル，また遺伝病のモデル生物として，よく使われている．

また，ノックアウトの技術を用いてマウス染色体上の遺伝子を破壊し，かつ，その部位に外来遺伝子を挿入したものが**ノックインマウス**（knock-in mouse）である[11]．

Column

遺伝子治療

ある遺伝子が変異をもつことで病気になったとき，野生型の遺伝子を薬の代わりに投与するというのが**遺伝子治療**（gene therapy）の考え方であり，組換えウイルスを用いて導入することが多い（**図8-7D**参照）．

潜性遺伝の形式で発症する遺伝病の場合，責任遺伝子の機能が喪失していることが多い．このとき，外部から正常な機能を果たす遺伝子を組換えDNAとして患者の体細胞に導入するのである．組換え遺伝子が安定に導入された場合，そこから正常な機能を果たすタンパク質が発現し続けるので，原理的には定期的かつ継続的な薬の投与が不要になる．このような遺伝子治療には技術的，倫理的な制約が残されているが，重症複合型免疫不全症，家族性高コレステロール血症といったいくつかの病気の治療法として成果を挙げたという報告があり，今後はがん治療にも期待されている．

---

[11] ここでいうノックインマウスとは，破壊されたマウス遺伝子の領域に他生物の相同遺伝子を挿入したものを指す場合が多い．たいていの場合，ノックアウトマウスの作製過程で破壊した遺伝子領域には代わりに薬剤耐性遺伝子が入るので，その意味では，ノックアウトマウスは「広義のノックインマウス」でもある．

この技術を用いることで，染色体上にあるマウス本来の遺伝子を破壊し，代わりにその位置にヒトの相同遺伝子を導入した「ヒト化マウス」を作出することもできる.

トランスジェニック植物

近年，植物でも基礎研究や遺伝子工学技術が飛躍的に進んだことで形態形成や耐病性，ストレス応答にかかわる遺伝子を他の植物へと導入し，新たな有用作物を開発する方法が確立されてきた．トランスジェニック植物を作製するには，土壌細菌であるアグロバクテリウム（*Rhizobium radiobactor*）[12]を用いる方法が一般的である（図8-9）.

アグロバクテリウムは巨大なTiプラスミド[13]をもつ．そのTiプラスミド中のT-DNAと呼ばれる領域が植物のゲノム内に組み込まれる．T-DNA中には，植物細胞の増殖を誘導するオーキシンおよびサイトカイニン生合成遺伝子がコードされているため，アグロバクテリウムに感染した細胞は自律的に分裂するようになる．さらにT-DNA中には，アグロバクテリウムの栄養源となるオパインと呼ばれる化合物を合成する酵素遺伝子もコードされている．その結果，植物細胞はアグロバクテリウムに植民地化され，クラウンゴールと呼ばれる細胞の塊となる.

トランスジェニック植物作製に応用する際には，このような有害なT-DNA遺伝子を除き，代わりにこの領域内に目的の外来遺伝子と遺伝子が導入された細胞を選抜するための選抜マーカー遺伝子を組み込んだ**ベクター**（vector）を用いる．さらにその組換えT-DNAをアグロバクテリウムのはたらきによって植物に導入させたのち，除菌して個体として育てることで，トランスジェニック植物が作製できる．遺伝子が導入された細胞や植物のみを選抜する簡便さから，選抜マーカー遺伝子として抗生物質に対する耐性遺伝子を用いることが多い．また，一般に挿入位置はランダムであるが，相同組換えも低効率ながら可能である.

アグロバクテリウムの感染が使えない植物の場合は，発現させたい遺伝子DNAを小さい金属粒子にまぶし，それを銃のように植物組織に向かって放つことで，遺伝子導入させる方法が用いられる．この手法をパーティク

図8-9 **アグロバクテリウムによるトランスジェニック植物作製**

ルガン法という.

ゲノム編集

DNA結合性のZinc Finger（ジンクフィンガー）ドメインやTALE（transcription activator–like effector）といったタンパク質は1回転10.5塩基対34Å[14]からなるDNA二重らせん構造に周期的に巻きつくためのアミノ酸のリピート配列をもつ．2005年以降，そのリピート配列それぞれのアミノ酸残基をわずかに変えることによって任意の20塩基程度のDNA配列に結合できるタンパク質を設計できることが明らかになり，これらにDNA切断活性をもつヌクレアーゼドメインを融合させた**ZFN**（zinc finger nuclease）や**TALEN**（TALE nuclease）などの人工制限酵素がデザインされ，自在にDNA鎖を切断できる**ゲノム編集**（genome editing）技術として生命科学の広い分野で応用されはじめた．真核生物の染色体DNAは切断されると姉妹染色分体を利用した相同性組換え修復や非相同性末端結合によるDNA修復機構が働く（**5章 4** 参照）が，非相同性末端結合の場合は損傷したDNA末端を再び連結するための

※12　以前は*Agrobacterium tumefaciens*と呼ばれていた.
※13　大腸菌などの細菌内で自己複製できる小さなDNAをプラスミドという（p.70コラム参照）.

※14　Å（オングストローム）は原子や分子の大きさを示す長さの単位．1Å = 10^{-10}m = 0.1 nm.

8章 バイオテクノロジー

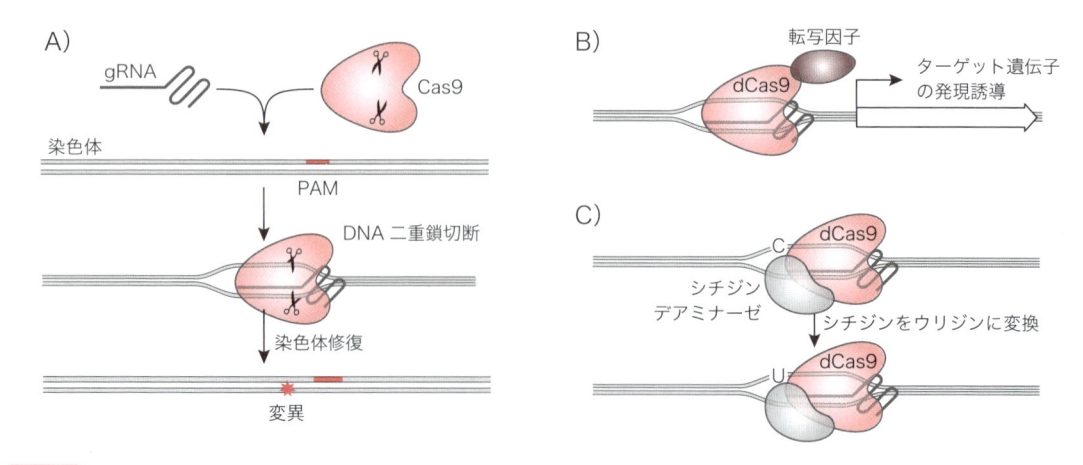

図8-10 CRISPR/Cas9システムを用いた染色体の操作

A) 野生型Cas9とgRNAによるターゲットDNAの切断. B) ヌクレアーゼ活性のないdCas9と転写因子の融合による ターゲット遺伝子の発現誘導. C) dCas9とシチジンデアミナーゼ転写因子の融合によるターゲット塩基の編集

末端処理の際に塩基配列に欠損などの変異が生じる. このため, 人工制限酵素を細胞へ導入することによる目的遺伝子の破壊が容易になった.

近年, 古くから原核生物ゲノム上に存在することが知られていた周期的なDNA配列であるCRISPR（clustered regularly interspaced short palindromic repeats）領域から発現するRNAとその周辺にコードされている関連Casタンパク質群（CRISPR–associated proteins）が外来DNAに対する原核生物の免疫システムとして機能することがわかり, 2013年にこれが効果的かつ簡便なゲノム編集技術として利用可能であることが示されると, ゲノム編集が爆発的に利用されるようになった. さまざまなサブタイプが存在するCRISPR関連遺伝子のなかでも, DNA切断活性をもつCas9タンパク質および天然のCRISPRシステムにおいて外来DNAのターゲット領域にCas9を誘導するRNAを人工的に改変した**gRNA**（guide RNA）は, 多様な生物における任意の染色体DNA配列の簡便な編集を可能にした（**図8-10A**）. この**CRISPR/Cas9**システムでは, PAM（protospacer adjacent motif）と呼ばれるCas9タンパク質認識配列を3′側にもつ任意の20塩基程度のDNAターゲット配列と相補鎖を形成できるgRNAによってCas9がターゲットDNAに誘導される. 2つのヌクレアーゼドメインをもつ野生型のCas9を利用した場合はターゲットDNAに二重鎖切断を引き起こすことができ, 非相同

性末端結合などにおけるDNA修復エラーに依存してターゲット遺伝子の機能を破壊することや, 2つのgRNAによって染色体の2カ所を同時切断することによって, それに挟まれた染色体領域を除くことができる. 哺乳動物においては最も簡便な遺伝子ノックアウト技術となり, ヒトの約20,000遺伝子の機能を網羅的にスクリーニングするgRNAライブラリーも構築された.

また, Zinc FingerやTALE, 変異型のCas9に他の機能活性をもったタンパク質モジュールを融合させることや, gRNAにタンパク質結合配列を付加することによって, さまざまなタンパク質モジュールを染色体の任意の領域に誘導できるようになった. 例えば, 転写因子やエピゲノム修飾因子をDNA切断活性のない変異型のCas9（dCas9：deactivated Cas9）と融合させた人工タンパク質によって任意の遺伝子の発現誘導や抑制が可能になった（**図8-10B**）. また, シチジンを脱アミノ化反応によってウリジンに変換することのできるシチジンデアミナーゼを変異型Cas9と融合させることによって点変異のみを誘導できる新しいゲノム編集技術も誕生した（**図8-10C**）. ゲノム編集技術のなかでも特にCRISPR/Cas9システムは, ターゲットDNAと相補鎖を形成するgRNAの設計と合成の簡便さ, さまざまな染色体操作効率の高さから, 細胞の複数の染色体領域を同時かつ多様に操作し細胞機能を自在に改変する遺伝コードのプログラミング技術としての実証研究も進んでいる.

光学と遺伝学の融合

池や沼に生息する単細胞緑藻のクラミドモナス（*Chlamydomonas reinhardtii*）には光に反応して泳ぐ性質がある．走光性と呼ばれるこの特性は，クラミドモナスの光受容器官（眼点）の細胞膜に発現するチャネルロドプシンの働きによってコントロールされている．チャネルロドプシンは青色光を吸収すると開く陽イオンチャネルである（コラム図8-3A）．2005年，このチャネルロドプシンを使って神経細胞の脱分極を光刺激で引き起こし，神経細胞の活動を自在に操作しようという研究者が現れた[1]．ダイセロス（Karl Deisseroth）が率いる米国スタンフォード大学の研究グループである．

脳では膨大な数の神経細胞が活動している（ヒトの場合，約860億個．マウスの場合，約7,000万個）．しかし，それぞれの神経細胞の役割分担はほとんどわかっていない．アデノ随伴ウイルスなどの遺伝子導入技術により，チャネルロドプシンを発現させれば，実験動物（マウスなど）の脳に光刺激を与えて神経細胞を自在に活性化できる．例えば，細い光ファイバーを使って光刺激を行えば，脳の深部にある神経細胞でもピンポイントで活性化できる（コラム図8-3B）[2]．この光刺激によって動物の行動などがどのように変化するのかを観察すれば，光刺激で狙った神経細胞が脳の中でどのような役割をもっているのかを解明できる[3]．同時に，役割がわかっている神経細胞を光刺激で狙って活性化することにより，実験動物の「意思」とは関係なく，脳の働きや行動などを外部からコントロールすることも可能になった．このように光学（optics）と遺伝学（genetics）の技術を融合させてできた新しい学問領域は光遺伝学（オプトジェネティクス：optogenetics）と呼ばれ，脳科学に大きな変革をもたらしている．

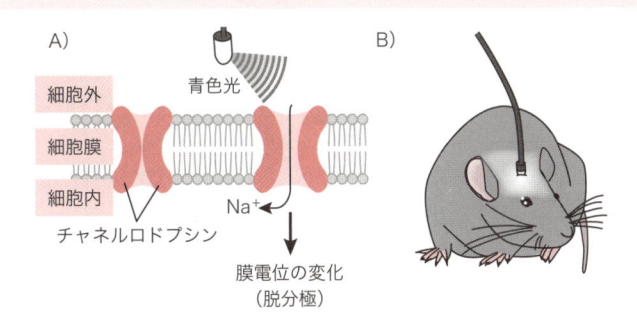

コラム図8-3 チャネルロドプシンを用いた光遺伝学

A）青色光を照射すると，チャネルロドプシンが開いて陽イオンが細胞内に流入し，脱分極が起こる．B）チャネルロドプシンを脳の神経細胞に発現させ，細い光ファイバーを使って光刺激を行えば，脳の深部にある神経細胞でもピンポイントで活性化できる

参考文献

1) Boyden ES, et al：Nat Neurosci, 8：1263-1268, 2005
2) Zhang F, et al：Nat Protoc, 5：439-456, 2010
3) Tye KM & Deisseroth K：Nat Rev Neurosci, 13：251-266, 2012

8章　バイオテクノロジー

本章のまとめ　　　　　*Chapter 8*

☐ PCR法は，少量のDNAを鋳型としプライマーと呼ばれる短いRNA配列で挟まれた配列部分を人工的に増幅させる方法で，特定の配列の存在の有無の判定にも用いられる．また，一度に大量のDNA塩基配列情報が決定できるようになっており，ヒトのゲノムサイズの配列が1日以内で決まるようになっている．

☐ 注目するタンパク質の細胞内での存在を生きたまま観察できるように，さまざまな蛍光タンパク質に代表されるレポータータンパク質，その遺伝子が開発されている．また，モノクローナル抗体を作製する技術が確立され，特定の抗原を認識する均一な抗体分子が得られるようになっており，タンパク質の特定，分子構造の解析などに用いられている．さらに，質量分析の技術によって，タンパク質のアミノ酸配列，その分子修飾を解析できるようになっている．

☐ DNA配列を外から導入する技術が生物種ごとに開発されていて，（系によっては光などの刺激を与えたときのみに）表現型を変えるような技術として研究面でも実用面でも利用されている．また，特定の遺伝子の配列を狙い撃ちにして，その配列周辺を変化させたり破壊したりするゲノム編集技術も開発され，配列情報と形質とを結びつける研究方法として利用されている．

9章　生体膜と細胞の構造

原核細胞，真核細胞ともに，自己複製して細胞増殖するために必要な基本構造や機能をすべて備えている．それらは，外界から細胞を隔離して選択的な物質の輸送を行う細胞膜，細胞の設計図としての情報をもつ遺伝子，細胞増殖に必要な遺伝子の複製機能，タンパク質合成系，そして，さまざまな種類の代謝系などである．その一方で，真核細胞には原核細胞にみられないさまざまな構造や機能も発達している．例えば，細胞内の膜区画，ミトコンドリア，葉緑体や小胞体などの細胞小器官の存在がある．本章では，生体膜を構成する物質とその構造，そして原核細胞と真核細胞の基本的な構造について解説する．

1 生体膜

細胞にとって必須の基本構造は膜構造である．細胞を構成する膜は**生体膜**（biological membrane）と呼ばれており，細胞と外界を隔てる細胞膜をはじめとして，真核細胞内にみられるさまざまな膜構造を構成している．生体膜の基本構造は**脂質二重層**（lipid bilayer，厚さ6〜10 nm，図9-1）からなり，それを構成している**脂質**（lipid）の主要成分は**リン脂質**（phospholipid）とコレステロールである．

脂質とは，水に溶けない物質，すなわち分子の中に電荷の偏りをもたない非極性物質の総称で，化学構造的にはさまざまな化合物が含まれる．水との親和性が低いために水環境から排除され，脂質分子同士が集合して

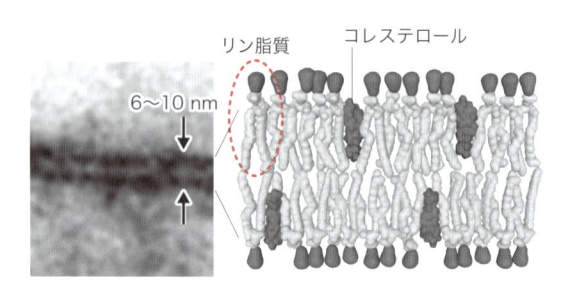

図9-1　生体膜
生体膜を示す電子顕微鏡写真と生体膜を構成する脂質二重層の分子モデル．破線で囲まれた部分は，リン脂質．駒崎伸二博士のご厚意による

存在する．ただ，生物体に含まれる脂質には，分子内に極性基をもつものが多い．ヒトでは，脂質を多く含むのは脂肪組織と脳である．すべての細胞の膜は脂質とタンパク質でできており，脳に脂質が多いのは細胞膜が非常に多いからである．

生物体に含まれる主な脂質は，化学構造から，グリセロ脂質，スフィンゴ脂質（p.109コラム参照），ステロイド（p.108コラム参照）に大別される．しかし，脂質の成分として脂肪酸があり，まずこれについて解説する．

脂肪酸

脂肪酸（fatty acid）は，末端にカルボキシ基をもった炭化水素鎖である．カルボキシ基は，水中で水素イオンを出して自身はマイナスの電荷を帯びる極性基なので，炭化水素鎖が短いもの（例えば蟻酸や酢酸）は水とよく混ざるが，炭化水素鎖が長くなるほど混ざりにくく（溶けにくく）なり脂溶性を増す．生物体を構成する脂肪酸は直鎖状が多く，枝分かれしたものはごく稀である．また，炭素数は16〜18が多く，炭素数がほぼ偶数に限られるのは，炭素数が2の化合物を出発物質として炭素2つずつが延長することで脂肪酸が合成されるからである．

炭化水素鎖部分に二重結合をもたないものを**飽和脂肪酸**（saturated fatty acid，水素で飽和されている），二重結合をもつものを**不飽和脂肪酸**（unsaturated fatty acid）という．この二重結合は不思議なことにエネルギー的に安定なトランス型ではなく，**シス型**（*cis*

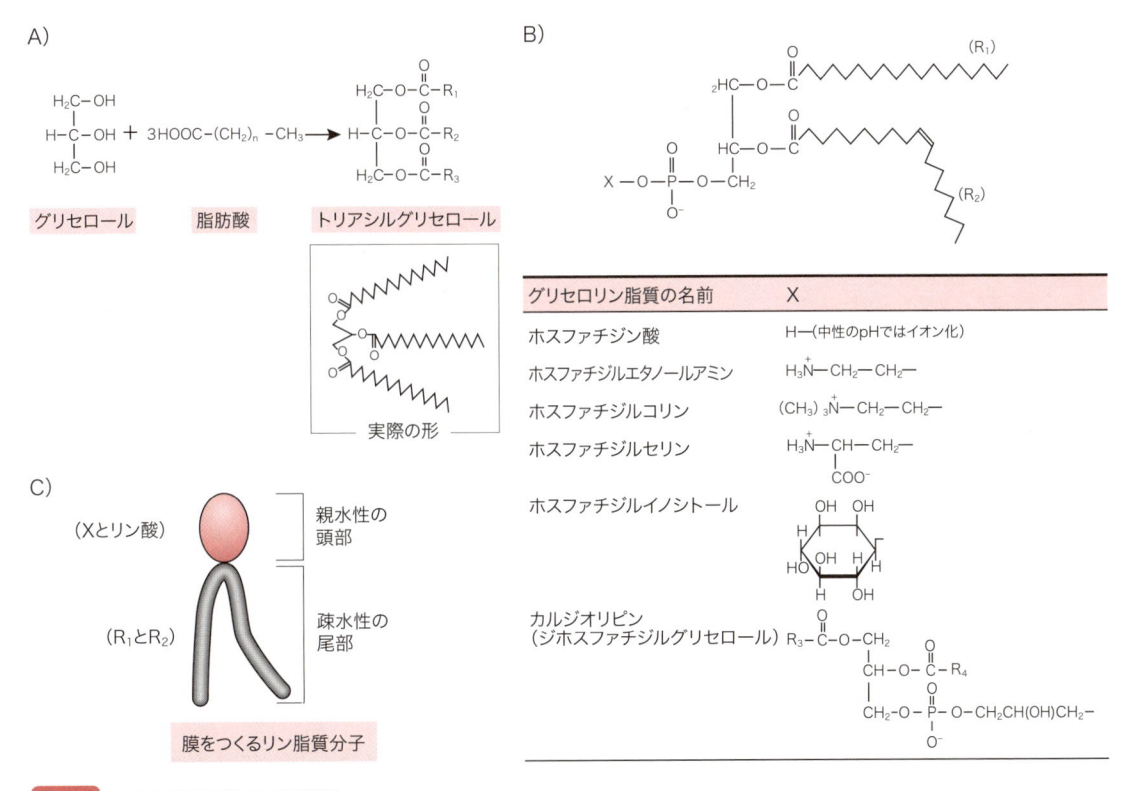

A) トリアシルグリセロール．B) グリセロリン脂質．C) 膜をつくるリン脂質分子．R_n は脂肪酸を表す

グリセロリン脂質の名前	X
ホスファチジン酸	H—（中性のpHではイオン化）
ホスファチジルエタノールアミン	$H_3\overset{+}{N}-CH_2-CH_2-$
ホスファチジルコリン	$(CH_3)_3\overset{+}{N}-CH_2-CH_2-$
ホスファチジルセリン	$H_3\overset{+}{N}-CH-CH_2-$ COO$^-$
ホスファチジルイノシトール	
カルジオリピン（ジホスファチジルグリセロール）	

図9-2　エステル型グリセロ脂質

form）であることが特徴で，このために，不飽和結合をもった炭化水素鎖は二重結合の部分で折れ曲がりを生じる．飽和炭化水素鎖は，集合したときに結晶構造のような配列をとりやすいが，不飽和結合があると整然とした構造をとりにくい．

グリセロ脂質

グリセロールは3つのヒドロキシ基をもっているが，これに脂肪酸がエステル結合したものが**エステル型グリセロ脂質**（glycerolipid）である．これには大別して脂肪，リン脂質，糖脂質がある．

脂肪（中性脂肪）〔fat（neutral fat）〕は，動物脂肪組織の脂肪細胞，植物種子の胚乳や子葉などに存在する貯蔵脂質で，エネルギー貯蔵の役割を果たしている．脂肪は膜構造を形成していない．中性脂肪には，グリセロールの3つのヒドロキシ基に，1つ，2つ，あるいは3つの脂肪酸がエステル結合したものがあるが，体内では3つの脂肪酸が結合しているものが大部分で，これを**トリアシルグリセロール**（triacylglycerol, 図9-2A）という．

グリセロリン脂質（glycerophospholipid）は，グリセロールに2つの脂肪酸が結合し，残りのヒドロキシ基

脂肪酸と融解温度

脂肪酸が多くの二重結合をもてばもつほど，炭化水素鎖同士はうまく収まらなくなり，脂質の融解温度が低くなる．3つの同じステアリン酸をもつトリアシルグリセロール（トリステアリンや中性脂肪とも呼ばれる）は，動物の脂肪の共通の組成物である．一方，植物の脂肪は二重結合が豊富な多不飽和で，オリーブ油やバターのような天然の油脂は，さまざまな種類の脂肪酸をもつ混合物である．動物の脂肪は常温で固体であるのに対し，植物の脂肪が液体であるのは，前者が飽和脂肪酸を多く含むのに対して，後者は不飽和脂肪酸が多いからである．

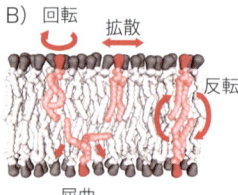

A) 温度による脂質二重層の性質の変化を示す分子モデル. 温度の上昇に伴い, 結晶相からゲル相を経て, 液晶相へとシフトする. B) 液晶相の脂質二重層内では, それを構成する成分が活発な分子運動をしている. 例えば, 脂肪酸の部分の屈曲運動, リン脂質の回転や拡散運動, 内層と外層の間を移動する反転運動などである. ここでは, わかりやすいように結晶相の構造を用いて, その様子を模式的に示してある. これらの運動のなかで, 反転運動には多くのエネルギーが必要なので, それが分子運動だけで引き起こされることは稀である. 駒崎伸二博士のご厚意による

にリン酸を介してさまざまな化合物が結合した脂質である. 自然界に存在する主要なリン脂質であり, 生体膜の主要な成分でもある (**図9-2B**). 単純にリン脂質と称することも多い. リン脂質のグリセロールの2位のヒドロキシ基に結合する脂肪酸は不飽和脂肪酸が多い. リン脂質に含まれる不飽和脂肪酸は, 膜構造に適度な丈夫さと流動性とのバランスを与えるうえで重要である. リ

ン酸とその先に結合している分子は極性が高く, それに対して, 2本の脂肪酸の鎖 (炭化水素鎖) は非極性であるため, しばしば模式的に**図9-2C**のように描かれる. リン脂質は, 極性基を外側に非極性基を内側にして脂質二重層を形成し, 古細菌を除くすべての生物の細胞膜構造の主成分になっている.

動物には稀であるが, 植物や細菌 (古細菌を含む) にはモノガラクトシルジアシルグリセロールのような**グリセロ糖脂質** (glyceroglycolipid) が広く存在し, 葉緑体膜では全脂質の約半分を占める.

膜脂質の特徴

脂質二重層を構成するリン脂質は, 温度に依存してその性質が不連続的に変化する. このような変化は相転移と呼ばれ, 水が氷になったり水蒸気に変化したりするのと同じような現象である. 温度が低いときの脂質二重層は**結晶相** (crystalline phase) と呼ばれる状態をとるが, 温度の上昇に伴い, ゲル相を経て**液晶相** (liquid crystal phase) へと転移する (**図9-3A**).

リン脂質の炭化水素鎖が伸びた状態の結晶相では, 炭化水素鎖同士がファンデルワールス相互作用で結合するので, リン脂質が動きにくい状態にある. 一方, 炭化

ステロイドホルモンと内分泌攪乱物質

コレステロールは, 脂質に溶解するので, 血液から細胞膜や細胞質へと自由に拡散することができる. そのため, ステロイドホルモン (**コラム図9-1C**) もその誘導体も細胞膜を通過することができ, 細胞内にある受容体と結合する. これは, 親水性ペプチドホルモンが極性のために細胞膜を通過せず, 細胞膜上の受容体と結合することでシグナル伝達を行うのと対照的である (**14章2**参照). いわゆる環境ホルモン (内分泌攪乱物質) は, 分子サイズが小さく脂質に溶解しやすいため, 細胞質へ自由に拡散し, 細胞内のステロイドホルモン受容体と結合することで, 生体に悪影響を及ぼす.

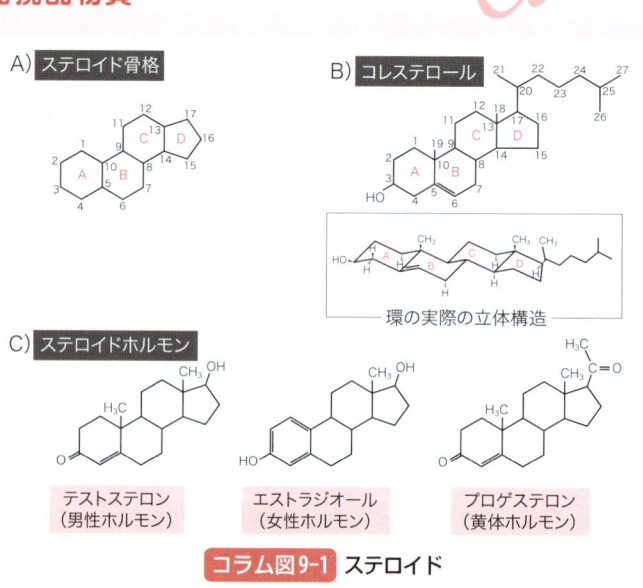

コラム図9-1 ステロイド

水素鎖が屈曲していて互いの結合が弱い液晶相では，分子運動によりリン脂質が活発な運動を行っている（図9-3B）．このようなリン脂質の活発な運動性は温度の上昇とともに増加し，生体膜の多様な機能を行うために必要な膜の流動を可能にしている．また，生体膜を構成する脂質二重層の内層と外層では，それらを構成する脂質成分の割合が異なる．その違いは脂質の反転により調節されている．

生体膜は，選択的な透過性をもつ仕切りと見なすこと

Column

スフィンゴ脂質と糖脂質

19世紀の半ば，ヒトの脳から頭が水溶性で，しっぽが脂溶性である両親媒性の不思議な物質が発見された．頭がヒトで，胴体がライオンという，エジプトのギザにあり，人類史上最も神秘に満ちた建造物の1つ，スフィンクスにその物質の構造が似ているところから，スフィンクスの脂質，つまり，「スフィンゴシン」という名前がつけられた（コラム図9-2A）．リン脂質であるスフィンゴミエリンや糖脂質であるガングリオシドなどスフィンゴシンを含む脂質は，その名称からもわかるように，脳や神経細胞に多く存在する．一方糖脂質は，感染症にも関与する．コレラ毒素や百日咳毒素は，細胞表面のガングリオシドに結合し，その後標的細胞内へと進入する．

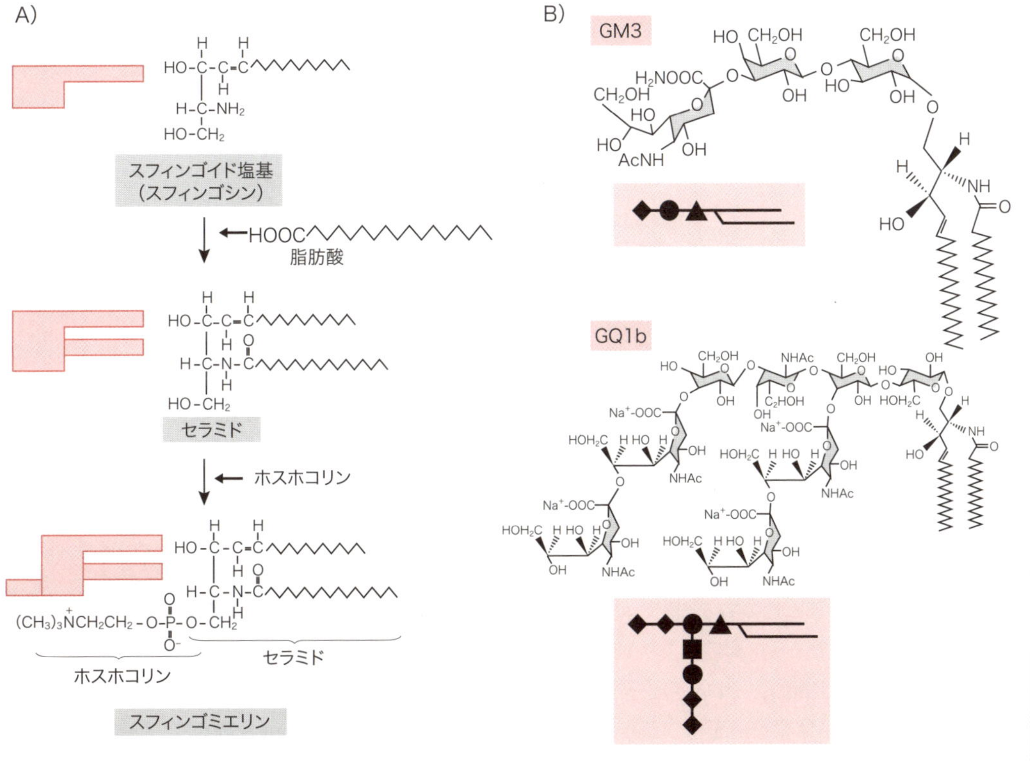

コラム図9-2 スフィンゴ脂質
A）スフィンゴリン脂質のうち，代表としてスフィンゴミエリンを例として示した．B）スフィンゴ糖脂質のうち，脊椎動物のあらゆる細胞に最も普遍的に存在し，最も単純な構造をもつガングリオシドであるGM3と，神経細胞に比較的豊富に存在する4つのシアル酸を含むガングリオシドであるGQ1bを例として示した．下部には，単糖を一般的に用いられる方法に従って模式的に表記した（▲：グルコース，●：ガラクトース，◆：シアル酸，■：N-アセチルグルコサミン）

9章 生体膜と細胞の構造

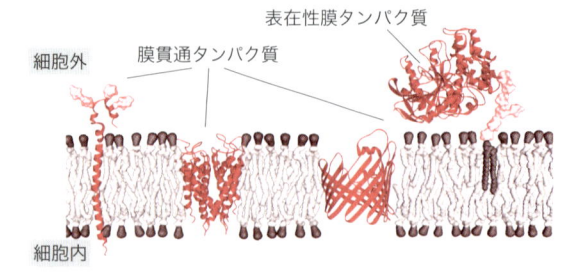

図9-4 膜タンパク質の種類
生体膜には，膜を貫いて存在する膜貫通タンパク質（物質通過のチャネルやシグナル伝達分子など）や，膜に結合している表在性の膜タンパク質（酵素やシグナル伝達分子など）が存在する．駒崎伸二博士のご厚意による

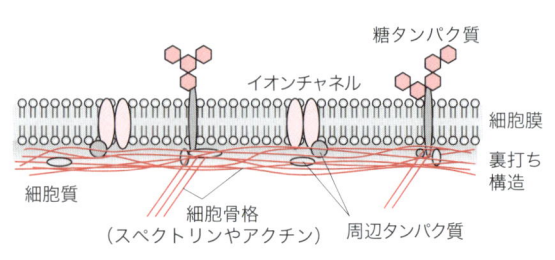

図9-5 細胞膜の裏打ち構造
細胞膜直下には，細胞骨格を主要成分として構成される裏打ち構造が存在し，膜構造の安定化に寄与している．細胞膜に存在するタンパク質の多くは，その裏打ち構造につなぎ止められて一定の分布パターンで存在する

ができ，細胞内のさまざまな区画を取り囲んでいる．細胞膜は，細胞内と外的環境を区切り，真核細胞においては，さらに細胞質から区切られた多くの膜系が特化した区画，つまり細胞小器官を形成する．細胞内の区画においては，膜自体も，そしてその内部環境も非常に多種多様である．進化の過程で細胞は，それぞれの区画の組成を維持・制御する機構を進化させてきた．このため，膜内外の溶質の濃度を一定に維持する機構は，細胞の生存に必須な代謝経路を維持するために必要不可欠な機能である．しかし，脂質二重層の内部は，疎水性が高く，極性分子，親水性分子や巨大な生体高分子などは，脂質二重層を透過できない．また，ある区画から別の区画へ分子を移動させるために，生体膜の脂質二重層には，多くの種類の**膜貫通タンパク質**（transmembrane protein）や**表在性膜タンパク質**（extrinsic membrane protein）などが組み込まれている（図9-4）．

膜貫通タンパク質

膜貫通タンパク質は，疎水性のアミノ酸により構成されたαヘリックス構造やβシート構造により生体膜に組み込まれている（12章**3**参照）．それらの膜貫通タンパク質の多くは，物質が生体膜を通過するための通路を形成したり，外界からの情報を細胞の内部に伝達したりする役割を果たしている．膜貫通の回数には，いろいろな数のものがある．

表在性膜タンパク質

一方，表在性膜タンパク質は，その構造の一部（疎水性の部分）を生体膜へ組み込んだり，そのタンパク質に結合している脂肪酸を生体膜に挿入したり，あるいは，特定のリン脂質と選択的に結合したりして生体膜の表面に結合している．最もよく研究されている表在性膜タンパク質は，細胞膜の内側（細胞質側）に位置し，細胞の骨格として繊維状のネットワークを形成し，細胞膜の裏打ち構造を構成するスペクトリンやアクチンタンパク質などである（図9-5）．これらのタンパク質は，薄い膜構造を物理的に支え補強したり，膜貫通タンパク質を一定の細胞膜領域に固定する錨（いかり）として機能する．また，細胞内シグナル伝達系で働く二次メッセンジャーである**プロテインキナーゼC**（protein kinase C：PKC，Cキナーゼともいう）などの酵素もこの表在性膜タンパク質の一種である（15章**3**参照）．これらのタンパク質は，生体膜周辺で行われるさまざまな働きにかかわっている．

3 物質の生体膜通過

生体膜の基本構造である脂質二重層は疎水性の壁を形成するので，一部の分子を除いて，物質の自由な通過を制限している（図9-6A）．しかしながら，細胞は生きるために外界からさまざまな物質（養分やイオンなど）を取り込んだり，細胞内の物質を排出したりする必要性がある．そのために，生体膜には受動輸送と能動輸送という2種類の輸送システムが存在する（図9-6BC）．

受動輸送

膜に埋まった**チャネルタンパク質**（channel protein, 単にチャネルともいう）には選択的な細孔（選択孔）があり，その大きさに合う分子を自由に通す．例えばイオンチャネルは，Na^+，K^+，Ca^{2+}，Cl^-などの無機イオンを通過させる（p.111 コラム参照）．チャネルタンパク質を介した物質の輸送は，促進的な拡散の一種であり，ATPを消費せず電気化学的勾配（電気化学ポテンシャル差）に従って行われる．このチャネルタンパク質は，刺激により開閉し，特定のイオンの流れを生み出す（16

章**2**参照）．また，細胞膜上には，水分子を選択的に通す水透過チャネル（**アクアポリン**：aquaporin）も存在する．

チャネルタンパク質は特定の物質を通すための通路であるが，**トランスポーター**（transporter）は特定の分子と選択的に結合し，反対側へと**促進拡散**（facilitated diffusion）によって物質を輸送する．例えば，グルコーストランスポーターはグルコースだけを細胞外から内へ輸送し，フルクトースの輸送はできない．つまり，トランスポーターは細胞膜の選択的透過性を規定し

イオンチャネルの分子構造解明の歴史

生きた組織で測定される電気的なシグナルが，細胞膜を横切るイオンによることを明らかにしたオストワルド（Friedrich Ostwald）は，1909年にノーベル化学賞を受賞した．その後，1920年代になると，細胞膜に存在するイオンチャネルの概念が提唱されるようになった．そして，ホジキン（Alan Hodgkin）とハックスリー（Andrew Huxley）は，神経細胞の活動電位の発生がNa^+とK^+による透過性の関数として表せることを証明し，1963年にノーベル生理学・医学賞を受賞した．1970年代になると，イオンチャネルには特定のイオンだけを選択的に通すフィルター機構をもつことが指摘された．それは，K^+チャネルが原子のサイズの大きいK^+（2.7Å）を通すにもかかわらず，それよりもサイズの小さいNa^+（1.9Å）は通さないからである．ヒル（Bertil Hille）はこの現象を分子間結合から理論的に説明した（フィルター理論）．しかしながら，その理論が実証されるには，その後の，イオンチャネルの構造解析による分子構造の解明まで待たざるをえなかった．

その後，タンパク質の精製分離や，X線結晶構造解析学によるタンパク質の構造解析などの技術が進歩した結果，イオンチャネルの分子構造の解析が可能になった．そのようななかで，マキ

ノン（Roderick MacKinnon）は，細菌のK^+チャネルの構造解析を行い，K^+チャネルの分子構造を明らかにし，2003年にノーベル化学賞を受賞した．

マキノンが明らかにしたK^+チャネルの構造は，4つのタンパク質が集合し，その中央部にはK^+を通す通路（直径が約3Å）が形成されていた（**コラム図9-3**）．K^+がそこを通過するときには，イオンに引きつけられている水分子が除去されて，通路に存在するアミノ酸のカルボニル基（-CO-）の酸素原子とイオン反応する必要がある．その際の

反応様式は，サイズの異なるK^+とNa^+とでは異なる．つまり，サイズの小さいNa^+は，通路に向き合って分布する4つのカルボニル基のすべての酸素原子とうまく反応できないために，水分子が剥ぎ取られて，チャネルの通路内に進入することができない．この違いが，K^+は通すにもかかわらず，Na^+は通さないというフィルター機構を形成していると考えられている．そして，この事実はヒルのフィルター理論の仮説が正しかったことも証明した．

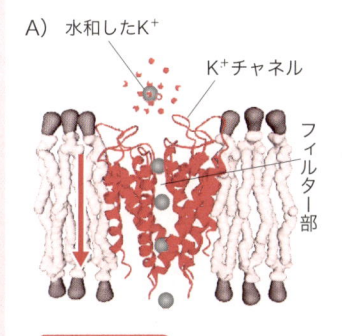

A）水和したK^+
K^+チャネル
フィルター部

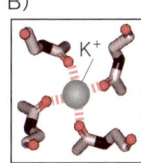

B）
K^+と酸素の反応

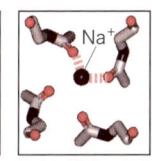

Na^+と酸素の反応

コラム図9-3 **細菌のK^+チャネル**

A）K^+チャネルは四量体からなる膜貫通タンパク質で，その中央にイオンを通す通路がある．水中のイオンは水分子を引きつけて水和しているので，そのままでは全体のサイズが大きすぎてこの通路を通過することはできない．B）Na^+はK^+よりもサイズが小さいため，フィルター部を構成するアミノ酸のカルボニル基とうまく反応できない．酸素原子を赤で示す．駒崎伸二博士のご厚意による

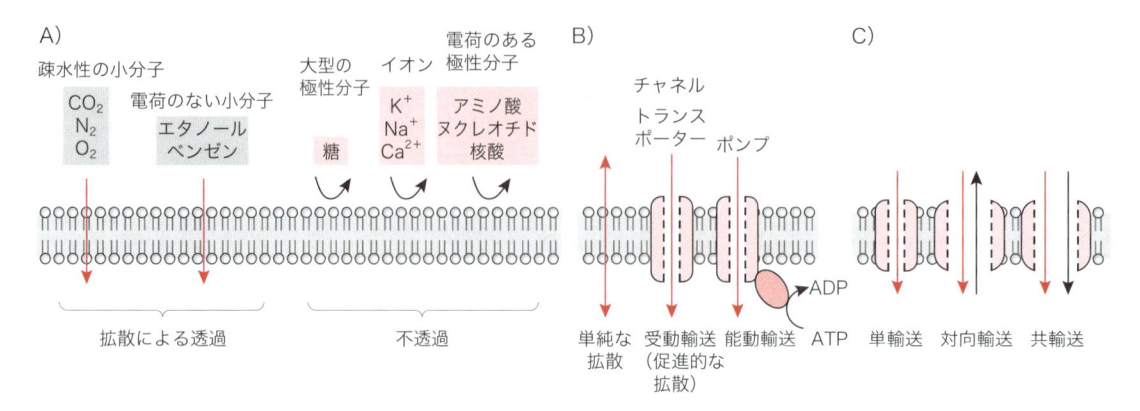

図9-6 細胞膜の透過性

A）一部の分子は拡散により細胞膜を通過することができるが，ほとんどの分子は細胞膜を拡散により通過することができない．B）細胞膜を横切った物質の通過には，チャネル，トランスポーター，ポンプと呼ばれる膜タンパク質が関与している．トランスポーターは分子の結合によるタンパク質の立体構造の変化を利用して，その分子の膜通過を行っている．ポンプは，ATPの加水分解によるエネルギーを用いて，濃度勾配に逆らったイオンや物質の輸送を行っている．C）輸送される物質の方向などによる分類もある

ている．このように，チャネルやトランスポーターを介して，濃度差や電気化学的勾配に沿ってエネルギー的に有利な方向に進む輸送を**受動輸送**（passive transport）という．

能動輸送

一方，濃度勾配に逆らった選択的な物質輸送は，イオンポンプなどがその機能を担っており，ATPのエネルギーを消費する（**図9-6B**）．このような輸送を**能動輸送**（active transport）という．能動輸送には，エネルギーを直接消費し，物質輸送を行う**一次性能動輸送**（primary active transport）と一次性能動輸送により生じたイオンの偏りなどの電気化学的なポテンシャルを利用して二次的に物質輸送を行う**二次性能動輸送**（secondary active transport）がある．

一次性能動輸送を行うタンパク質の1つに，Na^+/K^+-ATPアーゼ（ナトリウムポンプとも呼ばれる）がある．Na^+/K^+-ATPアーゼは，Na^+イオンを細胞外へ，そしてK^+を細胞内へ，ATPのエネルギーを消費して輸送する．このNa^+/K^+-ATPアーゼは，神経細胞の興奮に関与している（図16-4参照）．また，同様な機能をもつタンパク質として，**ATP結合カセット輸送体**（ATP-binding cassette transporter：ABC輸送体）がある．ABC輸送体は，さまざまな基質（イオン，薬物，ペプ

チド，タンパク質など）を輸送し，しかも輸送方向は，細胞内から外へだけでなく，細胞外から内へ，さらには，細胞小器官間での輸送も司る．このABC輸送体は，がん細胞において多量に発現しており，抗がん剤を細胞外へとくみ出す．そのため，がん細胞の多剤耐性に関与している．二次性能動輸送の例としては，小腸上皮細胞におけるNa^+イオン依存的な細胞内へのアミノ酸の輸送があげられる．

輸送方向による分類

能動輸送は，物質の輸送の方向に応じて，**単輸送**（uniport），**対向輸送**（antiport），**共輸送**（symport）に分けられる．単輸送では，1種類の分子のみが輸送される．対向輸送では，細胞膜の内外で分子を交換するように輸送する．共輸送では，Na^+イオン依存的なアミノ酸の輸送のように，同じ方向に2種類の分子が輸送される．

受容体によるシグナル伝達

さらに，細胞外からの情報を細胞内に効率よく伝達する必要性もある．そのために，細胞は膜表面にたくさんの**受容体タンパク質**（receptor protein）をもっており，さまざまな物質とこれらの受容体が特異的に結合して細胞外からのシグナルを細胞内に伝えている．例えば，7回

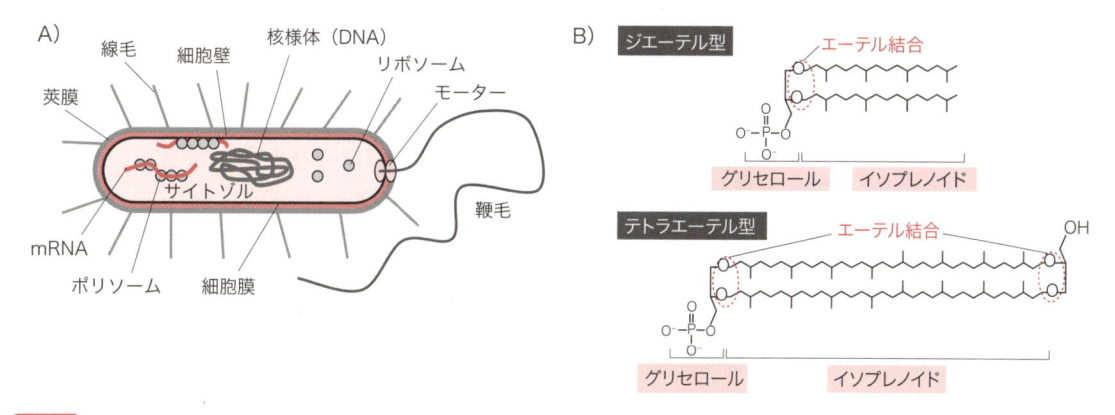

図9-7 原核細胞の構造を示す模式図とエーテル型グリセロ脂質

A) 例として細菌の基本構造を示した. 鞭毛や線毛は真核生物がもつ鞭毛や繊毛とは構造が全く異なる. B) 細菌や真核生物でみられるグリセロリン脂質ではなく, 2つのイソプレノイドがグリセロールにエーテル結合したエーテル型脂質（ジエーテル型）から構成される. さらに, エーテル結合を4つもったテトラエーテル型もみられる. テトラエーテル型脂質は脂質二重層ではなく脂質一重層として耐熱性の高い細胞膜を形成する

も膜貫通する**Gタンパク質共役型受容体**（G protein-coupled receptor：GPCR）ファミリーがある（**15章3**参照）. このGPCRは, 細胞外の神経伝達物質やホルモンを感受して, その情報を細胞内へ伝える.

4 原核細胞に特徴的な構造

原核細胞（細菌, 古細菌）の基本構造を**図9-7A**に示す. 核がない原核細胞では環状の染色体DNAが細胞質の一部にかたまって存在しているが, この構造は核様体と呼ばれる. 原核細胞では通常, 細胞膜の外側に細胞壁が存在する. 細菌は細胞壁を含めた細胞表層の構造の違いにより2つに大別される. グラム陽性細菌はペプチドグリカン[※1]からなる分厚い細胞壁を有する. 一方, グラム陰性細菌は薄いペプチドグリカン層の外側に外膜と呼ばれる脂質二重膜をもつ. 外膜の内葉, 外葉はそれぞれリン脂質, リポ多糖で構成されるが, リポ多糖は内毒素（エンドトキシン）と呼ばれ, 感染宿主に有害反応を引き起こす（**23章2**参照）. 一部の細菌では, 細胞

壁の外側に莢膜と呼ばれる被膜状の構造をもつが, 莢膜は白血球などの食細胞から細菌を守る働きをもつ. 古細菌では, 一般に, タンパク質や糖タンパク質から構成される単分子層（S層）によって細胞壁が構成される. 古細菌の細胞成分の特色としては, エーテル脂質の存在が最も特徴的である（**図9-7B**）.

原核生物には運動装置として鞭毛をもつものも多いが, この鞭毛は真核細胞に存在するものとは構造が全く異なる[※2]（p.158 コラム参照）. また, 鞭毛とは別に線毛と呼ばれる繊維状の構造物もよく知られている. 一般的に, 線毛は菌同士の接合や物質表面への付着のために用いられる.

5 真核細胞の構造と細胞小器官の機能

原核細胞と異なり, 真核細胞内には核膜や小胞体などの**膜区画**（membrane compartment）が発達している. それらの膜構造は静的なものではなく, その形や分布を頻繁に変化させながら, さまざまな機能を果たして

[※1] グリカン（N-アセチルグルコサミンとN-アセチルムラミン酸の2種類の糖が繰り返して連なった糖鎖）が, 短いペプチド（一般的に4つのアミノ酸からなる）によって架橋された構造.
[※2] 真核生物の鞭毛はそれ自体が収縮して鞭を打つように動くが, 細

菌の鞭毛は1種類のタンパク質からなる繊維であり, 細胞膜の存在するモーターの働きにより回転する. このため, 真核生物の鞭毛とは区別して「べん毛」と表記されることもある.

いる．さらに，その細胞質には独自のDNAやタンパク質合成系をもつミトコンドリアや色素体などが存在している（図9-8A）．これらの構造は**細胞小器官**（オルガネラ：organelle）と呼ばれ，それぞれが特別の機能を果たしている．また，細胞骨格（**13章1**参照）と呼ばれる繊維構造が網の目のように細胞内に張り巡らされている．

　真核生物には，単細胞で存在するものや，細胞が集団を形成して多細胞生物として存在しているものがある．多細胞生物では，細胞同士による接着や，細胞外基質と呼ばれる細胞の分泌物を介した細胞の結合により，組織や器官と呼ばれる機能単位を構成している．真菌（カビ，酵母）などの真核微生物や植物では，細胞膜の外側に細胞壁と呼ばれる強固な構造があり，細胞の形が維持されている．

▋核

　真核細胞では，クロマチンが核膜に囲まれて存在する（図9-8B）．核膜は，脂質二重層の2枚の膜からなる．その核膜には，核と細胞質の間の物質のやりとりを行うための通路が数多く形成されている．その通路が**核膜孔**（nuclear pore）で，**核膜孔複合体**（nuclear pore complex）と呼ばれる複雑な構造からなっている（図12-2参照）．核膜孔複合体が複雑な構造をしているのは，この部分が，核と細胞質間の選択的な物質輸送に深くかかわっているからである．核膜孔複合体の中央部分には直径約90 nm程度の小さな穴が開いており，無機イオンや分子量約30,000以下の分子は単純拡散により受動的に核内外へ移動できる．一方，分子量約30,000以上の巨大分子はGTPに依存された能動輸送によって輸送される（**12章2**参照）．その他，多数の核タンパク質，tRNAなどが輸送され，1分間に数千もの分子が1つの核膜孔を通過すると考えられている．

　核の断面を電子顕微鏡写真で見ると，一般に，クロマチンが凝縮して黒く見える部分（ヘテロクロマチン）と，拡散して透けて見える部分（ユークロマチン）がある．前者は，核膜の周辺にみられ，転写活性が不活発な領域で，ヌクレオソーム構造が形成された状態であると考えられている．一方，後者は，RNA転写活性が活発で，多種のタンパク質と共存している領域である（20

章**4**参照）．細胞周期のM期以外の間期の核では，クロマチンは11 nm幅に折りたたまれた状態（図6-5参照）で存在している．クロマチンは核膜の内側を裏打ちしている核ラミナと呼ばれる繊維構造に結合し，染色体ごとに領域分けされて核内に収納されていると考えられている．しかしながら，狭い核の内部でクロマチンがどのようにコンパクトに整理されて収納されているのか，その詳細については依然として不明である．

　また，核内で目につく構造に**核小体**（nucleolus）がある．核小体は，転写されたrRNAやリボソームの前駆体が多量に蓄積されている部位である．それゆえ，一般的に，代謝や増殖が活発でタンパク質を盛んに合成している細胞やがん細胞では大きな核小体がみられる．

▋小胞体

　小胞体（endoplasmic reticulum：ER）は，一重の脂質二重膜に囲まれた板状あるいは網状の膜であり，一部は核膜の外膜とつながっている．小胞体はその形態から，**粗面小胞体**（rough endoplasmic reticulum, **図9-8C**）と**滑面小胞体**（smooth endoplasmic reticulum）に分類されている．粗面小胞体はその膜表面に多数のリボソームが結合してタンパク質合成を行っている小胞体で，その小胞体の内部にはゴルジ体やリソソーム，小胞体，細胞膜，分泌顆粒などを構成するタンパク質が詰まっている．一方，滑面小胞体はリボソームが結合していない小胞体で，シトクロムやシトクロムP450といった電子伝達系が存在し，薬剤などの化合物の酸化還元反応を行い薬物の代謝に関与する．コレステロールやステロイドホルモンなどの脂質合成も行う．また膜上には膜合成酵素が存在し，脂肪酸やグリセロールを材料にリン脂質を合成して，細胞膜を含む小器官の膜の供給を行う．さらに，グリコーゲン代謝，Caイオン調節，細胞内消化などの機能にもかかわっている．小胞体でつくられた膜脂質，膜タンパク質，小胞体内腔のタンパク質は，品質管理チェックを受け，検査に合格するとゴルジ体へと輸送される．

▋ゴルジ体

　ゴルジ体[※3]（Golgi body）は，直径0.5 μm程度の

※3　**ゴルジ装置**（Golgi apparatus），**ゴルジ複合体**（Golgi complex）とも呼ばれる．

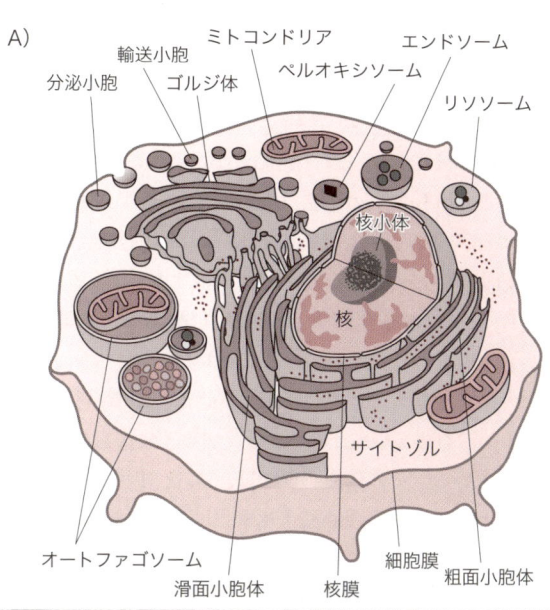

A)

分泌小胞　輸送小胞　ミトコンドリア　エンドソーム
ゴルジ体　ペルオキシソーム　リソソーム
核小体
核
サイトゾル
オートファゴソーム
滑面小胞体　核膜　粗面小胞体
細胞膜

図9-8 真核細胞の構造を示す模式図と細胞小器官を示す電子顕微鏡写真

A）真核細胞の基本構造．B）核．核膜の周辺部には凝縮したヘテロクロマチンが，核の内部には拡散したユークロマチンがみられる．そして，核の中には核小体が見える．C）粗面小胞体．表面には多数のリボソーム（黒い点）が結合している．その内腔は合成されたタンパク質が詰まっているので色が濃く見える．D）ゴルジ体．上がシス側で，下がトランス側の向きになっている．E）リソソーム．中に分解中の物質が見える．F）ペルオキシソーム．中央部に黒く見えるのは結晶中心．G）ミトコンドリア．H）葉緑体．黒く見える膜構造はグラナ．B〜Hは駒崎伸二博士のご厚意による

B)

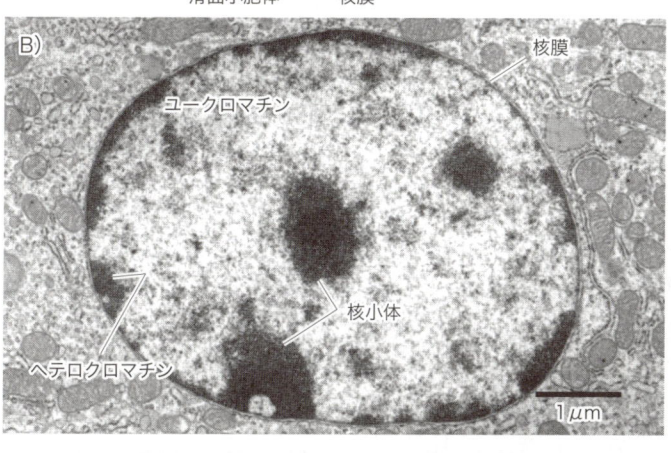

核膜
ユークロマチン
核小体
ヘテロクロマチン
1μm

C)

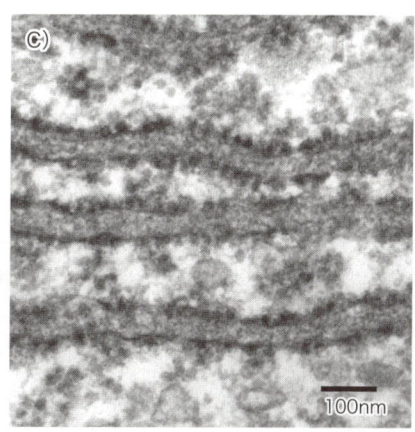

100nm

D)

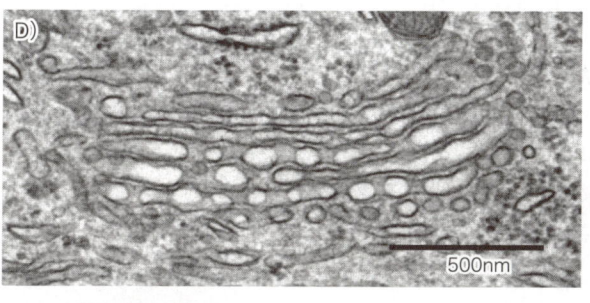

500nm

E)

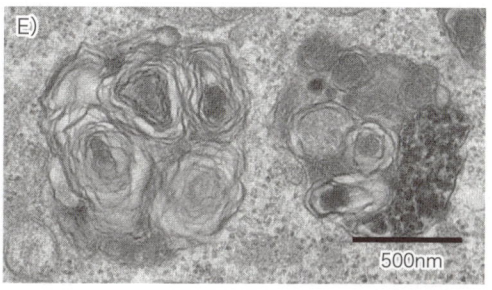

500nm

F)

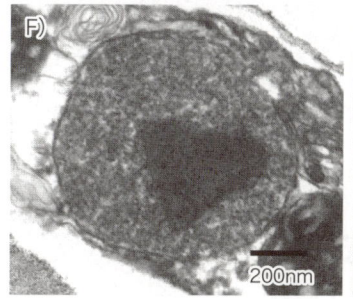

200nm

G)

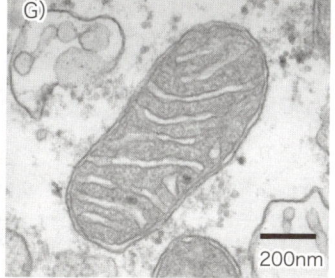

200nm

H)

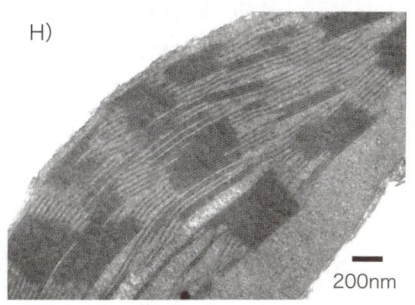

200nm

扁平な滑面小胞体に似た袋状の**ゴルジ扁平嚢**（Golgi cisternae）が何層も積み重なったような構造をした細胞小器官である（**図9-8D**）．動物細胞では層の数は10層程度であるが，細胞種によって数が異なる．植物細胞では，何百枚もの層が細胞内に分散している．ゴルジ体は，核の近傍に存在する**中心体**（centrosome）および小胞体と近接して存在する．ゴルジ体では，粗面小胞体から送られてきたタンパク質へ**糖鎖付加**（glycosylation）が行われる．その構造には極性があり，粗面小胞体で合成されたタンパク質が送り込まれてくる側がシス側で**シスゴルジ網**（*cis* Golgi network）と呼ばれる．シス側へ送り込まれたタンパク質がゴルジ体で加工されたあと，次の過程に送り出される側がトランス側である．そして，ゴルジ体の中間部はメディアルと呼ばれている．糖鎖付加の完了したタンパク質は，トランス側の**トランスゴルジ網**（*trans* Golgi network）と呼ばれる区画で選別され，さまざまな場所へ輸送される（図12-7参照）．ゴルジ体には，ゴルジ扁平嚢同士をつなぎとめるゴルジマトリクスタンパク質が存在し，一定の形を保っている．細胞分裂時には，このゴルジマトリクスタンパク質がリン酸化され，脱重合するため，ゴルジ装置は，数百個の小胞に断片化し，細胞質内に分散する．細胞分裂後に改めて再構成される．

リソーム

　リソーム（lysosome）と呼ばれる小胞の中には，タンパク質，脂質，糖，核酸など，あらゆる種類の生体物質を分解することのできる多くの種類の**酸性加水分解酵素**（acidic hydrolase）が存在している（**図9-8E**）．それらの酵素は，ゴルジ体から輸送されてきたものである．リソームの膜上にはH⁺ポンプが存在し，ATPを消費してリソーム内部を常にpH5程度の酸性に維持している．リソーム内の酸性加水分解酵素群は酸性条件下で効率よく機能する特徴をもつので，加水分解はリソーム内でだけ起こり，中性の細胞質内では不要な分解反応が起こらないしくみになっている．リソームの役割は，外部から取り込んだ異物や養分の分解（図12-8参照），そして，細胞内で不要になったものを分解

処理することである（図12-9参照）．

ペルオキシソーム

　ペルオキシソーム（peroxisome）は小型（直径0.1〜2μm程度）の小胞（**図9-8F**）である．細胞種にもよるが，数百〜数千個が細胞質中に存在する．特に，肝細胞質中には多数存在する．ペルオキシソーム内には，D-アミノ酸酸化酵素，尿酸酸化酵素などの**酸化酵素**（oxidase）が含まれている．ペルオキシソームに含まれる酸化酵素は，長鎖脂肪酸のβ酸化（**10章 3** 参照），コレステロールや胆汁酸の合成，アミノ酸代謝などに関与している．その代謝過程では，O_2 を用いた酸化反応が行われて，有毒な過酸化水素（H_2O_2）が生じる．その毒性を中和するためにカタラーゼがペルオキシソーム内に存在し，すばやく過酸化水素を不均化して酸素と水に分解する．

　動物の肝臓や腎臓の細胞では，酸化反応で生じた過酸化水素を用いて，フェノール，蟻酸，ホルムアルデヒド，アルコールなどの有毒物質を酸化して無毒化している．植物のペルオキシソームもβ酸化などの働きがあり，光呼吸（**11章 5** 参照）の経路では，葉緑体，ミトコンドリアと協同して働いている．グリオキシル酸回路[4]をもつグリオキシソームもペルオキシソーム類似の細胞小器官であり，両者をまとめてミクロボディと呼んでいる．

エンドソーム

　エンドソーム（endosome）は，エンドサイトーシス（**12章 6** 参照）によって細胞内に取り込まれた小胞同士が融合してできた脂質二重膜でできた小胞である．その膜上には，リソームと同様にH⁺ポンプが存在し，エンドソーム内部のpHを常に酸性に維持している．このようなpHの酸性化は，エンドソームに取り込まれた細胞表面上の受容体やチャネル分子と細胞外液分子との選別を効率よく行うために重要である．エンドソームは，ゴルジ装置近傍へと移動するにしたがって多数の小胞を内部に含み，内部のpHが初期のエンドソームよりもさらに低下した**後期エンドソーム**（late endosome）へと成熟する．その後加水分解酵素群を含むリソームと融

※4　植物と細菌の一部には，脂肪酸を分解して糖を生成するグリオキシル酸回路と呼ばれる代謝経路が存在する．例えば，発芽中の植物の種子でこの経路が働いている．

合し，内容物を分解する．

輸送小胞と分泌小胞

　輸送小胞（transport vesicle）は，細胞内における物質の移動の際に用いられる小胞のことである（**12章4**参照）．例えば粗面小胞体からゴルジ体へのタンパク質輸送には，この輸送小胞が用いられる．一方，細胞内の物質を細胞外に放出（エキソサイトーシスと呼ばれる，**12章5**参照）する際に用いられるのが**分泌小胞**（secretory vesicle）である．分泌小胞内には，細胞の構造や機能の維持に必要なタンパク質だけでなく，消化酵素やホルモン，さらには神経伝達物質などが貯蔵されている．

独自のDNAを含む細胞小器官ミトコンドリアと色素体

　細胞の全体的な指令は，核のゲノム情報をもとに行われるが，ミトコンドリアと葉緑体には，独自のDNAとタンパク質合成系が存在し，自らのタンパク質をつくっている．ミトコンドリアはほとんどの真核細胞に存在するが，葉緑体は植物・藻類のほか，ミドリムシなどのような二次共生藻にだけ存在している．他の細胞小器官が核の指令だけを受け取っているのになぜ，ミトコンドリアと葉緑体はこのような自立性をもつのであろうか．このヒントは細胞内共生（**1章5**参照）にある．

ミトコンドリア

　ミトコンドリア（mitochondrion, *pl.* mitochondria, **図9-8G**）は，エネルギーを産生する細胞小器官で，その中には**クエン酸回路**（citric acid cycle）や**電子伝達系**（electron transfer system）が存在し，酸素呼吸によるATP産生にかかわっている（**10章7**参照）．ミトコンドリアは内膜と外膜からなる2枚の膜構造で構成され

ミトコンドリアをもたない真核生物 *Column*

　真核細胞にとってミトコンドリアは共生体である．進化のどのタイミングでミトコンドリアが取り込まれたかについては諸説あるが，現在地球で生きている真核生物のなかで，過去に一度もミトコンドリアをもたなかった系統はいないとされている．

　ところが，ミトコンドリアをほとんど失った真核生物の存在が知られている．そのような生物は嫌気的条件下で生育しているので，ミトコンドリアでの酸化的リン酸化によるエネルギー産生のしくみは不要なのである．例えば，ランブル鞭毛虫はミトコンドリアDNAを失ったミトコンドリアの痕跡のような小器官（マイトソームと呼ばれる）をかろうじてもっている．そのような生物がマイトソームを必要とするには別の理由がある．細胞にとって必須な補因子である鉄・硫黄クラスターの生合成に欠かせないからである．

　しかし，ついには鉄・硫黄クラスターの生合成をすべてサイトゾルで行えるようになった生物が誕生していること

が最近確認された．マイトソーム内で行っていた生合成経路にかかわる遺伝子を，細菌から直接獲得したらしい．すると，マイトソームをもち続ける意味がなくなり，彼らの一部はついにミトコンドリアの痕跡さえも完全に捨て去ってしまった．2016年にミトコンドリア

をもたない真核生物としてはじめて報告されたのは*Monocercomonoides*属の原生生物であり，チンチラ（齧歯類）の腸から単離されたものである[1]．

参考文献
1）Karnkowska A, et al：Curr Biol, 26：1274-1284, 2016

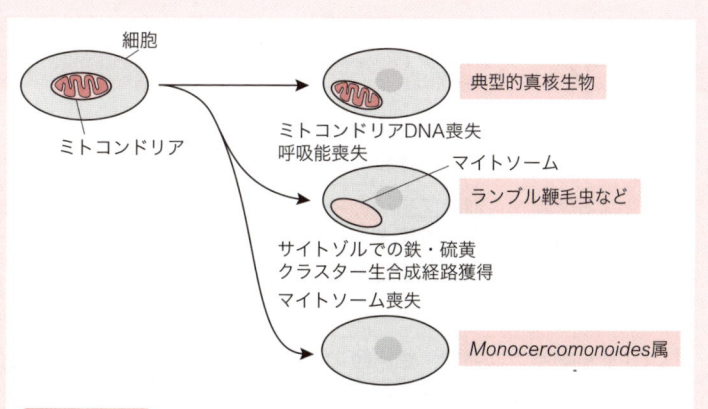

コラム図9-4 **ミトコンドリアの喪失過程**
典型的真核生物のミトコンドリアが，ミトコンドリアDNAや呼吸機能などを失いマイトソームとなる．マイトソームでは鉄・硫黄クラスターの生合成の前半部分が行われるが，それもサイトゾルで行えるようになるとマイトソームも喪失する

ている．その大きさや形は細胞の種類により多様で，0.5〜数μm程度の長さがある．その外膜は比較的に物質の透過性が高いが，内膜は物質の透過性が低い．内膜は内部に陥入して，クリステと呼ばれる構造を形成し，膜の面積を増加させている．クリステの膜には電子伝達系が存在し，それらによる酸化還元反応が膜を隔てたH$^+$の濃度勾配を形成して，ATPを合成している．ミトコンドリア内膜に囲まれた内部はマトリックスと呼ばれ，そこではクエン酸回路が働いている．

マトリックスにはミトコンドリア独自のDNA，RNAポリメラーゼ，リボソームなどが存在し，独自のタンパク質合成を行っている．ミトコンドリアが合成しているタンパク質は自身で必要とするものの一部だけで，残りの多くは細胞核のゲノムをもとに合成されたものを取り込んで利用している（図12-3参照）．また，ミトコンドリアは原核細胞と同じように2分裂で自己増殖している．

色素体

色素体（plastid）〔**葉緑体**（chloroplast，図9-8H），アミロプラスト，白色体など〕は植物・藻類・その他の原生生物に必須の細胞小器官で，光合成，脂肪酸合成，アミノ酸合成，窒素と硫黄の同化，色素の合成など，幅広い機能を行っている．色素体はそれぞれ性質の異な

る2枚の生体膜（外膜と内膜）で囲まれている．

その中の葉緑体は光合成を中心に行う色素体で，長径は5μm程度の大きさである．その内膜の内部（ストロマと呼ばれる領域）には，**チラコイド**（thylakoid）と呼ばれる扁平な小胞が密に積み重なって形成された，**グラナ**（granum，*pl.* grana）と呼ばれる構造が存在する．そのチラコイド膜には，光を受容する色素の**クロロフィル**（chlorophyll）をはじめとして，光合成を行う一連の酵素群が存在している（図11-5参照）．そして，ストロマには，葉緑体独自のDNA，RNAポリメラーゼ，そしてリボソームなどが存在し，それらにより100種類ほどの葉緑体タンパク質が合成されている．しかし，それら以外に葉緑体が必要とする数多くのタンパク質は，細胞核のゲノムをもとに合成されたものに依存している．

液胞

植物細胞には，細胞質のほとんどの体積を占めるほど大きな**液胞**（vacuole）と呼ばれる膜構造が存在する．液胞は養分・二次代謝産物・植物毒素などの貯蔵，加水分解酵素による分解（リソソームと同じような機能），有毒物質の隔離や解毒，細胞空間の充填（成長，体積の増大に関与）など，さまざまな機能を果たしている．

本章のまとめ　　　　　Chapter 9

- □ 生体膜はリン脂質を主要構成成分とする脂質二重層からなり，その膜に組み込まれた多くの種類のタンパク質は，生体膜の多様な機能を可能にしている．

- □ ある区画から別の区画へ分子を移動させるために，生体膜の脂質二重層には多くの種類の膜貫通タンパク質や表在性膜タンパク質が組み込まれている．

- □ 外界と細胞内を隔てる細胞膜には，物質を選択的に輸送させるしくみや，細胞外からの情報を細胞内に伝達するしくみなどが発達している．

- □ 原核細胞では通常，細胞膜の外側に細胞壁が存在する．細菌は，細胞膜を含めた細胞表層の構造の違いにより2つに大別される．古細菌は，単分子層によって細胞壁が構成される．

- □ 真核細胞では，細胞内に膜で区画された細胞小器官が存在する．これらの小器官は真核細胞の細胞機能の効率化やエネルギー産生，光合成などを行っている．

10章　代謝と生体エネルギー生産

　生物の活動を支えるエネルギーと生体物質を生み出す生化学的過程が代謝である．生体内での
エネルギーのやりとりは，主にATPによって媒介されている．代謝には，エネルギーの生産と利
用というエネルギー代謝の面と，さまざまな生体物質の合成と分解，相互変換という物質代謝の
面がある．生体エネルギーの生産と代謝反応の要になるのは，解糖，クエン酸回路，呼吸鎖であ
る．生物がエネルギーを利用する反応は多様であるが，エネルギー生産の方式は普遍的でかつ非
常にシンプルである．このエネルギー生産のしくみは生物学の中心課題として研究されてきた．
特に生体膜中での酸化還元反応を介したエネルギー生産システムは，原子・分子レベルから細胞
レベルまで理解が進んでいると同時に，現在でも最先端の研究が進行中である．

1 細胞活動と代謝

　ヒトが生きていくときには，食事から得た栄養素を**呼
吸**[1]（respiration）により酸化してエネルギーを得る
と同時に，体の成分を合成する．同じことは個々の細胞
でも成り立つ．すなわち，細胞が好気的に生きていると
きには，細胞外から取り入れた栄養素を呼吸により酸化
し，それによって細胞活動のエネルギーを獲得する．ま
た，細胞内にあるさまざまな物質を分解したり，つくり
かえたりする．こうした細胞内における物質変換の生化
学的過程を**代謝**（metabolism）と呼ぶ．このように代
謝には，エネルギー代謝と物質代謝という2つの面が
ある．

　代謝は生体触媒である酵素によって担われている．細
胞内には多数の酵素が存在し，それぞれ異なる代謝の
素反応を触媒している．それでは，死んだ細胞と生きた
細胞はどこが違うのだろうか．死んだばかりの細胞に
は，酵素もあるだろうし，基質も存在するだろう．しか
し，必要な物質を寄せ集めただけでは生きた細胞はつく
れない．それは，生きた細胞には，エネルギーの流れが
あるからである．生物は栄養素としてある程度の自由エ
ネルギーをもつ物質を取り込む．この物質を分解しエネ

ルギーを取り出す一方，取り出したエネルギーによって
さらに自由エネルギーの高い複雑な物質が合成され，高
度に自己組織化された細胞を形成する．

2 生体エネルギー通貨

ATP

　細胞活動で使われるエネルギーは，一般的に**ATP**
（adenosine 5′-triphosphate：アデノシン三リン酸）と
いう物質の形でやりとりされる．ATPは，アデニンとい
う核酸塩基とリボース，それに3個のリン酸からなって
いる．これら3個のリン酸が互いに脱水縮合することに
より，高エネルギー化合物となっている．高エネルギー
という意味は，ATPの末端のリン酸基の加水分解によっ
て，他のリン酸化合物の加水分解で得られるよりも多く
の自由エネルギーが得られるということである．ATPの
加水分解反応の式は，次のように表される[2]（**図10-1**）．

$$ATP + H_2O \rightarrow ADP + 無機リン酸$$
$$\Delta G°' = -30.5 \ kJ \ mol^{-1}$$

※1　細胞が酸素を消費して，二酸化炭素を放出する代謝系．内呼吸と
もいう．多細胞生物が酸素を取り入れ，二酸化炭素を放出するガス交換
活動を外呼吸という．

※2　細胞内では成分の濃度が$1 \ mol L^{-1}$ではないので，実際の$\Delta G'$
の値は約$-50 \ kJ mol^{-1}$となる（p.133参照）．

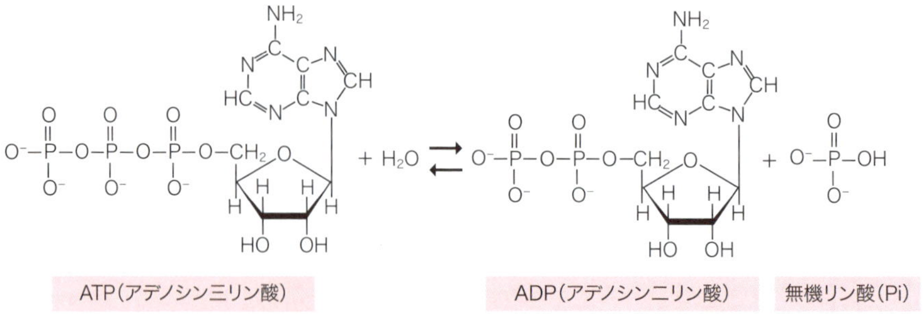

図10-1 ATPの加水分解反応

この大きな**自由エネルギー変化**（ΔG, free energy change）は，中性において，ATPにおける4個の負電荷の反発がADPでは3個に緩和されることなどによると考えられる．

細胞内では，栄養素の酸化分解によって得られた自由エネルギーをATPの形で保存し，運動や高分子化合物の合成などエネルギーを利用する場合には，ATPを加水分解する．細胞において，物質合成という化学的な仕事ばかりでなく，電気的な仕事や力学的な仕事もATPを媒介として行われており，ATPは「生体エネルギー通貨」といわれている．

NADH，NADPH

この他に，細胞内では，**還元力**（reducing power）を**NADH**（nicotinamide adenine dinucleotide），**NADPH**（nicotinamide adenine dinucleotide phosphate）などの分子の形で保存しており，これらも生体エネルギー通貨の源泉である[※3]（**図10-2**）．NADPHはNADHにリン酸が結合した物質であるので，酸化還元に関する特性はよく似ているが，生体内では機能分担がある．ここでは，両者をまとめてNAD(P)Hと表現する．酸化型NAD(P)と還元型NAD(P)Hがある．以下の記述では，酸化型から還元型をつくることをNAD(P)Hの合成と表現している．NAD(P)Hのもつ還元力は非常に大きい．これを利用してミトコンドリアでは数分子のATPを合成している（酸化的リン酸化，**本章7**参照）．また，NAD(P)Hの還元力は，**代謝経路**（metabolic pathway）の中で，さまざまな代謝物質の酸化・

熱力学の法則:自由エネルギー変化と平衡定数

Column

熱力学の基本的法則をまとめておく．

エンタルピー：$H = U + PV$

ギブス自由エネルギー：$G = H - TS$

ただし，Uは内部エネルギー，Pは圧力，Vは体積，Tは温度，Sはエントロピー．

発熱反応では内部エネルギー（一定圧力のもとではエンタルピー）が減少し，吸熱反応では内部エネルギー（エンタルピー）が増加するが，自発的に進む反応であれば，自由エネルギーは必ず減少する．吸熱反応でも自発的に進むのは，大きなエントロピー増加を伴うためである．

生化学反応は，通常1気圧（1.013×10^5 Paまたは新しい基準では1×10^5 Pa），298 K付近の一定温度（標準状態として定義したものだが定義は何通りもある）で行われるため

自由エネルギー変化：

$\Delta G^{\circ\prime} = \Delta H^{\circ\prime} - T\Delta S^{\circ\prime}$

ここで，右上の丸「°」は標準状態（1モル濃度，25℃）を，アポストロフィー「'」はpH 7.0で反応が行われることを示す．

一方，実際の$\Delta G'$は1モル濃度からのずれとして，次の式から求めることができる．

$$\Delta G' = \Delta G^{\circ\prime} + RT \ln \frac{[生成物]}{[反応物]}$$

この反応は$\Delta G'$が負になる方向へ進行し，$\Delta G' = 0$のとき化学平衡に達するので，

$$\Delta G' = \Delta G^{\circ\prime} + RT \ln K_{eq}' = 0$$

となる．ただし，Rは気体定数，K_{eq}'は反応の平衡定数．

※3 酸素が存在する環境では，還元力をもつことが自由エネルギーを保持していることになる．

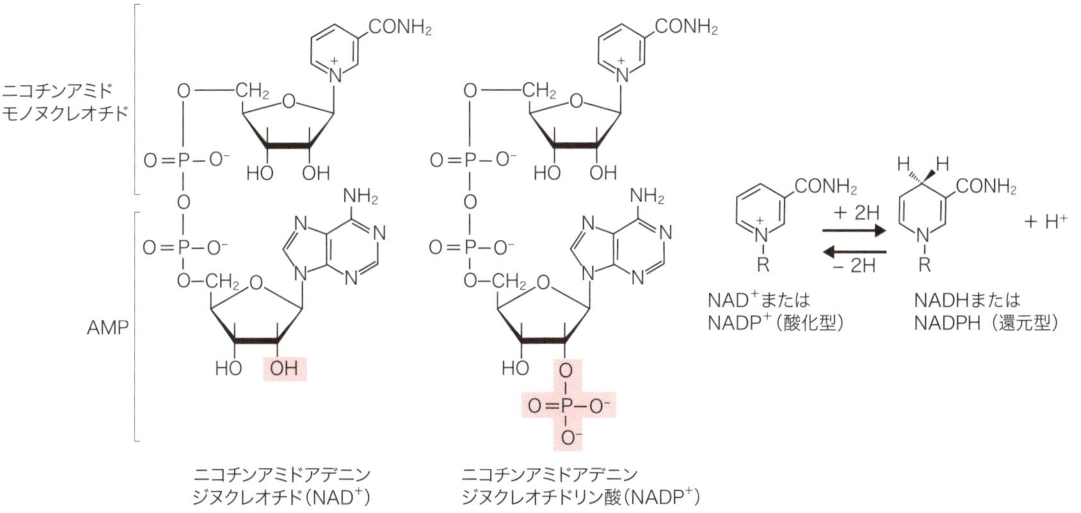

ニコチンアミド
モノヌクレオチド

AMP

CONH$_2$

O=P-O$^-$

HO OH

NH$_2$

O=P-O$^-$

HO OH

CONH$_2$

O=P-O$^-$

HO OH

NH$_2$

O=P-O$^-$

O=P-O$^-$
O$^-$

CONH$_2$

R

NAD$^+$または
NADP$^+$（酸化型）

+ 2H
- 2H

H H

CONH$_2$

R

NADHまたは
NADPH（還元型）

+ H$^+$

ニコチンアミドアデニン
ジヌクレオチド（NAD$^+$）

ニコチンアミドアデニン
ジヌクレオチドリン酸（NADP$^+$）

図10-2 NADHとNADPHの構造

還元を媒介するための補酵素としても利用されている.

3 基本的な代謝の流れ

代謝の3段階

細胞内の代謝は，多数の酵素反応で構成されているが，それらはいくつもの代謝経路をなしている．いくつかの主要な経路は多くの生物に共通であり，その他に各生物（群）固有の経路が存在する．細胞内の基本的な代謝の流れは主に次の3段階からなる（図10-3）.

①タンパク質，多糖類，複合脂質など生体内で働く複合的な物質（高分子である場合もそうでない場合もある）は，それぞれ構成単位となるアミノ酸，単糖，脂肪酸からつくられる．分解されるときもこれらの構成単位に分解される（**物質群内の合成分解**）
②それぞれの構成単位は，中間代謝物質を介してさらに単純な基本代謝物質との間で酸化還元などを伴う変換が行われる（**中間代謝物質を介した変換**）
③基本代謝物質は，酸化還元とリン酸化・脱リン酸化などにより相互に変換される（**相互変換**）

代謝系をエネルギー面からみると，①の複合的な物質から構成単位への分解は，自由エネルギー変化が負であるので，単に加水分解によって進行する．逆に複合的な物質を合成するためには，エネルギーを加える必要があり，ATPなどの加水分解と共役した形で行われる．代謝においては多くの場合，物質の変換を双方向で行っている．1つの方向の反応のΔGが負であれば，その逆の反応は，ΔGが正なので自発的には進まない．そのため，ATPの加水分解などΔGが大きな負の値の反応と共役させることにより，反応全体のΔGを負にしている（図10-3中の➤➤）．もともとΔGが負の反応の場合，加水分解で進める場合（図10-3中の➤）と，ATPやNADHの合成などと共役させてエネルギーを取り出す場合（図10-3中の➤➤）がある．

従属栄養生物と独立栄養生物

ヒトや大腸菌など**従属栄養生物**（heterotroph）が生きていくためには，全体として図10-3の上位にある物質（エネルギー含量の高い物質）の流入がなければならない．とりこんだ糖や脂肪酸の一部分については分解だけを行うことによって，細胞活動のためにエネルギーを獲得している．このため，解糖やβ酸化[*4]がエネルギー獲得系として説明されている．

ところで，これらのエネルギー含量の高い物質は無か

※4 脂肪酸を酸化的に分解し，炭素2個ずつの単位を順次切り離していくこと．生成物はアセチルCoAである．主にペルオキシソームや生　物によってはミトコンドリアでも行われる.

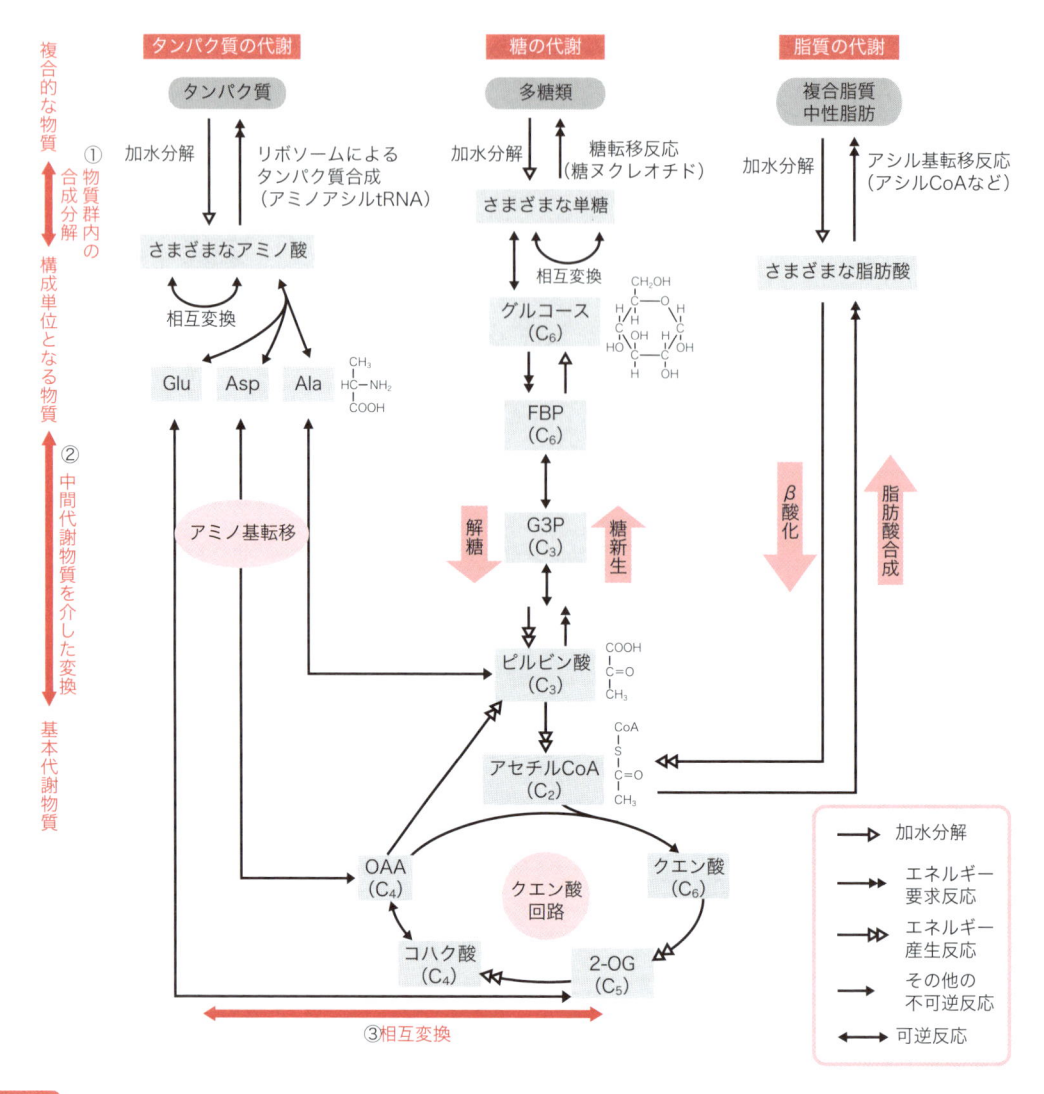

図10-3 基本代謝経路の概略図

Glu：グルタミン酸，Asp：アスパラギン酸，Ala：アラニン，FBP：フルクトース1,6-ビスリン酸，G3P：グリセルアルデヒド3-リン酸，OAA：オキザロ酢酸，2-OG：2-オキソグルタル酸

ら生じるわけではない。**独立栄養生物**（autotroph）である光合成生物は，太陽光エネルギーを利用して炭素固定を行っており（p.124コラム参照），地球上の生態系全体にエネルギー含量の高い物質を供給している（光合成については**11章**参照）。このため，光合成生物は生産者と呼ばれる。このほかに，地下深いところで地球の内部から出てくるエネルギーを利用している化学合成細菌も生産者である。どちらにしても，宇宙空間全体での

大きなエネルギーの流れの一部が，地球上で生命活動を成り立たせている。

窒素の代謝についても簡単に触れる。独立栄養生物や多くの微生物は，アンモニアからアミノ酸をつくることができる。動物はアミノ酸を分解してアンモニアにし，ヒトの場合，さらにこれを尿素に変換して排泄している。尿素は微生物によって再度利用される。

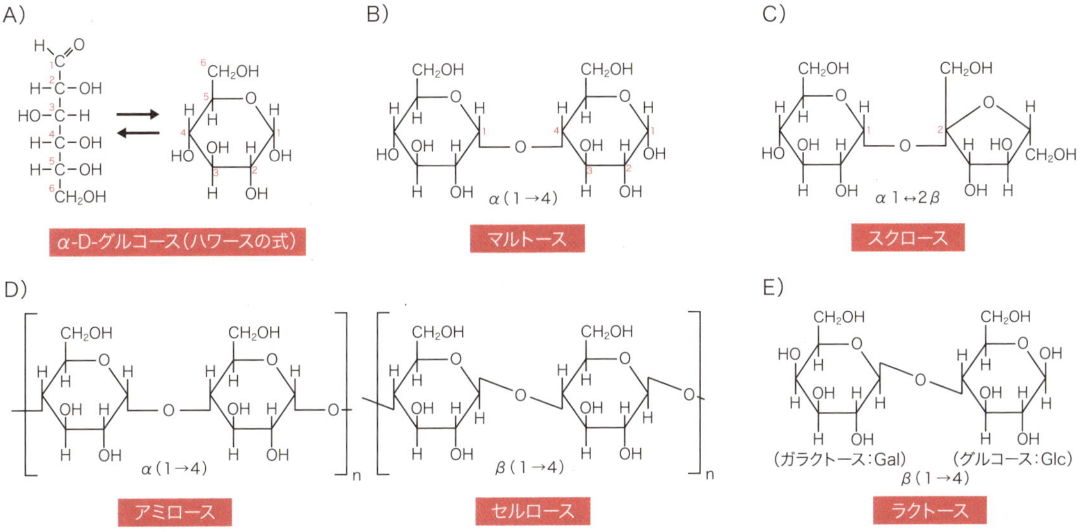

図10-4 糖の構造の例

A）糖の構造は，環化したハワースの式で書く場合が多い．B）マルトースの構造．C）スクロースの構造．D）デンプン（アミロース）とセルロースの構造の違い．E）ラクトースの構造

4 糖

糖はエネルギー源として重要で，動物ではグリコーゲン，植物ではデンプンという貯蔵物質からグルコースがつくられる．グルコースは呼吸により水と二酸化炭素に分解され，ATPが合成される．このほかに糖は，核酸の構成物質（デオキシリボース，リボース），糖タンパク質の成分（マンノース，グルコサミンなど），細胞壁の成分（セルロース）などに用いられている．

単糖類には，グルコースやガラクトースがある．**図10-4**にグルコースの構造を示す．マルトースは，α–D-グルコースが2分子で構成されている二糖類で1位と4位のOHから水が取れて結合しているため，α（1→4）グリコシド結合をとる．スクロース（ショ糖）はα–D-グルコースとβ–D–フルクトースから構成される二糖類で，植物では光合成産物の転流に用いられている．デンプン（アミロース）は主にα–グリコシド結合によってグルコース単位が長く連なった分子であり，セルロースはβ–グリコシド結合によって長く連なった分子であ

る．ラクトース（乳糖）はガラクトースとグルコースが結合した二糖類であり，Gal β（1→4）Glcと略称される場合がある．

5 ATP合成のしくみ

キナーゼによるATP合成

生体エネルギー通貨であるATPを合成するには，キナーゼを用いる方式とATP合成酵素を用いる方式がある（**図10-5**）．**キナーゼ**（kinase）とはATPの5′末端のリン酸基を基質に転移，もしくはその逆反応を触媒する酵素の総称である．知られているキナーゼの大半はATPから基質にリン酸基を転移する反応を触媒するが，解糖の2つの酵素[※5]は基質に高エネルギーで結合しているリン酸基をADPに転移してATPを合成する．この方式は**基質レベルのリン酸化**（substrate–level phosphorylation）と呼ばれる．この方式は基質とATPが1：1の割合で反応が進行し，効率よくエネルギーを取り出す

[※5] ホスホグリセリン酸キナーゼとピルビン酸キナーゼ（**図10-6**参照）．このうち前者で使われるリン酸は，もともとグリセルアルデヒド3

リン酸脱水素酵素により取り込まれた無機リン酸に由来する．これが，解糖における正味のATP合成が可能な原因である．

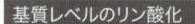

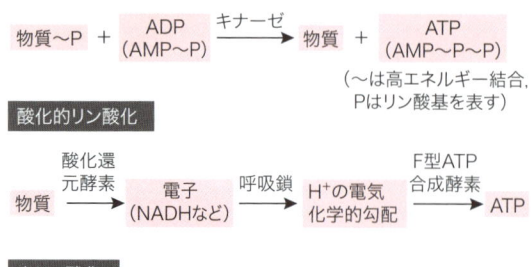

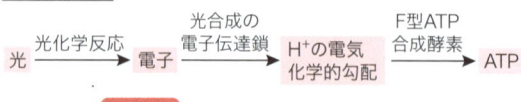

図10-5 ATP合成の3つのしくみ

いているので，それぞれ**酸化的リン酸化**（oxidative phosphorylation），**光リン酸化**（photophosphorylation）と呼ばれる．ATPを合成する駆動力は，膜の内外の**H^+濃度勾配**（H^+ gradient）で，酸素呼吸や光合成の**電子伝達**（electron transport）反応のエネルギーを用いた膜を横断したH^+輸送によって形成される．H^+は電荷をもっているため，生体膜を横切るH^+の輸送は，濃度勾配とともに膜電位を形成する．この2つの高エネルギー状態を合わせて**H^+の電気化学的勾配**（H^+ electrochemical gradient）ともいう．この方式は，さまざまな電子伝達体間で受け渡される電子を利用して，共通のしくみでATPを合成できる点で優れている．

ことができるが，それぞれの基質に特異的に作用する個別のキナーゼを必要とする．

■ ATP合成酵素によるATP合成

一方，**ATP合成酵素**（ATP synthase）はH^+の輸送と共役してATPを合成する酵素で，H^+を蓄える閉じた膜胞を必要とする．この方式は酸素呼吸や光合成で働

6 呼吸と発酵：解糖

解糖[※6]（glycolysis, **図10-6**）はすべての生物に存在し，細胞内のさまざまな代謝ネットワーク（図10-3参照）で中心的な役割を果たしているとともに，基幹的な

Column

炭素と窒素の同化回路

無機化合物である二酸化炭素とアンモニアから有機化合物を合成することは，生物界全体に炭素と窒素を供給する重要な反応である．前者（**コラム図10-1A**，**11章5**参照）は主に光合成により，後者（**コラム図10-1BC**）はさまざまな生物によって行われる．これらの反応では，循環反応回路があり，入力は無機化合物とATPなどのエネルギー，出力は有機化合物である．

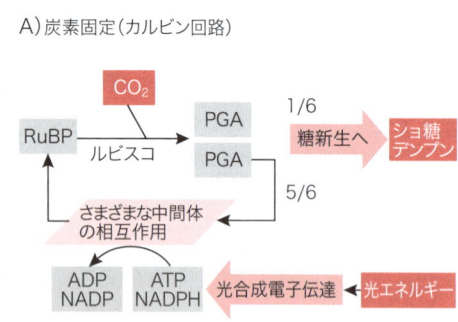

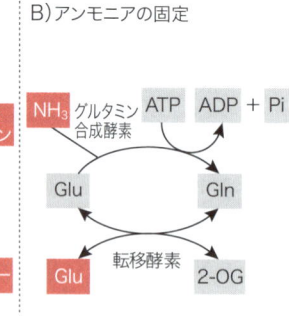

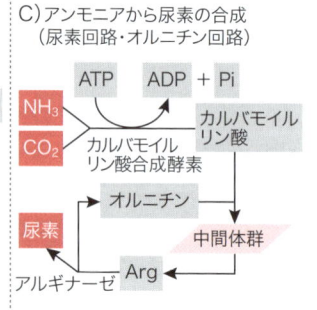

コラム図10-1 炭素と窒素の同化系
A）は光合成の炭素固定経路，B）は微生物や植物におけるアンモニアの同化経路で，いずれも新規の炭素・窒素固定系として機能する．C）は尿素回路であり，動物では体内で生じたアンモニアを尿素に変換する経路として働くが，微生物などでは窒素同化の1つの経路として機能する．RuBP：リブロース 1,5-ビスリン酸，PGA：3-ホスホグリセリン酸，Glu：グルタミン酸，Gln：グルタミン，2-OG：2-オキソグルタル酸，Arg：アルギニン

ATP合成経路である．そのATP合成は2つのキナーゼ[※5]が触媒する．解糖はサイトゾルに局在する[※7]．反応全体としては，グルコースを出発物質として，ATPを用いてリン酸基を付加する2つのキナーゼ反応，六炭糖を三炭糖に開裂するアルドラーゼ反応，脱水素反応と共役した無機リン酸の付加反応，ATP合成を行う2つのキナーゼ反応，および異性化反応（イソメラーゼ，ムターゼ）による相互変換から成り立っている．なお，三炭糖に開裂した後は，片方のグリセルアルデヒド3-リン酸だけでなく，他方のジヒドロキシアセトンリン酸も異性化を経て，どちらも同じ経路で代謝される．経路はピルビン酸までは共通である．発酵では脱水素反応で取り出された水素(NADH)が再添加され，乳酸もしくはアルコールが合成される（乳酸発酵とアルコール発酵）．

　以上をまとめると，1分子のグルコースから正味2分子のATPを合成している．この反応のポイントはNADHの正味の出入りがないため，無酸素下でATPを生産できるところにある．下の式は，1分子のグルコースを2分子の乳酸に変換した場合の自由エネルギー変化を示しており，その一部が2分子のATPの合成に使われる．

$$C_6H_{12}O_6 \rightarrow 2C_3H_6O_3$$
$$\Delta G°' = -196 \text{ kJ mol}^{-1}$$

7 呼吸：クエン酸回路・呼吸鎖

クエン酸回路

　好気条件では，解糖でつくられたピルビン酸は，アセチルCoAに変換された後，**クエン酸回路**[※8]（citric acid cycle，図10-7）で二酸化炭素と水素に完全に分解される．

$$C_3H_4O_3 + 2H_2O + GDP + H_3PO_4 + 4NAD^+ + FAD$$
$$\rightarrow GTP + 3CO_2 + 4NADH + 4H^+ + FADH_2$$

※6　解糖にはいくつか種類があり，多くの生物に共通の図10-6の経路をエムデン・マイヤホフ経路と呼ぶ．他にも好気性細菌でみられるエントナー・ドウドロフ経路，植物でみられる酸化的ペントースリン酸経路がある．微生物の多様な代謝経路については**26章5**を参照のこと．
※7　植物では解糖はサイトゾルのほかに色素体内にも局在している．
※8　クエン酸がカルボキシ基を3個もつため，TCA (tricarboxylic acid) 回路とも，発見者の名前からクレブス回路ともいう．

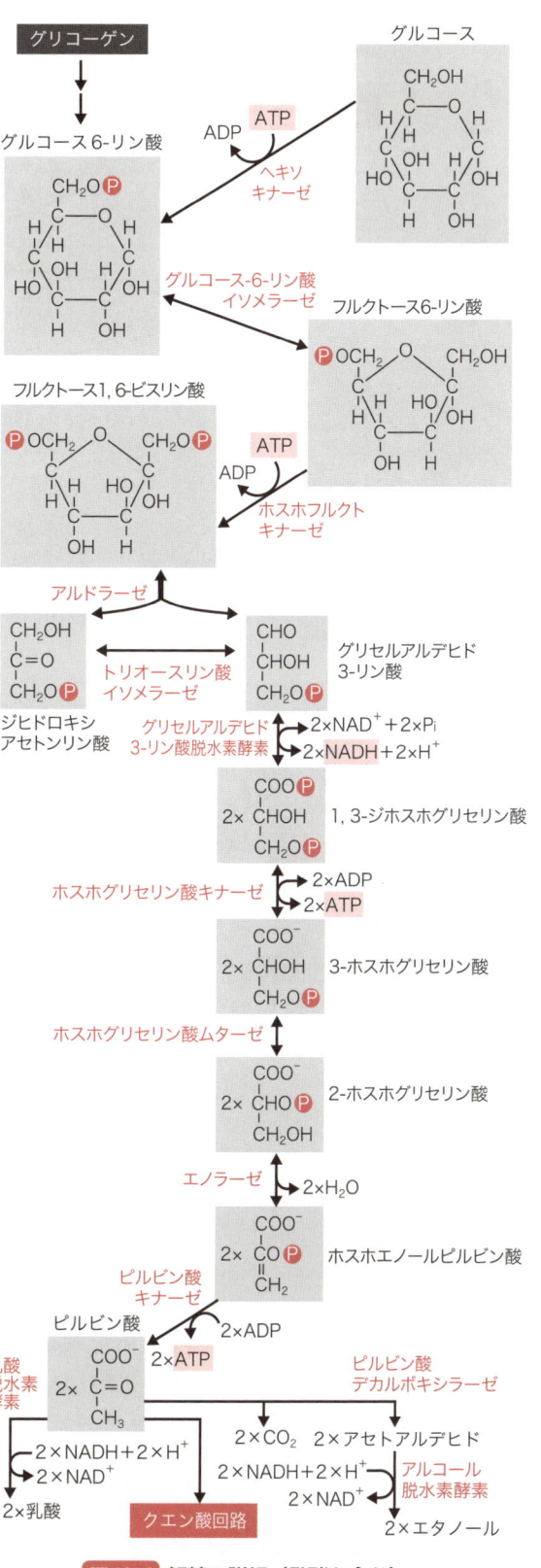

図10-6 解糖の詳細（発酵を含む）

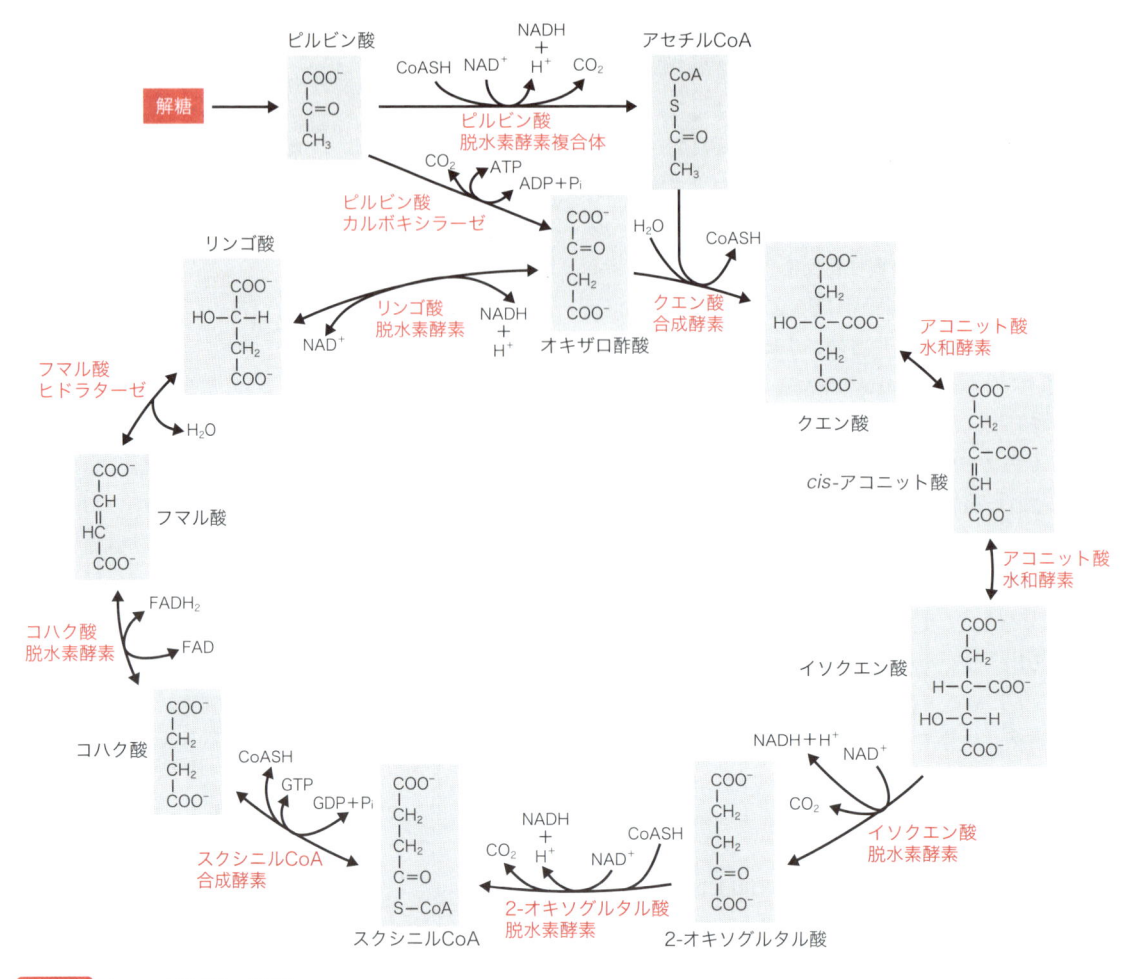

図10-7 クエン酸回路の詳細

コハク酸脱水素酵素以外の酵素はすべて可溶性でマトリックス局在．ピルビン酸カルボキシラーゼは補充反応を触媒．アコニット酸水和酵素はアコニターゼ，フマル酸水和酵素はフマラーゼともいう

ピルビン酸は，脱炭酸反応を伴う脱水素反応によりアセチルCoAになり，オキザロ酢酸と縮合してクエン酸になり回路に入る．クエン酸はイソクエン酸に異性化された後，脱炭酸反応を伴う脱水素反応を2回受け，スクシニルCoAになる．回路の後半は，GTP合成と2つの脱水素反応があり，オキザロ酢酸を再生する．反応で生成する水素は4分子のNADHと1分子の$FADH_2$[9]である．この反応には酸素分子は登場していないが，酸素呼吸の重要なステップで，嫌気条件では進行しない．真核生物では，これらの反応はミトコンドリアの可溶性画分[10]（マトリックス，**図10-8**参照）で進行し，嫌気条件ではミトコンドリアの発達が阻害される．また，回路の2-オキソグルタル酸はアミノ酸合成の前駆体として消費されるので，回路の円滑な進行には，ピルビン酸からオキザロ酢酸を生じる補充反応[11]も重要である．

---

[9] フラビンアデニンジヌクレオチド（還元型），酸化還元の補酵素．
$FAD + 2e^- + 2H^+ \rightleftarrows FADH_2$

[10] コハク酸脱水素酵素のみ膜結合性であり，後述の「呼吸鎖」の項で出てくる複合体Ⅱと同一である．

[11] 植物や微生物では，ホスホエノールピルビン酸からオキザロ酢酸を生じるホスホエノールピルビン酸カルボキシラーゼが補充反応として働く（**11章 6**参照）．

酸化的リン酸化と化学浸透説

グルコースは解糖とクエン酸回路によって二酸化炭素と水素（10分子のNADHと2分子のFADH$_2$）に完全に分解されるが，その過程で生成するATP量はグルコース1分子あたりわずか4分子である（クエン酸回路で合成されるGTPはATPに換算して2分子）．しかし，その過程で生じたNADHなどの還元力をもつ物質が酸素により完全酸化され，水分子になる一連の反応に共役して，合計約30～32分子のATPが生成する[12]．この一連の反応を酸化的リン酸化という．次式は，グルコースを完全酸化したときの標準自由エネルギー変化を示している．

$$C_6H_{12}O_6 + 6O_2 \rightarrow 6CO_2 + 6H_2O$$
$$\Delta G^{\circ\prime} = -2{,}870 \text{ kJ mol}^{-1}$$

ATPが大量に合成される反応は，能動輸送の研究をしていたミッチェル（Peter Mitchell）が1961年に提唱した**化学浸透説**（chemiosmotic theory）によって解き明かされた．化学浸透説では，電子伝達反応に共役したH$^+$輸送によって形成されたH$^+$の電気化学的勾配を用いてATPが合成される．つまり，H$^+$の電気化学的勾配はATPと相互変換可能な高エネルギー状態であり，

ATPを介さずに仕事に使われることもある（細菌の鞭毛運動はその好例，p.158コラム参照）．

酸化還元反応と酸化還元電位

解糖やクエン酸回路の脱水素反応で取り出された水素（還元力）は，補酵素（NADHとFADH$_2$）の形で蓄えられる．これらの物質は，多くの代謝反応におけるさまざまな**酸化還元反応**（redox reaction）で共通に使われており，還元力の形で自由エネルギーを保持しているといえる．また，**11章**で述べる光合成でもよく似た補酵素が使われている．

さまざまな代謝物質や補酵素が電子を与える能力は**酸化還元電位**（redox potential）で測定される．電子はマイナスの電荷をもっているので，電位が低いほど還元力が強い．つまり，電位の低い物質から高い物質に電子は自発的に伝達（授受）される．この反応で放出される自由エネルギー変化は，反応する2つの物質A，Bの標準酸化還元電位の差（起電力[13]）と比例関係にあり，次の式で表される．

$$\Delta G^{\circ\prime} = -nF\,(E^{\circ\prime}{}_A - E^{\circ\prime}{}_B) \qquad \text{式10-1}$$

（nは授受される電子数，Fはファラデー定数）

代謝経路はなぜ「丸い」？

クエン酸回路をはじめ，カルビン回路，尿素回路など，代謝経路には丸くなっているものが多い．なぜだろうか．丸い代謝回路では，1つの反応AのΔGが0に近く平衡に近いとき，残りの反応が進行することにより，Aの基質の濃度が高まる．そうすると，Aの平衡が基質側にずれ，反応が進行する．回路が定常状態で回るときには，それぞれの中間体の濃度が適当な値に保たれることによって，すべての構成反応の速度が等しくなる．このように，進みにくい反応を進みやすい別の反応がサポートすることによって，反応系をうまく進めるというのが「丸い」秘密の1つである．

さらにこのことは，反応Aの進行を他の反応が調節できることを意味する．

したがって，クエン酸回路の場合，コハク酸脱水素酵素が呼吸鎖と共役していることにより，呼吸鎖が止まれば，クエン酸回路全体も止まることになる．アロステリック制御が酵素1つのレベルでのエフェクターによる反応の制御であるとすれば，代謝回路全体としてアロステリック的な制御を備えていることになる．

---

[12] 歴史的には38分子と考えられてきたが，現在は，グルコース1分子から解糖で2分子，クエン酸回路で2分子，NADH 10分子×約2.5＝約25分子，FADH$_2$ 2分子×約1.5＝約3分子，合計約32分子のATPが合成されると考えられている．なお，解糖で生成した2分子のNADHをサイトゾルからミトコンドリアに運ぶ経路によっては合計約30分子となる．また，NADHやFADH$_2$から生成されるATPの分子数は生物によっても異なりうる．

[13] 物質がもつ酸化力は，標準水素電極を基準（0 V）とする標準酸化還元電位で測られる．金属であれば，この序列がイオン化傾向に対応する．例えばリチウム（Li）は－3.04 Vである．生化学ではpH 7.0での値を標準状態として使うので，水素も－0.42 Vとなり，化学で使う値とは異なる．異なる標準酸化還元電位をもつ物質を組み合わせると電池ができ，起電力はそれぞれの物質の標準酸化還元電位の差で表される．

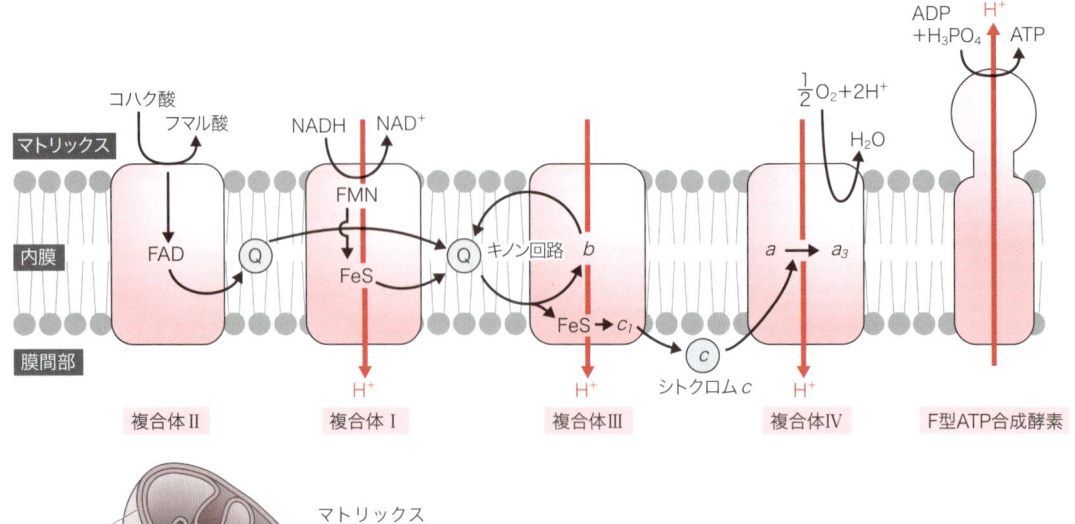

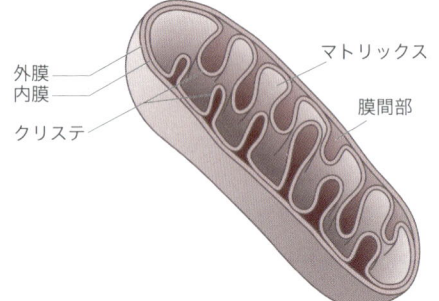

ミトコンドリア内膜に存在する呼吸鎖とATP合成酵素の タンパク質複合体（上）とミトコンドリア（下）

電子伝達成分Qはユビキノンを，c, c_1, b, a, a_3はシトクロム の補因子ヘムを，FeSは鉄硫黄クラスター（補因子）を表す． FMNはフラビンモノヌクレオチド，FADはフラビンアデニンジ ヌクレオチドを表す（p.126 ※9参照）．複合体Ⅱでつくられた 還元型Qもキノン回路を経て複合体Ⅲに電子を渡す．膜間部に汲 み出されたH⁺がマトリックスに戻る際にATPが合成される

NADH（$E°' = -0.315$ V）は酸素（$E°' = +0.815$ V） と反応すれば218 kJ mol⁻¹のエネルギーを放出する[※14].

呼吸鎖

　酸化還元電位が低いNADHの電子は，約20種類の 電子伝達体を経由して，最終的には酸素と反応する．こ の経路を呼吸鎖[※15]という．これらの電子伝達体のうち， 低分子のユビキノンと小型タンパク質のシトクロムcは 移動性電子伝達体として働き，残りは4種類のタンパク 質複合体（複合体Ⅰ～Ⅳ）に補因子として含まれてい る．タンパク質に強く結合している補因子は補欠分子族 ともいう．タンパク質複合体は基質の酸化還元という観 点から，**複合体Ⅰ＝NADH脱水素酵素**（NADH dehy- drogenase），**複合体Ⅱ＝コハク脱水素酵素**（succi- nate dehydrogenase），**複合体Ⅲ＝シトクロムbc_1複合**

体（cytochrome bc_1 complex，ユビキノン・シトクロ ムc酸化還元酵素ともいう），**複合体Ⅳ＝シトクロムc 酸化酵素**（cytochrome c oxidase），と呼ばれる（**図 10-8**）．

　NADHの完全酸化の標準自由エネルギー変化（$\Delta G°' = -218$ kJ mol⁻¹）は，約7分子のATP（$\Delta G°' = -30.5$ kJ mol⁻¹）の加水分解の標準自由エネルギー変 化に相当するが，実際にはATPは約2.5分子だけつく られ，一方，コハク酸から取り出せる電子（FADH₂）は NADHのもつエネルギーよりも低いので，ATPは約1.5 分子つくられる．これらの物質が保持する自由エネル ギーはその酸化還元電位から推定できる[※16]．このATP 合成量をまとめると，グルコース1分子あたり約30～ 32分子と算出されるが，実際にはこの値は生物種によ り変化しうる．

※14 計算例：NADH＋H⁺＋1/2 O₂ ⇄ NAD⁺＋H₂Oの反応の標準 自由エネルギー変化は，O₂（E°'＝＋0.815 V），NAD⁺（E°'＝ －0.315 V），2電子反応なのでn＝2 をp.127の**式10-1**に代入して， $\Delta G°' = -2 \times 96.5 \times [0.815 - (-0.315)] = -218$ kJ mol⁻¹

なお，ファラデー定数は**96.5 kJ V⁻¹ mol⁻¹**.
※15 大腸菌などの原核生物では呼吸鎖は細胞膜に局在し，クエン酸 回路はサイトゾルに局在する．細胞内共生の結果，真核生物では呼吸鎖 がミトコンドリア内膜に局在している．

呼吸鎖とH⁺輸送の共役

呼吸鎖の本質は，段階的な電子伝達体の酸化還元に共役して，効率よくH⁺を内膜を横断してマトリックスから膜間部へ運び出す点にある．これらの呼吸鎖のタンパク質の立体構造の研究から，電子伝達の分子機構やH⁺輸送のしくみが明らかにされている．ユビキノンなどのキノン類は，酸化還元に伴いH⁺も授受する脂溶性の補酵素なので（図10-9），膜を横断してH⁺を輸送し高エネルギー状態を形成する重要な反応を行う．**キノン回路**（quinone cycle）は，ユビキノンからシトクロムbc_1複合体に電子が渡されるとき，1電子の伝達で2個のH⁺を輸送するしくみである．シトクロムbc_1複合体にはキノン酸化とキノン還元のための部位があり，酸化部位に結合した還元型ユビキノンは2つのH⁺と2電子を放出する．そのうち，1電子は鉄硫黄クラスタを経由してシトクロムc_1に伝えられるが，他方の1電子はシトクロムbを経由してキノン還元部位で別のユビキノンを還元する．結果として1電子が先へ流れるとき，2個のH⁺が膜間部へ放出される．

ATP合成酵素

H⁺の電気化学的勾配に従ったH⁺輸送に共役して，ATPを合成するのはF型ATP合成酵素である（図

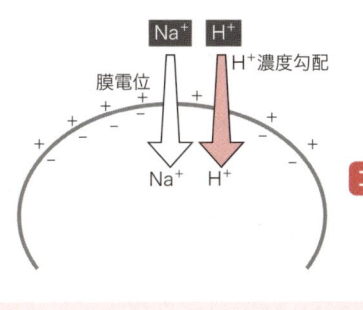

図10-9 ユビキノンの酸化型と還元型
コエンザイムQともいう．電子とH⁺の授受を別々に行える脂溶性化合物であることがポイント．膜を横切ってH⁺を輸送することで，H⁺濃度勾配の形成に働く

10-10）．この酵素は膜内在性のF_o部分と膜表在性のF_1部分に分かれる．F_o部分は，回転するローター部分と回転しない固定子部分に分かれ，これらの間にH⁺輸送のためのチャネル様の通り道がある．F_1部分にはATPの合成・分解活性があり，F_1-ATPアーゼともいう．なお，膜からF_1部分を除去すると膜はH⁺の濃度勾配を維持できなくなり，電子伝達が起きても，ATPが合成できなくなる．このため，F_1部分は当初，電子伝達とATP合成の**共役因子**（coupling factor）と呼ばれた．その後，ミトコンドリアのATP合成酵素と同型の酵素が葉緑体や細菌の細胞膜にも存在し，広くATP合成にかか

H⁺の電気化学的勾配という高エネルギー状態 *Column*

H⁺を膜胞の外に輸送して形成されるH⁺の電気化学的勾配（電気化学ポテンシャル$\Delta\mu_{H^+}$ともいう）は，次の式で表される．

$$\Delta\mu_{H^+} = 2.3\,RT\log_{10}\frac{[H^+]_{in}}{[H^+]_{out}} + F\Delta\phi$$

（Rは気体定数，Tは絶対温度，Fはファラデー定数，$\Delta\phi$は膜電位を表す）

このうち，$\log_{10}[H^+]_{in}$と$\log_{10}[H^+]_{out}$は膜内外のpHに換算でき，$\Delta\phi$は膜電位を示す．つまり，H⁺以外のイオンの輸送で形成された膜電位（コラム図10-2ではNa⁺も貢献している）も，H⁺の電気化学的勾配に貢献する．このH⁺の電気化学的勾配が高エネルギー状態としてATP合成に利用される．

コラム図10-2 閉じた膜胞に形成されるH⁺の電気化学的勾配

※16　代表的な物質の酸化還元電位は，**コハク酸**（$E°'= +0.031\,V$），**ユビキノン**（$E°'= +0.045\,V$），**シトクロムc**（$E°'= +0.235\,V$）である．つまり，複合体Ⅱ（コハク酸脱水素酵素）が触媒する**コハク酸 →**ユビキノンの反応では自由エネルギー変化はほとんどないが，**コハク酸 → 酸素**の電子のやりとりは，**NADH → 酸素**の場合の約69%のエネルギーを取り出せる．

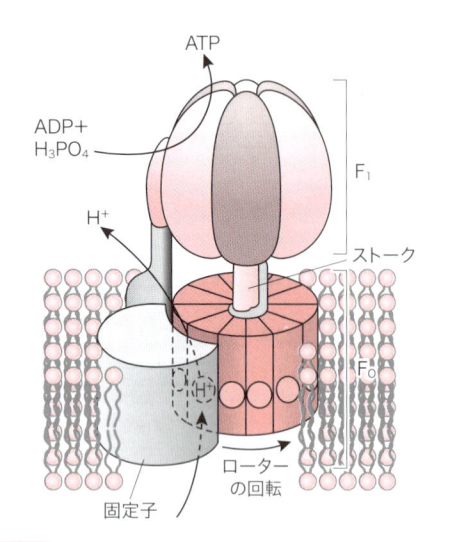

図 10-10　F型ATP合成酵素
F_0は回転するローター部分（赤色，H^+を結合する残基を ◯ で示す）と回転しない固定子（灰色）に分かれる

わっていることが判明したため，factorの頭文字をとり，F型と呼ばれる．

H^+輸送とATP合成反応の共役の肝心なところは，H^+輸送に共役してローターとストークが回転して，エネルギーをF_1部分に伝えている点である．つまり，F_1部分は回転せず，ストークの回転によるエネルギーを利用して，ATPを合成する．この逆反応としてATP合成酵素の一部がモーターのように回転することが実験で実証されている（p.130コラム参照）．これまで約3個のH^+輸送で1分子のATPが合成されるといわれてきたが，近年，生物によって異なることが明らかになってきた[17]．

ATP合成酵素の回転の実証

Column

ATP合成酵素の回転は，日本の研究グループによってエレガントに実証された．実際の実験では，ATP合成酵素のF_1部分をスライドグラスに固定し，ストーク部分に蛍光色素を結合したアクチンフィラメントなどを架橋してあり，蛍光顕微鏡で複合体1個が可視化されている．これにATPを添加すると，その加水分解に応じてストークに架橋したアクチンフィラメントの回転がビデオ観察された．興味深いことに，回転はすべて反時計回りで，一度に120度ずつ回転することが観察された．このことは，3つの安定な中間体を経てATPが分解され，その力がストーク部分に伝えられていることを示している．ATP合成はこれと逆に進行していると考えればよい．つまり，F_0部分のH^+輸送に共役してストークが回転するとき，回転しないF_1部分との間にひずみとして蓄積するエネルギーがATP合成を引き起

こしているのであろう．すでに結晶構造解析されているF_1部分をみると，ATP合成活性をもつβサブユニット3個を含む3回対称性の球体に，ストーク状のγサブユニットが挿入されており，3個のβサブユニットはそれぞれ異なった状態をとっている．これはATP合成にかかわるβサブユニットの構造変化がストークとの位置関係と連動し，120度ごとに回転することを予想させていた．

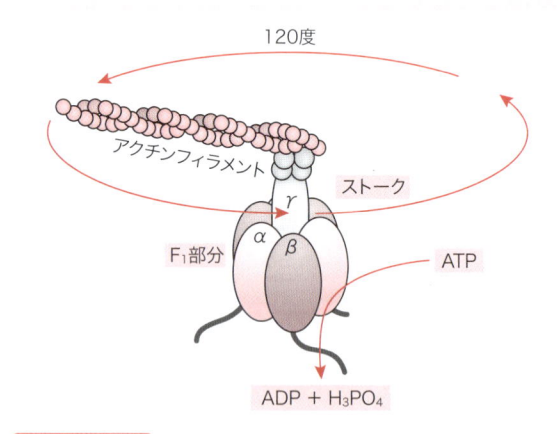

コラム図 10-3　ビデオ撮影された回転の概念図
図10-10とは上下逆になっていることに注意する

※17　何個のH^+輸送でATPが合成されるかという化学量論は，実際の細胞内を考えるとき重要である．ATP合成酵素の立体構造をみるとローターが1回転する間にF_1部分の3個の活性中心が各1分子のATPを合成する．ローター構成サブユニットは1個のH^+と結合するのでローターが1回転するには，構成サブユニット数（n）に相当するH^+を輸送する必要がある．実際の構造をみるとn＝8〜15と生物によって異なっている．

本章のまとめ   *Chapter 10*

- □ 細胞内の代謝はエネルギー変換と物質変換の両面の働きをもっている．物質は循環し，エネルギーは一方向に流れる．

- □ ATP と NAD(P)H は「生体エネルギー通貨」として機能する．

- □ 細胞内の基本的な代謝の流れは，物質群内の合成分解，中間代謝物質を介した変換，相互変換からなる．

- □ 糖はエネルギー源として重要で，動物ではグリコーゲン，植物ではデンプンからグルコースがつくられる．

- □ ATP を合成するには，キナーゼを用いる方式と ATP 合成酵素を用いる方式がある．

- □ 解糖では，キナーゼが基質に結合したリン酸基を ADP に転移して ATP を合成する．これは酸素を必要としない利点がある．

- □ 呼吸では，主にクエン酸回路の脱水素酵素が取り出した還元力を保持する NADH または $FADH_2$ が呼吸鎖を通して酸素と反応する．この反応に共役して H^+ を輸送し，H^+ の電気化学的勾配を形成する．これを利用して，F 型 ATP 合成酵素が ATP を合成する．

11章　光合成

光合成は，光の物理エネルギーを有機物のもつ化学エネルギーとして固定する反応であり，葉緑体で行われる．光合成に使われる可視光は，光量子1個あたり4〜6分子のATPに相当するエネルギーをもっている．チラコイドでは，光のもつ物理エネルギーが化学エネルギーに変換され，ATPとNADPHに蓄えられる．ストロマでは，ATPやNAPDHによってカルビン・ベンソン回路が駆動され，CO_2が固定され糖が生成する．本章では，光環境について概説した後，光合成反応を扱う．光合成の効率についても議論する．

1　光合成とは

　植物が行う光合成は，光の物理エネルギーを有機物のもつ化学エネルギーとして固定する反応である．地球上のほとんどの生物は，肉食動物も含めて，究極的には光合成産物に依存して生きている．自然界では光合成に太陽光が使われるので，ほとんどの生物のエネルギー源は太陽光であるともいえる．

　光合成は，2枚の包膜に囲まれ，液相のストロマと袋状の膜系であるチラコイドをもつ葉緑体において行われる．光合成は，チラコイド膜にある2種類の光化学系複合体のタンパク質に埋め込まれたクロロフィルなどの光捕集色素[※1]が，光エネルギーを吸収し励起されることによって始まる．励起状態は次々と光捕集色素間を移動し，特殊な環境にあるクロロフィルa（光化学反応中心）[※2]に達する．反応中心では，励起された電子がクロロフィルから飛び出し電荷分離（光化学反応）が起こる．励起状態にある反応中心は還元力が強く，電子を失った反応中心は酸化力が強い．これらにより，酸化還元反応である電子伝達が駆動されNADPHが生成する．電子伝達は，チラコイド内腔へのH^+の汲み込みを伴い，チ

ラコイド膜内外のH^+の電気化学ポテンシャル差が形成され，これを利用してATPが合成される．こうして生成したATPとNADPHによって，ストロマのカルビン・ベンソン回路が駆動され，CO_2が固定され糖が生成する．本章では，太陽光，葉緑体について学び，光合成反応の諸過程を解説する．光合成の多様性についても議論する．

2　太陽光

　図11-1に太陽光のスペクトルを示す．ヒトの可視域の波長は，360 nm（紫色）〜830 nm（暗赤色）[※3]で，これより短い波長の光を紫外線（ultraviolet：UV），長い波長の光を赤外線（infra-red：IR）と呼ぶ．大気圏外で太陽に垂直な面が受ける太陽光エネルギーは大型電気ストーブの出力と同じ程度の1,370 Wm^{-2}である．これを太陽定数（solar constant）と呼ぶ．

　太陽光が地上に到達する際，紫外線を含む短波長の光は，N_2やO_2などの気体分子やエアロゾルに散乱される．また，大気中のオゾン（O_3）は紫外線を吸収する[※4]．赤

※1　光エネルギーを吸収し反応中心クロロフィルにエネルギーを伝えるが，それ自身は光化学反応を起こさない色素．
※2　反応中心のクロロフィルaが励起されると，電子が飛び出す光化学反応（電荷分離）が起こる．光化学系IIではその吸収ピークの波長にちなんで，P680，光化学系IではP700と呼ばれる．Pは色素（pigment）を意味する．反応中心を含むタンパク質複合体のX線結晶解析によって，クロロフィルaのテトラピロール（図11-3A参照）が向かい

合った二量体であることがわかっている．
※3　個人差も大きいが，実際に明確に感知できるのは400〜700 nm程度である．
※4　短波長の光ほど散乱されやすい．宇宙から地球が青く見える，昼間空が青い，朝日や夕日が赤い，のはすべてこのためである．朝夕は，太陽光が観察者に届くまでの空気中の光路が長いので，散乱により短波長の光は到達しづらい．このために，見える光は長波長側に偏る．

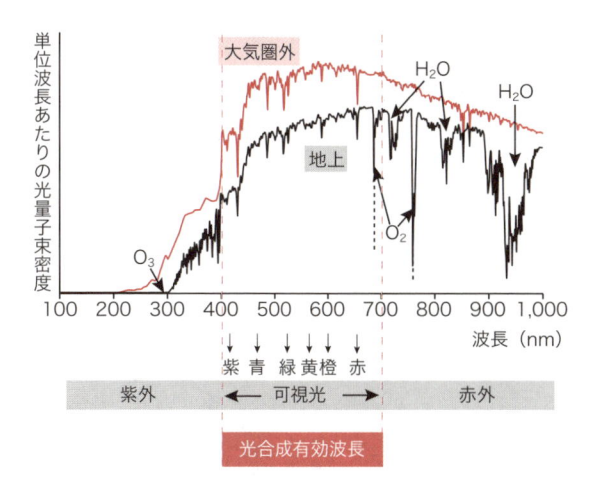

図 11-1　太陽光のスペクトル

大気圏外と地上で測定した太陽光のスペクトル．縦軸は，単位波長幅あたりの光量子束密度である．太陽からの放射はこの図よりも長波長側で徐々に減少し，波長 3 μm（3,000 nm）でほぼゼロになる

外線は，主に H_2O，CO_2[※5]，O_2 によって吸収される．これらによって，地上に到達するエネルギーは，よく晴れた日でも 1,000 Wm^{-2} 程度になる．このうち 45% が光合成有効波長（400〜700 nm）のエネルギーである．

光には粒子としての性質があり，光の粒子を**光量子**（または光子，photon）と呼ぶ．光量子のもつエネルギー E（$J\ mol^{-1}$）は次の式で表される．

$$E = N_0 \cdot h \cdot \frac{c}{\lambda}$$

ここで，N_0 はアボガドロ定数（$6.02 \times 10^{23}\ mol^{-1}$），h はプランク定数（$6.63 \times 10^{-34}\ Js$），c は真空中の光速（$3.0 \times 10^8\ m\ s^{-1}$）である．この式を用いて計算すると，光合成有効波長の光量子のもつエネルギーは短波長のものほど大きく，400〜700 nm で 300〜170 $kJ\ mol^{-1}$ である．なお，ATP 1 mol の加水分解によって得られるエネルギーは生体内では 50 $kJ\ mol^{-1}$ 程度である[※6]．

3　葉緑体

葉緑体[※7]（chloroplast）は，葉の葉肉組織の細胞に多く含まれる．多くの葉緑体は細胞間隙に面して並んでおり，通常，細胞と細胞が接着する部分に葉緑体はみられない[※8]．このような配置は CO_2 の取り込みに都合がよい．

葉緑体内部は，液相の**ストロマ**（stroma，ラテン語で基質の意）と袋状の膜系である**チラコイド**（thylakoid，ギリシア語で袋の意）からなっている．チラコイドが重なった部分を**グラナ**（granum，*pl.* grana，ラテン語で粒の意）と呼ぶ（図11-2A）．葉緑体を凍結後破断し，そのレプリカを透過型電子顕微鏡で観察すると膜の表面や脂質二重層が二分された部分が立体的に見える．図11-2Bで粒子状に見えるのが，タンパク質複合体である．チラコイドには，4つの主なタンパク質複合体が存在している．**光化学系Ⅰタンパク質複合体**（photosystem I protein complex，以下タンパク質複合体を省略），**光化学系Ⅱ**，**シトクロム b_6f**[※9]（cytochrome b_6f），**ATP 合成酵素**である．このうちシトクロム b_6f 複合体は，呼吸系の複合体Ⅲ（シトクロム bc_1 複合体）と相同である．ATP 合成酵素も呼吸系のものとよく似ている．また，光化学系タンパク質複合体には，多数の光捕集色素が組み込まれている（図11-2C）．

4　チラコイドで行われる反応[※10]

光吸収と励起状態の移動

植物が光合成に使うことができるのは，クロロフィルなどの光合成色素によって吸収される波長の光である．

※5　CO_2 の吸収帯は，波長 2 μm よりも長波長側にある．H_2O の吸収帯も波長 1 μm 以上に複数ある．
※6　ATP，ADP，無機リン酸の濃度をすべて $10^{-3}\ mol\ L^{-1}$ として計算した．
※7　chloro（緑色）＋ plast（body，あるいは色素体）．
※8　細胞の模式図などでは，葉緑体は細胞質ゲル中を漂っているように描かれることも多いが，明条件では葉緑体の周縁部はアクチンフィラメントによって細胞膜に固定されている．
※9　シトクロムの語源は，cyto（細胞の）＋ chrome（色素）．シトクロムは，ヘムの種類によって b 型，c 型などと分類する．シトクロム f は c 型のシトクロムだが，frons（ラテン語で葉）のシトクロムなので

特にこう呼ぶ．シトクロム f と命名したのはヒル反応（葉緑体に電子受容体を与えて光を照射したときに起こる酸素発生反応）でも知られる，ヒル（Robin Hill）である．ヒルは図11-4を90度回転した図を描いたZスキームの提唱者としても知られる．なお，最初にシトクロム f の存在を示したのは薬師寺英次郎（1935年，当時東京大学在籍）である．
※10　光合成の諸反応のうち，チラコイドで行われる反応を明反応，ストロマで行われる反応を暗反応とすることがある．しかし，光の吸収が起これば，残りの諸反応は暗黒下で進行しうる．一方，暗反応を行う酵素の中には，活性化に光を必要とするものがある．このように，明反応，暗反応という区別には曖昧なところもあるので，本書では採用しなかった．

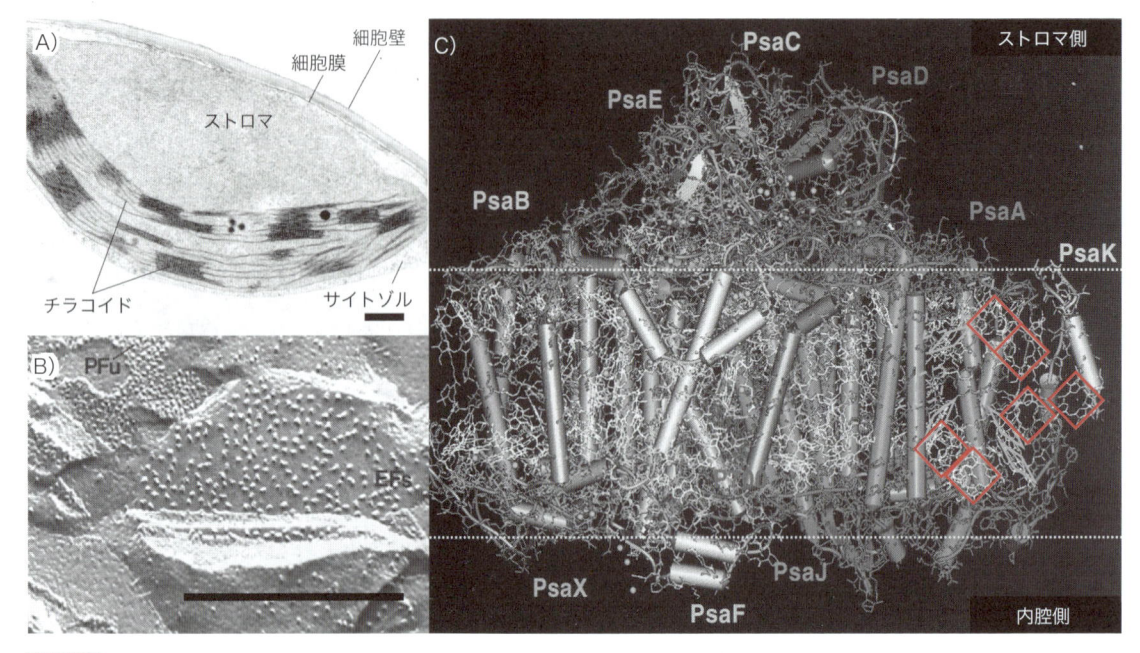

図11-2 葉，葉緑体，チラコイド，タンパク質複合体

A）ホウレンソウの葉緑体の透過電子顕微鏡像．液相のストロマ中に袋状の膜系チラコイドが存在する．チラコイドが重なった部分をグラナと呼ぶ．バー：0.5μm．B）ホウレンソウの葉緑体のフリーズエッチング像．脂質二重膜がはがれた部分のタンパク質複合体が見える．バーは0.5μm．円盤状のチラコイドが重なったグラナが割断された像である．C）好熱性シアノバクテリアの光化学系Ⅰタンパク質複合体の結晶構造図．PsaA，PsaBなどはタンパク質である．タンパク質中のクロロフィルが高密度であることを示すために，一部のクロロフィル（図11-3A参照）をひし形で囲んである．破線はチラコイド膜を示している．BはStaehelin LA：J Cell Biol，71：136-158，1976より転載．Aは寺島一郎博士，Cは日本光合成学会のご厚意による

クロロフィルの構造式と**吸収スペクトル**（absorption spectrum，吸光度スペクトルともいう）を**図11-3AB**に示す．クロロフィルが吸収する光の波長は，ヒトの可視域と重なる400 nm（紫色）〜700 nm（暗赤色）である．赤色光と青色光を特によく吸収する（**図11-3B**，緑色光の吸収についてはp.136コラム参照）．

光化学系タンパク質複合体のクロロフィルが光を吸収し励起されると，その励起状態は次々と複合体内のクロロフィル間を移動する（**図11-3C**）．**図11-2C**のようにクロロフィルはごく近接しているので，この移動確率はほぼ100％である．励起状態は，最終的にタンパク質複合体の中央部にある反応中心のクロロフィルaに移動する．

光化学反応

反応中心のクロロフィルaが励起されると，電子はクロロフィル分子から飛び出し，クロロフィルa^+が生じる．この**光化学反応**（photochemical reaction）を**電荷分離**（charge separation）という．励起状態にある反応中心は強い還元力をもち，一方，生じたクロロフィルa^+は強い酸化力をもつ．**酸化還元電位**（redox potential）が酸化力や還元力の指標となることは**10章⑦**ですでに学んだ．例えば，励起状態にある光化学系Ⅰ反応中心（P700*）[11]は，$NADP^+$の還元に十分な強い還元力（$E°' = -1.4$ V）をもち，光化学系Ⅱで生じるクロロフィルa^+（P680$^+$）は，水から電子を奪う強い酸化力（$E°' = +1.1〜1.2$ V）をもつ（**図11-4**）．

電子伝達

電子は酸化還元電位の低いものから高いものへと伝達される．光合成における主な電子伝達反応は，2つの光化学系を挟んだ，

※11　*は励起状態を示す．

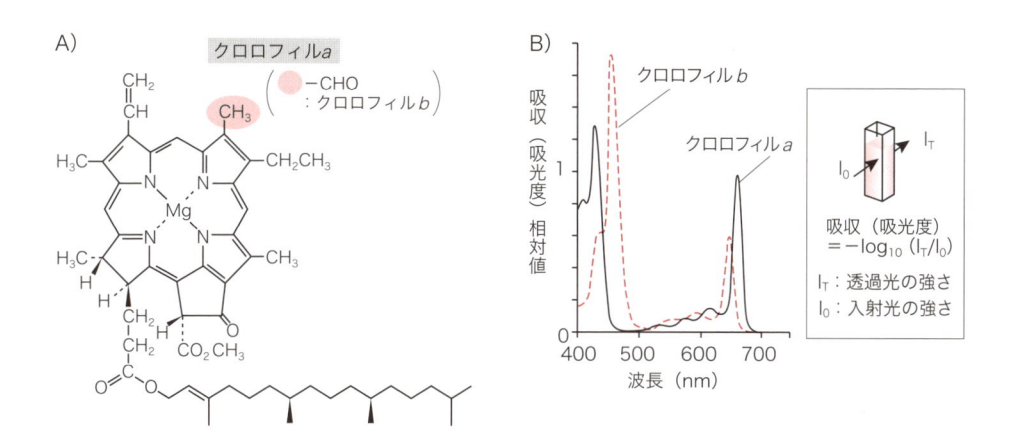

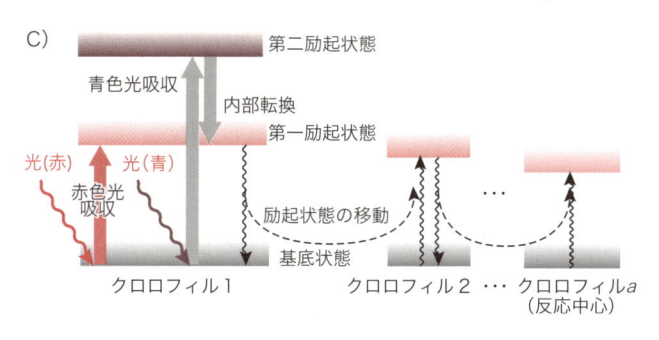

図11-3 クロロフィルの構造（A），吸収（吸光度）スペクトル（B），吸収および励起状態の移動のメカニズム（C）

A）Nを含む五員環ピロールが4つ環状につながったテトラピロールが，クロロフィルの基本骨格である．共役二重結合[12]がテトラピロールの外周を取り巻いている．B）同濃度のクロロフィルaとクロロフィルbの吸収スペクトル．クロロフィルは主に青色と赤色を吸収する．C）クロロフィルの光吸収メカニズム．クロロフィルが赤色光の光量子を吸収すると，基底状態の電子は第一励起状態に励起される．赤色光光量子よりもエネルギーレベルの高い青色光を吸収すると，電子は第二励起状態にまで励起されるが，すぐに，熱としてエネルギーを失い（内部転換），第一励起状態となる．励起状態は隣接するクロロフィル間を移動し，最終的に反応中心クロロフィルに到達する．破線は，他のクロロフィルへの励起状態の移動を示している．同じクロロフィル同士であってもタンパク質内の環境によって，基底状態や励起状態のエネルギー準位は異なる

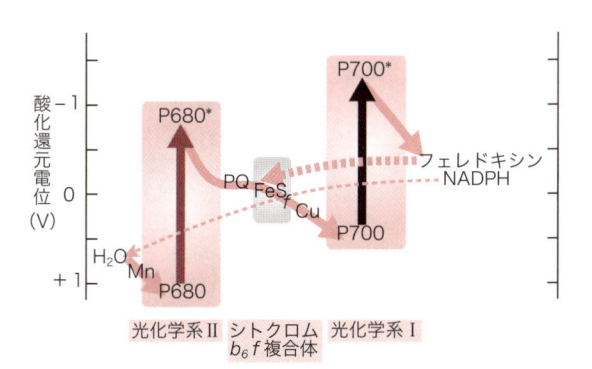

図11-4 電子伝達コンポーネントと酸化還元電位

1電子反応では，$96.5\ kJ\ mol^{-1}$が1Vに相当する（p.128[14]参照）．P680が波長680 nmの光によって励起される場合の ⬆ は$176\ kJ\ mol^{-1}$，すなわち1.82 Vを示し，同様にP700の ⬆ は$171\ kJ\ mol^{-1}$，すなわち1.77 Vを示す．呼吸系の電子伝達系がNADHからO_2へ電子伝達を行うのに対し，光合成では2つの光化学反応で強力な還元剤と酸化剤が生成するので，H_2Oの酸化，$NADP^+$の還元が可能になる．太破線は循環型電子伝達経路，細破線はNADHからの呼吸系の電子伝達を示す．略号は図11-5参照

11章 光合成

$$H_2O \rightarrow 光化学系 II \rightarrow シトクロム b_6f 複合体$$
$$\rightarrow 光化学系 I \rightarrow NADP^+$$

の経路で起こる**非循環型電子伝達**[13] (non-cyclic electron transport) である. 図11-4, 図11-5にしたがって, 電子伝達過程を順に追ってみよう. 光化学系IIの反応中心$P680^+$は, その強い酸化力によってH_2Oから電子を受けとり$P680$となる. 水分解・酸素発生の

陸上植物の葉とシアノバクテリアの光吸収戦略

Column

葉の光合成色素の溶液の吸収スペクトルは, 図11-3Bのクロロフィルの吸収スペクトルとよく似ており, ほとんど緑色光を吸収しないように思えるが, 吸光度〔$-\log_{10}(I_T/I_0)$〕ではなく, 吸収率〔$(I_0-I_T)/I_0$〕を計算すると緑色光域でもかなりの吸収率を示すことがわかる (コラム図11-1).

葉の内部で, 光は屈折率の大きく異なる細胞と空気の界面で屈折を繰り返し, 葉緑体を何度も透過する. したがって, 一度透過しただけではあまり吸収されない緑色光もかなり吸収されるよ

うになる. 青色光や赤色光の吸収率が90%程度の葉では, 緑色光の吸収率が75%程度にまで達する. 吸収された緑色光は光合成に使われるので, 緑色は光合成に使われないわけではない.

水界では, 水深に伴い光強度が減衰するとともに, 光質が変化し, 緑色光や青色光が相対的に増加する. シアノバクテリア[14]や**真核藻類** (alga, pl. algae) の光捕集色素は, このような光環境における光合成に適したしくみを備えている. また, シアノバクテリアや藻類は, 生育光環境によってこれらの

色素の組成を大きく変える. 外洋性シアノバクテリアを, 生育限界の深さから採取すると, シアノバクテリアという名に反して鮮やかなピンク色をしている.

シアノバクテリアの光捕集色素フィコビリンは, チラコイド膜表面の**フィコビリゾーム** (phycobilisome) と呼ばれる構造体中に, 短い波長の光を吸収するものから長波長の光を吸収するものを経て, 光化学反応中心へエネルギーが効率よく伝わるように配列される.

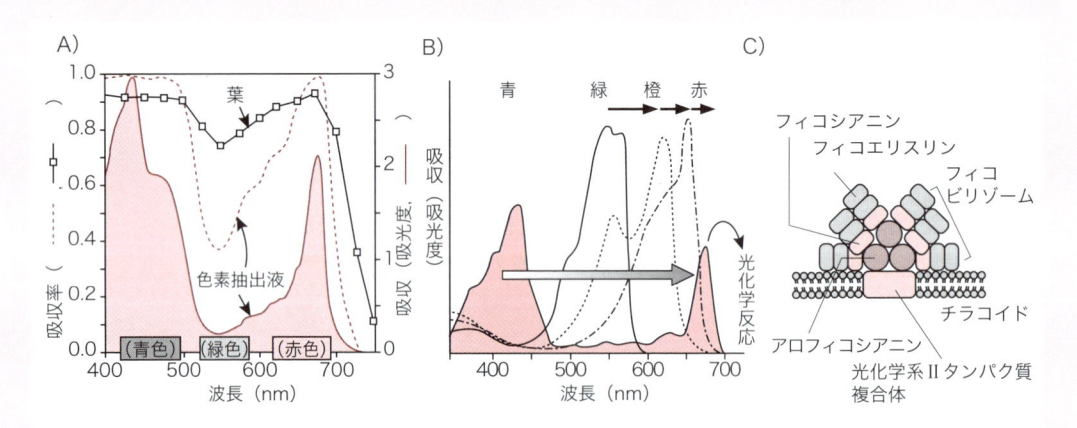

コラム図11-1 葉およびシアノバクテリアの光吸収戦略

A) 葉の色素抽出液の吸光度スペクトル, 吸収率スペクトル, および葉の吸収率スペクトルの比較. ホウレンソウの葉の光合成色素を有機溶媒で抽出し, 通常の分光光度計で測定した. 光照射面積当たりの色素量を葉の場合と同じにしたときの吸収スペクトル (赤実線) と吸収率スペクトル (赤破線) を示してある. 葉は光を散乱するので, 葉の吸収率スペクトル (黒実線) は, 反射光や散乱光も捉えることができる積分球を用いて測定したものである. B) クロロフィルaとシアノバクテリアの3種の光捕集色素の吸収 (吸光度) スペクトル. フィコエリスリン (——), フィコシアニン (········), アロフィコシアニン (—·—·) は緑色光, 橙色光, 赤色光によって励起され, 励起状態は, フィコビリゾーム内をより長波長を吸収する色素に移動し (——), 最終的にクロロフィルaの赤色吸収帯 (▨) に移動し, 光化学反応に使われる. クロロフィルが吸収する青色光は分子内で第一励起状態に内部転換 (⟹) される. このようなしくみにより, 幅広い可視光が光合成に利用できる. C) フィコビリゾームの模式図

---

[13] **線形電子伝達** (linear electron transport) ともいう.
[14] シアノバクテリアはcyano (青色) + bacteria (単数形は cyanobacterium), フィコビリンはphyco (藻類) + bilin (ビリン=胆汁色素), フィコビリゾームはphycobilin + some (体) である.

4電子反応（$2H_2O \rightarrow 4H^+ + 4e^- + O_2$）は，チラコイド膜内腔で起こり光化学系II複合体表層のマンガンクラスター（4Mn-Ca）[15]によって触媒される.

P680を飛び出した電子は，**プラストキノン**[16]（plastoquinone）を介して，シトクロムb_6f複合体に伝達される．電子は，シトクロムb_6f複合体中の鉄硫黄クラスターとシトクロムf，さらにプラストシアニン[17]を経て，$P700^+$を還元する．光化学反応によってP700を飛び出した電子が，$NADP^+$を還元し，NADPHが生成する（$NADP^+ + H^+ + 2e^- \rightarrow NADPH$）.

このように，チラコイドでは，呼吸鎖の$-0.315 \sim +0.815$ Vに比べてはるかに大きな酸化還元電位差（$-1.4 \sim +1.2$ V）を電子が移動して，NADHからO_2に電子伝達する呼吸の電子伝達系のほぼ逆の反応，すなわち，H_2Oから$NADP^+$への電子伝達を行う.

ATP合成

プラストキノンは呼吸鎖の**ユビキノン**（ubiquinone）とよく似た分子である．これらのキノンの酸化還元反応では，電子の授受と同時にH^+の授受も起こる．こうしてチラコイド内腔にH^+が汲み込まれる．H_2Oから$NADP^+$までの通常の電子伝達系である非循環型電子伝達に加えて，光化学系Iからの電子が，プラストキノン，シトクロムb_6f複合体を経て，光化学系Iへと循環する**循環型電子伝達**（cyclic electron transport，**図11-5**）が働く場合もある．循環型電子伝達によっても，チラコイド内腔へH^+が輸送される.

このようにしてチラコイド膜の内外にH^+の濃度差が生じる．また膜電位もH^+の移動によってチラコイド内腔が高くなる方向に変化する．すなわち，チラコイド膜を隔てて内腔側が高くストロマ側が低いH^+の電気化学ポテンシャル差が生じる（p.129コラム参照）．これに

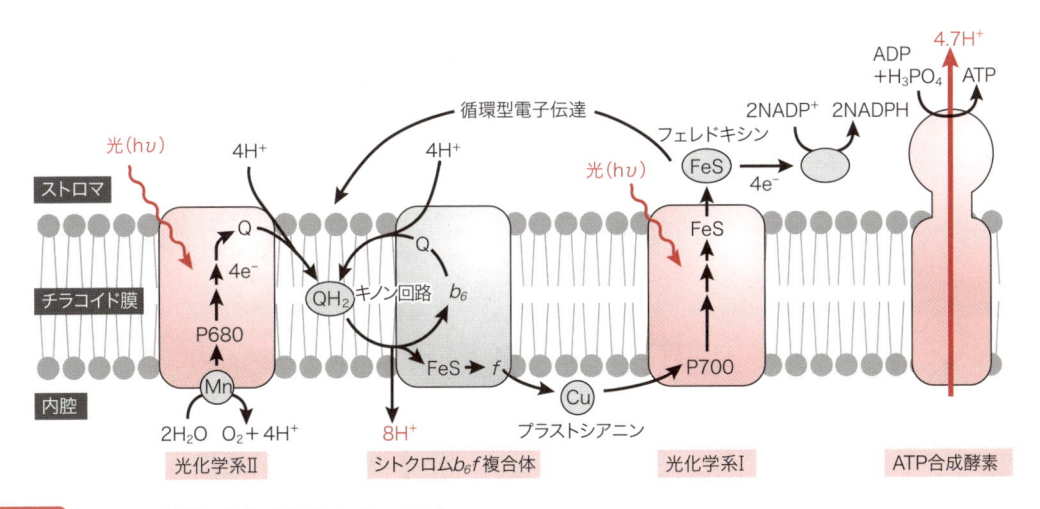

図11-5 チラコイド膜に存在する光合成システム
Qはプラストキノン，QH_2はプラストキノール，b_6，fはシトクロム，FeSは鉄硫黄クラスターをもつタンパク質を表す．Mnは$2H_2O \rightarrow 4H^+ + 4e^- + O_2$の4電子酸化還元反応を触媒するマンガンクラスターを，Cuは1電子酸化還元反応を行うプラストシアニンの銅原子を表す．シトクロムb_6f複合体はミトコンドリアの複合体IIIと基本構造が同じである．これらの複合体でキノン回路が機能する．シトクロムb_6f複合体から光化学系Iへの電子伝達には，プラストシアニンではなくc型シトクロムを用いる生物も知られている．1分子のO_2発生あたりの合成されるATPの分子数は示していない．ATP合成酵素が1回転する際に3個のATPがつくられる．ATP合成酵素の膜に埋め込まれたチャネル部分は14個のサブユニットから成り立っていることから1回転には14個のH^+が必要とされる．したがって，1分子のATP生産に必要なH^+の数は14/3，約4.7である

※15　4電子反応による水分解・酸素発生反応メカニズムはコック（Bessel Kok）によって1960年代に提唱された．沈建仁，神谷信夫らは光化学系II複合体結晶構造の詳細な解析により，マンガンクラスターの構造とその触媒機構を明らかにした（2011，2017年）.
※16　plasto（色素体の）＋quinone，ubiquitous＋quinone（**10章**参照）．プラストキノンによる電子とH^+の輸送については**図10-9**

を参照．ストロマ側で還元される際に電子と同時にH^+を受けとり，ルーメン側で酸化される際にH^+を遊離することで，キノンは電子伝達と共役したH^+汲み込みを行う.
※17　plasto（色素体の）＋cyanin（青色物質）．酸化型は美しい青色の銅タンパク質である．1960年に緑藻クロレラ（Chlorella）から加藤栄（東京大学）が単離し命名した.

よってATP合成酵素が駆動されATPがつくられる．光合成に特徴的な点は，葉緑体のATP合成酵素が，光による活性調節を受けることである（p.139コラム参照）．

光化学系IIと光化学系Iを直列につなぐ非循環型の電子伝達経路では，ATP合成とNADPH合成の比率は固定しているが，循環型電子伝達経路が働くことでNADPH/ATP比率を調節することができる．

以上をまとめると，チラコイド反応のバランスシートは，非循環型電子伝達経路に4電子が流れる場合に，

$$2H_2O + 2 (NADP^+ + 2H^+) + nADP + nH_3PO_4$$
$$\rightarrow O_2 + 2NADPH + nATP$$

と書くことができる（H_2Oの出入りは省略）．nは，循環型電子伝達経路の寄与の増加に伴い増加する．n＝3〜5程度であろう．

5 炭酸固定と光呼吸

炭酸固定経路

ストロマでは，**カルビン・ベンソン回路**（Calvin-Benson cycle）によって炭酸固定反応が行われる．この回路は3段階に分けられる（**図11-6**）．

① リブロース1,5-ビスリン酸カルボキシラーゼ/オキシゲナーゼ（通称ルビスコ，p.140コラム参照）に触媒され，リブロース1,5-ビスリン酸（C5化合物，以下化合物を省略）がCO_2を取り込み，2分子のホスホグリセリン酸（C3）が生成する．

② ホスホグリセリン酸はATPによってさらにリン酸化された後，NADPHによって還元されて，2分子の**三炭糖リン酸**（triose-phosphate，トリオースリン酸ともいう）が生成する．グリセルアルデヒド3リン酸とジヒドロキシアセトンリン酸が三炭糖リン酸である．この三炭糖リン酸の一部（C1個分，すなわち1/3三炭糖リン酸）が，カルビン・ベンソン回路の正味の生成物である．これから，デンプンやスクロースが合成される．

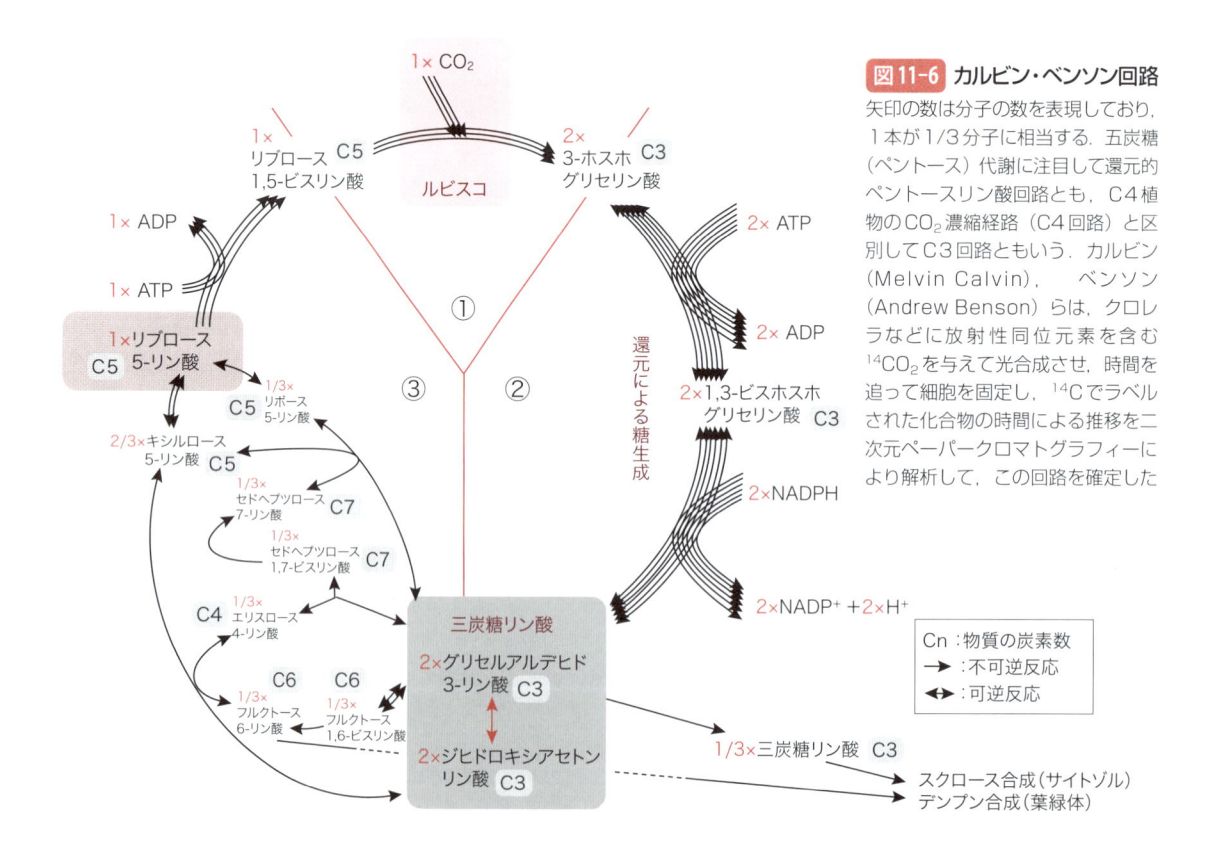

図11-6 カルビン・ベンソン回路
矢印の数は分子の数を表現しており，1本が1/3分子に相当する．五炭糖（ペントース）代謝に注目して還元的ペントースリン酸回路とも，C4植物のCO_2濃縮経路（C4回路）と区別してC3回路ともいう．カルビン（Melvin Calvin），ベンソン（Andrew Benson）らは，クロレラなどに放射性同位元素を含む$^{14}CO_2$を与えて光合成させ，時間を追って細胞を固定し，^{14}Cでラベルされた化合物の時間による推移を二次元ペーパークロマトグラフィーにより解析して，この回路を確定した

③残りの5/3三炭糖リン酸（C5個分）は，リブロース5−リン酸（C5）の再生に用いられる．最後にリブロース5−リン酸がATPによってリン酸化され，リブロース1,5−ビスリン酸が再生される．

葉緑体における光合成産物は三炭糖（トリオース）リン酸である．デンプンは葉緑体内で，カルビン・ベンソン回路のフルクトース6−リン酸からつくられるグルコース1−リン酸を経て合成される．スクロースはサイトゾルにおいて，葉緑体から輸出された三炭糖リン酸からつくられる．リブロース1,5−ビスリン酸など，再生される物質を除いた正味のカルビン・ベンソン回路のバランスシートは，

$$CO_2 + 3ATP + 2NADPH + 1/3H_3PO_4$$
$$\rightarrow 1/3\,三炭糖リン酸 + 2NADP^+ + 3ADP + 3H_3PO_4$$

である（H^+やH_2Oの出入りなどの詳細は省略）．1分子のCO_2を固定するのに，3分子のATPと2分子のNADPHが必要である．

光呼吸

光合成におけるもう1つの重要な反応経路が**光呼吸経路**（photorespiratory pathway）である（図11-7）．

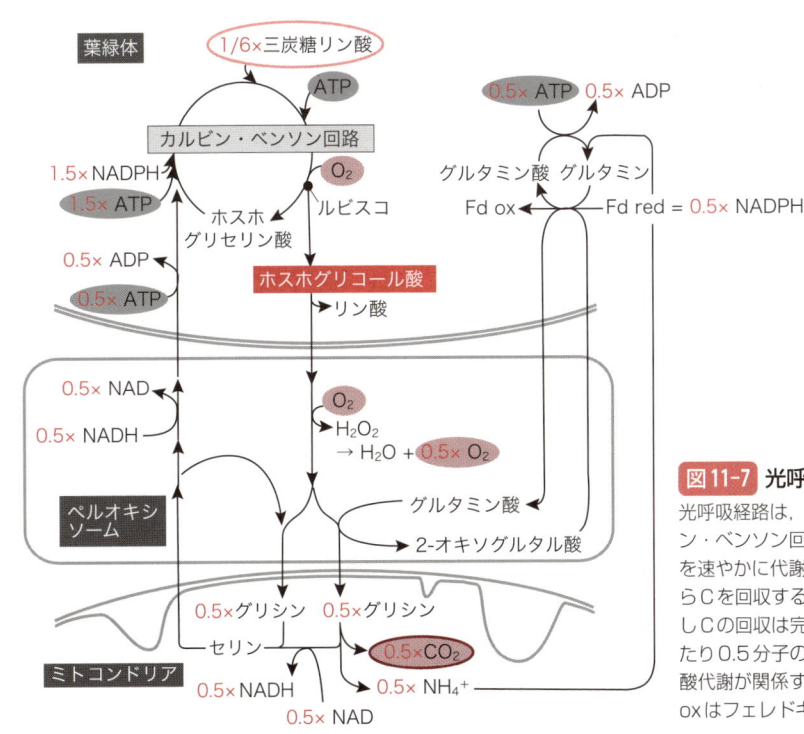

図11-7 光呼吸経路

光呼吸経路は，3つの細胞小器官にまたがる．カルビン・ベンソン回路の阻害剤であるホスホグリコール酸を速やかに代謝するとともに，ホスホグリコール酸からCを回収する経路として捉えることができる．しかしCの回収は完全ではなく，1オキシゲナーゼ反応あたり0.5分子のCO_2が発生してしまう．また，アミノ酸代謝が関係することにも特徴がある．Fd red，Fd oxはフェレドキシンの還元型と酸化型を示す

夜のATP分解を防ぐ：光によるATP合成酵素の調節 *Column*

光を受ける昼間，チラコイドは，電子伝達により膜内外にH^+の電気化学ポテンシャル差をもつ高エネルギー状態にありATPを生産する．しかし，夜間は，H^+の電気化学ポテンシャル差はなくなる．逆反応が起こるとATPが分解されかねない．これでは，エネルギーが無駄になってしまう．葉緑体では，昼間**チオレドキシン**（thioredoxin）のジスルフィド結合（−S−S−）が光化学系Ⅰからの電子で還元される．還元型チオレドキシンが，さらにATP合成酵素のストーク部分のタンパク質のジスルフィド結合を還元し，ATP合成酵素を活性化する．暗所ではこの逆に，システイン残基が酸化されジスルフィド結合が形成され，酵素は失活する．こうして，エネルギーの無駄な消費を抑えている．カルビン・ベンソン回路の酵素の光による活性化にもチオレドキシンが関与している．

この経路はルビスコのオキシゲナーゼ反応にはじまる．オキシゲナーゼ反応では，リブロース1,5‐ビスリン酸と酸素からホスホグリセリン酸（C3）とホスホグリコール酸（C2）が生じる．ホスホグリコール酸は，カルビン・ベンソン回路の酵素を阻害するので，速やかに代謝されなければならない．一方，ホスホグリコール酸

には，カルビン・ベンソン回路によってエネルギーを使って固定した炭素が含まれるので，この炭素を回収しなければエネルギーの無駄となる．光呼吸経路は，ホスホグリコール酸の代謝と，炭素の回収を行う代謝経路として捉えることができ，葉緑体，ペルオキシソーム，ミトコンドリアの3つの細胞小器官にまたがっている[18]．光

地球上で最も多いタンパク質ルビスコ（RubisCO）

Column

ルビスコとは，この酵素の英名ribu-lose 1,5‐bis phosphate carboxy-lase/oxygenaseの下線部をとったニックネームである．この酵素の研究に業績のあったワイルドマン（Sam Wildman）は，このタンパク質そのものを食べ物とすることも考えていた．これにちなんでビスケットのNabiscoが掛けてある．

植物のルビスコは葉緑体DNAにコードされた大サブユニット（分子量55,000）8個と核DNAにコードされた小サブユニット（分子量15,000）8個からなる16量体である．ルビスコはその名前のとおり，カルボキシラーゼ反応（CO_2固定）とオキシゲナーゼ反応（O_2添加）とを触媒する（**コラム図11-2**）．リブロース1,5‐ビスリン酸がまず活性部位に組み込まれ，それにCO_2やO_2が添加される．これらを，**4章3**で学んだミカエリス・メンテンの式で表現しよう．

O_2が存在しない状態のカルボキシラーゼ反応速度（V_C）と，CO_2が存在しない状態のオキシゲナーゼ反応速度（V_O）は，それぞれの最大速度をV_{Cmax}・V_{Omax}，CO_2濃度をC，O_2濃度をO，CO_2・O_2に対するミカエリス定数をK_C・K_Oとすれば：

$$V_C = \frac{V_{Cmax}}{1 + K_C/C} \quad V_O = \frac{V_{Omax}}{1 + K_O/O}$$

として表される．

ルビスコには各大サブユニットに活性部位がある．CO_2が飽和したときの最大速度V_{Cmax}は，3 mol CO_2 mol^{-1}

活性部位 s^{-1}と他のカルビン・ベンソン回路酵素の速度よりも2〜3桁遅い．また，CO_2への親和性を表すミカエリス定数K_Cは，25℃で10〜20μM（μmol L^{-1}）である．現在大気中のCO_2濃度は400 ppm程度であり，25℃でこれが水に溶解すると13μM程度となる．したがって，O_2が存在しないとしても，V_{Cmax}の半分程度しか実現できない．21％のO_2存在下でもV_{Cmax}には変化がないが，オキシゲナーゼ反応も起こるため，カルボキシラーゼ反応は起こりにくくなり，CO_2への親和性はますます低くなる．こうして，実際のカルボキシラーゼ反応速度は，1 mol CO_2 mol^{-1}活性部位 s^{-1}以下となってしまう．

このように，ルビスコは大きい割に反応速度が遅い．しかも，CO_2濃度への

の親和性が低い（K_Cが大きい）．したがって，カルビン・ベンソン回路が回転するためには，ルビスコは他の酵素の何十倍も必要となる．実際，ルビスコは葉緑体の可溶性タンパク質の半分以上を占める．こういう理由で，ルビスコは地球上に存在する最も多いタンパク質なのである．

オキシゲナーゼ反応に始まる光呼吸は，エネルギーを大量に消費する．温度の上昇に伴うK_Cの増加はK_Oの増加よりも著しく，カルボキシラーゼ反応速度に体するオキシゲナーゼ反応速度の比率は温度の上昇とともに大きくなる．葉緑体内部のCO_2濃度を考慮すると，この比率は，20℃では25％，30℃では35％，40℃では50％にものぼる．

コラム図11-2　ルビスコが触媒する2つの反応
カルボキシラーゼ反応（上）とオキシゲナーゼ反応（下）

---

[18]　夜間はこれらの細胞小器官は必ずしも近接していないが，光が存在すると近接するしくみがあることが明らかになった．

呼吸では，ルビスコのオキシゲナーゼ反応など[19]によってO_2が吸収され，CO_2が放出されるため，ガス交換としては呼吸と似ているので「呼吸」と名付けられたが，10章の「呼吸」とは全く異なる代謝経路である．バランスシートは1オキシゲナーゼ反応[20]あたりで，

$$2O_2 + 3.5\ ATP + 2NADPH + 1/6\ 三炭糖リン酸 \rightarrow 2NADP^+ + 3.5ADP + 3.5P_i + 0.5\ CO_2 + 0.5\ O_2$$

となる．さらに1/6三炭糖リン酸が，リブロース1,5-ビスリン酸再生のための不足分を補うために必要である．このように光呼吸は，大量のエネルギーを使う反応である．

大気中のO_2は20億年前に葉緑体の祖先[21]ともいえるシアノバクテリアが酸素発生型の光合成を始めて以来蓄積した植物由来のものである．植物由来のO_2が付加するオキシゲナーゼ反応に始まる光呼吸によって，植物は大量のエネルギーを失う．自身がつくったO_2に植物は苦しめられているともいえる．

C4植物

光合成を行っている葉に，炭素の放射性同位元素を含む$^{14}CO_2$を与えた直後に固定し，それから抽出した^{14}Cを含む化合物がC3化合物のホスホグリセリン酸である場合，この植物の葉はカルビン・ベンソン回路で直接炭素固定をしている．これらは，イネ，ホウレンソウのほか，ほとんどの樹木を含み，C3植物と呼ばれる．一方，C4化合物のリンゴ酸やアスパラギン酸が初期産物の植物もある．トウモロコシ，サトウキビ，ススキなどがそうで，**C4植物**（C4 plant）と呼ばれている．

C4植物（図11-8A）では，葉肉細胞のサイトゾルに溶け込んだCO_2は，**ホスホエノールピルビン酸カルボキシラーゼ**[22]（phosphoenolpyruvate carboxylase）によって固定される．この反応でC3化合物のホスホエノールピルビン酸からC4化合物のオキザロ酢酸が生成

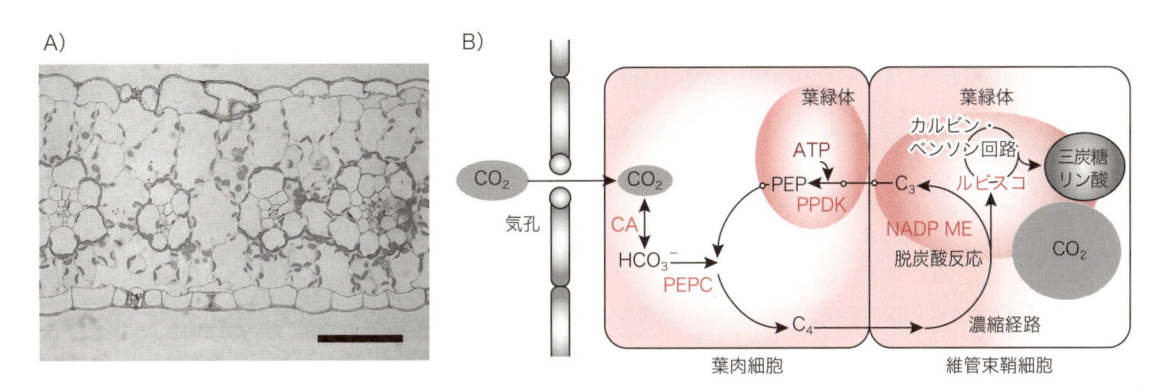

A) B)

A）トウモロコシの葉の断面．C3植物では，維管束の周りの細胞（維管束鞘細胞）は小さく，発達した葉緑体もみられないが，C4植物の維管束鞘の細胞は大きく，多数の葉緑体がある．これらの葉緑体の場所は，C3植物に典型的な細胞間隙に接した場所とは異なる．スケール：$100\mu m$．B）C4光合成のあらまし．CO_2の面積の違いはCO_2濃度のおおよその比率を示す．CA：炭酸脱水酵素，PEPC：ホスホエノールピルビン酸カルボキシラーゼ，NADP-ME：NADPリンゴ酸酵素，PPDK：ピルビン酸・リン酸ジキナーゼ，PEP：ホスホエノールピルビン酸．Aは寺島一郎博士のご厚意による．Bは田副雄士博士の原図を改変

※19　リブロース1,5-ビスリン酸のO_2添加反応の他に，ペルオキシソームで起こるグリコール酸→グリオキシル酸の反応でもO_2が吸収される．この反応で生じたH_2O_2はカタラーゼによって分解され，吸収されたO_2の半分が放出される．図11-7および本文中の光呼吸経路のバランスシート参照．
※20　分子の数が，1/2個，1/3個，1/6個などと整数ではない数となっているのは，オキシゲナーゼ反応1回あたりで数えているからである．
※21　葉緑体の祖先はシアノバクテリア（ラン藻）である．ミトコンドリアの祖先はαプロテオバクテリアの仲間である細胞内寄生性病原菌

リケッチアなどが有力候補であるが，ミトコンドリアは特殊化が激しく，類縁関係は確定していない．
※22　ホスホエノールピルビン酸カルボキシラーゼの基質は重炭酸イオン（HCO_3^-）である．サイトゾルに溶け込んだCO_2は，**炭酸脱水酵素**（carbonic anhydrase）によって平衡化の促進により，速やかに重炭酸イオンとなる．

$$H_2O + CO_2 \rightleftharpoons H^+ + HCO_3^-$$

ホスホエノールピルビン酸カルボキシラーゼのCO_2（HCO_3^-）への親和性は高い．このため，乾燥条件下において気孔が閉じ気味で，葉の内部のCO_2濃度がかなり低下しても，C4植物は光合成ができる．

する．オキザロ酢酸は速やかにリンゴ酸やアスパラギン酸に変えられ，細胞間のパイプである原形質連絡（p.201コラム参照）を介して維管束（葉脈）の周りを囲む維管束鞘細胞に拡散する．維管束鞘細胞内では，これらのC4化合物からの**脱炭酸反応**（decarboxylation）が起こる．脱炭酸反応によって放出されたCO_2が，維管束鞘細胞葉緑体のカルビン・ベンソン回路によって再固定される．このしくみによりルビスコの周りのCO_2濃度を高く保つことができるので，光呼吸とそれによるエネルギーの損失が抑えられる．脱炭酸によって生成したピルビン酸やアラニンなどのC3化合物は原形質連絡を通って葉肉細胞に拡散し，ここでホスホエノールピル

光合成の効率：葉緑体から生態系へのスケールアップ *Column*

葉の光合成速度を測定する際には，葉を透明な箱に入れて通気し，光を照射して出入りする空気の流量とCO_2濃度とを測定する．光合成の最大量子収率を測定するには，光呼吸が起こらないように，高CO_2濃度（例えば2,000 ppm），低O_2濃度（1％）条件下で測定する．**コラム図11-3**にあるように，吸収された光合成有効（400〜700 nm）光量子束密度に対して光合成速度が直線的に上昇する部分の傾きが最大量子収率である．本章で述べたように，8個の光量子で1個のCO_2が固定されるとすれば，理論的には，0.125 mol CO_2 mol^{-1} photonが得られるはずである．600 nmの光量子のもつエネルギーは200 $kJmol^{-1}$である．グルコース（C6）が完全燃焼したときの自由エネルギー変化は-2870 $kJmol^{-1}$である．この1/6が1/3三炭糖リン酸のもつエネルギーだとし，600 nmの光量子8 molが使われるとすれば，光合成の最大効率を求めることができる

$$\frac{(2870 \times 10^3)/6}{200 \times 10^3 \times 8} = 0.30$$

実際に得られる最大量子収率の実験値は，0.10 mol CO_2 mol^{-1} photon程度である．大気条件にすると，光呼吸が起こるので，25℃では，約0.06 mol CO_2 mol^{-1} photon程度が得られる．強光下では，光呼吸が起こらないガス条件でも，量子収率は破線のようになるので，弱光下の量子収率よりも低くなる．照射された光量子束密度あたりの量子収率は，これに葉の光吸収率（70〜95％）を掛けた値になる．また，光合成有効放射のエネルギーは太陽光エネルギーの約45％である．太陽光エネルギーあたりの効率ということになれば，さらに45％を掛けなければならない．野外における太陽光エネルギーあたりの光合成の効率が1桁％となることが理解できよう．

1日の太陽光エネルギーを積算すると，地域にもよるが10〜20 MJ m^{-2} day^{-1}程度である．水分が十分で，光合成にとって適温となる季節の，生態系の総生産（P_g）は，森林生態系で太陽光エネルギーの2〜3.5％，草原で1〜2％である．これから呼吸（R）をさしひいた純生産（P_n）は，森林生態系で0.5〜1.5％，やや乾燥した場所に成立する草原では0.5〜1％である．呼吸で失う生産量は光合成によって得られた総生産量の30〜80％にものぼる．光合成器官に対する非光合成器官の割合が大きなものほど，呼吸で失うCO_2の割合が大きくなり，30％という値は一年生草本，80％は熱帯多雨林の巨木で記録されている．

3章2で学んだ地球上の生態系の純生産を，エネルギーの単位で計算してみよう．一次近似として，植物体の乾燥重量は同じ重さの糖の1.2倍のエネルギーをもつと考えてよい．例えば，熱帯多雨林の純生産量2.2 kg m^{-2} $year^{-1}$は，グルコース換算で12.2 mol グルコース m^{-2} $year^{-1}$となる．1日平均15 MJ m^{-2} day^{-1}の太陽エネルギーが降り注ぐとすれば，純生産量として，

$$\frac{1.2 \times 12.2 \times 2870 \times 10^3}{15 \times 10^6 \times 365}$$

$$= 0.0077$$

すなわち，0.77％の太陽光エネルギーが純生産として固定されたことになる．

参考文献
- 『植物の生態―生理機能を中心に』（寺島一郎／著），裳華房，2013

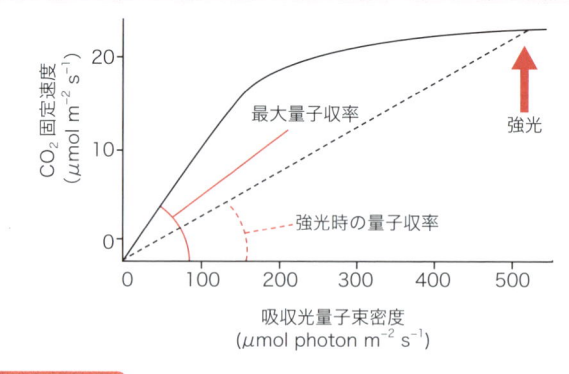

コラム図11-3 量子収率測定の概念図
光合成速度を，葉が吸収した光合成有効光量子束密度に対してプロットすると，図のような曲線が得られる．最大量子収率と，強光下の量子収率が示してある

ビン酸が再生される．この再生反応は，ATP 2 個分の
エネルギーを使ってピルビン酸・リン酸ジキナーゼ[※23]
が触媒する（図11-8B）．C4植物は，このような**CO_2濃
縮機構**（CO_2 concentrating mechanism）をもつ植物
である．

C3植物では，ルビスコのCO_2への親和性は高温にな
るにしたがって低くなるのでオキシゲナーゼ反応が起こ
りやすくなる．また，乾燥した場所では，気孔が閉じ気
味になる一方，光合成反応によってCO_2が使われるた
め，葉の内部のCO_2濃度は低くなり，オキシゲナーゼ
反応が起こりやすくなる．高温で乾燥する環境では，
ATPを使って濃縮経路を駆動して光呼吸を抑えるC4植
物の方が有利である．C3植物とC4植物の分布も，こ
の説明をおおむね支持する．

約30億年前に，葉緑体の祖先ともいえるシアノバク
テリアが酸素発生型の光合成を始めたころ，大気には
O_2は存在せず，CO_2分圧は0.1〜数気圧であったとい
う．したがって，当初は，光合成を行う際にオキシゲ
ナーゼ反応が起こることはなかった．しかし，その後シ
アノバクテリアや藻類，植物によるO_2の発生とCO_2の
固定が進んだ．また，植物遺体の蓄積（化石燃料化）
や，岩石の珪酸Caの風化（$CaSiO_3 + CO_2 \rightarrow CaCO_3 +$

SiO_2）によって，大気CO_2が減少した．C4植物の起源
はかなり古く，白亜紀ともいわれるが，急速に増えたの
は，大気CO_2濃度が低下し光呼吸速度が相対的に高
まった最近の1千万年の間である．この間に，少なくと
も70回は独立にいろいろな植物群でC4化が進んだと
いう．複雑なC4光合成がこのように平行進化したこと
は驚異である一方で，C4化に必要なすべての酵素はC3
植物がもっているものである．

■ CAM植物

多肉植物を噛むと，明け方は酸っぱく，時間が進むに
つれて酸っぱくなくなることが17世紀には知られてい
た．これらの植物は，夜間，ホスホエノールピルビン酸
カルボキシラーゼによって炭酸固定を行い，生成したオ
キザロ酢酸からリンゴ酸をつくり，これを液胞に蓄積す
る．これが酸っぱさの原因である．こうして，葉の内部
のCO_2濃度が下がるので，夜間に気孔が開くと，濃度
差によりCO_2をとり込むことができる．昼間は，脱炭酸
反応により葉内のCO_2濃度が高まるので気孔が閉じ，ま
すますCO_2濃度が高まる．これをカルビン・ベンソン
回路で再固定している．このような代謝を**CAM**（Cras-
sulacean acid metabolism：ベンケイソウ型有機酸代

大気中の二酸化炭素濃度の上昇と地球温暖化

17世紀頃にはCO_2濃度は280 ppm
であったが，産業革命以降は増加しつづ
け，増加は加速傾向にある．現在は，
400 ppmに達した（**コラム図11-4**）．

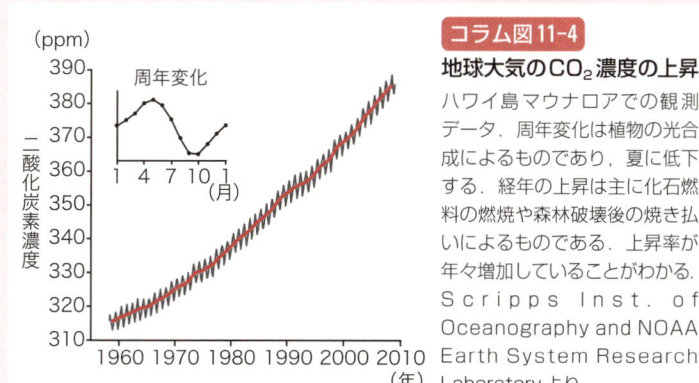

コラム図11-4
地球大気のCO_2濃度の上昇
ハワイ島マウナロアでの観測
データ．周年変化は植物の光合
成によるものであり，夏に低下
する．経年の上昇は主に化石燃
料の燃焼や森林破壊後の焼き払
いによるものである．上昇率が
年々増加していることがわかる．
Scripps Inst. of
Oceanography and NOAA
Earth System Research
Laboratoryより

CO_2は温室効果ガスであり，この急上昇
が地球温暖化の原因の1つとなっている．

CO_2は光合成の基質だがCO_2濃度の
上昇が植物の光合成速度や成長を促進
するとは限らない．多くの植物は，少な
くとも100万年の間180〜280ppm
のCO_2濃度に適応しているからである．
植物の高CO_2への応答を解析し改善す
ることは植物科学にとって重要な課題で
ある．

参考文献
- 『植物が出現し，気候を変えた』（西田佐
  知子/訳），みすず書房，2015
- 『植物の生態—生理機能を中心に』（寺
  島一郎/著），裳華房，2013

[※23] ピルビン酸＋P_i＋ATP→ホルホエノールピルビン酸＋ピロリ
ン酸＋AMPの反応を触媒する．アデニレートキナーゼ（ATP＋
AMP→2ADP）の反応を考慮すると，ATP2個分のエネルギーを利用
するといえる．

謝）と呼ぶ．砂漠などの乾燥地域に生息するベンケイソウ科，サボテン科，ユリ科，トウダイグサ科などの植物が行う．昼間に気孔を開くと，蒸散速度が非常に大きくなる．一方，乾燥地は夜も晴れていることが多いので，放射冷却によって植物が冷やされる．大気との水蒸気濃度差が小さいので，気孔を開いても蒸散はほとんど起こらない．このような点で夜にCO_2固定をするCAM植物は乾燥地に適した植物である．木に着生するラン科植物にも，CAMを行うものがある．晴れた日が続くと樹木の表面は乾くので，乾燥への適応といえよう．湿潤な季節にはC3，乾燥や塩害が厳しくなるとCAM，というように光合成炭素代謝系をスイッチするものもある．

本章のまとめ　　　　　　　　　　　　　　Chapter 11

- [ ] 光合成は，光エネルギーを有機物のもつ化学エネルギーとして固定する反応である．

- [ ] 植物が光合成に利用できる波長は400〜700 nmの可視光である．これより短い波長の光を紫外線，長い波長の光を遠赤色光，さらに超波長のものを赤外線と呼ぶ．

- [ ] 葉緑体は，葉の葉肉組織の細胞に多く含まれ、CO_2の取り込みに適した細胞間隙に面した部分に並んでいる．

- [ ] 光エネルギーにより起きるクロロフィルaの光化学反応が強い還元力と酸化力を生み出し，水を酸化分解し，$NADP^+$を還元する電子伝達系が駆動する．これと共役してH^+が輸送される．こうして形成されたH^+の電気化学的ポテンシャル差を利用してATP合成酵素がATPを合成する．

- [ ] カルビン・ベンソン回路では，ルビスコによってCO_2が固定されて糖がつくられる．一方，ルビスコはオキシゲナーゼ反応も触媒するため，この反応により始まる光呼吸がエネルギーを大量に消費して，光合成の効率を低下させる．

- [ ] C4植物は，ATPを使ったCO_2濃縮機構でオキシゲナーゼ反応を抑える．CAM植物は，夜間にCO_2をリンゴ酸として固定し，昼間に脱炭酸とカルビン・ベンソン回路による再固定を行うことで蒸散を抑える．C4植物は高温あるいは乾燥する環境で，CAM植物は乾燥環境でC3植物よりも有利である．

第III部
生命現象のしくみ
—増殖，形態形成，恒常性と環境応答を中心に

12章　細胞内輸送と細胞内分解

細胞内のリボソームで合成されたタンパク質のうち，その多くは細胞内外の適所へと運ばれる．細胞のサイズが小さく膜区画のない原核細胞内では物質の輸送は自由拡散でも問題ないが，細胞内の膜区画が発達している真核細胞には，膜を横切ってタンパク質を移動させたり，1つの膜区画から別の膜区画へと移動させるための物質輸送のしくみが備わっている．本章では，真核細胞の膜区画の間にみられる物質輸送のシステムを中心に，細胞内輸送の基本的なしくみについて解説する．さらに，細胞内輸送系と密接に関連している，物質の取り込みと分泌，細胞内における物質の消化などのしくみについても扱う．

1　タンパク質の合成と細胞内輸送の基本

タンパク質の合成場所の決定

細胞内輸送の中心は合成されたタンパク質の輸送である．真核細胞のタンパク質合成は，サイトゾル内に遊離した状態の**遊離ポリソーム**[※1]（free polysome）と，小胞体膜に結合した**膜結合ポリソーム**（membrane-bound polysome）の2つの状態で行われている（図12-1，6章⑥参照）．すべてのタンパク質は，最初は遊離ポリソームの状態で合成が開始される．そして，一定の段階まで翻訳が進むと，合成中のタンパク質の行き先が明らかになる．それは，合成中のペプチド鎖のN末端付近にタンパク質の行き先を指定するシグナル配列（成熟タンパク質には存在しない余分なアミノ酸配列）が出現するからである．

小胞体，ゴルジ体，エンドソーム，リソソーム（植物では液胞），細胞膜に輸送されるタンパク質や，細胞外に分泌されるタンパク質は，**小胞体シグナル配列**（ER signal sequence）をもつ．それを合成している遊離ポリソームは小胞体膜上に結合し，膜結合ポリソームとしてそこでタンパク質合成を続ける．このような小胞体の領域は粗面小胞体と呼ばれている．膜結合ポリソームで合成されたタンパク質は，小胞体がもつ専用の孔（チャネル）を通って小胞体に取り込まれる．そこから輸送小

胞（**本章**④参照）と呼ばれる膜小胞を介して目標の細胞小器官に輸送される．

一方，核，ミトコンドリア，葉緑体，ペルオキシソームを行き先として指定するシグナル配列をもつタンパク質と，シグナル配列をもたないサイトゾルで働くタンパク質を合成している遊離ポリソームはそのままタンパク

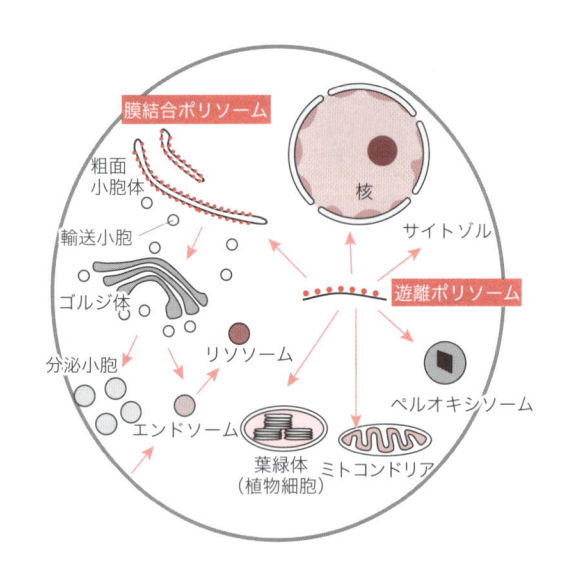

図12-1　動物の細胞内にみられる細胞内輸送系
真核細胞におけるタンパク質の輸送経路の概略．膜結合ポリソームと遊離ポリソームで合成されたタンパク質は異なる方法で輸送されている．→は輸送の主要な方向を示す

※1　タンパク質合成は，mRNA上に多数のリボソームが集合して行われる．その際のリボソームの集合体はポリソームもしくはポリリボソームと呼ばれている．

質合成を続ける．合成されたタンパク質は細胞内を細胞骨格によらず拡散してシグナル配列が指定する細胞小器官まで移動し，それぞれの細胞小器官がもつチャネルを通って取り込まれる．

2 遊離ポリソームで合成されたタンパク質の輸送

核への輸送

核の内部で必要とされるタンパク質は，サイトゾルの遊離ポリソームで合成されたあと，核内に選択的に輸送される．その一方で，核内で転写されたRNAの多くは細胞質に輸送されてくる．このような細胞質と核との間の物質輸送は，核膜の核膜孔を介して行われる．その核膜孔を形成しているのが，核膜孔複合体と呼ばれる巨大なタンパク質複合体である（図12-2A）．

核膜孔（孔のサイズは直径が約90 nm）は，分子量が約30,000以下のタンパク質ならば自由に通過することができる．その大きさを超えるタンパク質は，細胞質から核に輸送されるタンパク質であることを示す**核移行シグナル**（nuclear localization signal：NLS），あるいは核から細胞質に輸送されるタンパク質であることを示す**核外移行シグナル**（nuclear export signal：NES）をもつことにより，選択的に核を出入りしている．NLSと結合してそのタンパク質を細胞質から核に輸送しているのが**インポーチン**（importin）で，NESと結合してそのタンパク質を核から細胞質に輸送しているのが**エクスポーチン**（exportin）と呼ばれているタンパク質である（図12-2B）．

ミトコンドリア，葉緑体，ペルオキシソームへの輸送

ミトコンドリア，葉緑体，ペルオキシソームに取り込まれるタンパク質についても，それぞれの行き先を示す特徴的なシグナル配列[※2]が付加されている（図12-3A）．それらのシグナル配列とその受容体との特異的な結合により，それぞれのタンパク質は目標の細胞小器官に取り込まれる．その受容体はサイトゾルに遊離状態で存在するものや，細胞小器官の膜に局在するものなどがある．サイトゾル内に遊離状態で存在する受容体には，さらにそれと特異的に結合する受容体が細胞小器官の膜に存在する．そして，膜の受容体と結合したタンパク質は，その膜に存在するチャネルタンパク質へと導かれる．チャネルタンパク質は**トランスロコン**（translocon）と呼ばれ，ポリペプチド鎖が膜を透過する際の通路として

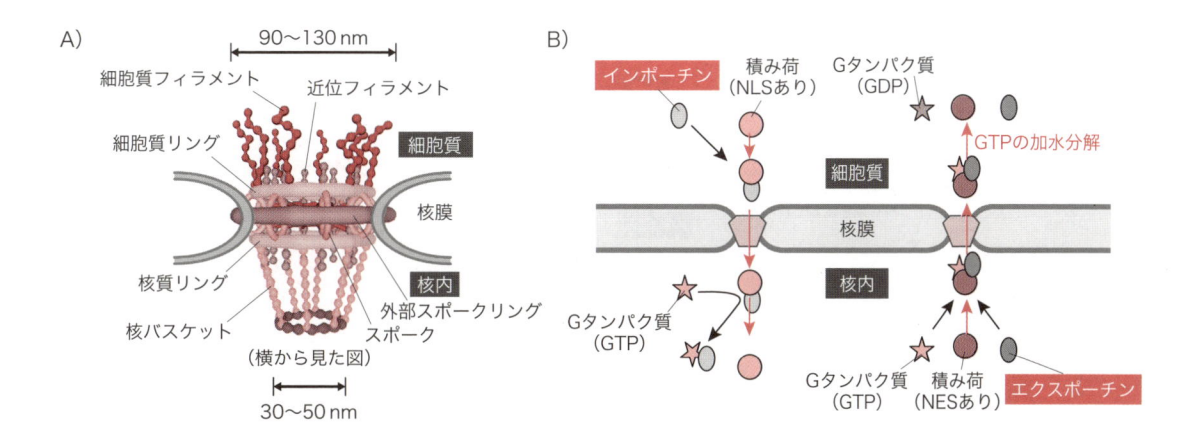

図12-2 核膜孔

A）核膜孔複合体の構造を示すモデル．B）核膜孔複合体を通過して輸送されるタンパク質の輸送モデル．インポーチンは，NLSをもつタンパク質を核内に輸送する輸送タンパク質である．エクスポーチンは，NESをもつタンパク質を核内から細胞質に輸送する輸送タンパク質である．輸送タンパク質に積み荷を結合させたり，輸送タンパク質から積み荷を分離させたりするために，Gタンパク質（**15章3**参照）が働いている．Aは駒崎伸二博士のご厚意による

※2 ミトコンドリアではプレ配列，葉緑体ではトランジット配列と呼ばれる．

働いている．その通路から細胞小器官の中や膜に取り込まれる（図12-3B）．

3 膜結合ポリソームで合成されたタンパク質の輸送

小胞体への移行

タンパク質が小胞体に移行するための小胞体シグナル配列は，13〜36アミノ酸残基から構成されている．小胞体シグナル配列を識別し，その配列と結合してリボソームを小胞体膜に結合させるのがSRP（signal recognition particle：シグナル認識粒子）と呼ばれる分子である．SRPはRNAといくつかのタンパク質からなる複合体で，そのSRPと特異的に結合するSRP受容体が小胞体膜に存在する（図12-4A）．小胞体膜に結合したリボソームが合成するポリペプチド鎖は，翻訳途中で小胞体膜に存在するトランスロコンへと導かれ，その状態でタンパク質合成が続けられる．

可溶性タンパク質の場合は，トランスロコンに結合している小胞体シグナル配列が切断されて小胞体の内腔に遊離する．一方，膜貫通タンパク質の場合は，合成

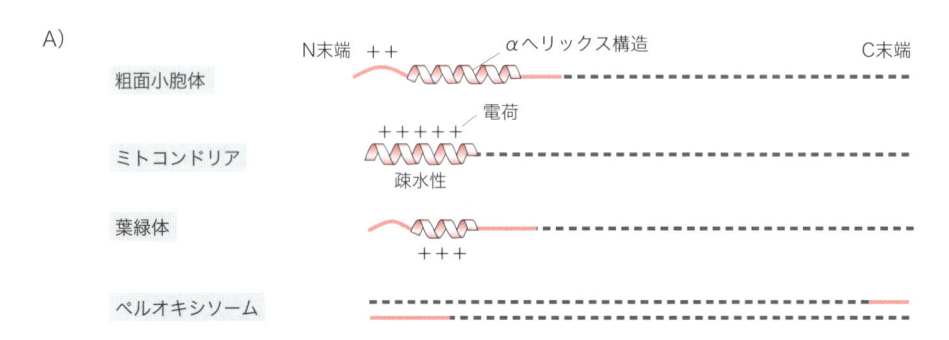

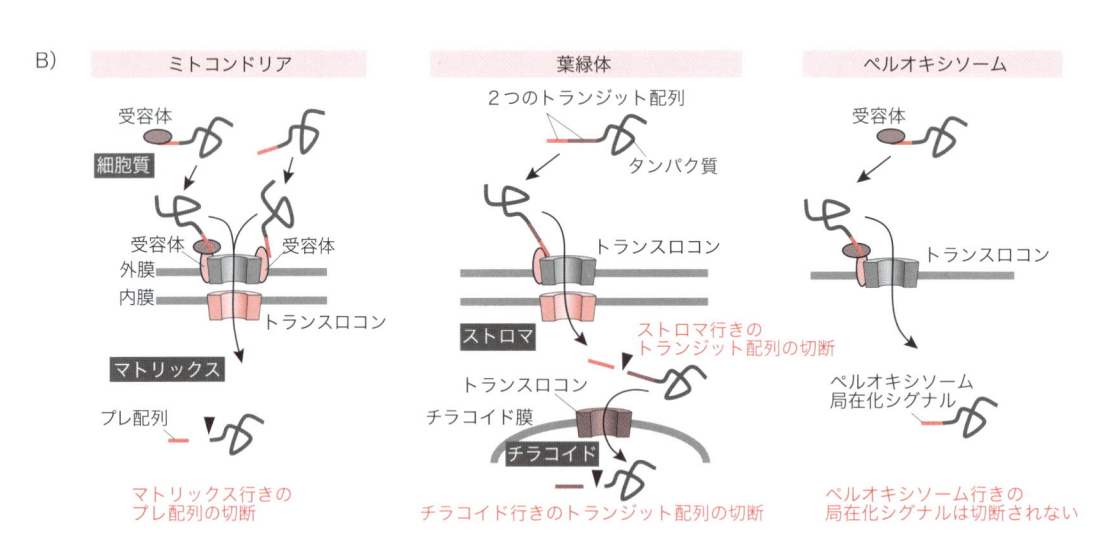

図12-3 **各種の細胞小器官への輸送シグナル**

A）ミトコンドリア，葉緑体へ輸送されるタンパク質のN末端側にはプレ配列（ミトコンドリア）あるいはトランジット配列（葉緑体）が存在する．ペルオキシソームへ輸送されるタンパク質のシグナル配列はC末端側にも存在する．サイトゾルに分布する酵素タンパク質や構造タンパク質などにはこのようなシグナル配列はみられない．B）ミトコンドリア，葉緑体，ペルオキシソーム行きのタンパク質は，それぞれの細胞小器官の膜に存在する受容体と選択的に結合したのち，それらの内部に取り込まれる．その際にはタンパク質の立体構造がほどかれた状態でトランスロコンを通過する．そして，内部に取り込まれた後，立体構造が形成される．ほとんどの場合，目標の細胞小器官に取り込まれたあと，そのシグナル配列は切断される

過程で膜に組み込まれる（**図12-4B**）．膜貫通タンパク質は，膜貫通領域となるシグナル停止配列[※3]を含んでいる．シグナル停止配列がトランスロコンに認識され，その構造の違いや，タンパク質中に含まれる数の違いなどにより，膜に組み込まれる向きや，膜を貫通する回数が決まる（**図12-5**）．

小胞体における高次構造形成と翻訳後修飾

　タンパク質が機能をもつには，適切な立体構造を形成するとともに，タンパク質の可逆的な機能変化をもたらす化学修飾（翻訳後修飾）を受ける必要がある．

　タンパク質の立体構造が形成される過程は**タンパク質の折りたたみ**（protein folding）と呼ばれ，それを介助しているのが**シャペロン**（chaperone）と呼ばれるタンパク質であり，この作業は主に小胞体で行われる（p.150 コラム参照）．タンパク質の折りたたみを誘起している分子内相互作用は非共有結合が中心であるが，酸化的環境が保たれている小胞体内腔ではシステイン残基同士の**ジスルフィド結合**（disulfide bond）も形成される．また，翻訳後修飾として小胞体で合成されるタンパク質の多くに**糖鎖**（sugar chain，一般に，オリゴ糖）が付加される（糖鎖付加）．付加された糖鎖は，タンパク質の親水性や安定性に影響を及ぼすだけでなく，タンパク質の機能にも重要な役割を果たす場合がある．

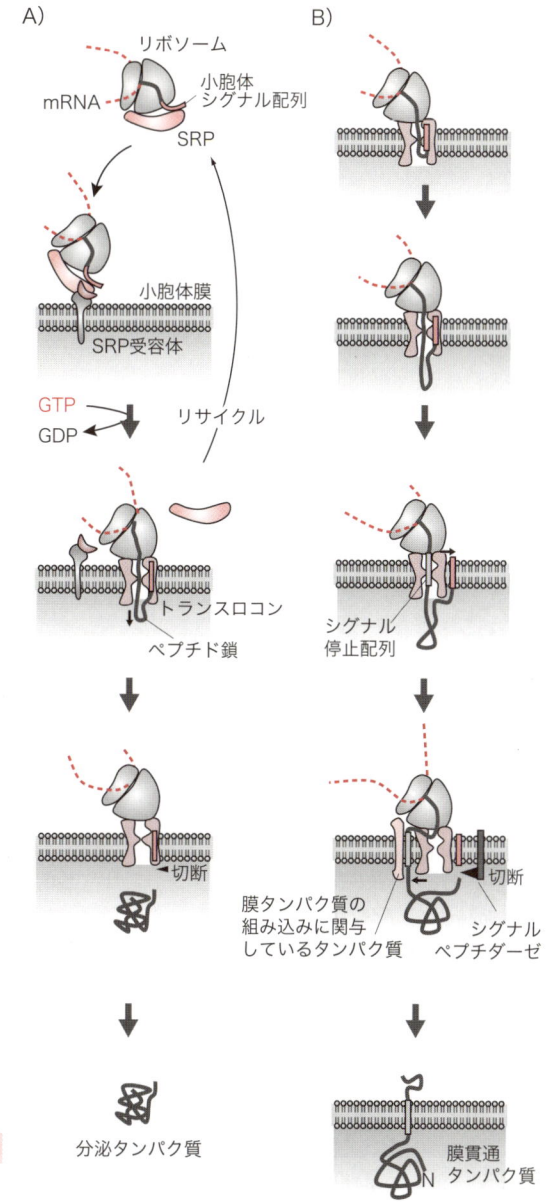

図12-4 **可溶性タンパク質と膜貫通タンパク質の合成**

A）小胞体シグナル配列をもったタンパク質を合成中のリボソームは，SRPとその受容体を介して小胞体膜に結合される．そして，膜結合ポリソームとしてタンパク質の合成を行う．図は可溶性タンパク質が合成される過程を示す．B）合成された膜貫通タンパク質が小胞体の膜に組み込まれる過程を示す．シグナル停止配列の部分でトランスロコンに留め置かれたあと，トランスロコンの側面が開かれて小胞体膜に移される．そして，小胞体シグナル配列が切断されると，膜貫通タンパク質ができあがる

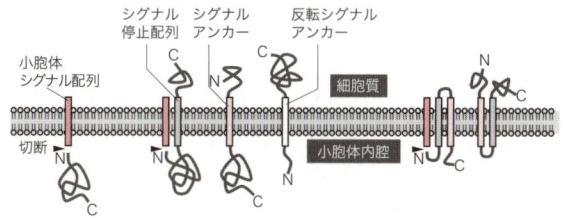

図12-5 **膜貫通タンパク質の膜への組み込み**

膜貫通タンパク質を示す模式図．それぞれのタンパク質に含まれるシグナル配列の種類や数が，膜貫通タンパク質のタイプを決めている

※3　一般に，疎水性の側鎖をもつアミノ酸が並んでαヘリックス構造をとる．

4 小胞輸送

小胞体に取り込まれたタンパク質のうち，そこが最終的な居場所でないタンパク質は，そこから**小胞輸送** (vesicular transport) と呼ばれるシステムによって，まずはゴルジ体に向けて送り出される．その後エンドソーム，リソソーム（植物では液胞），細胞膜，あるいは細胞外へと輸送される．

輸送小胞

小胞輸送による一連の輸送過程では，**輸送小胞** (transport vesicle) と呼ばれる直径50〜150 nmの膜小胞が用いられる．その過程は，①積み荷の取り込みと小胞の出芽，②小胞の移動，③小胞と標的膜との膜融

合による積み荷の受け渡し，からなる（**図12-6A**）．

輸送小胞が出芽する細胞小器官の膜に**コートタンパク質** (coat protein) が細胞質側から結合することで輸送小胞が形成される．コートタンパク質には，クラスリン（**図12-6B**）とアダプチンの複合体，**COP I 複合体** (coat protein complex I)，COP II複合体などが知られており，それぞれ異なる輸送ルートで働いている．例えば，クラスリンとアダプチンの複合体の場合でみると，コートタンパク質が積み荷受容体と結合し，それらが膜上で集合することにより積み荷の選別と小胞の形成が同時に起こる（**図12-6C**）．

輸送小胞は，それぞれの行き先を間違うことなく積み荷を送り届けている．そのしくみは，**SNAREモデル**[※4]（SNARE hypothesis）で説明されている．SNAREモデルは，輸送小胞の膜に局在するv–SNAREと，標的膜に

小胞体で合成されるタンパク質の品質管理 *Column*

小胞体で合成されるタンパク質は，合成と同時に，シャペロンの介助により，折りたたみが進行する．そして，できあがったタンパク質は折りたたみが完全に行われたかどうかチェックされる．折りたたみが不完全なものはその場に引き留められ，再度，折りたたみが試みられる（**コラム図12-1**）．それは，折りたたみのうまくいかない異常なタンパク質が存在すると，細胞の機能異常や，異常な凝集体の形成などが引き起こされてしまうからである．完全に折りたたまれたものは次のステップであるゴルジ体へと輸送される．しかしながら，何らかの異常のために完全に折りたたむことができないものについては，小胞体から細胞質に輸送されて，プロテアソーム（**本章8**参照）によって分解処理されてしまう．このような一連の作業はタンパク質の品質管理と呼ばれている．

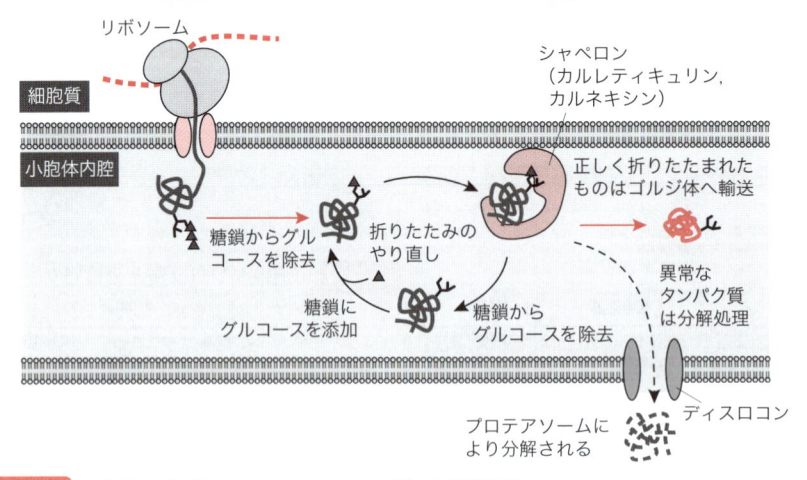

コラム図12-1 小胞体の内腔で行われるタンパク質の品質管理
小胞体で合成されたタンパク質は，その折りたたみに異常がないかどうかシャペロンによりチェックされてから，正常に折りたたまれたものだけがゴルジ体に輸送される．折りたたみが完了すると糖鎖から3つのグルコースがすべて除去される

局在するt-SNAREとが特異的に結合することにより、輸送小胞が目的の細胞小器官を認識し、**膜融合**（membrane fusion）を引き起こすというモデルである（**図12-6D**）．輸送ルートごとに異なったv-SNAREとt-SNAREのペアが使い分けられていることが明らかにされている．

輸送小胞が細胞内を移動するのに、細胞骨格が使われている．神経細胞の軸索のように長い距離を移動する場合には、微小管と微小管モータータンパク質が用いられ、短い距離の移動ではアクチンフィラメントとミオシンモーターが関与する（図16-2、図13-3参照）．

小胞輸送による細胞内輸送

小胞体で合成されたタンパク質のうち、輸送されるタンパク質は、小胞体膜から出芽する輸送小胞に詰め込まれ、ゴルジ体に向けて送り出される．輸送小胞がゴルジ体のシス側の領域で膜融合することにより、輸送小胞の成分はゴルジ体に送り届けられる．受け取ったタンパク質は、ゴルジ体のシス側からトランス側に移行する過程で、それらに結合しているオリゴ糖の修飾や、新たなオリゴ糖の付加などが順次行われる（これを糖鎖のプロセシングという）．ゴルジ体内をみると、各々の糖転移酵素はタンパク質の輸送と同期して効率よく糖鎖が付加で

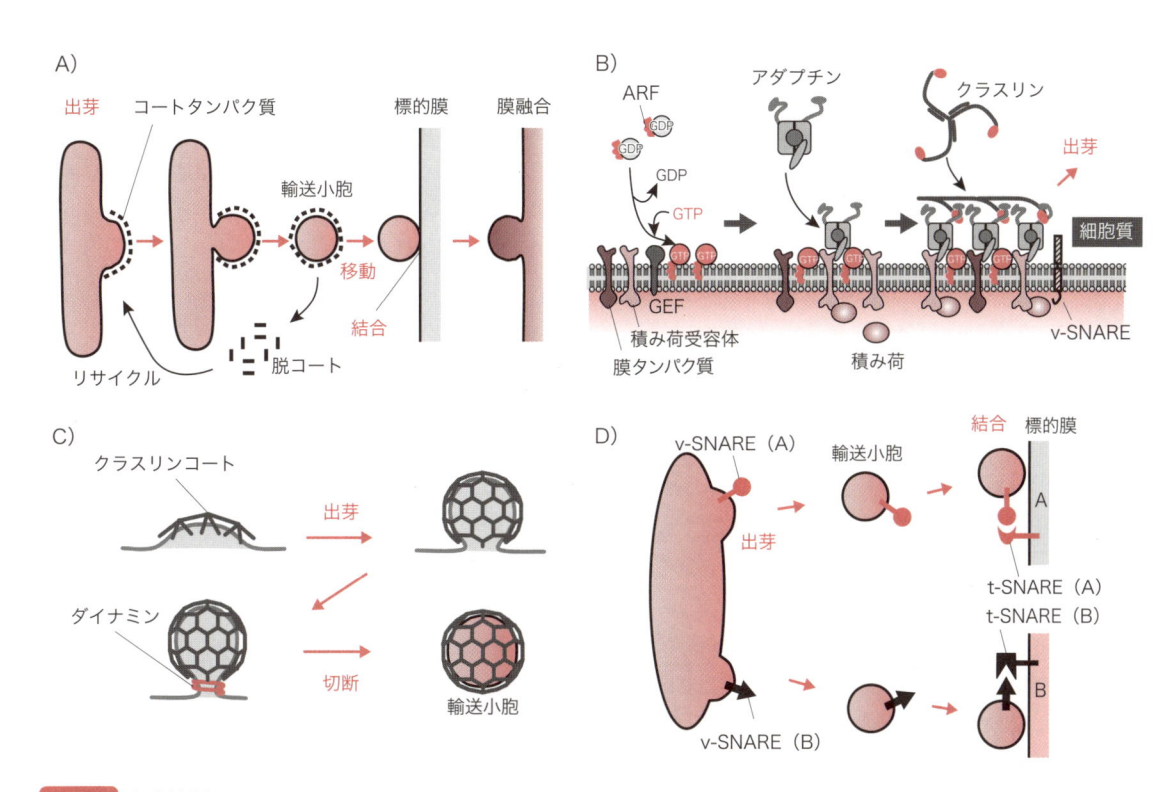

図12-6 小胞輸送

A）輸送小胞による膜区画の間の物質輸送．小胞体で合成されたタンパク質は、コートタンパク質の働きにより形成された輸送小胞に詰め込まれる．輸送小胞は、標的膜（例えば、ゴルジ体）まで運搬される．標的膜と結合した小胞は、コートタンパク質が外れて標的膜と膜融合することにより、輸送小胞内部の積み荷と膜成分を輸送先に引き渡す．B）輸送小胞の形成．ARFと呼ばれるGタンパク質のGDPが、GEF（GDPとGTPの交換因子）の作用によりGTPと交換されて活性化されると、コートタンパク質が膜タンパク質や積み荷受容体などと結合して、小胞の出芽が引き起こされる．C）コートタンパク質に包まれるようにして平面膜から小胞構造が形成される．その小胞が膜から切り離されると、積み荷を詰め込んだ輸送小胞ができあがる．D）SNAREモデル．細胞小器官から形成される行き先の異なる2種類の輸送小胞が、それぞれの標的膜と間違わずに結合できるのは、輸送小胞に存在するv-SNAREと、標的膜に存在するt-SNARE同士の特異的な結合のためである

※4　SNAREの語源は、<u>SNAP</u> <u>re</u>ceptorの略である．SNAP（soluble NSF attachment proteins）とは、NSF（*N*-ethylmaleimide-sensitive factor）と呼ばれるタンパク質因子（ATP加水分解活性をもつタンパク質複合体）と結合するタンパク質という意味である．そして、NSFは、*N*-エチルマレイミドにより失活するタンパク質という意味である．

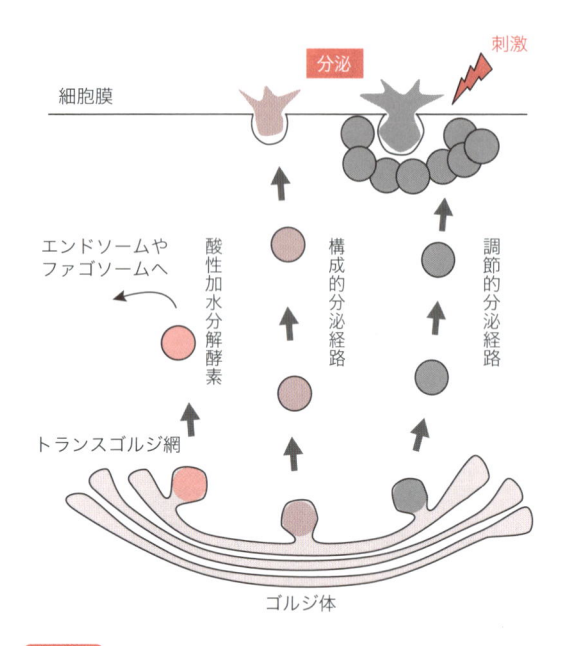

細胞膜

分泌　　　刺激

エンドソームや
ファゴソームへ

酸性加水分解酵素

構成的分泌経路

調節的分泌経路

トランスゴルジ網

ゴルジ体

図12-7 ゴルジ体からの輸送経路
ゴルジ体のトランスゴルジ網で仕分けされたタンパク質は，3つの主要な輸送経路で送り出される．そのうちの2つが，細胞外に分泌される物質の輸送経路である

きるように配置されている．糖鎖の付加が完了すると，トランスゴルジ網と呼ばれる区画で輸送先ごとに選別される．トランスゴルジ網からの輸送経路には，3つの主要なルートがある（図12-7）．その1つは，エンドソームを経てリソソーム（植物では液胞）へと輸送される経路であり，他の2つは**本章5**で述べるタンパク質を細胞外に分泌する経路である．

　小胞輸送では，輸送小胞内に取り込まれた分子だけでなく，輸送小胞を形成する膜脂質も細胞小器官間でやりとりされる．そのため，小胞輸送経路の一部が損傷すると，細胞小器官を出入りする脂質の収支が変化し，細胞内の膜系のバランスが大きく崩れてしまう．また，細胞分裂前後にみられる細胞小器官の分裂や融合でも，小胞輸送のシステムが使われる．つまり，一見安定して存在しているかのように見える細胞小器官は，実は絶え間なく行われている小胞輸送と細胞小器官の分裂，融合の結果成立している動的平衡状態とみなすことができる．小胞輸送や細胞小器官の分裂，融合によって細胞内の膜系がやりとりされる過程をまとめて**メンブレントラフィック**（membrane traffic）と呼ぶ．

5 エキソサイトーシス

　細胞は，細胞内で合成されたさまざまな物質を外界へ分泌する機能をもっている．真核細胞では，分泌小胞と呼ばれる小胞を経由して細胞外へタンパク質が分泌されている．このような分泌はエキソサイトーシス（exocytosis）と呼ばれている．その経路には，**構成的分泌**（constitutive secretion）経路と**調節的分泌**（regulated secretion）経路の2種類がある．前者は，細胞の構造や機能の維持に必要なタンパク質の分泌を恒常的に行っている経路である．一方，後者は，外部からの刺激を受けたときにだけ分泌を行う経路である．あらかじめ細胞内に貯蔵された分泌物を含んだ輸送小胞が，刺激に応じて細胞膜と膜融合し，分泌物が細胞外に放出される．この調節的分泌経路は，消化酵素やホルモンの分泌，神経細胞における神経伝達物質の放出などに用いられる．

6 エンドサイトーシス

　細胞は外部からさまざまな物質を取り込むが，その際，単糖やアミノ酸などのような低分子物質は，細胞膜に存在するチャネルを介して取り込んでいる．その一方で，巨大な分子も取り込まなければならない場合がある．例えば，生体膜の構成成分であるコレステロールを細胞内に取り込む場合には，LDL（low-density lipoprotein）と呼ばれる脂質とタンパク質の複合体（直径20〜30 nmの粒子，血中に存在）の状態で細胞内に取り込む．この場合は，細胞膜が内側に陥入してできる小胞の中に取り込むことになり，この方法は一般に**エンドサイトーシス**（endocytosis）と呼ばれている（図12-8）．エンドサイトーシスはその取り込む小胞の中身により，可溶性成分を含む**ピノサイトーシス**（pinocytosis：飲作用）と，微生物などの固形物を貪食する**ファゴサイトーシス**（phagocytosis：食作用）とに分類されている．ピノサイトーシスにより細胞内に取り込まれた小胞は互いに融合し，さらにトランスゴルジ網からの輸送小胞とも融合してエンドソームを形成する．これがくり返

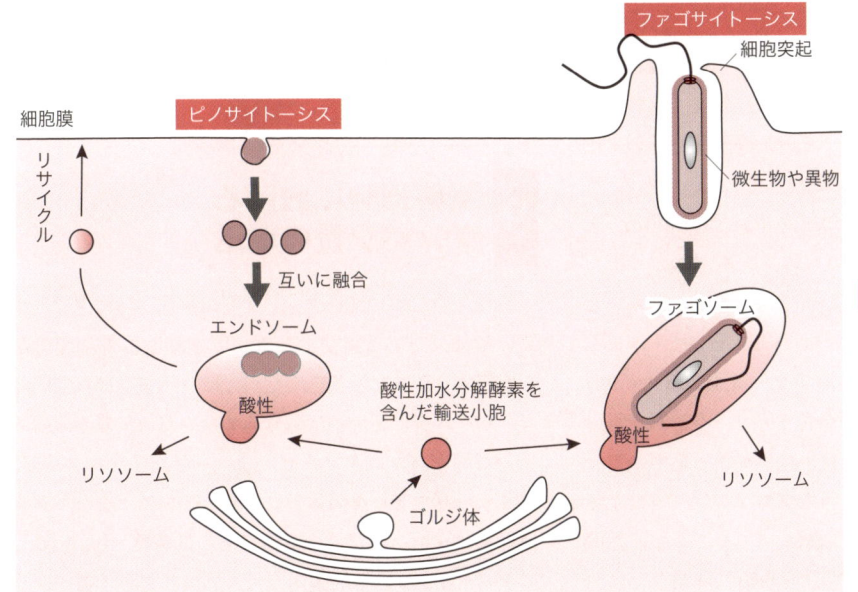

図 12-8 **細胞内への物質の取り込みと細胞内消化**

細胞はエンドサイトーシス（ピノサイトーシスとファゴサイトーシス）と呼ばれる方法により養分や異物などの大型の物質を取り込み，細胞内で加水分解処理している．取り込まれた受容体タンパク質の一部はリサイクルされる

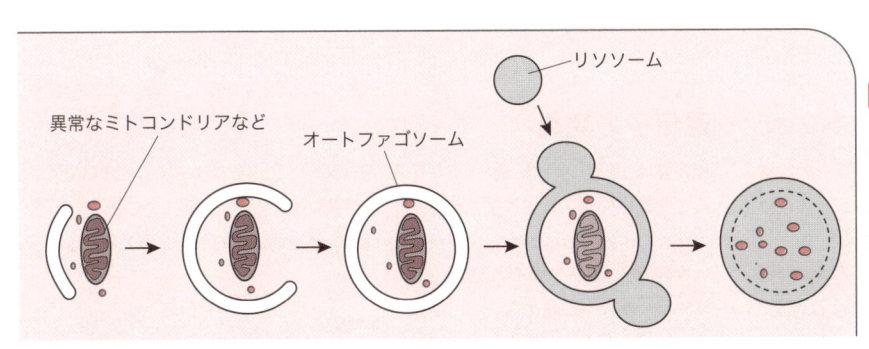

図 12-9 **オートファジーの過程を示す模式図**

細胞質の一部（異常なミトコンドリアなどを含む場合もある）がオートファゴソームに包み込まれたあと，リソソーム（酵母や植物では液胞）と融合することにより分解される

されることにより，エンドソームはリソソーム（植物の場合は液胞）へと成熟する．ファゴサイトーシスの場合も，異物を取り込んだ**ファゴソーム**（phagosome）にトランスゴルジ網からの輸送小胞が融合することによりリソソームへと成熟する．リソソームは酸性加水分解酵素をもち，取り込まれた養分や異物を消化する．

7 オートファジー

　細胞は，細胞内の不要となった分子や異常な物質（例えば，不良ミトコンドリアや異常凝集したタンパク質など）を分解処理するしくみを備えている（図12-9）．これは，真核細胞では主に**オートファジー**（autophagy：自食作用）と**本章 8** のユビキチン・プロテアソームによ

る．オートファジーは，細胞質成分をリソソームで分解するしくみである．細胞質の一部がオートファゴソームという小胞で包み込まれ，それがリソソームと融合することにより，オートファゴソーム内部の細胞質成分が分解される．オートファジーは細胞が飢餓状態になったとき特に活発となり，細胞質を主にランダムに分解して必要な養分を確保する働きをもっている．つまり，外部から養分が得られなくなった細胞は，自身の余分な構造を消化して，それを養分として一時的に用いるということを行っている．一方，細胞内の不良な小器官（ミトコンドリアなど），凝集タンパク質，細胞内に侵入した細菌などはオートファジーによって選択的に認識され，分解される．この機能は細胞内の品質の維持に重要であり，神経細胞などの寿命の長い細胞で特に必要であると考えられている．

8 ユビキチン・プロテアソーム系

ユビキチン・プロテアソーム系は，膜動態を伴わずに特定のタンパク質を選択的に分解するしくみである．

標的とされるタンパク質に**ユビキチン**（ubiquitin）と呼ばれるタンパク質がいくつも結合する（ユビキチン化）．その際のユビキチンの結合はユビキチンリガーゼと呼ばれるタンパク質により行われる．そして，ユビキチン化されたタンパク質は**プロテアソーム**（proteasome）と呼ばれる巨大タンパク質複合体からなるタンパク質分解酵素により認識され，ATPのエネルギーを用いて分解される（図12-10）．このようなプロテアソームによるタンパク質の選択的な分解機構は，さまざまな細胞機能，例えばタンパク質の品質管理や細胞周期などにおいて重要な役割を果たしている．近年，ユビキチンは選択的オートファジーの標識としても使われることも明らかにされた．

9 原核細胞におけるタンパク質の輸送

原核生物においてもタンパク質の輸送，特にタンパク質の菌体外分泌は重要である．原核細胞は外部環境から直接さまざまな栄養を細胞内に取り込まなければいけないが，一般に高分子は取り込めないため，多くの高分子分解酵素（プロテアーゼ，リパーゼ，ヌクレアーゼ，アミラーゼなど）を菌体外に分泌している．また，病原性細菌はタンパク質性の毒素である**外毒素**（exotoxin，エキソトキシン）や細胞内侵入，感染に寄与するタンパク質を菌体外に分泌する．細菌において，タンパク質の

Column

酵母を用いたオートファジー遺伝子の発見

2016年のノーベル生理学・医学賞は大隅良典の「オートファジーのメカニズムの発見」に授与された．オートファジーという現象そのものは，哺乳動物の細胞などですでに1960年前後から知られていた．しかし，それに必要な遺伝子群は長い間不明だった．大隅は単純な真核生物である出芽酵母を用いて見事にそれらを突き止めた．まず，出芽酵母の液胞（リソソームに相当する，より大型の小器官）の顕微鏡観察から，出芽酵母にもオートファジーのしくみが備わっていることを発見した[1]．この発見は，液胞の分解酵素を欠いた酵母細胞では，本来分解されるべきオートファゴソームの中身（細胞質成分）が，液胞内の球状の構造体として観察されたことに発端する（**コラム図12-2**）．次に，出芽酵母のゲノム遺伝子にランダムに変異を導入することで，オートファジーを起こすことができない酵母細胞株を単離した．1993年に発表された論文[2]では，その後のオートファジーを分子レベルで理解するうえでの宝となる15種類のオートファジー不能変異株が報告された．続いて，これらの変異株のゲノム変異部位を特定することによって，オートファジーに必要な遺伝子（現在では*ATG*遺伝子と呼ばれる）が次々と同定された．さらに，*ATG*遺伝子群が高等動植物を含む多くの真核生物で保存されていることもすみやかに明らかになった．このようにして，出芽酵母の遺伝学を用いて行われたオートファジー遺伝子群の発見がブレークスルーとなり，オートファジーの研究は爆発的展開を迎えることとなった．

参考文献

1) Takeshige K, et al：J Cell Biol, 119：301-311, 1992
2) Tsukada M & Ohsumi Y：FEBS Lett, 333：169-174, 1993

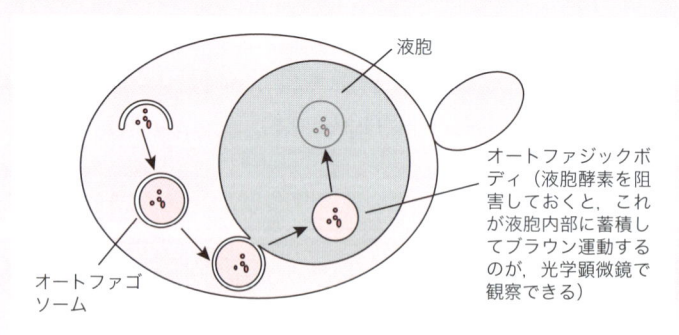

液胞

オートファジックボディ（液胞酵素を阻害しておくと，これが液胞内部に蓄積してブラウン運動するのが，光学顕微鏡で観察できる）

オートファゴソーム

コラム図12-2 酵母細胞のオートファジーの模式図

細胞質の一部をとり囲んだオートファゴソームが形成され，それが液胞（動物のリソソームに相当する酸性小器官）と融合すると，オートファゴソームの中身が液胞内に放出され，分解される

細胞膜透過は真核細胞の小胞体膜透過と類似のシステムを介して行われる（図12-4参照，一般に分泌タンパク質はN末端に分泌シグナル配列を有しており，膜透過後，この配列は切断される）．グラム陰性細菌（9章4

参照）では細胞膜だけでなく外膜を越えてタンパク質を分泌するための特殊な装置を有している．宿主細胞に直接病原因子（エフェクター）を打ち込むための注射針のような構造体（ニードル複合体）はその一例である．

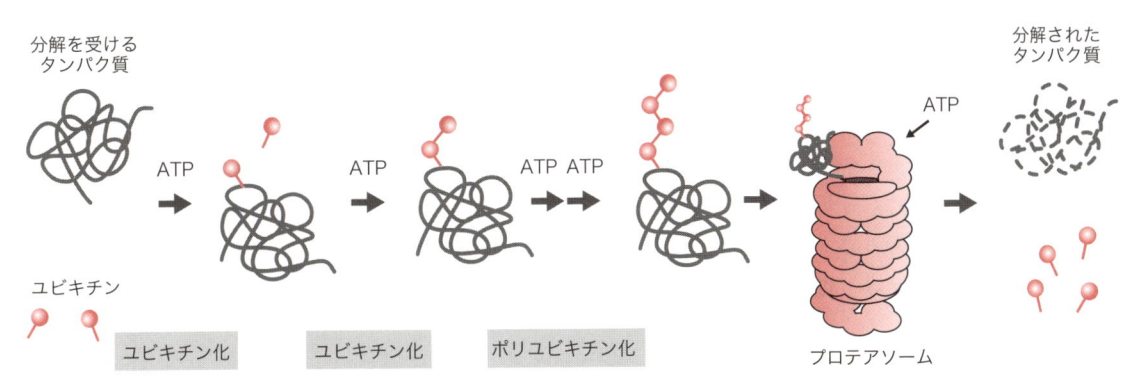

図12-10　ユビキチン-プロテアソームによるタンパク質分解
細胞内には，プロテアソームと呼ばれる巨大タンパク質複合体が存在する．プロテアソームの機能は，タンパク質の選択的な分解である．プロテアソームで分解されるタンパク質は，ユビキチンによって目印をつけられる．1つのタンパク質に複数のユビキチンが結合し（ポリユビキチン化），次にプロテアソームで分解を受ける．ユビキチン化，プロテアソームによる分解ともに，ATPを必要とする

本章のまとめ　　　Chapter 12

☐ タンパク質合成はポリソームで行われ，細胞内外の適切な場所へ輸送される．真核細胞では，タンパク質にシグナル配列が付加されている．

☐ 遊離ポリソームでは，核，ミトコンドリア，葉緑体，ペルオキシソームなどで必要とされるタンパク質や細胞質で働くタンパク質が合成される．

☐ 膜結合ポリソームでは，小胞体，ゴルジ体，エンドソーム，リソソーム（植物では液胞），細胞膜に輸送されるタンパク質や分泌タンパク質が合成される．タンパク質は小胞体で高次構造を形成し，翻訳後修飾を受ける．

☐ 正常なタンパク質は，小胞輸送により目標へ輸送される．輸送小胞が標的膜と結合できるのは，輸送小胞の膜と標的膜に存在するSNARE同士が選択的に結合するためである．

☐ 真核細胞では，合成された物質はエキソサイトーシスにより細胞外へ分泌される．

☐ 真核細胞では，大型の分子や異物を細胞膜に包み込んで取り込むエンドサイトーシスが存在する．

☐ 真核細胞では，細胞質成分をリソソームで分解するオートファジーが存在する．

☐ 真核細胞では，標的のタンパク質にユビキチンが結合して，それを目印に選択的にタンパク質を分解するしくみも存在する．

☐ 原核細胞では，細胞膜を介して，細胞外に直接分泌する経路がある．こうして多くの高分子分解酵素，例えば病原性細菌は外毒素や感染に寄与するタンパク質を菌体外に分泌する．

13章　細胞骨格と細胞運動

　真核細胞には細胞骨格と総称される繊維構造が発達し，原核細胞より大きく複雑になった細胞の形態の維持や細胞内の極性の形成などに寄与している．細胞運動は，細菌をはじめ，動物，植物を問わず，すべての細胞に備わる基本的な生命現象である．細菌の鞭毛運動，動物細胞の繊毛や鞭毛の運動，筋細胞の収縮運動，そして，細胞内では物質の輸送，細胞分裂，植物細胞の原形質流動など，さまざまな運動が行われている．細菌の鞭毛運動を除き，真核生物における細胞運動は，細胞骨格とモータータンパク質の相互作用によるものである．本章では，それらの細胞運動の基本的なしくみについて解説する．細胞運動には，必要に応じて動くように制御する機構が存在する．ここでは，筋細胞の収縮と弛緩を制御するしくみについても扱う．

1　細胞骨格

　真核細胞の細胞質には，**細胞骨格**（cytoskeleton）と呼ばれる繊維構造が存在する（図13-1）．動物細胞の細胞骨格には，**アクチンフィラメント**（actin filament），**微小管**（microtubule），**中間径繊維**（intermediate filament）の3種類の繊維がある．植物細胞はアクチンフィラメントと微小管のみをもつ．細胞骨格は，細胞の形態の維持，細胞の運動，細胞内の物質輸送，細胞分裂などのさまざまな機能にかかわっている．一方，原核細胞では，このような繊維構造は発達していない．

アクチンフィラメント

　アクチンフィラメント（直径5〜9 nm）は，**アクチン**（actin）と呼ばれる球状の単位タンパク質がらせん状に重合して構成されている（図13-1B）．その構造は動的で，繊維構造の構築（**重合**：polymerization）と崩壊（**脱重合**：depolymerization）が頻繁に繰り返されている．アクチンはATPやADPと結合する性質があり，ATPとADPのどちらと結合しているかによってその三次構造が変化する．その三次構造の変化が，アクチンの重合や脱重合の際に重要な役割を果たしている．アクチンは一定の向きに連なって重合するので，形成された繊維には極性がある．繊維の両端は**プラス端**（plus end）と**マイナス端**（minus end）と呼ばれ，ア

クチンの重合と脱重合の速度はプラス端で速く，マイナス端では遅い（プラス端の1/10程度）．細胞内には，**アクチン結合タンパク質**（actin-binding protein）と総称される数多くの種類のタンパク質が存在し，それらは細胞の機能に合わせてアクチンフィラメントの重合や脱重合を調節している．

微小管

　微小管は，単位タンパク質が円筒状に重合して形成された，直径が24〜25 nmの管状の構造である（図13-1C）．単位タンパク質は，**α-チューブリン**（α-tubulin）と**β-チューブリン**（β-tubulin）と呼ばれる2種類のタンパク質からなる二量体である．微小管にも極性があり，末端にβ-チューブリンが存在する側がプラス端で，その反対側がマイナス端である．微小管も重合と脱重合を繰り返す動的な構造であり，重合にはβ-チューブリンにGTPを結合した二量体が加わることが必要で，微小管中でβ-チューブリンのGTPが加水分解されると脱重合しやすくなる．微小管の重合と脱重合の速度は，プラス端のほうがマイナス端より速い．微小管の重合と脱重合は，**微小管結合タンパク質**（microtubule-associated proteins：MAPs）により制御されている．

　細胞内に存在する微小管は，核膜付近に存在する**中心体**（centrosome，17章**1**参照）を重合の基点として，そこから放射状に伸びている．微小管の極性は中心体側がマイナス端で，細胞の外縁部がプラス端となってい

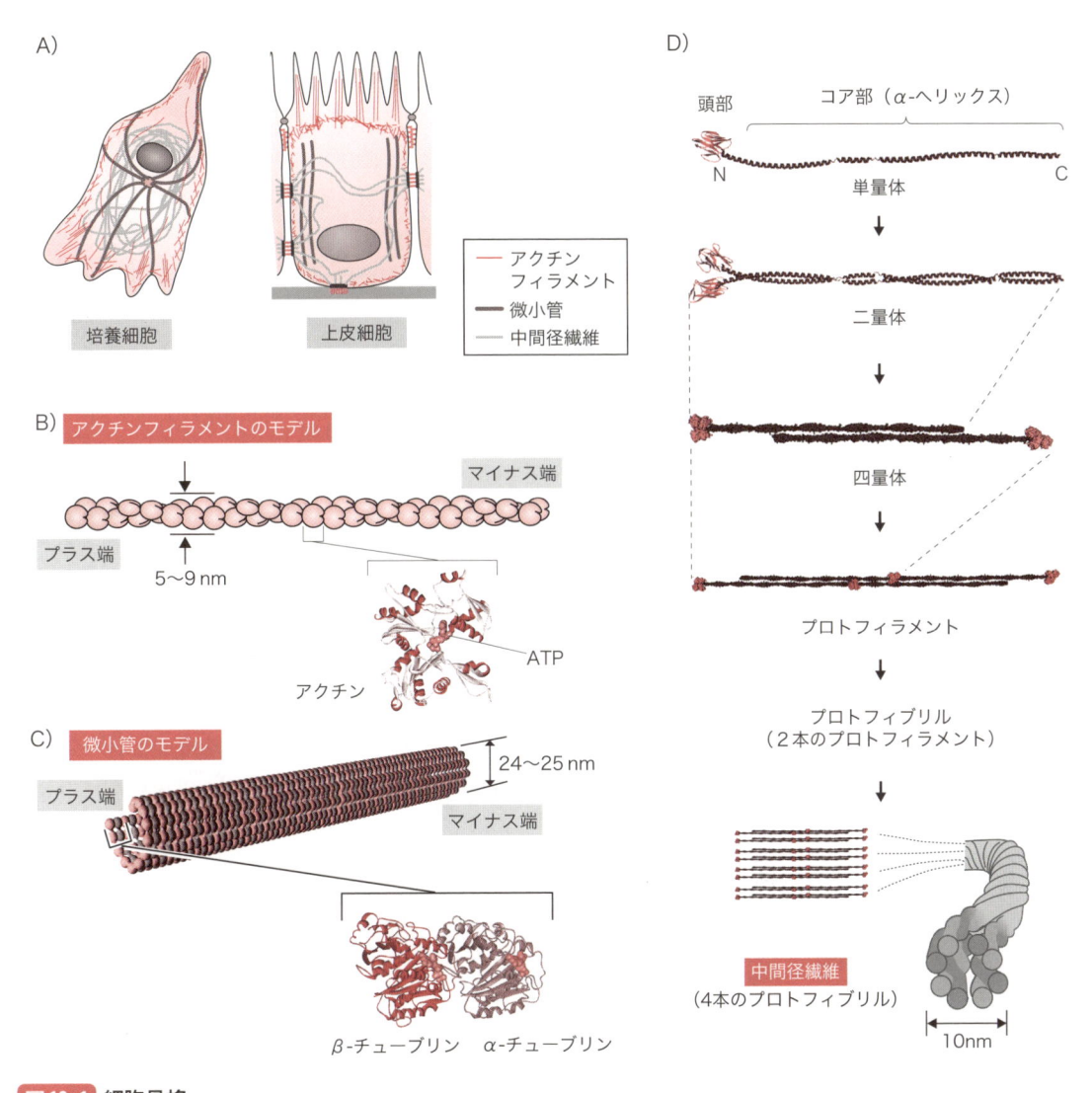

図13-1 細胞骨格

A) 3種類の細胞骨格繊維の分布. B) アクチンフィラメント. アクチンが一定の向きに並んでらせん構造をつくるので, アクチンフィラメントは極性をもつ. C) 微小管. α-チューブリンとβ-チューブリンの二量体が単位となり一定の向きに並んで管状構造をつくるので, 微小管は極性をもつ. D) 中間径繊維. 単位タンパク質分子の二量体が逆平行に会合して四量体を形成し, それが重合して繊維を形成するので, 中間径繊維全体としては極性をもたない. BCDは駒崎伸二博士のご厚意による

る. 細胞内の微小管は細胞内輸送における輸送路となる. また, 細胞分裂のときには, 2つの中心体から伸びた**紡錘糸**(spindle fiber, 微小管からなる)が姉妹染色分体の分離と両極への移動に重要な役割を果たしている(**コラム図13-4**参照).

中間径繊維

中間径繊維の直径は, アクチンフィラメントと微小管の直径の中間(約10 nm)なので, その名称がつけられた(**図13-1D**). 中間径繊維も, 単位タンパク質が重合して形成された繊維であり, 細胞の種類によりさまざまなタイプが存在する. 例えば, 表皮細胞のケラチン, 筋細胞のデスミン, 繊維芽細胞のビメンチン, そして, 神経細胞のニューロフィラメントなどである. 重合する際に単位タンパク質が逆平行に会合するため, 繊維構造には極性がない. さらに, 重合と脱重合を頻繁に繰り

返しているアクチンフィラメントや微小管などに比べて，中間径繊維は比較的に安定した状態で細胞内に存在しており，細胞構造の強度の保持など，あまり動的な変化を必要としない機能に関与している．

2 細胞運動

細菌の鞭毛は真核細胞の鞭毛とは異なり，フラジェリンというタンパク質が直径20 nmの管状に重合して細胞膜の外に形成されたらせん型の繊維構造である．細菌の鞭毛運動は，細胞膜の内外に形成されたH^+の濃度勾配を利用して駆動する回転分子モーターによるものである．細胞膜に存在するモーターが回転することにより，それにつながるらせん状の鞭毛を回転させ，菌体の

推進力を得る．細菌は，外界からの刺激に応じて鞭毛の回転運動を制御することにより，方向転換を行い，栄養や温度などが最適な環境に移動することができる（p.158コラム参照）．

一方，動物細胞の繊毛運動や筋細胞の収縮運動，そして植物細胞の原形質流動などは，細胞骨格およびそれと相互作用する**モータータンパク質**（motor protein）の働きによるものである．モータータンパク質がATPの結合と加水分解に伴って立体構造を変化させながら細胞骨格と相互作用することが，真核細胞の細胞運動に共通するしくみである．

真核細胞の細胞運動に関与している細胞骨格はアクチンフィラメントと微小管である．これらの繊維構造に極性が存在することが，運動機構にとって重要な意味をもつ．すなわち，アクチンフィラメントと微小管には，それらの両端をプラス端とマイナス端と区別できる繊維

細菌の鞭毛運動

Column

多くの原核細胞は生存に有利な条件を求めて移動運動を行う．その手段の1つとしてよく知られているのが鞭毛運動である．この鞭毛は，真核細胞の鞭毛とは，その構造や運動のしくみが全く異なるものである．真核細胞の鞭毛や繊毛の運動がATPの加水分解を利用して行われているのに対して，原核細胞の鞭毛運動は，膜を隔てたH^+の濃度勾配から生じるエネルギーを用いて行われている（**コラム図13-1**）．このしくみは，ミトコンドリアに存在するF型ATP合成酵素とよく似ている（図10-10参照）．細菌はこの鞭毛運動を制御して，外界の物質に反応した移動運動を行っている．例えば，特定の物質に対する走化性や忌避反応などである．その際の移動方向のコントロールは，鞭毛の回転運動の向きの変換により行われる．そのような運動を行うために，外界の物質の存在を感知するための受容体や，受容体からの情報を鞭毛に伝えて回転運動をコントロールするためのシグナル伝達システムなどが，細菌には備わっている．

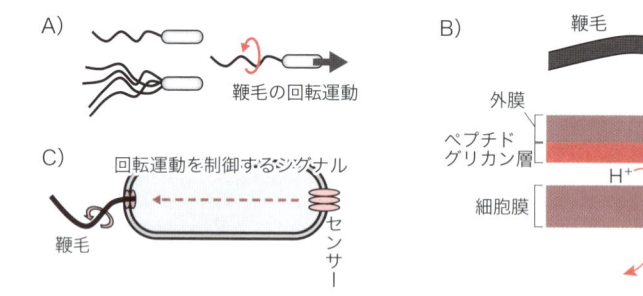

コラム図13-1 細菌の鞭毛運動

A）鞭毛の回転による細菌の移動運動．B）鞭毛を回転させているモーターの模式図．細胞膜（内膜）を隔てたH^+の濃度勾配（細胞内が低濃度）によるH^+の移動が回転エネルギーの原動力になっている．ローターの周囲にはH^+の通路をもつタンパク質が円筒状に並んでいる．細胞外から細胞内にH^+が流れ込むとローターが回転する．ローターの回転はらせん状の鞭毛繊維に伝わり，鞭毛を毎分100～1,000回転させる．C）細菌は細胞膜に存在するセンサーで化学物質を感知し，鞭毛の回転運動を制御している．細胞膜を隔てたH^+の濃度勾配は，細胞膜に存在するH^+ポンプにより維持されている

の極性があり，モータータンパク質はこれを認識して，決まった向きに（一方向に）運動を行う．細胞内で，微小管は中心体側をマイナス端，細胞外縁部側をプラス端として放射状に配向し，アクチンフィラメントは細胞膜近くで膜側をプラス端として配向している．筋肉や鞭毛，細胞分裂時の紡錘体などにおいても，アクチンフィラメントや微小管はある一定の配向をとっている．それらの細胞骨格の上をモーター分子が一方向に運動することが，物質輸送，収縮，移動など，生物にとって意味のある合目的な運動を生み出すことになる．

な運動は，筋肉の収縮運動である．ミオシンはまた，多くの細胞に普遍的に存在し，さまざまな細胞運動にかかわっている．例えば，細胞内の物質輸送，細胞の移動運動，細胞分裂時の細胞質の分裂などである．一方，微小管と相互作用して細胞運動を行うモータータンパク質には，**ダイニン**（dynein）と**キネシン**（kinesin）の2種類が存在する．これらは，鞭毛や繊毛の運動，細胞分裂における染色体の分離，細胞小器官の移動，小胞やRNA，タンパク質の運搬など，さまざまな役割を果たしている．

3 モータータンパク質

アクチンフィラメントと相互作用して運動を行うモータータンパク質は**ミオシン**（myosin）で，その代表的

■ ミオシン

ミオシンには多くのタイプが存在するが，アクチンフィラメントとの結合やATP加水分解を行う頭部（モータードメイン）の構造は基本的に共通である．さまざまなミオシンのタイプの間では，頭部以外の分子構造や運動の性質などに違いがみられる．それらの中でよく知ら

ミオシン分子の立体構造の変化と筋収縮

Column

ミオシンの頭部には，ATP結合部位とアクチン結合部位が存在する．筋肉にみられるタイプⅡミオシンでは，その頭部はαヘリックス構造からなる頸部と尾部につながり，尾部は互いに会合して太いミオシンフィラメントを形成している．ミオシンの頭部と頸部の立体構造は，ATPの結合とその加水分解，ADPと無機リン酸の遊離に伴って大きく変化し（**コラム図13-2**），その構造変化が筋細胞の収縮の原動力になっている．1つの頭部の1回の構造変化ではアクチンフィラメントとミオシンフィラメントがずれる距離は短い（5nm程度）が，この構造変化が高速に繰り返され，かつ多数の頭部が非同期的にアクチンフィラメントに働くことにより，繊維間のずれの速さは毎秒10μm程度になる．筋肉では多数のサルコメアが繰り返し直列に並んでいるために，長い距離の筋収縮が短時間に引き起こされる．

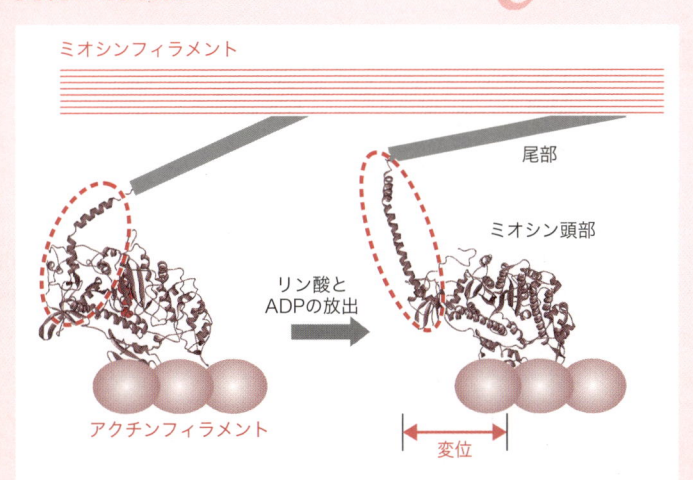

コラム図13-2 ミオシン分子の立体構造の変化と収縮

無機リン酸とADPがミオシンの頭部から遊離すると，アクチンフィラメントと結合したミオシンの立体構造が大きく変化し，アクチンフィラメントとミオシンフィラメントの間の変位が生じる．この変位が筋収縮のもとになっている．赤い破線で示した頸部や，頸部と頭部の結合部を中心に立体構造の大きな変化がみられる（変化がわかりやすいように，頸部に結合している軽鎖を省略して示している）．駒崎伸二博士のご厚意による

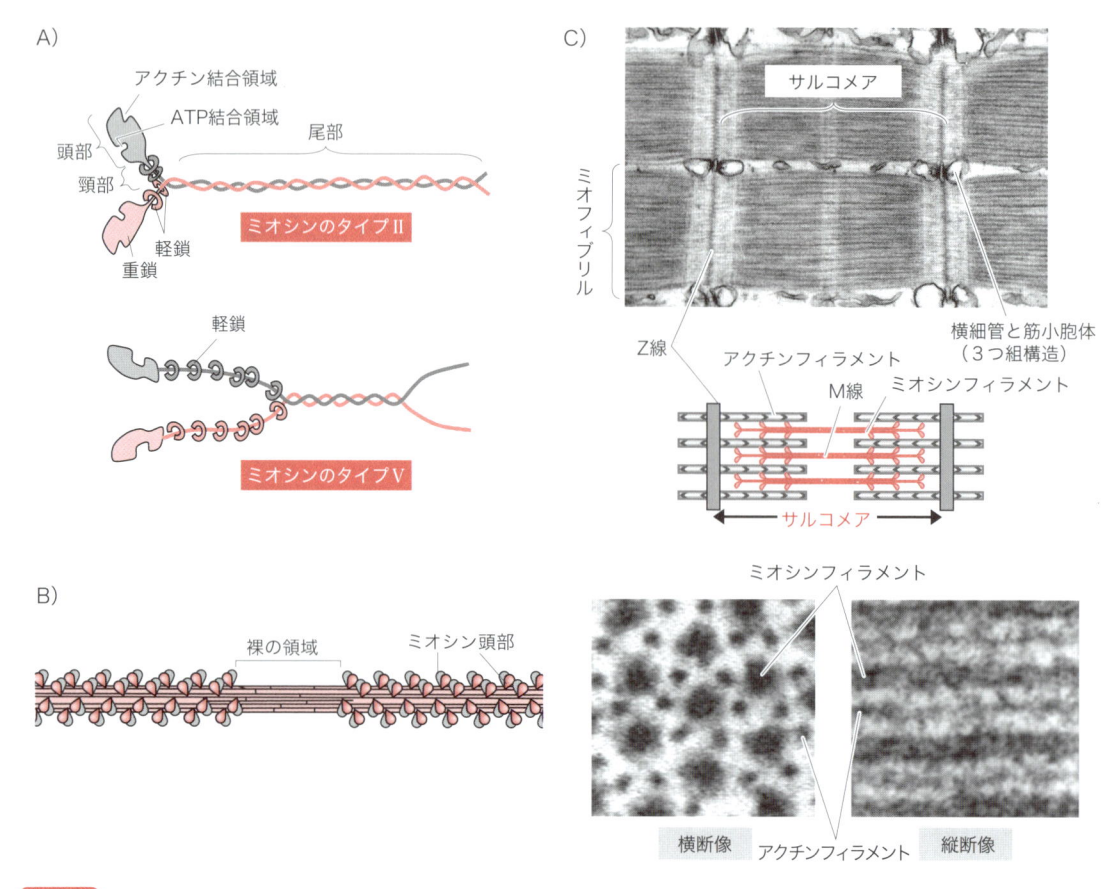

A) 代表的な2種類のミオシンの模式図. それぞれ, 2本の重鎖といくつかの軽鎖からなる. 重鎖の頭部には, ATPを結合して加水分解する領域と, アクチンと結合する領域がある. B) ミオシンタイプⅡの尾部が会合して形成されたミオシンフィラメント. 中央を境にミオシンの分子の配向が逆転し, 全体として両極性の太いフィラメントとなる. C) 両生類の骨格筋のサルコメアを示す電子顕微鏡写真とその模式図. Cは駒崎伸二博士のご厚意による

図内ラベル:

A) アクチン結合領域 / ATP結合領域 / 頭部 / 頸部 / 尾部 / 軽鎖 / 重鎖 / ミオシンのタイプⅡ / 軽鎖 / ミオシンのタイプⅤ

B) 裸の領域 / ミオシン頭部

C) サルコメア / ミオフィブリル / Z線 / アクチンフィラメント / M線 / ミオシンフィラメント / 横細管と筋小胞体(3つ組構造) / サルコメア / ミオシンフィラメント / 横断像 / アクチンフィラメント / 縦断像

図13-2 ミオシンの分子構造と筋肉のサルコメア構造

れているのが, 筋細胞で収縮運動を行っているタイプⅡのミオシンである.

タイプⅡのミオシンの本体を構成する重鎖は, 球状の頭部とαヘリックス構造からなる長い尾部をもっている. その頭部と尾部の間に位置する頸部には, 軽鎖と呼ばれる低分子量のタンパク質が結合し, 2本の重鎖の尾部が撚り合わせコイルを形成して二量体化し, 機能的な単位(ミオシン分子)となる(図13-2A). 筋細胞では, このミオシン分子が多数, 尾部で重合して両極性の太いミオシンフィラメントを形成している(図13-2B). 筋細胞の収縮装置の基本単位は**サルコメア**(sarcomere)と呼ばれる構造で, そこではアクチンフィラメントとミオシンフィラメントが向きをそろえて配列した構造を形成している(図13-2C).

ミオシンの頭部は, ATPの結合とその加水分解, ADPやリン酸の遊離に伴って, アクチンフィラメントとの結合と解離, また頭部から頸部にかけての立体構造の変化を引き起こす. この一連の過程については, 分子レベルの構造変化から詳しく調べられている(図13-3A). その結果, ミオシン頭部はアクチンフィラメントのプラス端の方向へ動き, アクチンフィラメントとミオシンフィラメントの間に相対的な位置の変化が生じる. それがサルコメアの中央を境に向きが逆転した両側で行われるので, サルコメアの短縮が引き起こされる. 骨格筋の細胞では, 多数のサルコメアが直列に連なって**ミオフィブリル**(myofibril:筋原繊維)と呼ばれる長い繊維状の構造を形成し, このミオフィブリルが複数, 並列に並んでいるので, サルコメアが一斉に収縮すると大き

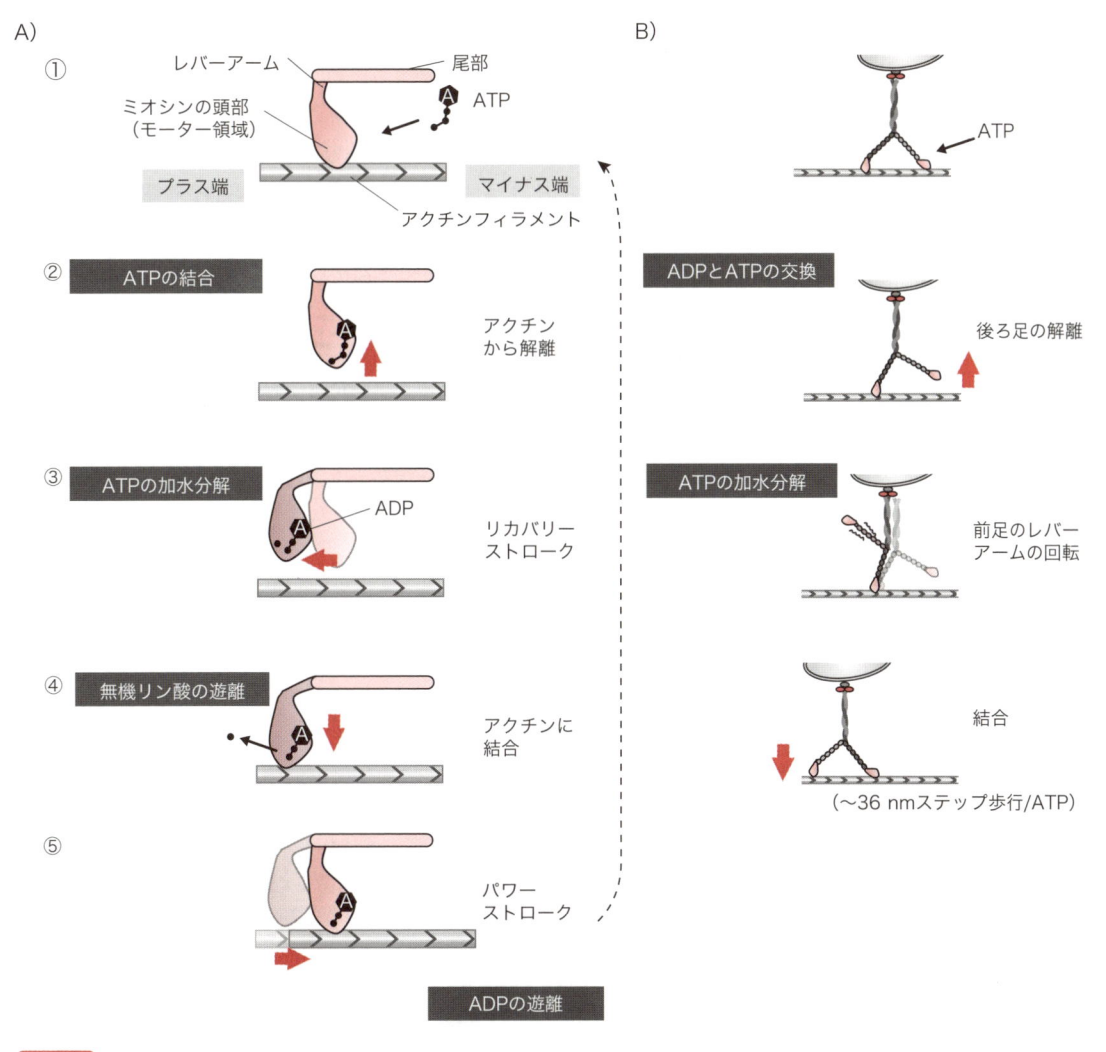

A)

① レバーアーム　尾部
ミオシンの頭部（モーター領域）　ATP
プラス端　マイナス端
アクチンフィラメント

② ATPの結合
アクチンから解離

③ ATPの加水分解
ADP
リカバリーストローク

④ 無機リン酸の遊離
アクチンに結合

⑤ パワーストローク

ADPの遊離

B)

ATP

ADPとATPの交換
後ろ足の解離

ATPの加水分解
前足のレバーアームの回転

結合

（〜36 nmステップ歩行/ATP）

図13-3 アクチンフィラメントとミオシン分子の相互作用による運動

A）ミオシンの頭部および頸部は，ATPの結合，ATPの加水分解，そして，ADPやリン酸の遊離などにより，その立体構造が変化する．その変化が繰り返されて，アクチンフィラメントとの相対的な変位（位置のずれ）が生じる．B）積み荷を結合したミオシンのタイプVは，2つの頭部を交互に使い，ATPの加水分解とアクチンフィラメントとの結合・解離を繰り返しながら，アクチンフィラメントのプラス端に向かって二足歩行するように移動する

な運動となり強い収縮力を発生する．

　ミオシンの運動については，筋細胞の収縮運動の他に，アクチンフィラメントに沿った輸送小胞（分泌小胞など）の運搬が知られている．それを行っているのがミオシンのタイプVである．基本的な運動のしくみは，筋細胞の収縮を行っているミオシンのタイプⅡと同じである．つまり，頭部がATPの加水分解に伴って，アクチンフィラメントとの結合と解離や自身の立体構造の変化を繰り返しながら，尾部に結合した積み荷の小胞をアク

チンフィラメントに沿って輸送している．ミオシンVの2つの頭部があたかも二足歩行するような方法で，アクチンフィラメント上をマイナス端からプラス端に向かって移動する（図13-3B）．また，アクチンフィラメント上を逆方向に（プラス端からマイナス端に向かって）エンドソームなどの積み荷を輸送する，別のタイプのミオシンも存在する．

　植物の細胞質でみられる原形質流動は，植物に特有なタイプの高速のミオシンが，細胞膜の内側に沿って並ん

だアクチンフィラメントの上をプラス端に向かって動くことにより，引き起こされている．また，アメーバ運動のように，細胞自身が移動運動する際にもアクチンフィラメントとミオシンがかかわっている．そこではアクチンフィラメントの重合と脱重合による細胞骨格の再構築とモータータンパク質による収縮や輸送が行われている（p.162 コラム参照）．

キネシン

キネシンはミオシンよりやや小さいが，その構造はミオシンとよく似ている（図13-4）．球状の頭部（モータードメイン）には微小管と結合する領域とATPを結合して加水分解する領域があり，尾部には細胞小器官や輸送小胞などの積み荷と結合する領域がある．運動の基本的なしくみはミオシンと同様で，ATPの加水分解に伴って自身の立体構造を変化させながら，微小管のプラス端に向かって移動運動をする．

キネシンの役割は大きく分けて2つあり，細胞内の物質輸送と細胞分裂時の紡錘体の機能である．キネシンにもさまざまなタイプがあり，組織や時期によって，あるいは1つの細胞内であっても，複数のタイプのキネシンが役割分担をしながら働いている．紡錘体を形成して染色体を分離する過程においては，微小管のプラス端に向かって運動する複数のタイプのキネシンのほか，微小管のマイナス端に向かうタイプのキネシンや，微小管の脱重合を促進するタイプのキネシンも働いている（p.163 コラム参照）．

ダイニン

ダイニンはキネシンと同様に微小管上を運動するモー

細胞の移動運動と細胞骨格の再構築

Column

細胞の一定方向への移動運動は，進行方向への細胞突起の形成，基質への細胞突起の接着，細胞後部における基質との接着の切り離し，進行方向への細胞の収縮など，一連の動作を繰り返すことにより行われる（コラム図13-3A）．その際の細胞内では，細胞骨格繊維の解体と再構築，そして膜脂質の輸送などが活発に行われている（コラム図13-3B）．細胞骨格繊維は後部で解体され，解体されたものがモータータンパク質により前方に輸送される．前方では，それを用いて，細胞突起形成に必要な細胞骨格構造の再構築が行われる．また，前方部に新たな細胞突起が形成されるためには，細胞骨格のほかに細胞膜も必要となる．そのために，細胞の後部から小胞として取り込まれた膜脂質は，モータータンパク質により前方に輸送され，細胞突起形成のための材料として補給される．

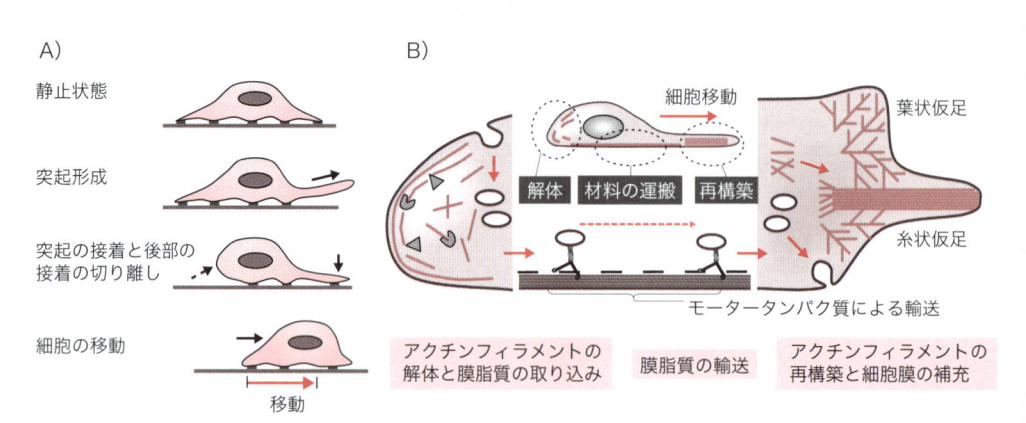

コラム図13-3 細胞の移動運動
A）細胞の移動のしくみを示すモデル．B）細胞移動の際に行われている細胞内の物質輸送と細胞突起形成．前方部の突起形成に必要な材料は，後方部で解体されたものが前方部に輸送され，そこで再構築される．その際の輸送は，細胞骨格上を移動運動するモータータンパク質が行っている

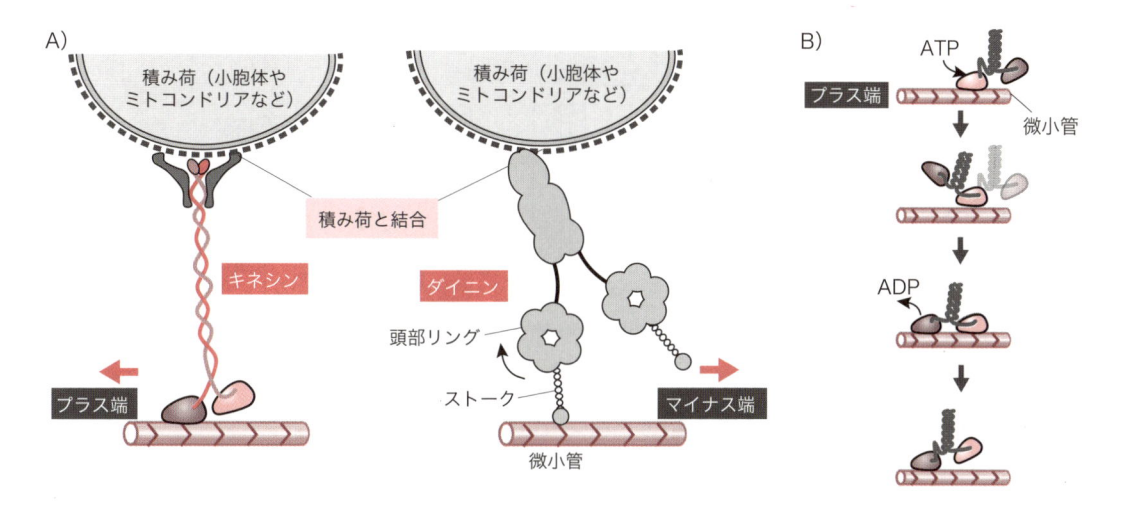

図13-4 キネシンとダイニンの移動運動と積み荷の運搬

A）キネシンとダイニンは，それぞれその頭部で微小管と相互作用し，尾部に積み荷（例えば，細胞小器官）を結合して，微小管の上を一定の方向に運動する．キネシンはミオシンと似た形状であるが，ダイニンはそれらとは全く異なり，頭部はリング状の構造で，そこから突き出したストークの先端が微小管と相互作用する．B）キネシンは，ATPの加水分解に伴う構造変化により，2つの頭部が交互にプラス端側に振り出され，微小管上の新たな結合部位に結合して，二足歩行するようにプラス端に向かって移動する

細胞分裂の紡錘体機能にかかわるモータータンパク質

Column

　細胞分裂時には，微小管からなる紡錘体が形成され，倍加した染色体を2つに分ける（**17章1**参照）．この紡錘体の形成や，染色体の整列と分配において，微小管のモータータンパク質であるキネシンとダイニンが働いている．特にキネシンは多数の異なるタイプのものが用意され，それぞれやや重複しながらも，さまざまな役割を担っている．紡錘体極付近で微小管をまとめるもの，2つの中心体から伸びる微小管の重なり部分をずらして紡錘体の長さを調節するもの，染色体上にあって染色体の整列を促すもの，中期染色体の整列時の力のバランスをとるもの，染色体の動原体と紡錘体極の間の微小管の長さを調節するもの，などである．

　多くのタイプのキネシンは微小管上をプラス端に向かって運動することによってその役割を果たしているが，特殊なタイプとして，微小管のマイナス端に向かって運動するものや，運動せずに微小管の端でチューブリンを脱重合させることにより微小管の長さを短くするもの，などが知られている．これらの多数のタイプのモータータンパク質が協調して働くことにより，染色体が正しく分配される．

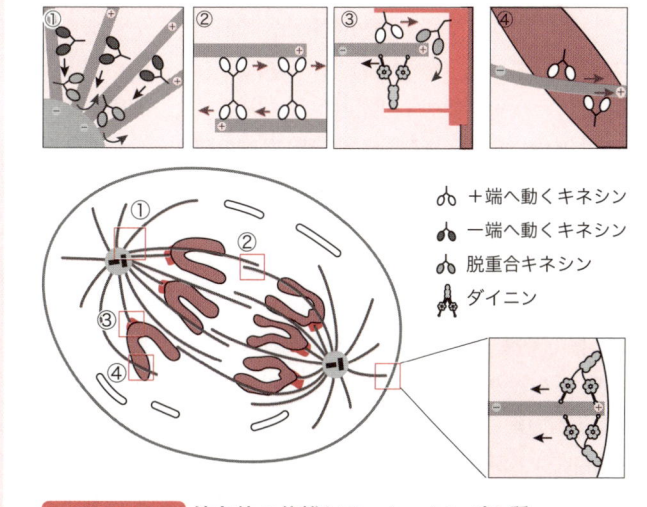

コラム図13-4 染色体の分離とモータータンパク質
紡錘体を構成する紡錘糸（微小管）に対して，さまざまなタイプのモータータンパク質が働くことで，染色体が正確に分配される

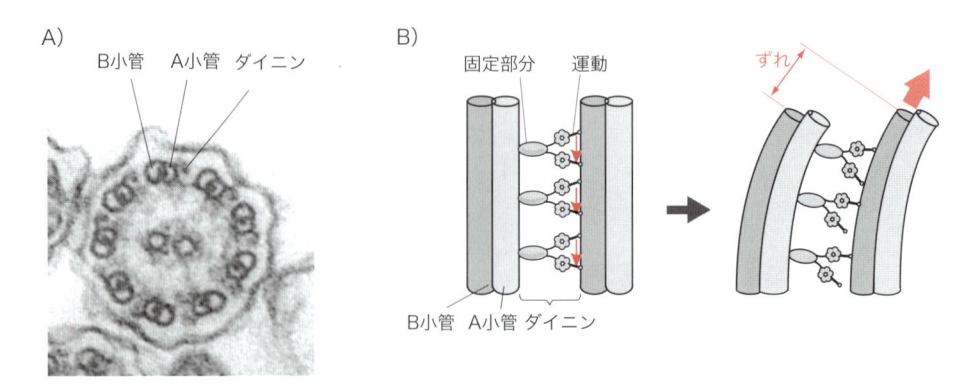

図13-5 真核細胞の繊毛・鞭毛の９＋２構造とダイニンによる運動

A）繊毛の横断面を示す電子顕微鏡写真．繊毛と鞭毛は共通して微小管の９＋２構造をもつ．B）９本のダブレット微小管（A小管とB小管からなる）のA小管上にダイニンがその尾部で結合している．ダイニンの頭部が隣のダブレット微小管のB小管上をマイナス端側に移動することで，隣り合う２本のダブレット微小管の間のずれを生じる．このずれが繊毛や鞭毛の屈曲運動の元になっている．Aは駒崎伸二博士のご厚意による

タータンパク質であるが，その移動方向はキネシンとは逆で，微小管のマイナス端に向かう．ダイニンはミオシンやキネシンとは大きく異なるモータードメインをもち，巨大で複雑な構造をしている（図13-4）．尾部側で輸送小胞などの積み荷を結合する点は，キネシンやミオシンと同様である．ダイニンには，細胞質で普遍的に働くタイプと，鞭毛内で専門に働くタイプがある．

細胞質のダイニンは，プラス端に向かうキネシンと拮抗したり役割分担したりしながら，微小管に沿って細胞内の物質輸送を行っている．細胞小器官も積み荷として運搬されており，それらの細胞内の配置はこの輸送システムによって大まかに決められる．また，神経細胞の細長い突起である軸索の中では，シナプス末端へ向かう（微小管のプラス端への）輸送をキネシンが，逆向きの細胞体へ向かう（微小管のマイナス端への）輸送をダイニンが担っている．

真核細胞の鞭毛や繊毛は，菌類から脊椎動物まで共通して，特有な微小管の９＋２構造をもつ．鞭毛・繊毛のダイニンは１本の鞭毛・繊毛内に10種類にも及ぶ多くのタイプが存在するが，それらは９＋２構造中に外腕および内腕として規則的に結合しており，隣り合う微小管の間の滑り運動（ずれ）を引き起こすことによって，鞭毛や繊毛の屈曲運動を生み出している（図13-5）．

4 筋収縮の制御

細胞内には，ミオフィブリルや９＋２構造など，細胞骨格とモータータンパク質による運動装置がつくられているが，それらは常に動き続けるわけではなく，必要に応じて運動のスイッチがオン・オフされるような制御のしくみが存在する．細胞内に用意された調節タンパク質や，あるいはモータータンパク質自身が，リン酸化やCa^{2+}の結合によって構造変化することにより，運動を制御している．ここでは筋収縮の制御について，そのメカニズムを見てみよう．

骨格筋の収縮は運動神経の興奮によって引き起こされる．運動神経から分泌されたアセチルコリンが筋細胞の膜に存在するアセチルコリン受容体に結合すると，Na^+が筋細胞内に流れ込む．その結果引き起こされる膜電位の上昇は，横細管に分布する電位依存性のCa^{2+}チャネルに感知され，その情報が**筋小胞体**（sarcoplasmic reticulum）に存在するCa^{2+}チャネルへと伝えられる．その結果，筋小胞体のCa^{2+}チャネルが開くと，筋小胞体内に蓄積されているCa^{2+}が細胞質に多量に流出する．このCa^{2+}濃度の上昇が筋収縮の引き金となる（図13-6A）．

Ca^{2+}濃度に依存して筋収縮を制御しているのは，アクチンフィラメントに結合している**トロポミオシン**

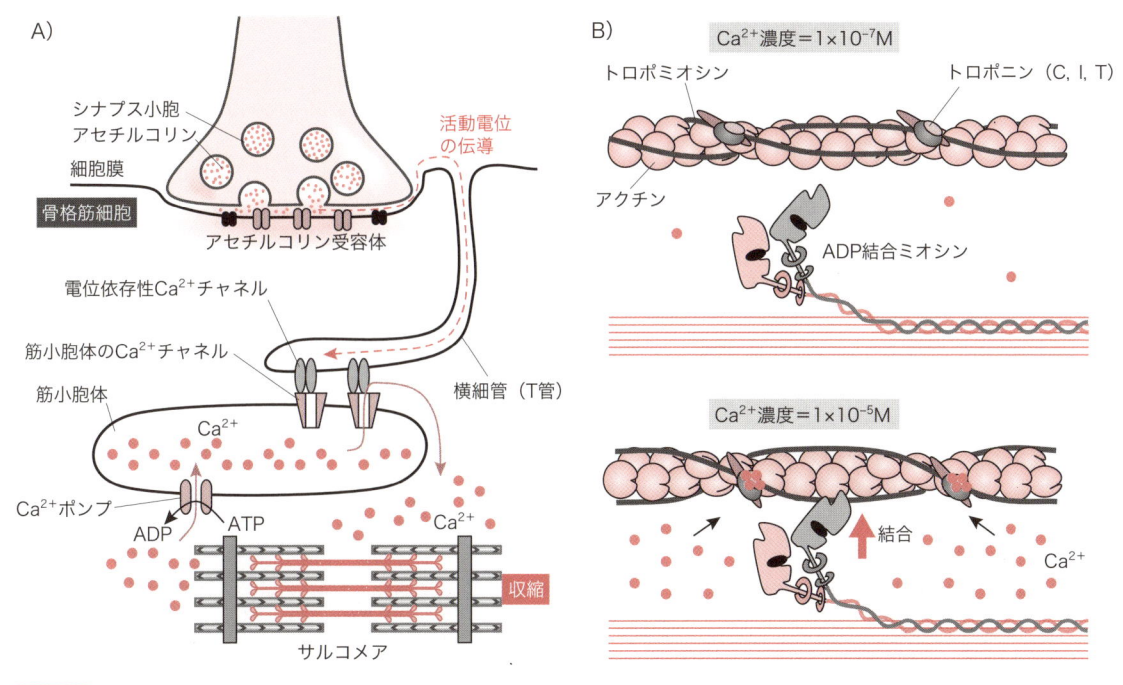

図 13-6 **Ca²⁺による骨格筋収縮の調節**

A）神経細胞からの興奮の伝達はシナプスを介して骨格筋細胞膜の膜電位の変化を引き起こす（図16-6B参照）．その変化は横細管により細胞内に伝達される．横細管は細胞膜が管状になって細胞内に伸びたもので，細胞内の筋小胞体と密着している．横細管に分布する電位依存性Ca²⁺チャネルは，筋小胞体に分布するCa²⁺チャネルと結合して細胞膜からの情報を筋小胞体に伝え，小胞体からのCa²⁺の放出を引き起こす．B）細胞内のCa²⁺濃度が一定の値まで上昇すると，トロポニンCにCa²⁺が結合して，トロポニンとトロポミオシンの立体構造が変化する．その結果，トロポミオシンにより覆われていたアクチンフィラメント上のミオシン結合部位が露出し，そこにミオシンが結合することが可能となり，運動できるようになる

（tropomyosin）と3種類の**トロポニン**（troponin, トロポニン C, I, T）である．その中のトロポニン C がカルシウム結合タンパク質である．通常の状態では，細胞質内のCa²⁺濃度は 1×10^{-7} M 以下の低濃度に保たれている．その状態では，トロポニン C に Ca²⁺が結合しないので，アクチンに存在するミオシン結合部位がトロポミオシンにより覆われている．そのために，ミオシンの頭部がアクチンフィラメントと結合できないので，運動できない状態（弛緩状態）になっている．

ところが，筋小胞体からCa²⁺が流出して，細胞質内のCa²⁺濃度が 1×10^{-5} M程度まで上昇すると，トロポニン C に Ca²⁺が結合してその立体構造を変化させる．その結果，トロポミオシンの位置が動いてアクチンフィラメント上のミオシン結合部位が露出するので，ミオシン頭部が結合できるようになり，筋収縮が引き起こされる（**図13-6B**）．

細胞質内に流出したCa²⁺は，筋小胞体膜に存在する

Ca²⁺ポンプにより筋小胞体内に取り込まれる．その取り込みによって時間とともに細胞質内のCa²⁺濃度が低下してくると，トロポニン C からCa²⁺が遊離してトロポミオシンが元の位置に戻る．これによりミオシン頭部がアクチンフィラメントに結合できなくなり，再び元の弛緩状態となる．

平滑筋や非筋の細胞でも，ミオシンとアクチンフィラメントによる収縮運動が行われており，その際にもCa²⁺が収縮の制御を行っている．しかしながら，それらの細胞にはトロポニンが存在しない．その代わりに，トロポニンと同じように細胞内Ca²⁺濃度の上昇を感知して収縮を調節しているのがCa²⁺結合タンパク質の**カルモジュリン**（calmodulin）や調節タンパク質のカルデスモンである．カルモジュリンにCa²⁺が結合すると，ミオシン軽鎖キナーゼと呼ばれる酵素を活性化してミオシンの軽鎖をリン酸化し，その結果，ミオシン頭部はアクチンフィラメントと相互作用できるようになり，収縮を引き起こす．

筋収縮のしくみの解明

1930年頃から，筋収縮は化学的な反応により引き起こされている現象であることが提唱され，筋収縮のエネルギーがATPであることや，ミオシンによるATPの加水分解が筋収縮のエネルギー源であることなどが明らかにされた．その一方で，筋収縮の構造的な背景が研究され，電子顕微鏡による微細構造の観察やX線回折による分析技術の発達により，'50年代には，筋細胞の収縮装置が細いアクチンフィラメントと太いミオシンフィラメントからなり，それがサルコメアと呼ばれる構造（図13-2C参照）を形成していることが明らかにされた．その後，'60〜'70年代にかけて行われた数多くの研究により，制御タンパク質を含めたアクチンとミオシンによる運動のモデルが提唱されるようになった．そして，'90年代になると，X線結晶解析法やクライオ電子顕微鏡法と呼ばれる技術などが開発され，ミオシンの立体構造やアクチンフィラメントとミオシン頭部の結合様式などが明らかにされた．さらに，蛍光やレーザーを利用した光学顕微鏡下で，1分子レベルのミオシン頭部の変位や力発生が計測されるようになり（コラム図13-5），ミオシン分子の挙動が明らかにされた．これら一連の研究成果により，現在では，アクチンとミオシンによる収縮現象を分子レベルで理解することができるようになった．

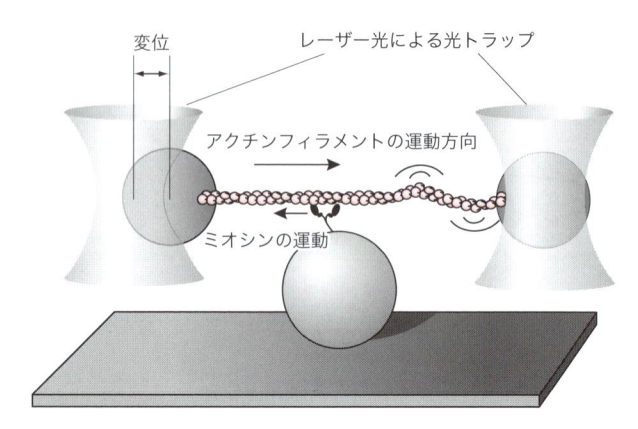

コラム図13-5 **ミオシンの分子レベルの運動計測**
レーザー光や蛍光を使って，溶液中でミオシン1分子が運動する様子をとらえて，その変位や発生する力の大きさを計測することできる．タイプⅡのミオシンの場合，1回の頭部の構造変化で5 nm程度の変位と数pNの力発生をすることがわかった

本章のまとめ　　　　　　*Chapter 13*

- [ ] 真核細胞の細胞内には，アクチンフィラメント，微小管，中間径繊維，という3種類の細胞骨格が存在し，細胞形態の保持や細胞運動において重要な役割をもつ．

- [ ] 細胞の運動には，鞭毛・繊毛の運動，筋肉の収縮運動，細胞内の物質輸送，細胞の変形や移動などがある．

- [ ] 細胞運動を担うモータータンパク質は，アクチンフィラメントと相互作用するミオシン，微小管と相互作用するダイニンとキネシンである．これらのモータータンパク質はATPの加水分解に伴って構造変化をくり返し，極性のある細胞骨格上を一定の方向に移動する．

- [ ] 筋肉の収縮の引き金は，筋細胞内のCa^{2+}濃度の変化である．Ca^{2+}濃度の上昇が，アクチンフィラメントとミオシン頭部の結合を可能にし，筋収縮を引き起こす．

14章　細胞間シグナル伝達系

　生物が生き続けるためには，外界の変化を受容して適応する必要がある．多細胞生物の場合には，単細胞生物が認識する温度や栄養素などの変化に加えて，個体として統一のとれた反応や内部の恒常性を維持するために，細胞間の情報のやりとりが重要となる．成長，日々の生理機能から行動に至るまで，すべては個体を構成する細胞同士の情報のやりとりの結果である．こうした情報のやりとり（シグナル伝達という）は，細胞外のシグナルを介した細胞間のやりとりと，シグナルを受けた細胞が応答するまでの細胞内のやりとりに分けられる．細胞外から供給されるホルモン，増殖因子，神経伝達物質，さらに細胞外基質や細胞接着分子などは，細胞外でシグナル分子として機能しており，受容体と呼ばれるタンパク質で選別・受容される．受容体は細胞内に向けて別種のシグナル伝達系を作動させて，細胞に固有の応答を引き起こす．本章では，細胞間のシグナル伝達のしくみについて，ヒトを中心にいくつかの代表的な例を扱い，そのなかで共通する作動原理を解説する．

1 シグナル伝達とは

　生物は外部環境の変化を受容してさまざまに応答する．多細胞生物では個体全体として統一のとれた合目的な反応や内部環境の維持のために，さまざまな方法で細胞間の情報のやりとりが行われている．こうしたやりとりを細胞間の**シグナル伝達**（signal transduction）と呼ぶ．また，細胞内でもさまざまな細胞小器官や分子の間でシグナルが受け渡されており，細胞内シグナル伝達と呼ばれる．

■ シグナルの選別受容と発信

　図14-1に示すように，細胞が細胞外からシグナルを受けとるタンパク質を**受容体**（receptor）と呼ぶ．細胞にはその膜表面に多種の受容体タンパク質があり，これらの受容体がさまざまなシグナルと結合してその情報を細胞内に伝えている．したがって，受容体と特異的に結合する分子は**シグナル分子**（signaling molecule）と呼ばれる．

　受容体の機能は2つに分けて考えられる．その1つは，特定の分子と特異的に結合し，多数存在する細胞外シグナル分子を選別して受容することにある（シグナ

ルの選別受容）．異なるシグナル分子であっても同一の受容体に結合した場合には，細胞に同じ応答をもたら

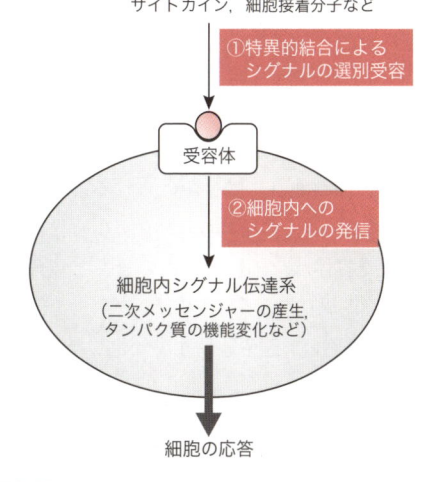

図14-1　細胞におけるシグナルの受容と応答

受容体は，①細胞外シグナル分子を選別して受容し，②細胞の内側に向けて新しいシグナルを発信するという2つの機能をもつ．細胞外シグナル分子は一次メッセンジャーと呼ばれるが，この一次メッセンジャーからのシグナル受容によって細胞内で産生あるいは動員される比較的小分子のシグナル分子を二次メッセンジャーと呼ぶ

す．受容体のもう1つの機能は，細胞の内側に向けて新しいシグナルを発信することにある（細胞内へのシグナル発信）．生体内に存在し，受容体に結合するシグナル分子を**リガンド**（ligand）という．リガンドは結合した受容体に固有の細胞内シグナル伝達系を発動させる．またリガンドと同様に受容体に結合し，細胞内シグナル伝達を活性化する生体内に存在しない物質のことを**アゴニスト**（agonist）という．一方，アゴニストと構造が類似するために受容体には結合するが，細胞内に情報を送り込むことができない分子も存在する．このような分子はアゴニストと競合してアゴニストの受容体への結合を阻害し，その結果としてシグナル伝達を遮断するので，**アンタゴニスト**（antagonist）あるいは拮抗薬と呼ばれる．アゴニストは受容体のもつ2つの機能の両方を作動させるのに対して，アンタゴニストは第一の機能のみをもつ．現在，種々の受容体に対して選択性の高いアゴニストやアンタゴニストが合成され，さまざまな疾病の治療薬として利用されている．

シグナルの受容と細胞の応答

細胞間のシグナル伝達を仲介する細胞外シグナル分子を**一次メッセンジャー**（first messenger）と呼び，この一次メッセンジャーのシグナル受容によって細胞内で産生あるいは動員されるシグナル分子を**二次メッセンジャー**（second messenger）と呼ぶ（**図14-1**）．細胞外シグナル分子が細胞膜上の受容体に結合すると受容体タンパク質の性質が変化し，細胞内へのシグナル伝達に向けて受容体が他者に働きかけられるようになる（**活性化：activation**）．すなわち，シグナルを受容して活性化された受容体は，細胞内の他の分子と結合してその性質や細胞内局在を変え，さらにシグナルを伝達する．この結果，細胞の形態や運動性が変化したり，核ま

で情報が伝えられ遺伝子の発現が変化して，細胞は外界からの刺激に応答する．

生物が刺激を受容して応答するすべての反応は，シグナル伝達の結果といっても過言ではない．例えば，糖を甘く感じるのは舌の味蕾に存在する味細胞の糖に対する受容体に糖が結合する（糖によるシグナルが細胞内に入る）ことから始まる．また，多くの疾病はシグナル伝達の乱れが原因であり，薬はこの乱れを正常化させる作用をもつ．生命現象を分子のレベルで解明してシグナル伝達の理解を深めることは，新しい医薬品を創製するうえでもきわめて重要である（**25章**参照）．

2 細胞外シグナル分子の分類と作用機序

個々の細胞は固有の生理応答を司るが，個体としての恒常性の維持には，細胞単独の判断では不十分である．個々の細胞は同じ個体を構成する他の細胞から，どのように応答すべきかのシグナルを得る必要がある．このシグナルは，光や圧力などの若干の例外を除き，脊椎動物では脈管系（血液，リンパ液）や細胞外の細胞間質を通じて，化学物質の形で細胞に供給される．

シグナル伝達における制御系とシグナル分子の分類

この細胞外シグナル分子を産生するために，内分泌系，免疫・炎症系，神経系，さらに細胞間質系といった多彩な制御系が存在する．それらの系で機能する細胞外シグナル分子は，ホルモン，増殖因子，サイトカイン，神経伝達物質，細胞接着分子などと通称されるが，同一分子が複数の制御系に介在することもあり，シグナル伝達の視点からは，それらの制御系を特に区別して考える必要はない．

シグナル伝達として重要な視点は，これらの系で機能する多くの細胞外シグナル分子が，その化学的な性状から**図14-2**および**表14-1**に示すように，大きくは2種に分類できることにある．両者の血液中での動態，分泌調節や作用機序は大きく異なる．

表14-1 水溶性と脂溶性の細胞外シグナル分子の動態および作用機序

シグナル分子の化学的性状	脂溶性	水溶性
血液中の動態	結合タンパク質の介在	単独で存在
分泌調節	合成による調節	分泌による調節（分泌小胞に貯めておける）
受容体の機能部位	核　内	細胞膜

脂溶性シグナル分子の作用機序

　後述する副腎皮質から分泌される各種の糖質コルチコイドや甲状腺から分泌される甲状腺ホルモンなどは，脂溶性のシグナル分子で，細胞膜を通過して直接細胞内へと移行し，核内（と一部は細胞質）に存在する受容体に結合する．核内受容体はDNAの特定の部位に結合し，DNA鎖からmRNAへの転写を促進（または抑制）する．すなわち，脂溶性シグナル分子は転写因子型の受容体に結合してタンパク質を新生する．新たに合成されたタンパク質の機能が生理応答をもたらすので，シグナル分子の結合が細胞応答として現れるまでに要する時間は長い．

水溶性シグナル分子の作用機序

　他方，水溶性であるタンパク質・ペプチド性のホルモンやアミノ酸，アミン類の神経伝達物質，膜貫通タンパク質の細胞接着分子は，細胞膜を直接通過することができず，細胞膜上に存在するそれらに特異的な受容体と結合する．細胞膜受容体の刺激はすでに存在するタンパク質の機能変化（不活性型→活性型）を介して細胞内へと伝達されることが多いので，その作用は一般に迅速に現れる．タンパク質の可逆的な機能変化をもたらす化学修飾（翻訳後修飾ともいう）のうちで最も広く行われているのは，タンパク質のリン酸化である．したがって，細胞膜受容体刺激のシグナルは結果的にはタンパク質のリン酸化を介して生理応答をもたらすことが多い．なお，水溶性のシグナル分子による細胞膜受容体刺激の情報が，細胞内シグナル伝達系を介して結果的に核内にまで到達し，遺伝子発現へと向かう経路も存在する．こうした細胞内のシグナル伝達経路や細胞膜受容体，核内受容体の種類と機能については，次の**15章**で紹介する．

　内分泌系，免疫・炎症系，神経系，細胞間質系などでみられる細胞間のさまざまなシグナル伝達の様式を**図14-3**にまとめて示した．また，これらの系で作用する細胞外シグナル分子について，ヒトでの代表的なものを**表14-2**に掲げた．

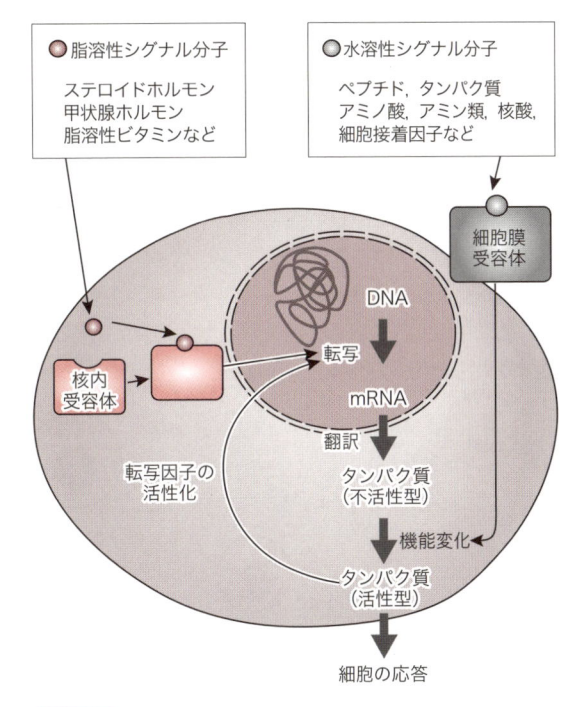

図14-2 **細胞外シグナル分子の分類とその主な作用機構**
脂溶性シグナル分子は細胞膜を通過して核内受容体に結合し，転写を促進してタンパク質の新規生合成をもたらす．他方，水溶性シグナル分子や細胞接着分子は細胞膜受容体に結合し，すでに存在するタンパク質の機能を変化させて細胞応答を引き起こす

3　ホルモン（内分泌系）

　内分泌（エンドクリン：endocrine）系で作用する**ホルモン（hormone）**の多くは，特定臓器の細胞内で合成されて，細胞小器官である分泌小胞内に貯蔵されている※．刺激によって分泌小胞と細胞膜が融合すると，ホルモンは細胞内から血液中に分泌されて離れた標的細胞に達し，その細胞膜または細胞内にある受容体に結合する（**図14-3A**）．ホルモンはきわめて低濃度で作用し，その種類と作用は多様である．

　転写因子型の受容体に結合する脂溶性の甲状腺ホルモンや糖質コルチコイド（副腎皮質ホルモン）は，先に

※　甲状腺ホルモンの場合は，ユニークな生合成経路と分泌形態をとる．甲状腺の濾胞細胞内で合成されたタンパク質（チログロブリン）が，細胞で囲まれた濾胞内腔（細胞外）にまず分泌されてヨウ素化される．細胞外で貯蔵されたこの甲状腺ホルモン前駆体は再び細胞内に取り込まれ，リソソーム内でプロセシングを受けてから作用をもつ甲状腺ホルモン（チロキシン）となり，血液中に分泌される．

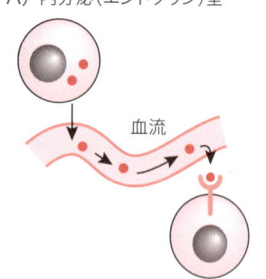

A）内分泌（エンドクリン）型

血流

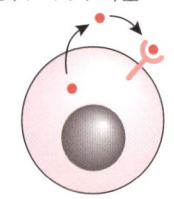

B）自己分泌（オートクリン）型

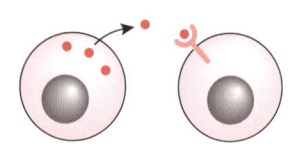

C）傍分泌（パラクリン）型

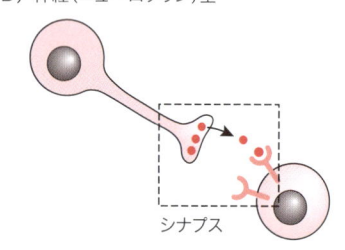

D）神経（ニューロクリン）型

シナプス

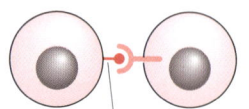

E）細胞接触型

膜貫通型タンパク質シグナル分子

● シグナル分子

Y 受容体

図14-3 細胞外のシグナル伝達様式

A）内分泌型：シグナル分子が血管などを流れ遠くの細胞を活性化する．B）自己分泌型：自分で分泌したシグナル分子で自分を活性化する．C）傍分泌型：まわりの細胞を活性化する．D）神経型：細胞の一部が長く伸びて形成されたシナプス部位にシグナル分子が放出される．E）細胞接触型：細胞間質で膜貫通型タンパク質が隣の細胞に結合して活性化する

表14-2 ヒトにおける代表的な細胞外シグナル分子とそれらの標的タンパク質および作用の一例

	細胞外シグナル分子	由来	標的臓器・細胞	受容体の種類 （細胞内局在）	主たる作用
脂溶性 シグナル分子	糖質コルチコイド	副腎皮質	多様な組織	転写因子型受容体 （細胞質・核内）	糖新生，グリコーゲン合成 タンパク質異化
	甲状腺ホルモン （チロキシン）	甲状腺	多様な組織	転写因子型受容体 （核内）	代謝調節
水溶性 シグナル分子	アドレナリン	副腎髄質	多様な組織	Gタンパク質共役型受容体 （細胞膜）	心拍数増加，血圧上昇グリ コーゲン分解，脂肪分解
	インスリン	膵β細胞	多様な組織	酵素型受容体（細胞膜）	細胞内への糖取り込み
	セクレチン	小腸	膵外分泌腺	Gタンパク質共役型受容体 （細胞膜）	膵外分泌腺からの消化酵素 の分泌
	副腎皮質刺激ホルモン 放出ホルモン（CRH）	視床下部	下垂体	Gタンパク質共役型受容体 （細胞膜）	下垂体からのACTHの分 泌促進
	副腎皮質刺激ホルモン （ACTH）	下垂体	副腎皮質	Gタンパク質共役型受容体 （細胞膜）	副腎皮質からの糖質コルチ コイドの分泌促進
	甲状腺刺激ホルモン 放出ホルモン（TRH）	視床下部	下垂体	Gタンパク質共役型受容体 （細胞膜）	下垂体からのTSHの分泌 促進
	甲状腺刺激ホルモン （TSH）	下垂体	甲状腺	Gタンパク質共役型受容体 （細胞膜）	甲状腺からの甲状腺ホルモ ンの分泌促進
	上皮増殖因子 （EGF）	顎下腺のほか， 多様な組織	上皮細胞のほか， 多様な組織	酵素型受容体 （細胞膜）	細胞の増殖
	血小板由来増殖因子 （PDGF）	血小板， 内皮細胞	間質細胞，血管	酵素型受容体 （細胞膜）	細胞の増殖

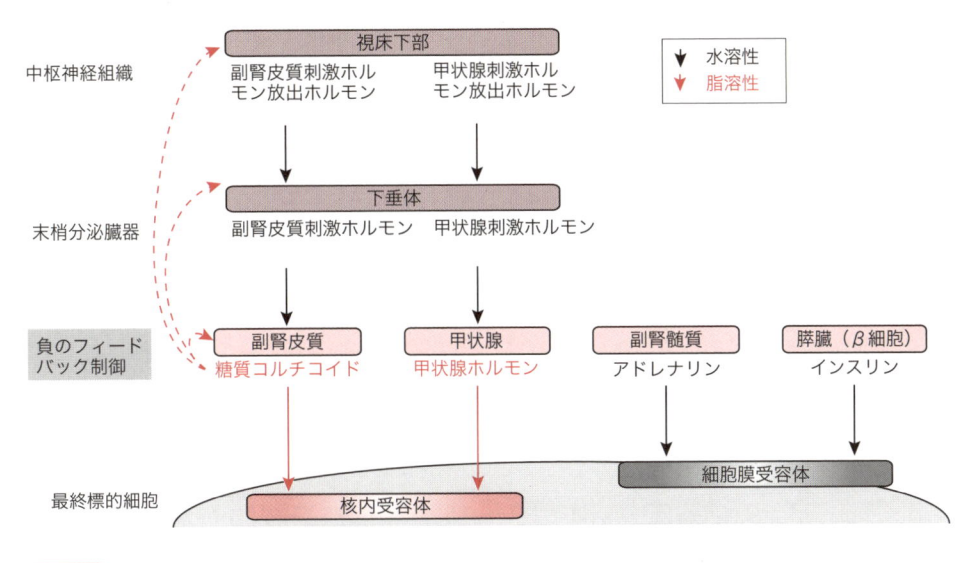

図14-4 ヒトでみられる内分泌系のヒエラルキー

核内受容体に結合する脂溶性の糖質コルチコイド（副腎皮質ホルモン）や甲状腺ホルモン（チロキシン）は，ホルモン作用の発現に時間を要するため，特異的な刺激（放出）ホルモンが上位の下垂体と視床下部に用意されている．他方，細胞膜受容体に結合する水溶性ホルモンのアドレナリンやインスリンは，速く現れるホルモン作用の結果が分泌臓器からのホルモン分泌を調節している

述べたようにホルモン作用の発現に時間を要するため，図14-4 に示すような水溶性の特異的な**刺激（放出）ホルモン**（tropic hormone）が上位の下垂体と視床下部に用意されている．脂溶性ホルモンの血中濃度が低下すると，視床下部，下垂体から刺激（放出）ホルモンの分泌が促進され，逆に上昇し過ぎると上位のホルモン分泌が抑制される．このように，内分泌系には視床下部を最高中枢とするヒエラルキーが存在し，多重の負のフィードバック調節によって，過不足のない適正な脂溶性ホルモンの分泌量が維持されている．

他方，水溶性ホルモンの多くは，細胞膜貫通型のGタンパク質共役型受容体や酵素型受容体（p.177 コラム参照）に結合し，細胞内に向けてシグナルを伝達する．

4 増殖因子，サイトカイン（免疫・炎症系）

増殖因子（growth factor）は，基本的には細胞の成長や増殖を促進する作用をもつシグナル分子である．発見当初は細胞の増殖に関与する因子として考えられていたもので，今日では増殖以外の機能も見出されている例が多い．増殖因子は生体から得た細胞をばらばらにして培養を続けるのに必要な因子を探索する中で見つかってきた．そのため細胞の分裂促進作用を示すというのが大きな特徴である．個体内では**自己分泌**（オートクリン：autocrine）や**傍分泌**（パラクリン：paracrine）型（図14-3BC）のものが多く，局所的な作用を示す．

また，感染や炎症，免疫反応時には，主に血液中に含まれる種々のリンパ球や繊維芽細胞，上皮細胞から**サイトカイン**（cytokine）と総称される分子量数万の糖タンパク質が分泌される．サイトカインも自己分泌あるいは傍分泌といった局所的な分泌形式をとることが多く，免疫・炎症時の生理作用に加えて，増殖因子とともに造血系細胞の分化に介在するなど，多様なシグナル伝達系で機能している．このため，増殖因子も含めて，細胞から放出される水溶性の糖タンパク質をサイトカインと呼ぶことがある．

これら増殖因子とサイトカインに特徴的な細胞応答は2つに分けられる．第一はこれらの因子の名前が示すように，細胞の増殖（DNA複製を伴う細胞周期の進行）と分化（特定の遺伝子の発現）である．第二の特徴的

な細胞応答は，細胞骨格系の制御を介した形態変化である．細胞の増殖と分化は細胞数の増加と新しい機能をもった細胞の誕生であり，細胞の形態変化や移動は環境の変化に対応するために必要となる．増殖因子に対する受容体が2つの細胞応答を発揮させることはきわめて合理的である．これらの受容体のシグナル伝達系は細胞内で複数の経路に分岐しており，増殖・分化の応答は転写因子の活性化を含む核内の装置によって，一方の形態変化は低分子量Gタンパク質の介在する経路によって仲介される（15章**3**参照）．

5 神経伝達物質（神経系）

　神経伝達物質（neurotransmitter）は，神経線維（軸索）の先端部近くの分泌顆粒（シナプス小胞）の中に貯蔵されていて，神経線維上を伝わってきた活動電位の刺激によりシナプス前細胞膜からシナプス間隙中に放出され，シナプス後細胞膜にある受容体に結合する（図14-3D）．神経分泌の特徴は，シナプス内に限定された分泌形式〔**神経型（ニューロクリン：neurocrine）**〕にある．なお，神経伝達と機能については**16章**で紹介する．

6 細胞間質に分泌される細胞外基質

　細胞はさまざまな物質を細胞外（細胞間質）に分泌しているが，それらの多くは**細胞外基質**（extracellular matrix：ECM）と呼ばれる．細胞外基質には多くの種類が存在し，その役割も多様である．例えば，ヒトの骨格や結合組織，植物細胞の細胞壁，原核細胞の細胞壁などは，細胞外基質により構成されている．

　多細胞生物に存在する細胞外基質の多くは，細胞に対する**細胞接着分子**（cell-adhesion molecule：CAM）としての役割を果たしている．例えば，細胞は細胞外基質に接着することにより**組織構築**（tissue architecture）を行っている．そして，細胞外基質のもう1つの重要な役割は，細胞にシグナルを伝えることである．組織構築に関与している主要な細胞外基質には，

コラーゲン繊維（collagen fiber，図14-5A）やグリコサミノグリカン（ムコ多糖とも呼ばれている，図14-5B）などがある．これらの細胞外基質は，結合組織の主要構成成分として組織構築の際に中心的な役割を果たしている．また，プロテオグリカンは，細胞の分化，増殖，運動など，さまざまな細胞の機能に影響を及ぼしている細胞外基質である．

　また，植物細胞の細胞壁も多くの種類の細胞外基質成分から構成されている．この細胞壁は，脊椎動物でみられる骨格構造をもたない植物において，細胞と細胞の間を強固に結合して頑丈な組織や個体を構築する役割を果たしている．この細胞壁を構成する主成分は，セルロース，ヘミセルロース，ペクチンに大きく分けられる多糖類（糖の重合物）である．細胞壁は透過性が高く，分子量20,000以下の物質ならば容易に透過することができる．また，多くの原核細胞も，その細胞周囲に細胞壁を形成している．その主成分は細胞が分泌したペプチドグリカンである（9章**4**参照）．原核生物の細胞壁の役割として，細胞の形の保持，細胞内への毒物やウイルスの侵入の阻止などがある．

7 細胞－細胞間および細胞－細胞外基質間の接着

　多くの細胞が集合して組織や器官を構築している多細胞生物では，細胞と細胞の間での接着や，細胞と細胞外基質との接着が，その組織や器官の構築に重要な役割を果たしている．その代表的な例が，動物の**上皮組織**（epithelial tissue）である．上皮組織は，物質の透過を遮断するほか，外力に抗する構造，個体の内部と外界との間における選択的な物質のやりとり，外界からのシグナル受容など，さまざまな役割を果たしている．

上皮組織の細胞－細胞間接着

　上皮細胞同士は，その側面で，**密着結合**（tight junction），**接着結合**（adherence junction），**デスモソーム**（desmosome）からなる**結合複合体**（junctional complex），そして，**ギャップ結合**（gap junction）を形成して互いに結合している（図14-6A）．これらの細胞接着は，細胞と細胞の間を強力に結合するとともに，細胞

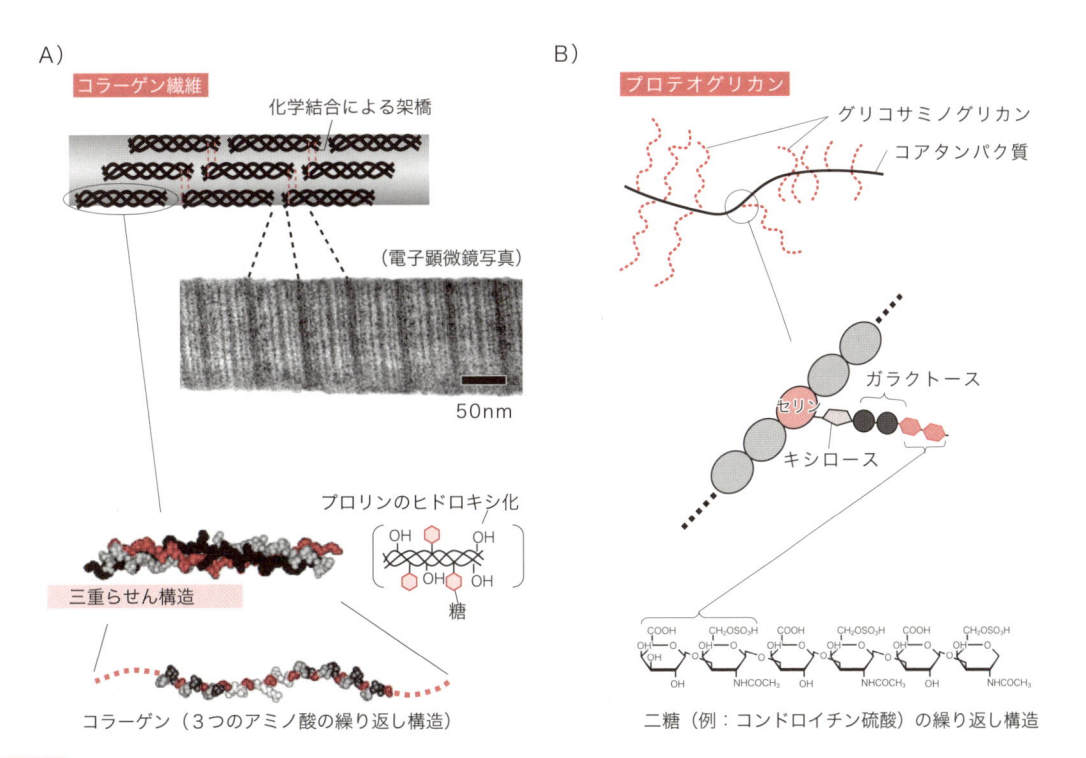

A）コラーゲン繊維
コラーゲン繊維
化学結合による架橋
（電子顕微鏡写真）
50nm
プロリンのヒドロキシ化
三重らせん構造
糖
コラーゲン（3つのアミノ酸の繰り返し構造）

B）
プロテオグリカン
グリコサミノグリカン
コアタンパク質
ガラクトース
セリン
キシロース
二糖（例：コンドロイチン硫酸）の繰り返し構造

図 14-5 細胞外基質

A）コラーゲン繊維の構造を示すモデルと電子顕微鏡写真．コラーゲン繊維を形成している基本単位のコラーゲンタンパク質は，3つのアミノ酸（グリシン・任意のアミノ酸・プロリン）の繰り返し構造からなっている．それらは，三重らせん構造を形成し，プロリンの一部にはヒドロキシ基が付加されている．その三重らせん構造が化学結合で架橋されるとコラーゲン繊維ができあがる．B）プロテオグリカンの構造を示す模式図．Aは駒崎伸二博士のご厚意による

間の隙間をイオンが通過できないまで密に結合させる．それらの結合を形成しているのは，細胞膜に存在する膜貫通型タンパク質である．細胞接着は，さらに細胞間のシグナル伝達も可能にしている．

接着結合とデスモソームにおいて細胞接着分子として機能する主要なタンパク質は，**カドヘリン**（cadherin）と総称される1回膜貫通型タンパク質である（**図14-6B**）．カドヘリン分子は組織ごとに種類が異なり，その細胞外領域を介して同種のカドヘリンをもつ細胞と接着するが，その接着には細胞外の Ca^{2+} の存在が必要である．カドヘリンは，細胞の内側に存在する部位に結合した別種のタンパク質（カテニン）を介して細胞骨格のアクチンフィラメントとも連結しており，細胞間接着の役割に加えて，細胞が接着したシグナルを細胞内に伝達する機能も有する．カドヘリンは同一分子の間（ホモフィリック）で結合するので，リガンドと受容体の両方の機能を兼ね備えた分子と考えられよう．

細胞と細胞外基質との接着

上皮細胞の基底側には，**ヘミデスモソーム**（hemidesmosome）と呼ばれる固定部位があり，細胞を結合組織の細胞外基質に接着させている．ヘミデスモソームには細胞外基質と特異的に結合する受容体が存在し，この種類の受容体としてよく知られているものに，**インテグリン**（integrin）と呼ばれる1回膜貫通型タンパク質がある（**図14-6C**）．インテグリンは異なる2つのタイプ（αとβサブユニット）からなる二量体として機能している．細胞外基質と結合したインテグリンは，細胞の内側に存在する部位に結合したプロテインキナーゼ（**15章2**参照）を介して，細胞が接着したシグナルを細胞内に伝える役割も果たしている．

細胞接着にかかわるタンパク質には，カドヘリンやインテグリン以外にも，免疫グロブリンスーパーファミリーやセレクチンなどが知られている．

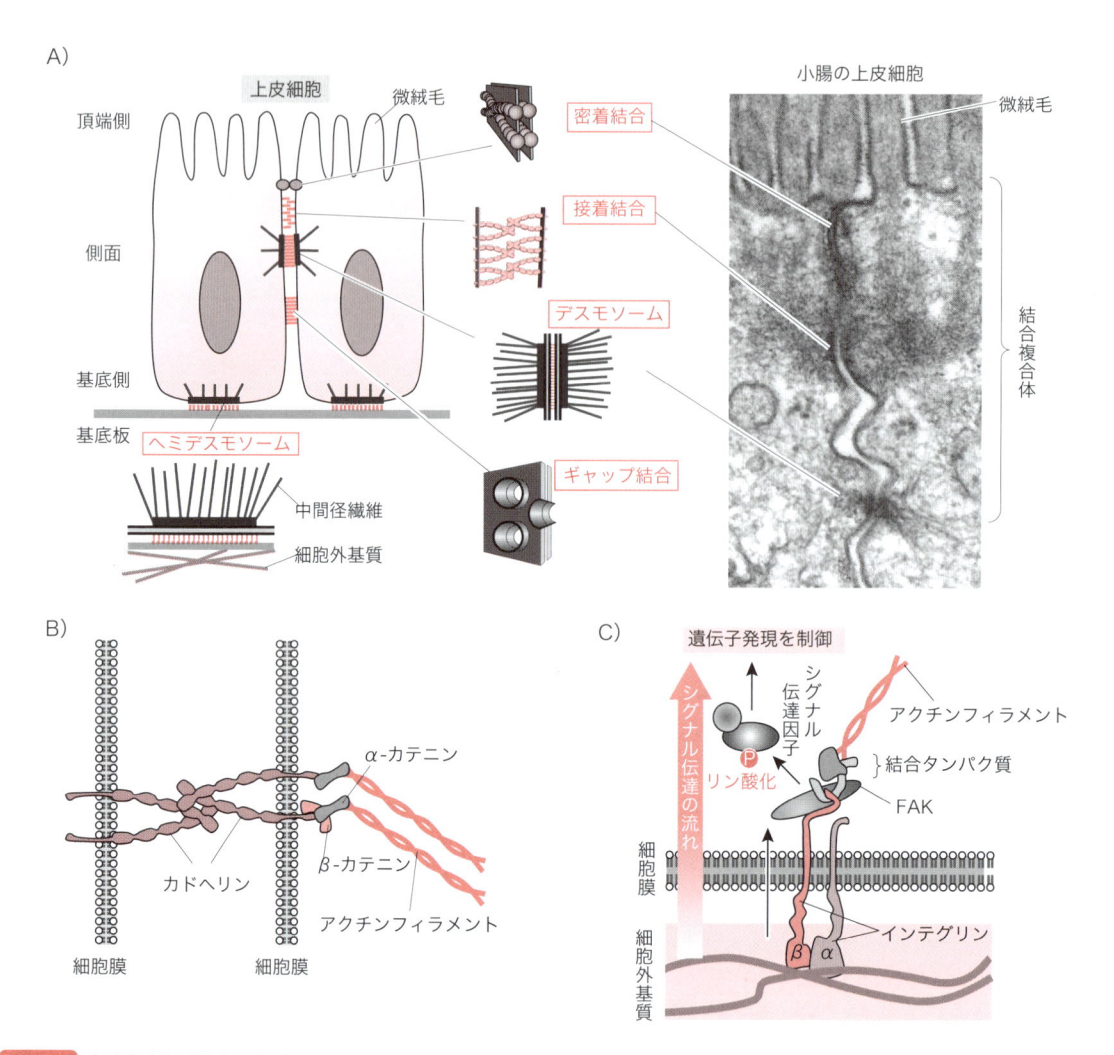

図14-6 **上皮組織の構造と細胞接着分子**

A）上皮組織の細胞と細胞はその側面で細胞間接着している．そして，その基底面では細胞外基質の基底板と接着している．電子顕微鏡写真は小腸の上皮細胞にみられる細胞間接着を示す．B）同じ種類の細胞と細胞を接着させる1回膜貫通型タンパク質のカドヘリン．カドヘリンも細胞内にシグナルを伝達している．C）細胞と細胞外基質の結合において，中心的な役割を果たしている接着分子のインテグリン．1回膜貫通型タンパク質のインテグリンは，細胞外からのシグナルを細胞内へ伝達する役割も果たしている．FAKはプロテインキナーゼの一種を示す．Aは駒崎伸二博士のご厚意による

　以上のように，本章では細胞間のシグナル伝達にかかわるさまざまな細胞外シグナル分子とそれらの作用様式の概略を解説したが，次の**15章**では，細胞内シグナル伝達経路の入り口である受容体と細胞内シグナル伝達系の制御について解説する．

□ 細胞が外界の情報を受容して応答するまでの経路は，シグナル伝達のメカニズムにより調節されている．細胞外シグナル分子という一次メッセンジャーを受容体が感知し，細胞の内側に向けて新しいシグナルを発信する．細胞内で産生，動員されるシグナル分子を二次メッセンジャーと呼ぶ．

□ 細胞外シグナル分子は，脂溶性シグナル分子と水溶性シグナル分子の2つに大別される．

□ ホルモンは内分泌系で作用する．分泌小胞内に貯蔵され，刺激によって離れた標的細胞に達し，きわめて低濃度で作用する．

□ 増殖因子は，細胞の成長や増殖を促進する作用をもつ．サイトカインは，免疫反応時にリンパ球や線維芽細胞，上皮細胞から分泌され，免疫，炎症や造血系の分化に作用する．

□ 神経伝達物質は神経線維のシナプス小胞に貯蔵され，活動電位の刺激により放出される．

□ 細胞が分泌する細胞外基質は，動物の組織構築での支持構造や，植物と原核細胞の細胞壁を構成する．

□ 多細胞生物では，細胞と細胞の間および細胞と細胞外基質との接着が組織構築に重要な役割を果たす．細胞接着分子は，細胞と細胞を結びつける機能に加え，接着のシグナルを細胞内に伝達する役割がある．

14 章 細胞間シグナル伝達系

15章 細胞内シグナル伝達系

　細胞におけるシグナル伝達の入り口は受容体と呼ばれるタンパク質である．シグナル分子が受容体に結合して初めて細胞内にシグナルが伝わる．受容体にはいくつかの型があり，それぞれが特徴的なシグナル伝達経路をもっている．受容体から下流には，タンパク質のリン酸化，Gタンパク質など細胞内のシグナル伝達のしくみが組み込まれている．細胞内シグナル伝達には可逆的なタンパク質の構造変化を用いる方法に加え，タンパク質分解を用いた不可逆的で一方向のシグナル伝達様式がある．ここではヒトの細胞を例にとって解説する．

1 細胞内シグナル伝達の基本

　ここからは，細胞内シグナル伝達でみられる基本的メカニズムを具体的にみていく．細胞は図15-1に示した，①翻訳後の化学修飾による共有結合の形成（リン酸化，糖鎖，脂質などの付加），②小分子リガンドの結合（非共有性の結合で可逆的なもの），③同種・異種タンパク質間の相互作用（サブユニットの解離・会合），④前駆体タンパク質の限定分解，などの様式でタンパク質の高次構造（コンホメーション）に変化を与え，シグナルを伝達している．シグナル分子はこれらのいずれかの様式（複数が組み合わさることもある）によって，上流からのシグナルを受けて「ON（活性型）」になり，下流にシグナルを伝達した後，「OFF（不活性型）」に戻ること

を繰り返しながらシグナルを伝達している．それぞれの例で活性型，不活性型は何かに注目するとよい．

2 翻訳後修飾

リン酸化と脱リン酸化

　細胞内のシグナル伝達で最も重要なメカニズムの1つとして知られているのは，タンパク質のセリン，スレオニン，そしてチロシンのヒドロキシ基への**リン酸化**（phosphorylation）である（図4-6参照）．リン酸化とは，タンパク質を構成するアミノ酸が酵素の作用を受けてATP（10章**2**参照）からリン酸を受けとる化学修飾（**翻訳後修飾**：post-translational modificationともい

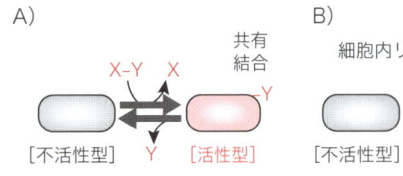

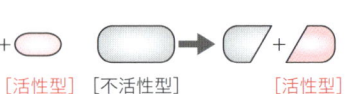

A) リン酸化，糖鎖・脂質の付加などの様式があり，一般に逆向きの反応は正反応とは異なる酵素によって触媒される．EGF受容体のリン酸化．B) 細胞内で産生した二次メッセンジャーなどの結合によって活性化される様式．Ca²⁺のカルモジュリンへの結合，cAMPのAキナーゼ（調節サブユニット）への結合など．C) タンパク質間の相互作用を介して活性化される様式．PKAのサブユニットへの解離など．D) プロテアーゼによる前駆体タンパク質の限定分解．カスパーゼの活性化

図15-1 タンパク質に高次構造（コンホメーション）変化をもたらす種々の様式

う）のことである．この反応を触媒する酵素は**プロテインキナーゼ**（protein kinase）と呼ばれる．リン酸化のメカニズムを活用するタンパク質では，リン酸化は「活性型」に向かうことが多いが，逆の場合もある．このリン酸化は可逆的反応であり，リン酸化により結合したリン酸が酵素の触媒により加水分解され，元の状態に復帰することを**脱リン酸化**（dephosphorylation）という．このときに作用する酵素は**ホスファターゼ**（phosphatase）と呼ばれる．脱リン酸化を受けたタンパク質は「不活性型」に戻ることになるが，逆の場合もある．

糖類・脂質の付加

リン酸化以外の翻訳後修飾には，糖鎖や脂質の付加などがある．タンパク質へのさまざまな糖鎖付加は相互作用分子との結合に変化をもたらす．また，脂質による修飾（アシル基やイソプレニル基の付加）によって，タンパク質は疎水性を帯び，膜への局在化能や他のタンパク質との結合能を獲得する．

具体例からみるシグナル伝達①：EGF受容体

ここでは酵素型受容体（コラム図15-1参照）である上皮増殖因子（EGF）の受容体を例に，リン酸化によるシグナル伝達のしくみについて代表的な物質や経路を中心に解説する（図15-2）．

EGF受容体にリガンドであるEGFが結合すると2つのEGF受容体が近接して二量体化する．これと同時にEGF受容体の細胞内ドメインの立体構造が変化し，細胞内ドメインのチロシンキナーゼが活性化されて二量体を形成しているEGF受容体同士でチロシン残基のリン酸化を行う．このようにして活性化されたEGF受容体二量体には，シグナル伝達の足場になるGRB2などのアダプタータンパク質が結合して受容体シグナル伝達複合体を形成する．こうしたアダプタータンパク質は，例えば，リン酸化されたチロシンを認識するSH2ドメイン（コラム図15-2参照）をもっており，活性化されたタンパク質に特異的に結合する．

活性化された複合体のあるものはRAS（24章2参照）と呼ばれる低分子量Gタンパク質（後述）が関与する一連のシグナルカスケードを活性化する．MAPキナーゼカスケードでは，活性化されたRASがMAPキナーゼカスケードを介して最終的には核の遺伝子発現を制御する．活性化されたERK（MAPキナーゼ）は二量体となり核内に移行する．核内では転写因子をリン酸化してc-fosなどの遺伝子の転写を促進する．

酵素型受容体にはチロシンキナーゼだけでなく，タンパク質中のセリンまたはスレオニンをリン酸化する領域をもつものもある．逆に脱リン酸化するホスファターゼ活性のある領域をもつタンパク質もある．これらのタンパク質もそれぞれシグナル伝達に重要な役割を果たす．

受容体のタイプ

受容体にはいくつかの型があり，それぞれが特徴的なシグナル伝達経路をもっている．受容体の代表的な型としては酵素型受容体，Gタンパク質共役型受容体，チャネル型受容体，核内受容体（転写因子型受容体）がある（コラム図15-1）．酵素型受容体の多くには細胞の内部にキナーゼ活性をもつ領域がある．Gタンパク質共役型受容体は細胞膜を7回貫通しておりその細胞質側に三量体Gタンパク質が結合している．チャネル型受容体はリガンドに依存してチャネルが開閉する．核内受容体はシグナル分子と特異的に結合しDNAに結合するための特別な構造（ジンクフィンガー構造）をもっている．

Column

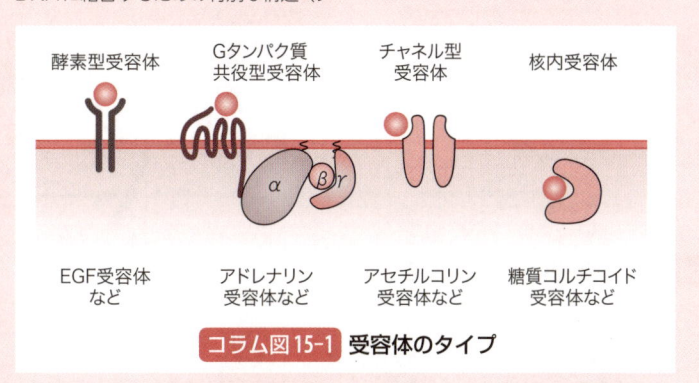

酵素型受容体　Gタンパク質共役型受容体　チャネル型受容体　核内受容体

EGF受容体など　アドレナリン受容体など　アセチルコリン受容体など　糖質コルチコイド受容体など

コラム図15-1 受容体のタイプ

3 タンパク質間の相互作用

GTP/GDP が結合する G タンパク質

GTP（図5-1参照）が結合し，結合した GTP を GDP に変換（加水分解）する作用をもつ細胞内のタンパク質をまとめて**G タンパク質**（G protein）と呼ぶ．GDP が結合状態の G タンパク質は一般にシグナル伝達経路の下流の標的分子に対して不活性型であるが，GTP が結合すると活性型となる．GDP 結合型と GTP 結合型のコンホメーション間を転換するので，リン酸化・脱リン酸化による調節と同じように，シグナル伝達で重要な ON・OFF のスイッチの役割を果たしている．

G タンパク質にはいくつかの種類がある．その1つは α，β，γ の3つのサブユニットからなる**三量体 G タンパク質**（trimeric G protein，図15-3）で，通常は α サブユニットに GDP が結合して不活性型状態にある．細胞外シグナル分子が細胞膜を7回貫通する特徴的な**G タンパク質共役型受容体**（G protein-coupled receptor：GPCR）に結合すると，受容体が活性化されて **GEF**（guanine nucleotide exchange factor：グアニンヌクレオチド交換因子）として働き，α サブユニッ

トに結合していた GDP が遊離して代わりに GTP が結合する（GDP–GTP 交換反応）．これと同時に，GTP 結合 α サブユニットは βγ サブユニット複合体から解離して活性型となる．結合した GTP は，やがて α サブユニットがもつ酵素活性によって加水分解されて GDP となり（GTPase 反応），βγ サブユニット複合体と再会合して元の不活性型三量体 G タンパク質に復帰する．なお，三量体 G タンパク質の α サブユニットには多数の種類があり，シグナルを受ける受容体，シグナルを伝える標的分子も異なっている．

別のファミリーとして，分子量約20,000の単量体として働く**低分子量 G タンパク質**（small G protein）がある．低分子量 G タンパク質も通常は不活性な GDP 結合型として存在し，GEF によって活性化される．役割を終えると GTP が GDP に加水分解され不活性化される（p.180 コラム参照）．なお，この加水分解を促進するタンパク質として **GAP**（GTPase activating protein）が知られている．すなわち，G タンパク質活性のオンとオフを，GEF と GAP がそれぞれ逆方向に調節している．

低分子の二次メッセンジャー

細胞膜に種々のシグナルを伝えるものを一次メッセン

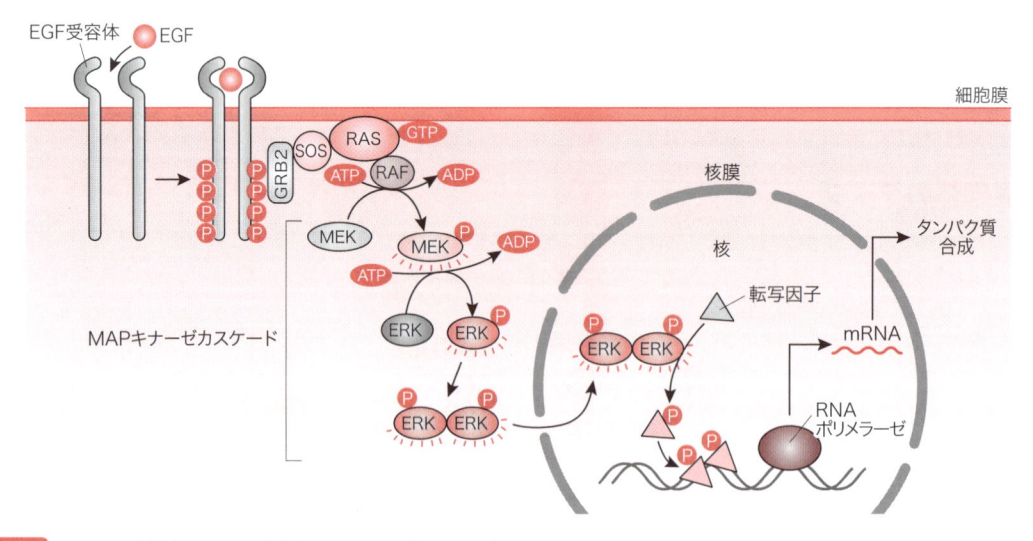

図15-2　酵素型受容体：EGF 受容体によるシグナル伝達経路
シグナル分子が結合した EGF 受容体は二量体となり活性化する．それぞれがチロシンキナーゼとして互いにリン酸化し合う．受容体の細胞質側がリン酸化されるとアダプタータンパク質である GRB2 が結合して SOS（GEF の一種）を介して RAS を活性化させる．活性化した RAS はセリン／スレオニンキナーゼ RAF を活性化し，MAP キナーゼカスケードの活性化を行う．活性化した MAP キナーゼ（ERK）は転写因子を活性化し，タンパク質合成を促す

ジャーという．これに対して細胞内でのシグナル伝達を担う分子を**二次メッセンジャー**（second messenger）と呼ぶ（**14章1**参照）．cAMP や Ca^{2+}，イノシトール三リン酸（IP_3）などは重要な役割を果たす低分子の二次メッセンジャーである．こうした低分子の二次メッセン

ジャーは細胞内を速やかに拡散して広がり，空間的に離れた部分へもシグナルを伝達できる．また，一次メッセンジャーの刺激を何倍にも増幅して細胞内に伝える働きを担っている．

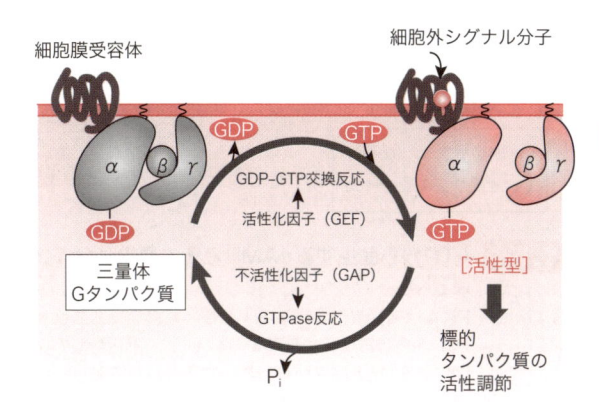

図15-3 GDP/GTP が結合する G タンパク質の活性調節サイクル

G タンパク質は GDP を結合した不活性型と GTP を結合した活性型を循環する．GEF が不活性型 G タンパク質から GDP を解離して細胞質中の GTP に置き換えて活性型にする（GDP-GTP 交換反応）．G タンパク質に結合した GTP は GTPase 反応により加水分解されて GDP となり，G タンパク質は不活性型に復帰する．この GTPase 反応は GAP によって活性化される．図は三量体 G タンパク質の場合を示しており，細胞外シグナルを結合した細胞膜受容体が GEF として機能する

ドメインの種類 *Column*

ドメインは典型的には 40～100 残基のアミノ酸からなり，固有の酵素活性をもつもの（キナーゼドメインなど）もあれば，特定のアミノ酸配列を認識するもの（SH2 ドメインなど）もある．また，あるタンパク質分子がリン酸化されると，それを認識して結合するドメインをもったタンパク質がそこに結合する．シグナル伝達分子はその分子内にいくつかのドメイン部分と酵素活性部分をもっているので，例えばリン酸化された配列に結合するとさらに下流にシグナルを伝え，これが連鎖して伝わっていく（**コラム図15-2**）．

コラム図15-2 ドメインをもつタンパク質の例

右上にあげたタンパク質は必ずしも本書で解説されていないが，いずれも図に示されているようなドメインをもった機能性のタンパク質である

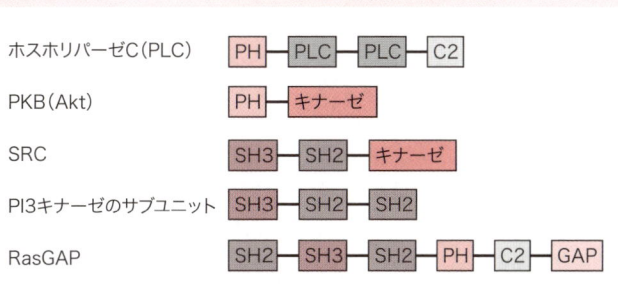

ドメインの種類	ドメイン例	特徴
ペプチドに結合するドメイン	SH2 ドメイン	非受容体型チロシンキナーゼである SRC の中にある配列．100 あまりの残基からなり，リン酸化チロシンに結合する
	SH3 ドメイン	やはり SRC にある SH2 とは別の配列．8～10 アミノ酸からなるプロリンに富む配列に結合する
タンパク質や脂質に結合するドメイン	PH ドメイン	100 あまりのアミノ酸残基からなり，600 種類以上のタンパク質で見つかっている．タンパク質−タンパク質間，タンパク質−脂質間の相互作用に関与する
Ca^{2+} に結合するドメイン	C2 ドメイン	PKC 中に保存された領域で，Ca^{2+} に結合する
キナーゼドメイン		リン酸化酵素（キナーゼ）の触媒活性はキナーゼドメインによる．その代表は PKA で，N 末端側約 100 アミノ酸の小部分と C 末端側 ATP 結合部位などをもつ

cAMP

cAMP（cyclic AMP：サイクリック AMP）は二次メッセンジャーの中で最初に発見されたものである．アデニル酸シクラーゼという酵素が細胞膜受容体刺激のシグナルを受けて活性化されると，細胞質中で ATP から cAMP が生成する（**図15-4**）．この cAMP は使命を終えると cAMP ホスホジエステラーゼにより 5′-AMP へと不活性化される．cAMP の細胞内濃度は細胞外からの刺激後数秒のうちには数十倍以上になり，ホルモンなどの低濃度のシグナル分子に対する速やかで確実な反応を支えている．cAMP の分解もまた速やかに行われる．

cAMP が作用する標的タンパク質の 1 つに**プロテインキナーゼ A**（protein kinase A：PKA，A キナーゼともいう）がある．PKA は活性化されていないときには，触媒機能をもったサブユニット（C）が活性を調節するサブユニット（R）で覆われた四量体である（R_2-C_2）．cAMP の細胞内濃度が上昇すると調節サブユニットに cAMP が結合する（なお，PKA R_2-C_2 には 4 つの cAMP 結合部位がある）．これにより調節サブユニットと触媒サブユニットが解離して PKA が触媒作用を示すようになり，標的タンパク質をリン酸化する．調節サブユニットから cAMP が解離すると，調節サブユニットと触媒サブユニットが再会合して不活性の状態に戻る．

カルシウムイオン

カルシウムイオン（calcium ion：Ca^{2+}）もシグナル伝達においては二次メッセンジャーとして重要な役割を果たしている（p.181 コラム参照）．Ca^{2+} は細胞質内で

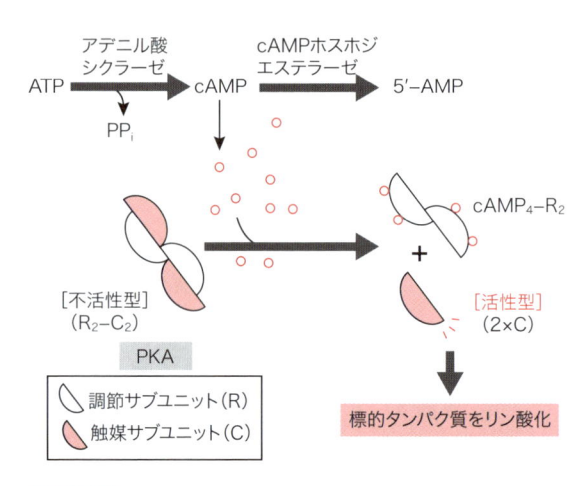

図15-4 **ATP から産生する cAMP とその標的タンパク質 PKA**

PKA は調節サブユニット（R）と触媒サブユニット（C）からなるヘテロ四量体（R_2-C_2）で不活性型の状態にある．cAMP が R に結合すると C が解離し，単量体となって活性型になる

はきわめて低い濃度（細胞外の 1 万分の 1）に維持されている．これは，通常，細胞膜を通して細胞質内の Ca^{2+} を細胞外に積極的に送り出す（能動輸送）機構と，Ca^{2+} を細胞内の小胞体に能動輸送して貯蔵する機構が存在するからである．また一部のカルシウムはイオンの状態ではなく，タンパク質と結合した状態で細胞質中に存在している．

細胞質にあるタンパク質のなかには，その機能発現に Ca^{2+} を必要とするものがある．**カルモジュリン**（calmodulin，**13章4**参照）は 4 つの Ca^{2+} 結合部位をもち，

低分子量 G タンパク質 *Column*

このグループは約 200 アミノ酸からなる分子で，多くは RAS に類似する遺伝子として DNA 配列から同定され，機能の解析はその後に始まった．分子内に互いによく似た領域（G1-G5）があり，配列が折りたたまれると GTP/GDP が結合する「ポケット」を形成する（G1-G5 配列は三量体 G タンパク質の α サブユニットにも存在する）．すべて GTP 結合型と GDP 結合型の 2 つのコ

ンホメーション間を循環してスイッチとして働き，どのようにシグナル経路下流の分子と相互作用するかも調べられている．RAS を活性化状態に保持（GTP アーゼを抑制）し，形質転換（トランスフォーメーション）を誘導する変異としては，12（G1），61（G3）番目の残基に起こるものがよくみられるが，これらは GTP の加水分解に重要なアミノ酸である．低分子量 G タンパ

ク質スーパーファミリーには，細胞増殖シグナルに介在する RAS 以外にも，アクチンなど細胞骨格のダイナミックな運動を調節する「RHO」（この中には RHO，RAC，CDC42 などが含まれる），細胞内の輸送に関係する「RAB」，細胞内小胞の形成などに関係する「ARF」，核と細胞質間輸送などに働く「RAN」のファミリーがあり，細胞内で種々の機能を調節している．

Ca²⁺が結合すると高次構造が変化して活性型のCa²⁺−カルモジュリン複合体を形成する（**図15-5**）．この複合体はさらに多くのタンパク質と結合してそれらの機能を調節するが，この中にはミオシン軽鎖キナーゼなどのプロテインキナーゼも含まれ，複合体との結合によって活性化されるようになる．

アロステリック調節

PKA R₂−C₂とカルモジュリンはそれぞれ，細胞内リガンドのcAMPとCa²⁺に対する結合部位を1分子あたり4つもつ．この4つの部位に対するリガンドの結合親和性は巧みに制御されており，リガンドが第1の部位に結合すると第2～4の部位に対するリガンドの結合親和性が漸次変化する．したがって，リガンドの濃度変化が比較的小さな範囲であっても大きな活性変動が可能となる．これらは**アロステリック調節**（allosteric regulation, 図4-5参照）によって正の**協同性**（cooperativity）が生まれる好例である．

具体例からみるシグナル伝達②：アドレナリン受容体

ここまで扱ったシグナル伝達をアドレナリン受容体を例として具体的にみていく（**図15-6**）．この受容体はGタンパク質共役型受容体（**コラム図15-1**参照）に属する．

アドレナリンは概していえば「闘争や逃走」に際して生じる個体のさまざまな反応（血圧上昇，心拍数増加，

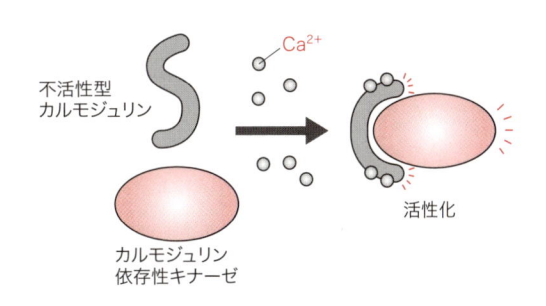

図15-5 **Ca²⁺−カルモジュリン複合体**
不活性型カルモジュリンにCa²⁺が結合すると立体構造が変化して活性型になる．キナーゼの中にはこの活性型カルモジュリンに依存して活性を示すようになるものがある

瞳孔散大，血糖値上昇など）を引き起こすホルモンである．受容体にアドレナリンが結合すると活性化される経路の1つはcAMPの産生を伴うものであり，肝臓ではグリコーゲン分解を促進する．

アドレナリン受容体が活性化されると，これと共役して働く三量体Gタンパク質のαサブユニットに結合していたGDPがGTPと置き換わる．そしてαサブユニットは遊離して，細胞膜に結合して存在するアデニル酸シクラーゼを活性化する．アデニル酸シクラーゼの作用で生成したcAMPはPKAを活性化させ，さらにPKAは標的タンパク質の1つであるホスホリラーゼキナーゼを活性化する．ホスホリラーゼは加リン酸分解を行いながらグリコーゲンからグルコースを1つずつ切り離していく

二次メッセンジャーとしてのカルシウムイオンの発見

リンガー（Sydney Ringer）はUniversity College Hospitalで医師として働き，また後進の指導を行うかたわら，薬理学の研究を行っていた．彼は塩化ナトリウムをカエルに投与すると心臓の拍動を維持できることを見出したが拍動させられる時間は短時間であった．しかしあるとき実験に用いたカエルの心臓が数時間にわたり拍動を続けたのである．リンガーは研究室の実験助手に溶液の調製を任せていたが，彼は長時間かけて水を蒸留する意味がわからず，だれにも気づかれないと思っ

て水道水を実験に使用していたのだった．真相を知ったリンガーは怒ったりせず，まもなくこの水道水にごく少量のCa²⁺が含まれていることをつきとめた．この成果が報告されたのは1883年のことであった．

Ca²⁺を筋繊維に導入することで筋収縮を起こすことは1943年鎌田武雄らにより報告されたが，当時戦争で国交が途絶えていたので一般的にはこの4年後のハイルブラン（Lewis Heilbrunn）らによる発見とされている．ただハイルブランらはカルシウムのタン

パク質への作用はあまり重視していなかった．しかしニューヨークアカデミーで彼らの発表を聴いたレービー（Otto Loewi）は「カルシウムがすべてだ」と考えた．cAMP，Gタンパク質，各種キナーゼが加わった現在ではレービーの考えはそのままでは正しくないが，それでも真実の一部を言い当てていた．cAMPが初めて発見された二次メッセンジャーとすれば，Ca²⁺はそれに次いで発見された二次メッセンジャーである．

酵素であるが，活性型ホスホリラーゼキナーゼによって活性化される．活性化したホスホリラーゼは細胞内に蓄えられていたグリコーゲンからグルコース1-リン酸を産生し，最終的には個体の血糖の上昇をもたらす．

　もう1つの重要な経路は細胞内でのカルシウムイオン（Ca^{2+}）濃度の上昇を伴うものである．別のアドレナリン受容体によって異なる三量体Gタンパク質が活性化されると，そのαサブユニットは今度はホスホリパーゼCという酵素を活性化し，これが細胞膜を構成するリン脂質の1つであるホスファチジルイノシトール4,5二リン酸（PIP_2）をイノシトール三リン酸（IP_3）とジアシルグリセロール（DAG）に分解する．IP_3は細胞膜から離れ細胞質内に拡散し，小胞体にあるCa^{2+}チャネルに結合してチャネルを開く．その結果，小胞体から細胞質中にCa^{2+}が放出される．Ca^{2+}は二次メッセンジャーとして働きさらに下流にシグナルを伝えていくが，例えば，平滑筋細胞においてはCa^{2+}が平滑筋の収縮をもたらす（筋収縮のメカニズムは**13章4**参照）．PIP_2の分解

産物のもう一方であるDAGはPKC（**9章2**参照）を活性化する．DAGによって活性化されたPKCは，MAPキナーゼの活性化をはじめとするさまざまなシグナル伝達経路に関与している．

具体例からみるシグナル伝達③：アセチルコリン受容体

　IP_3が結合することにより開口してCa^{2+}を放出するIP_3受容体はチャネル型受容体の一種である（**図15-6**，**コラム図15-1**参照）．この型の受容体としてよく研究されているアセチルコリン受容体（ニコチン性受容体）のモデルを**図15-7**に示す．アセチルコリンは神経細胞間や神経と筋肉細胞間のシグナル伝達物質（一次メッセンジャー）である．アセチルコリン受容体は5つのサブユニットが細胞膜を貫通してチャネルを形成している．シグナル分子が結合すると立体構造に変化が生じ，サブユニットで囲まれたチャネルをNa^+が通過できるようになる．

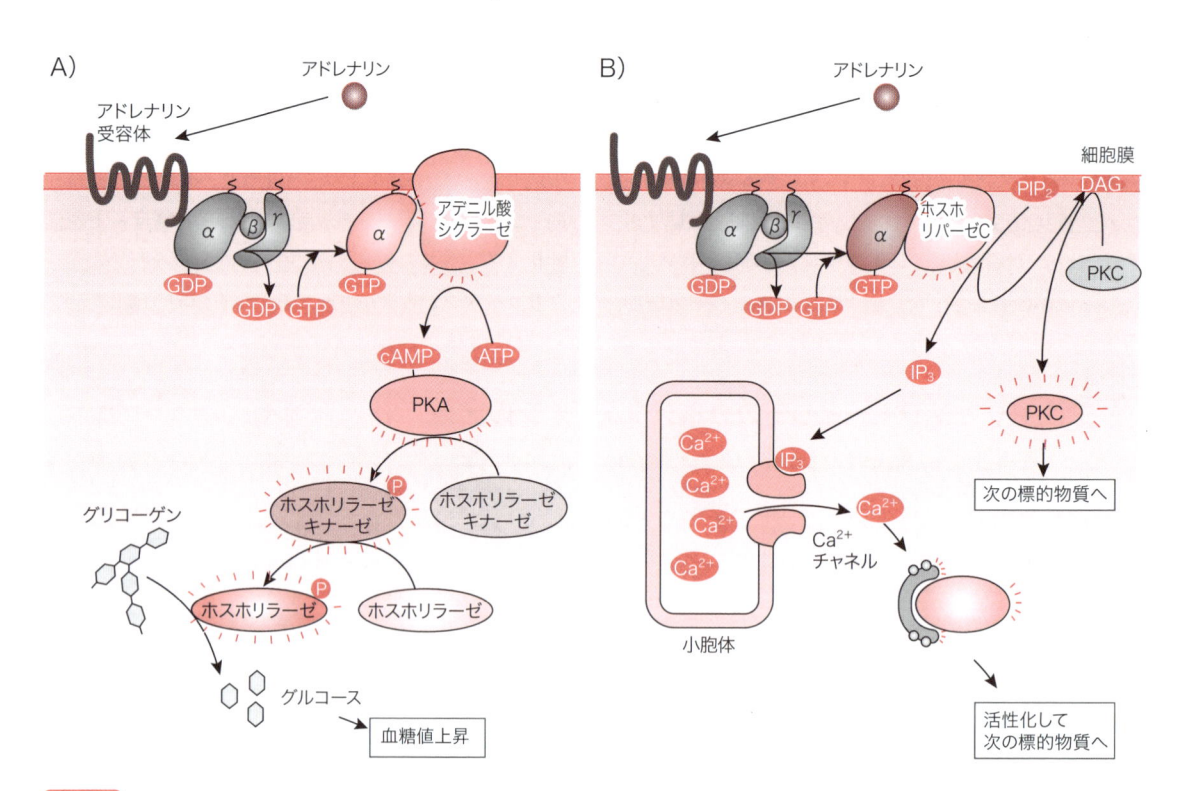

図15-6　Gタンパク質共役型受容体：アドレナリン受容体によるシグナル伝達経路

アドレナリン受容体やそれと共役するGタンパク質にはいくつかの種類があり，その違いが下流のシグナル伝達経路を分けている（図では違いは省略されている）．アドレナリン受容体から始まる主要なシグナル伝達経路の1つはcAMPの産生を伴うものである（A）．もう1つはIP_3とCa^{2+}を利用する経路である（B）

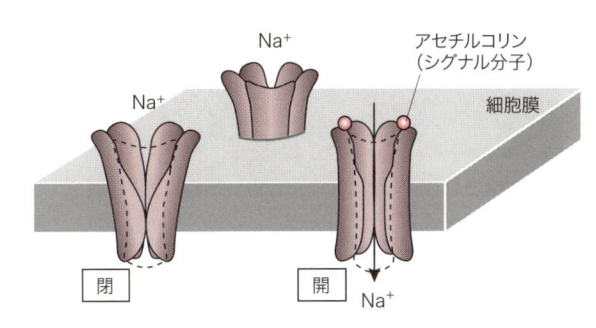

図15-7 アセチルコリン受容体
チャネルは通常閉じているが（左），アセチルコリンが2箇所の結合部位に結合するとチャネルが開いてNa^+が通過できるように立体構造が変化する（右）

4 タンパク質分解を介したシグナル伝達

　細胞内のシグナル伝達はタンパク質の構造を“ON（活性型）”と“OFF（不活性型）”とに変換することを繰り返しながら実行される．しかし，このような可逆的なシグナル伝達に加え，タンパク質分解を用いて非可逆的にシグナルを伝えるしくみも発達している．

　TNFαは代表的な炎症性サイトカインであり，TNFαが受容体に結合すると2つの細胞内シグナルが活性化される（図15-8，p.266コラム参照）．1つはさまざまなサイトカインの発現を誘導するNFκBと呼ばれる転写因子の活性化であり，他方は細胞にアポトーシス（p.184コラム参照）を誘導するタンパク質分解酵素であるカスパーゼの活性化である．どちらのシグナルが優先して伝達されるかは細胞の種類や刺激の強度，持続時間によって異なってくる．

　NFκB複合体は阻害因子IκBと結合していて核への移行ができず転写因子として機能することができない．しかし，TNFαが受容体に結合すると細胞内のキナーゼ複合体であるIKK複合体が活性化され，IκBをリン酸化する．するとリン酸化されたIκBはユビキチン化（12章⑧参照）を受け，プロテアソームで分解される．すると，サイトゾルにとどまっていたNFκB複合体が核移行して転写因子として機能する．

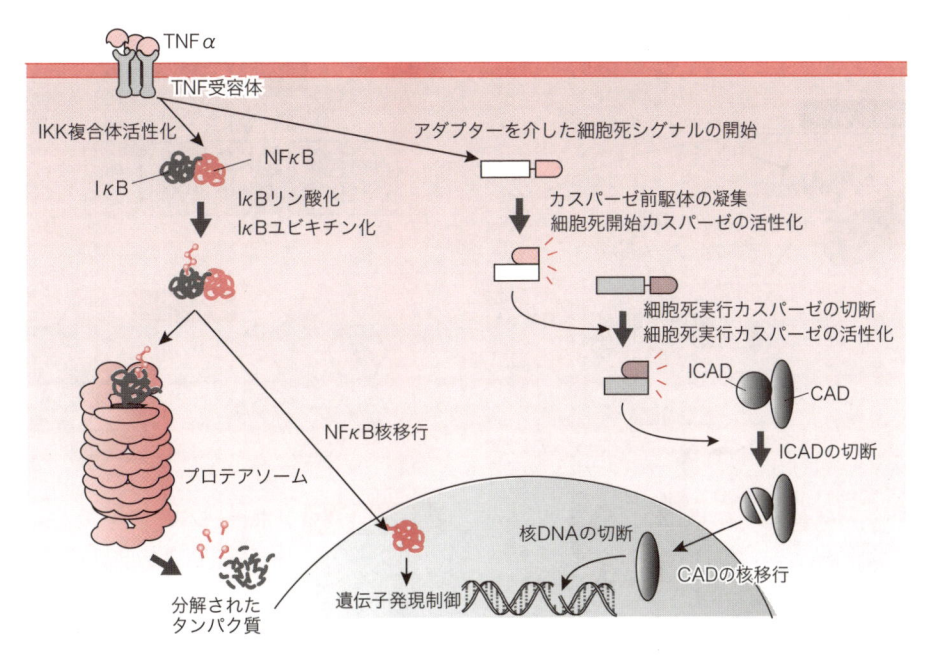

図15-8 タンパク質分解によるシグナル伝達
TNFαがTNF受容体に結合するとIKK複合体が活性化されIκBがリン酸化されてユビキチン化が促進し，プロテアソームによって分解される．IκBから離れたNFκBは核へ移行し転写を活性化する（左側の経路）．一方で，アダプターを介して細胞死開始カスパーゼが活性化され，この活性化されたカスパーゼは下流の細胞死実行カスパーゼを活性化する（右側の経路）．活性化された細胞死実行カスパーゼはICAD（inhibitor of caspase-activated DNase）を切断する．ICADから離れたCAD（caspase-activated DNase）は核へ移行し，アポトーシス特有のDNA断片化を促す

アポトーシス

血球系や上皮の組織では毎日多くの細胞が死んでは，新たにつくられた細胞によって補充されている．この細胞死と増殖の絶妙なバランスによって多細胞生物の恒常性は維持されている．また，発生過程でも形態形成や神経系，免疫系の構築時には大量の細胞が死んでいく．生理的な細胞死はプログラム細胞死とも呼ばれるが共通の形態学的特徴をもって起こり，このような細胞死に**アポトーシス**（apoptosis）という名がつけられた．線虫*Caenorhabditis elegans*（*C. elegans*）は体が透明で発生が観察しやすく，その細胞系譜がすべて明らかにされた唯一の多細胞動物である．細胞系譜の観察から線虫の体つくりでは1,090個の細胞が生まれ，必ず決まった細胞系譜から131個の細胞が死んでいくという，まさにプログラム細胞死が実行されていることがわかった．そして遺伝学的な研究により

細胞死が全く起きない変異体*CED-3*，*CED-4*が得られ，アポトーシス研究の分子機構に画期的な進展がもたらされた．これら遺伝子産物は進化的に保存されていて，それぞれヒトにおけるカスパーゼとその活性化因子APAF-1に相当する分子であった．線虫の研究から細胞死を抑制する遺伝子*CED-9*が得られたが，この遺伝子産物は細胞死を抑制することによって濾胞性リンパ腫を引き起こすBCL-2と相同であった．放射線や栄養因子除去といったさまざまな細胞ストレスによって起こるアポトーシスではAPAF-1／シトクロム*c*によるアポプトソーム形成によって細胞死開始カスパーゼであるカスパーゼ9が活性化される．BCL-2が機能するのはこのアポプトソーム形成にかかわるシトクロム*c*のミトコンドリアからの放出過程であり，このミトコンドリアを介した細胞死経路（内因性経路）がさま

ざまな刺激によるアポトーシスに広く使われている．図15-8で紹介したTNFαによる細胞死経路では，細胞死開始カスパーゼであるカスパーゼ8がBIDというタンパク質を切断し，ミトコンドリアを介したアポトーシスを開始させることも知られている（**コラム図15-3A**）．FASリガンド／FASもTNFα／TNF受容体によるアポトーシスと同様の経路でアポトーシスを誘導し，これらは外因性のアポトーシス経路と呼ばれる．

これまでアポトーシスは静かな細胞死で周りに影響することは少ないと考えられてきたが，アポトーシス細胞が増殖因子を放出したり，周りの細胞に張力を生じさせる現象も知られ，アポトーシスの積極的な生理機能が注目されている（**コラム図15-3B**）．

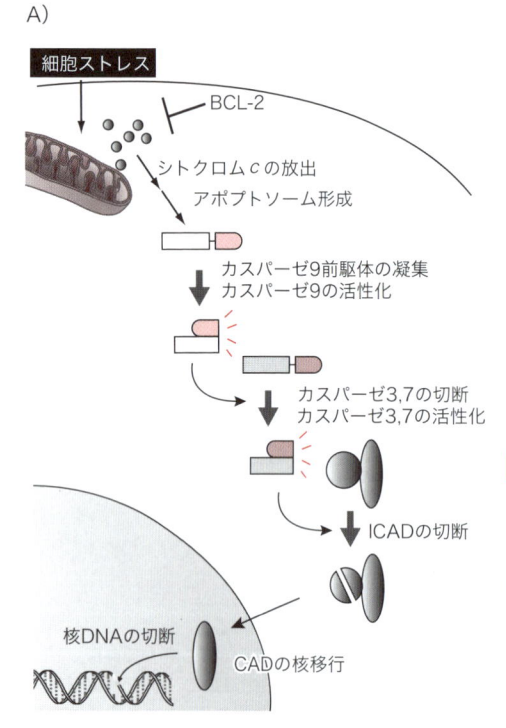

A)

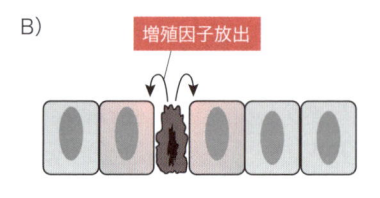

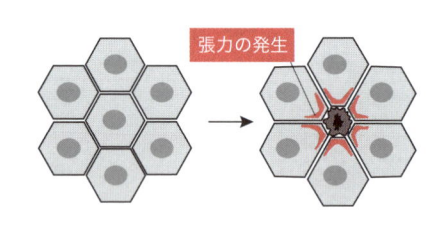

コラム図15-3 アポトーシス

A）ミトコンドリアを介した内因性アポトーシス経路．さまざまな細胞へのストレスがミトコンドリアからのシトクロム*c*放出を促す．このステップをBCL-2は抑制する．内因性アポトーシス経路で最初に活性化される細胞死開始カスパーゼはカスパーゼ9である．内因性，外因性経路で活性化される細胞死実行カスパーゼはカスパーゼ3，カスパーゼ7である．B）アポトーシス細胞から周りの細胞への作用．アポトーシス細胞が周りの細胞に増殖因子を放出したり，アポトーシスがきっかけとなり組織に張力が発生する

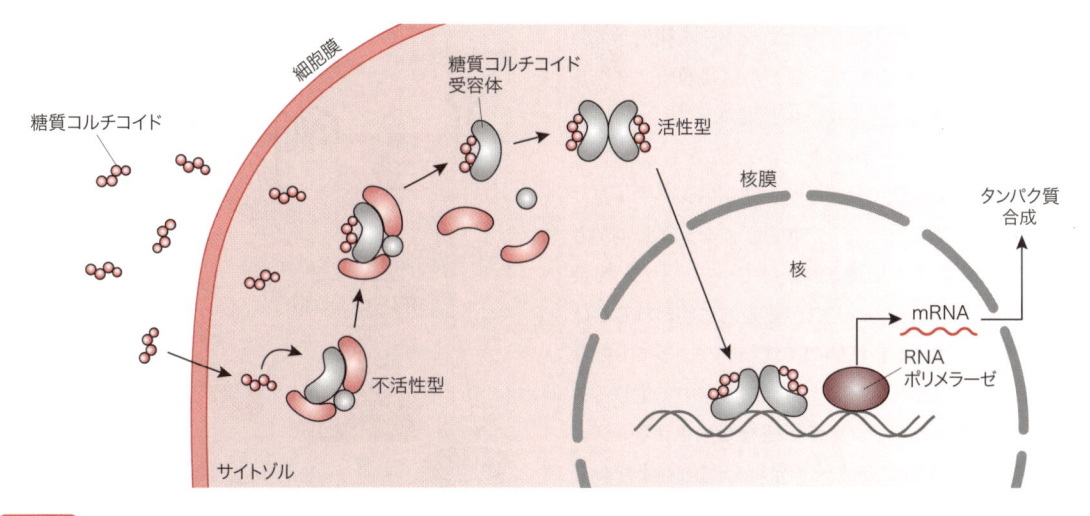

図15-9 核内型受容体：糖質コルチコイド受容体によるシグナル伝達経路
糖質コルチコイド受容体は細胞質中では他のタンパク質と複合体を形成して不活性の状態になっている．糖質コルチコイドが結合すると活性型の二量体となり，核内に移行し転写を促進する

アポトーシスは，TNF α依存的に細胞死開始カスパーゼが凝集することで活性化されて開始される．細胞死実行カスパーゼは細胞死開始カスパーゼによって切断されて活性化する．活性化した細胞死実行カスパーゼはサイトゾルにあるDNA分解酵素複合体CAD/ICADのICADを切断することでCADが複合体から離れて核へ移行しDNAを切断する．このような一連のタンパク質分解カスケードによって細胞死は実行される（図15-8）．

5 転写因子型受容体，核内受容体

ここまで，一次メッセンジャーであるシグナル分子は細胞表面にある受容体に結合することでシグナル伝達を引き起こすことを前提として説明してきた．これは多くのシグナル分子が水溶性で細胞膜をそのままでは通過できないからである．ところが，**14章**で述べたように脂溶性シグナル分子は，細胞内に入るのに特別な手段を用いず，細胞膜を越えて細胞内に，さらには，核内にまで到達できる（コラム図15-1参照）．

糖質コルチコイド（ステロイドホルモンの一種）をシグナル分子としたシグナル伝達経路を例に説明する（図15-9）．糖質コルチコイドは脂溶性であり細胞膜を拡散により透過できる．一方，**糖質コルチコイド受容体**（glucocorticoid receptor：GR）はサイトゾル中の複数のタンパク質とともに複合体を形成しており不活性の状態になっている．サイトゾル内に入ってきた糖質コルチコイドがサイトゾル内に存在するGR複合体と結合すると，GRは他のタンパク質から解離するとともに，糖質コルチコイドが結合した他のGRと二量体を形成する．このように糖質コルチコイドと結合することによりGRは核内へ移行できるようになる．核へ移行したGRは特定のDNAの塩基配列を標的として遺伝子の転写を制御する．GRは転写促進機能をもったドメインを併せもっており，標的の遺伝子の転写を促進することになる．

6 シグナル伝達のクロストーク

図15-10に，ここまで説明してきた受容体の概略を模式的に示す．さまざまなシグナルを細胞が処理し，外界からの刺激に反応するメカニズムの大枠を説明してきた．シグナル伝達に用いられる道具（タンパク質やその修飾分子，Ca^{2+}やcAMPなどの二次メッセンジャー）は共通のものが多い．異なるシグナル分子から発せられ

たシグナル同士が同じ二次メッセンジャーを利用しており，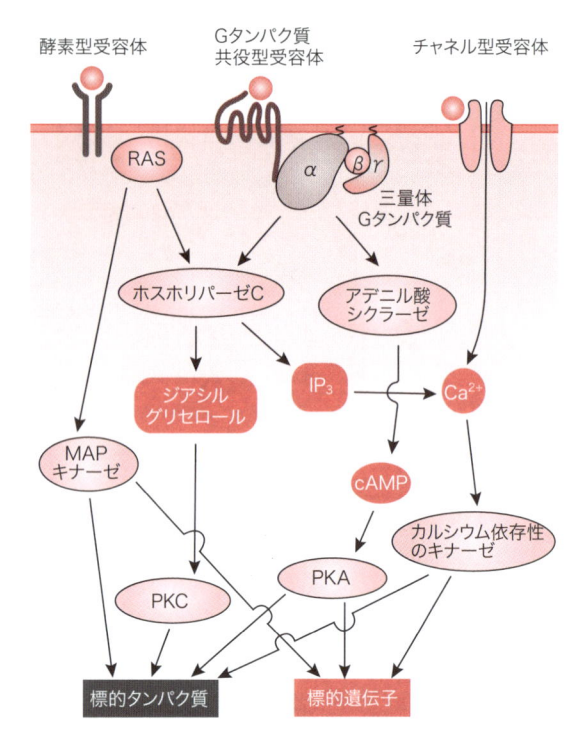図15-10をみる限りでは，ひとたび共通のシグナル経路に入ってしまうと，それより下流のシグナルは何の区別もなく流れてしまうかのようにみえるかもしれない．

しかし，実際の細胞では，ただ1種類のシグナルだけが伝達されていることはなく，さまざまなシグナルがさまざまなタイミングで伝達され続けている．また，複数ある下流シグナルのうち，どれが優先的に使われるかはリガンド-受容体の結合状態の持続時間によっても振り分けられる．それぞれのシグナル伝達の途中で生じるシグナルが，また新たなシグナル伝達を発生させる．シグナル伝達の結果としての遺伝子発現の調節もまたシグナル伝達に影響を与える．実際のシグナル伝達に関係する物質はここで説明したよりもはるかに多く，哺乳類の1つの細胞に数百種類ものプロテインキナーゼが存在するといわれている．

シグナル伝達経路は相互のつながりを活用して複数の情報を組み合わせてそれに対応することができる．複数のリン酸化部位があり，それぞれが異なるプロテインキナーゼによってリン酸化されるタンパク質は，シグナル伝達経路上の統合装置として働く．複数のシグナルが1つのシグナルに変換される経路も存在する．こうしたさまざまな情報の流れが細胞の複雑な応答を生み出しているのである．

図15-10　細胞内シグナル伝達経路のクロストーク
この図では，標的タンパク質や遺伝子が4つのプロテインキナーゼの調節を受けている．実際の細胞ではそれぞれのシグナル伝達経路が互いに影響しあっている

本章のまとめ　　　　　　　　Chapter 15

☐ 細胞内シグナル伝達は，さまざまな様式でタンパク質の高次構造に変化を与え，シグナルを伝達している．

☐ リン酸化と脱リン酸化，糖・脂質の付加などの翻訳後修飾により細胞内のシグナル伝達が伝えられる．

☐ Gタンパク質や低分子二次メッセンジャー，タンパク質の局在変化などの手段でも細胞内のシグナル伝達は伝えられる．

☐ タンパク質分解を用いた非可逆的なシグナル伝達のしくみもある．

☐ 脂溶性シグナル分子は拡散により細胞膜を透過し，核内まで到達できる．

☐ シグナル伝達経路は複雑にクロストークしており，あるシグナルがもたらす結果は，ほかのシグナル伝達経路の状態に影響を受けながら決まる．

16章 神経系の機能と生体恒常性

ヒトや動物の高次機能は脳が司っている．ヒトの脳は約1,000億個の神経細胞からできており，記憶は神経細胞の情報のやりとりが基本となって，われわれの行動の源になっている．本章では，多細胞生物に細胞間の速いシグナル伝達のしくみを与えた巧妙な神経細胞のつくりと，情報の伝達のしくみ，内分泌との関係についてヒトなどの哺乳類を中心に扱うことにする．

1 神経細胞

回路をつくる神経細胞（ニューロン）とは，どのようなものだろうか．海馬で記憶を司るといわれている大型の三角形の錐体細胞を図16-1に示す．われわれの脳の中にある神経細胞には，この他にいろいろなものがある．例えば，小脳にあるプルキンエ細胞は無限ともいえるほどの分岐した樹状突起をもっており，この1つ1つの枝が他の神経細胞と接触している．

このように神経の特徴は，1つの細胞でありながら方向性（極性）があるということで，丸い細胞体と**軸索**（axon）と呼ばれる長い突起がある．神経細胞体でつくられたペプチドは軸索を通って運ばれていき（図16-2），末端からシナプス間隙に分泌される．この他，低分子の神経伝達物質（グルタミン酸，アセチルコリン）は軸索終末でつくられる．ここから分泌される神経伝達物質は，隣接した細胞との間の刺激（シグナル）の伝達にかかわっている．

神経細胞には，軸索のほかに他の神経からのシグナルを受け取る**樹状突起**（dendrite）がある．軸索も1本ではなくいくつにも分かれることがあり，樹状突起も数多く存在するので，神経同士の接触点（シナプス）は多い．通常，1つの神経細胞が他の数千の神経細胞と接触している．

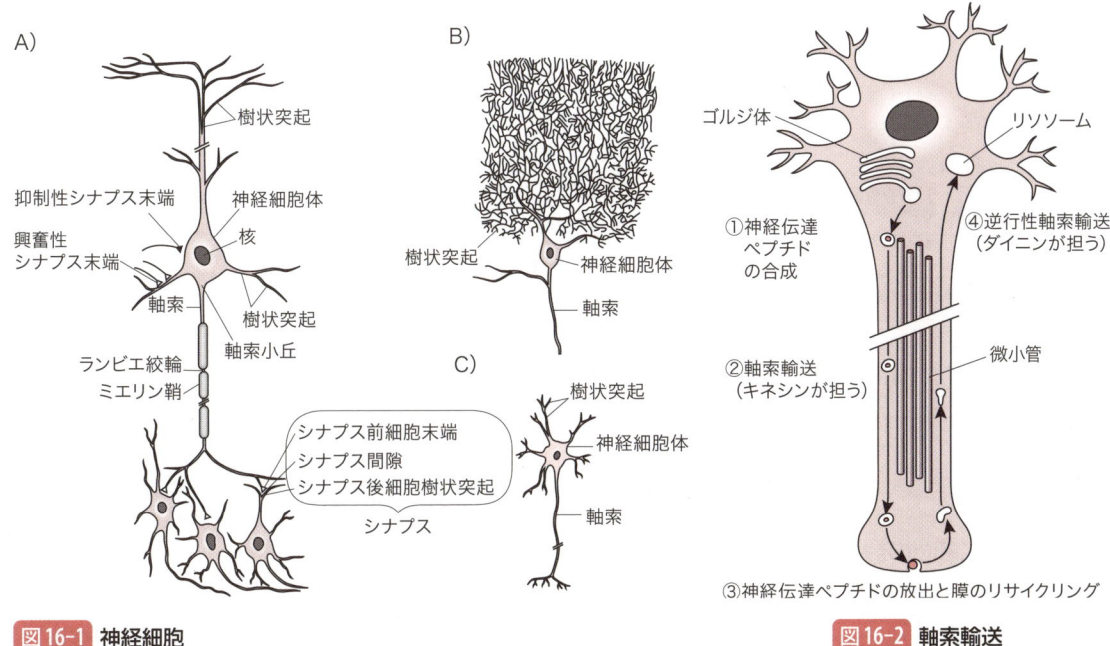

図16-1 神経細胞
A）錐体細胞（海馬），B）プルキンエ細胞（小脳），C）運動ニューロン（脊髄）

図16-2 軸索輸送

神経細胞は単独では生きていくことはできず，周囲にあるグリア細胞に支えられている．またグリア細胞は，神経細胞に栄養を与えたり，シナプス伝達を調節する役割がある．グリア細胞の数は神経細胞の10倍以上といわれており，栄養分を産生するアストロサイト，ミエリン鞘をつくるオリゴデンドロサイトとシュワン細胞，マクロファージ様の大食細胞であるミクログリアなど機能の異なるものが存在する．また発生時には神経細胞が移動するときに道案内をする放射状グリアもある．

2 神経細胞の興奮とその伝達

生物は周囲の情報を感知して，それに反応して運動する能力を備えている．このようなしくみは細菌にも備わっている．多細胞動物では，さらに発達したシステムが存在し，情報の感知や運動に特化した細胞がそのシステムで活躍している．そのシステムは，外部からのさまざまな情報を感知するための感覚神経細胞，感知された情報を統合する神経細胞，効果器に伝える運動神経細胞，そして，効果器を構成する筋細胞などから構成されている．感覚細胞が外部からの情報（刺激）を感知すると，それらの細胞は興奮する．その興奮は神経細胞を経由して脳や筋細胞まで伝達され，その刺激に対する反応（運動）が引き起こされる．例えば，その刺激を避けるといったような運動（忌避運動）である．

膜電位の変化

イオンを通さない細胞膜に包まれたサイトゾル内は，各種のイオンが一定の濃度に保たれている．例えば，動物の細胞内は，図16-3A に示したように，外液である体液（血液やリンパ液など）と比べてK⁺濃度が高くNa⁺が低い濃度に保たれている．このような状態の細胞では，その細胞膜を隔てて数十mVの電位差（細胞質側がマイナス）が発生している．この細胞の静止状態の膜電位は**静止膜電位**（resting membrane potential）と呼ばれる．各イオン種（Na⁺，K⁺）についてそれぞれ決まる膜電位が**平衡電位**（equilibrium potential）である．

静止膜電位の発生にかかわっている主要なイオンは，膜を横切って流出しているK⁺である．細胞膜には，刺激がなくても常時開いたような状態のK⁺チャネル（漏洩K⁺チャネルと呼ばれている）が存在するので，濃度勾配に従ってK⁺が細胞の外に流出している．このように，膜を横切った陽イオンの拡散は，膜を隔てた電位差（細胞質側がマイナス）を発生させる．それと同時に，外側に向かって移動するK⁺に対しては，発生した電位差によりそれらを内側に引き戻そうとする力が働く．その両方が釣り合った状態で発生している平衡電位が静止膜電位である．半透膜としての性質をもつ細胞膜について，K⁺の平衡電位をネルンスト（Nernst）の式で求めることができる．その値は細胞膜を隔てて発生している静止膜電位の実測値に近い値となる（図16-3B）．

細胞の興奮

感覚細胞が興奮するということは，刺激に反応して，特定のイオンチャネルの開閉が引き起こされて，細胞膜の膜電位が一過性に大きく変化するということである．細胞の興奮が膜電位の変化という形で起こることは共通した現象であるが，感覚細胞の種類により，興奮に関与しているイオンチャネルの種類は異なる．ここでは，神経細胞の興奮について説明する．

神経細胞の興奮は，膜電位の変化に依存してその開閉が制御される，**電位依存性**（voltage-dependent）のNa⁺チャネル（コラム図16-1参照）とK⁺チャネルによ

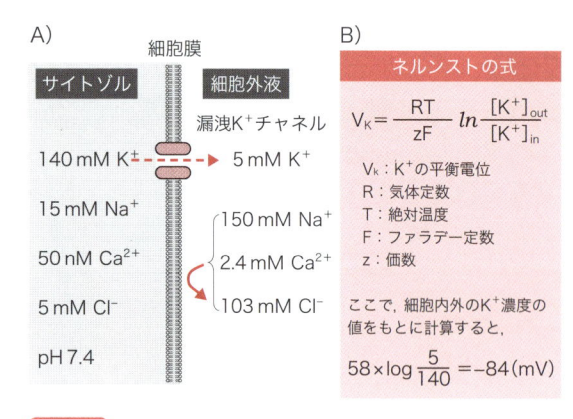

A) B)

$$V_K = \frac{RT}{zF} \ln \frac{[K^+]_{out}}{[K^+]_{in}}$$

V_k：K⁺の平衡電位
R：気体定数
T：絶対温度
F：ファラデー定数
z：価数

ここで，細胞内外のK⁺濃度の値をもとに計算すると，

$$58 \times \log \frac{5}{140} = -84 (\mathrm{mV})$$

図16-3 静止膜電位の発生とネルンストの式
細胞膜を隔てたK⁺の平衡電位を，ネルンストの式を用いて計算すると，細胞膜の静止膜電位の近似値が得られる．細胞内外のイオン濃度の数値は細胞の種類により少し異なる．ここではその一例が示されている

るものである．神経細胞では，刺激により膜電位が一定の値（閾値）まで上昇すると，電位依存性Na⁺チャネルが次々に開くために，膜電位が急激にプラス側に変化する（**図16-4**）．このような膜電位の変化は**脱分極**（depolarization）と呼ばれている．脱分極によってNa⁺チャネルが活性化し，Na⁺が流入して膜電位がNa⁺の平衡電位に近づくが，Na⁺チャネルが不活性化するとともにK⁺チャネルが遅れて活性化するために膜電位は急速に再分極（マイナス側に変化）し，静止膜電位に戻る．このような一過性の急激な膜電位の変化は**活動電位**[※]（action potential）と呼ばれている．そして，この際に大きく変化した細胞内のNa⁺やK⁺濃度は，Na^+/K^+-ATPアーゼにより元の状態に戻される．

活動電位の伝導

感覚細胞や神経細胞により感知された刺激は，活動電位という形で，神経細胞を介して，脳や筋細胞に伝

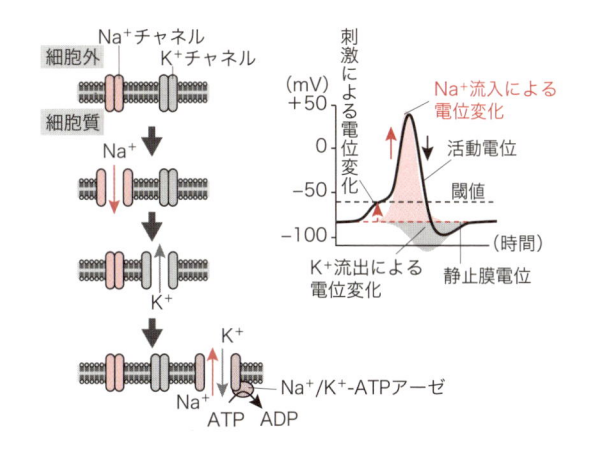

図16-4 **活動電位の発生機構**
神経細胞の興奮は電位依存性のNa⁺チャネルとK⁺チャネルにより引き起こされる．興奮によって変化した細胞内のイオン濃度は，Na^+/K^+-ATPアーゼにより元の静止状態の値に戻される．赤と黒の実線の矢印は，それぞれ，Na⁺の流入とK⁺の流出による膜電位の変化の方向を示す

電位依存性Na⁺チャネル

Column

電位依存性のイオンチャネルは，膜電位が一定の値になると開閉するイオンチャネルである．これは，イオンチャネルを構成している構造の一部が，膜電位の変化に反応してその立体構造を変化させ，イオンチャネルの開閉を行っているためと考えられている．その一例として，電位依存性のNa⁺チャネルが膜電位の変化に反応して開くモデルを示す（**コラム図16-1**）．この例では，膜電位感受性をもつように設計された特定のαヘリックス構造が，膜電位の変化に反応して回転しながら移動することにより，イオンチャネルが開かれるというモデルである．膜電位の変化に反応するαヘリックス構造には，正の電荷をもったアルギニンやリシンなどの塩基性アミノ酸がらせん状に配列している．そして，膜電位の変化に反応してそのαヘリックス構造が回転移動すると，その周囲の構造が影響を受けてイオンチャネルのゲートが開かれる．

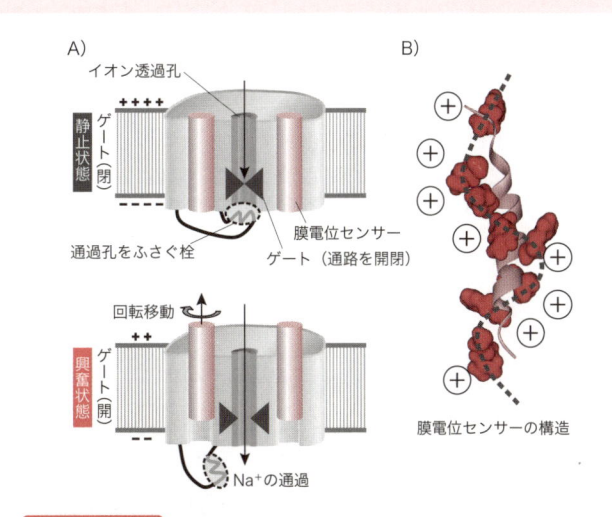

コラム図16-1 **電位依存性のNa⁺チャネルの開閉モデル**
電位依存性Na⁺チャネルのイオンが通る通路は，ゲートとプラグ（栓）により二重に制御されている．膜電位センサーの役割を果たしているのは，イオンチャネルを構成する一部のαヘリックス構造で，それらにはアルギニンやリシンなどの塩基性アミノ酸（Bの赤で示す部分）がらせん状に配置されている．この部分が膜電位の変化を感知して回転しながら移動することにより，チャネルの開閉が制御されている

※ **スパイク**（spike）あるいは**インパルス**（impulse）ともいう．

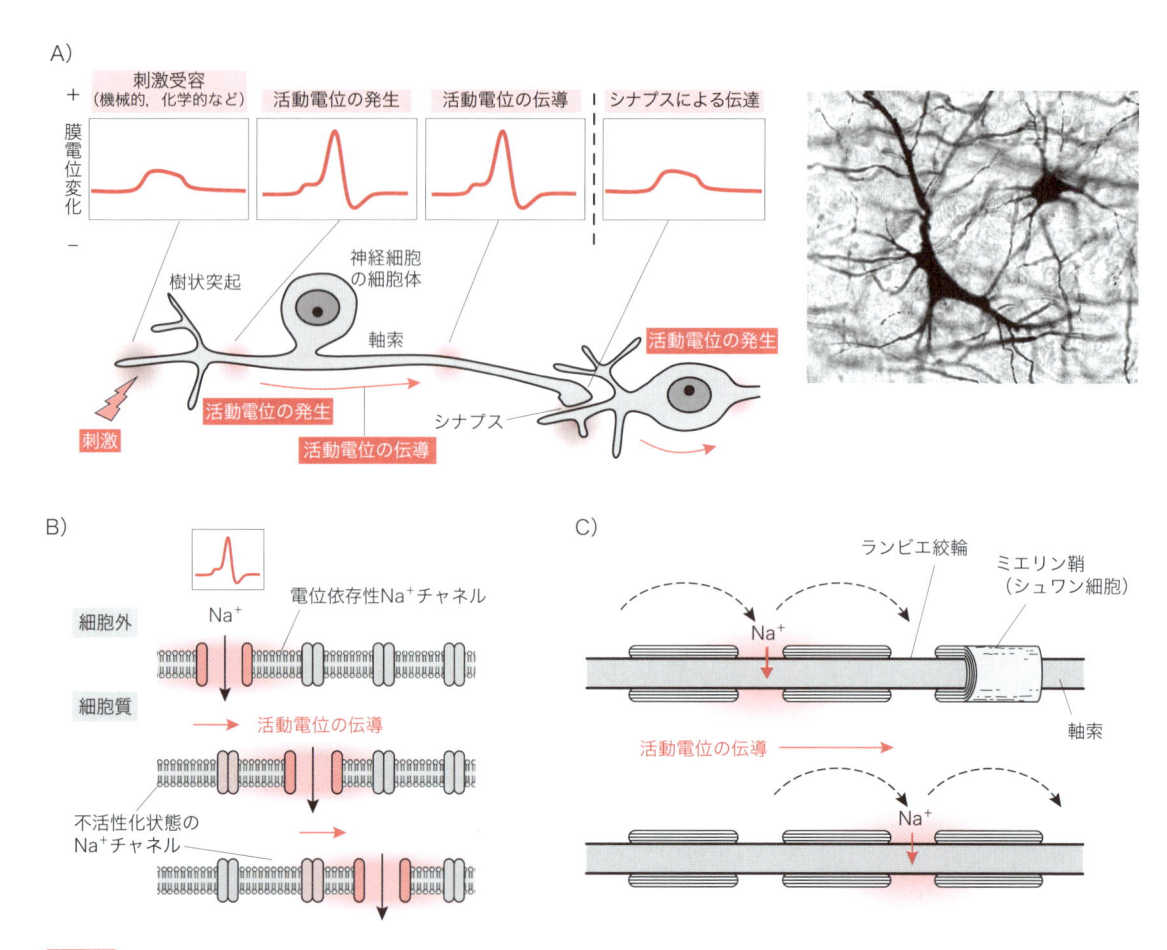

図16-5 神経細胞における活動電位の伝導

A）神経細胞における活動電位の発生とその伝導．写真はゴルジ染色された脳の神経細胞とその細胞突起を示す．B）無髄線維における活動電位の伝導．活動電位の伝導は電位依存性のNa^+チャネルとK^+チャネルによるものであるが，ここでは，Na^+チャネルが電位変化に反応して連鎖反応的に開く様子を示している．いったん開いたNa^+チャネルは，しばらくの間は膜電位の変化に反応しない不応期になるので，活動電位の伝導は一方向的に伝わっていく．C）有髄線維における活動電位の伝導．活動電位はミエリン鞘で覆われていない部分を不連続的に伝導される．そのために伝導速度が速い

えられる．活動電位が神経細胞の長い繊維状の突起（樹状突起と軸索）に沿って伝導される際にも，電位依存性のNa^+チャネルとK^+チャネルが活躍している．その際には，隣接したNa^+チャネルが開くことによる膜電位の上昇を感知したNa^+チャネルが，ドミノ倒しのように次々と開いて膜電位の変化を伝導する（**図16-5A**）．興奮が一方向に伝導される理由は，一度開いたNa^+チャネルは不活性化状態となり，しばらく反応しないという不応期があるためである．

神経細胞の軸索のタイプには，**無髄線維**（unmyelinated fiber）と，シュワン細胞やオリゴデンドロサイトと呼ばれる細胞が一定の間隔をおいて軸索に巻きつい

ている**有髄線維**（myelinated fiber）の2種類がある．前者では，活動電位の発生が軸索に沿って連続的に引き起こされることにより興奮が伝導される．一方，後者では，ミエリン鞘とミエリン鞘の間の露出したランビエ絞輪と呼ばれる部分を中心にNa^+チャネルやK^+チャネルが分布しているために，活動電位の発生が一定の距離を隔てて跳躍するように不連続的に引き起こされる（跳躍伝導と呼ばれる，**図16-5BC**）．そのために，活動電位の伝導速度は後者の場合が圧倒的に速い．

▎シナプスによる興奮の伝達

感覚細胞から神経細胞，神経細胞同士の間，そして，

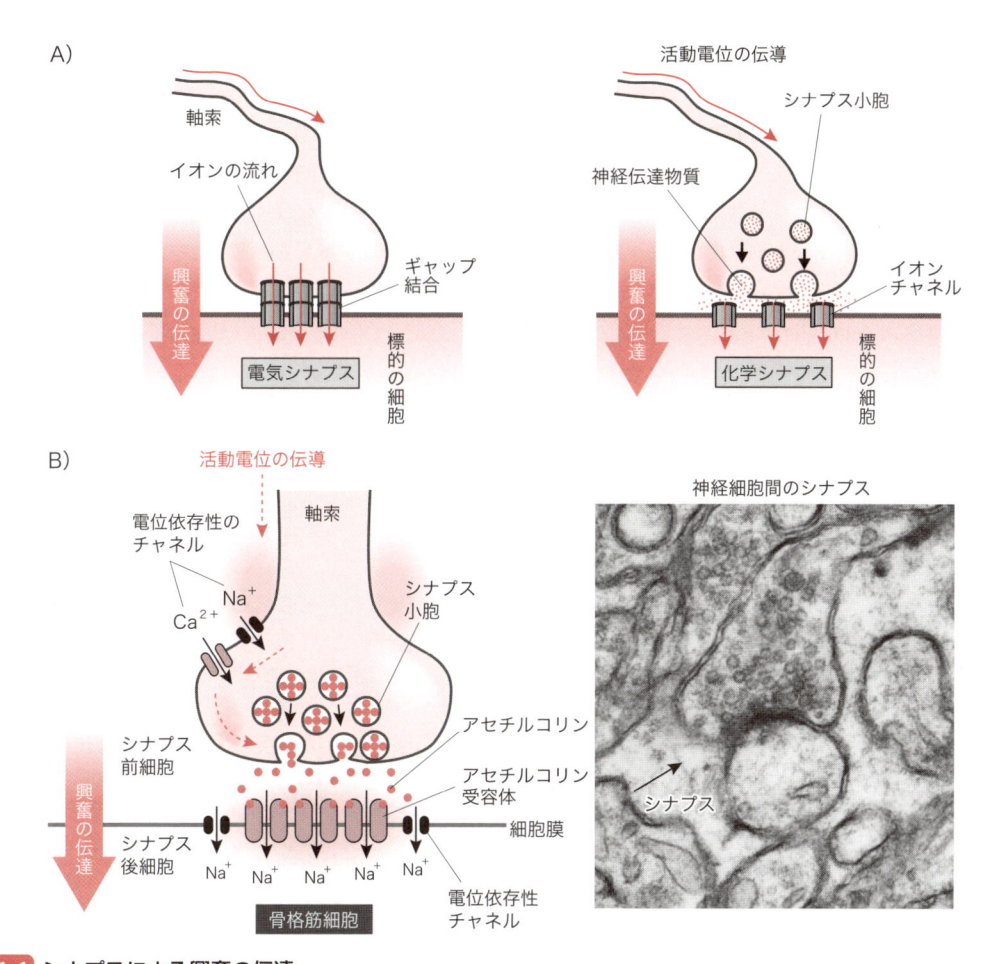

図16-6　シナプスによる興奮の伝達

A）シナプスの種類．ギャップ結合を介して興奮を伝達する電気シナプスと，分泌された化学物質を介して興奮を伝達する化学シナプスの2種類がある．B）シナプスを介した骨格筋細胞への興奮の伝達を示す模式図．軸索を伝導されてきた活動電位はシナプスの電位依存性Ca^{2+}チャネルを開く．シナプス内のCa^{2+}濃度の上昇が，シナプス小胞と細胞膜の融合を引き起こし，アセチルコリンの分泌を引き起こす．アセチルコリンは筋細胞のアセチルコリン受容体に結合し，そのチャネルを開く．その結果Na^+が筋細胞に流入し筋細胞の興奮を引き起こす．電子顕微鏡写真は脳の神経細胞同士の間にみられる化学シナプスを示す

神経細胞から筋細胞への興奮の伝達は**シナプス**（synapse）を介して行われる．シナプスには，**電気シナプス**（electrical synapse）と**化学シナプス**（chemical synapse）の2つのタイプがある（図16-6A）．

電気シナプスはギャップ結合（図14-6参照）により細胞同士が結合されたシナプスである．化学シナプスは細胞間の興奮の伝達が化学物質を介して行われているシナプスである．細胞間結合で直接つながっている電気シナプスの方が，化学物質を分泌して興奮を伝達している化学シナプスよりも，伝達速度がはるかに速い．電気シナプスと化学シナプスは，それぞれ無脊椎動物

と脊椎動物で中心的な役割を果たしている．また，電気シナプスは脊椎動物の脳にも存在し，化学シナプスとは補完的な役割を果たしていると考えられている．

化学シナプスでは，興奮を伝える側の細胞から分泌された**神経伝達物質**（neurotransmitter，14章**5**参照）が，伝えられる側の細胞膜に存在する受容体に作用して興奮が伝達される．ニコチン性アセチルコリン受容体のように受容体がイオンチャネルを兼ねている場合や，ムスカリン性アセチルコリン受容体のようなGタンパク質共役型受容体の場合は，Gタンパク質を介したシグナル伝達によってイオンチャネルの開閉を制御している場

合などがある．いずれの場合にも，神経伝達物質の作用により，相手の細胞膜に存在するイオンチャネルが開かれて興奮が伝達される（**図16-6B**）．

化学シナプスには，興奮性と抑制性の2種類が存在する．前者は興奮を相手に伝える働きのシナプスである．後者は，膜電位の上昇を抑えて興奮を抑制する働きのシナプスである．興奮性のシナプスでは，分泌された**アセチルコリン**（acetylcholine）やグルタミン酸な

どの神経伝達物質により，相手の細胞膜にあるNa^+チャネルが開かれる．その結果，膜電位が上昇して細胞の興奮が引き起こされる．一方，抑制性のシナプスでは，GABA（γアミノ酪酸）やグリシンなどの神経伝達物質が分泌され，それらが相手の細胞膜のCl^-チャネルやK^+チャネルを開いて，その膜電位を低下させ，細胞の興奮を抑制している．

逆行性神経伝達ならびに神経伝達物質の運命 *Column*

カンナビノイド受容体CB1のように，もともとシナプス前細胞だけに存在する受容体もある．これは非常に特殊な場合であるが，シナプス後細胞膜の脂質から合成された神経伝達物質 2-アラキドノイルグリセロール（2AG）がシナプス前細胞膜上のCB1に結合し，GABAという神経伝達物質の放出を抑制する．このようなしくみのことを，逆行性神経伝達と呼ぶ．

一方，いったんシナプス間隙に放出された神経伝達物質は，その場で分解されるか，じわじわ神経細胞中にしみわたっていくか（拡散），または，積極

的にシナプス前細胞に回収される（リサイクルされる）かのどれかである．例えば，アセチルコリンはエステラーゼという酵素によって分解されるが，この酵素の阻害剤がアルツハイマー病の治療薬になっている．また，一酸化窒素という気体のシグナル伝達物質は拡散によって伝わるが，その範囲は狭い．効率を考えれば，積極的回収の方が都合がよい．このような回収を担当するトランスポーターが，通常は，シナプス前細胞の神経末端の細胞膜上に存在する．例えば，セロトニンならそれだけを通すセロトニントランスポーター

が，ドーパミンならそれだけを通すドーパミントランスポーターが存在する．しかも，後者なら脳のどこにでも存在するのではなく，ドーパミン神経だけに存在することが知られている．例えば，人工的な麻薬によく似たMPTPという物質は，ドーパミントランスポーターから神経に取り込まれ，ドーパミン神経だけを殺すため，この物質の中毒になった人は，ドーパミン神経が死ぬパーキンソン病のような症状になることが報告されている．

受容体とアゴニスト，アンタゴニスト *Column*

脳内に存在するニコチン性アセチルコリン受容体（nAchR）は思考と密接な関係をもつが，ニコチンがアゴニスト（**14章1**参照）となる．タバコを吸うと意識がはっきりして集中力が増すのはこのためである．また，矢毒であるクラーレがアンタゴニストとなる．矢に当たった動物が動かなくなるのは，筋肉にあるnAchRにクラーレが結合して筋肉の収縮を止める（弛緩させる）ためである．一方，脳にはムスカリン性アセチルコリン受容体があり，これにアセチルコリンが結合すると瞳孔が収縮するが，名前のとおり毒キノコからとられたムスカリンという物質も同

じ作用をもつので，ムスカリンはこの受容体のアゴニストとして働いている．薬剤の効きは，この受容体との親和性で説明される．例えば，統合失調症の薬であるクロルプロマジンは，ドーパ

ミンD2受容体のアンタゴニストである．すなわち，クロルプロマジンが症状を軽減するということは，統合失調症の陽性症状はドーパミンの機能亢進ではないか，という説が生まれた．

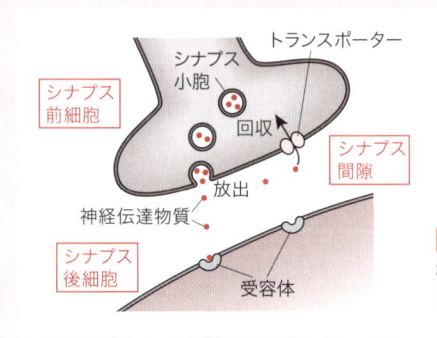

コラム図16-2
神経伝達物質の放出とリサイクル

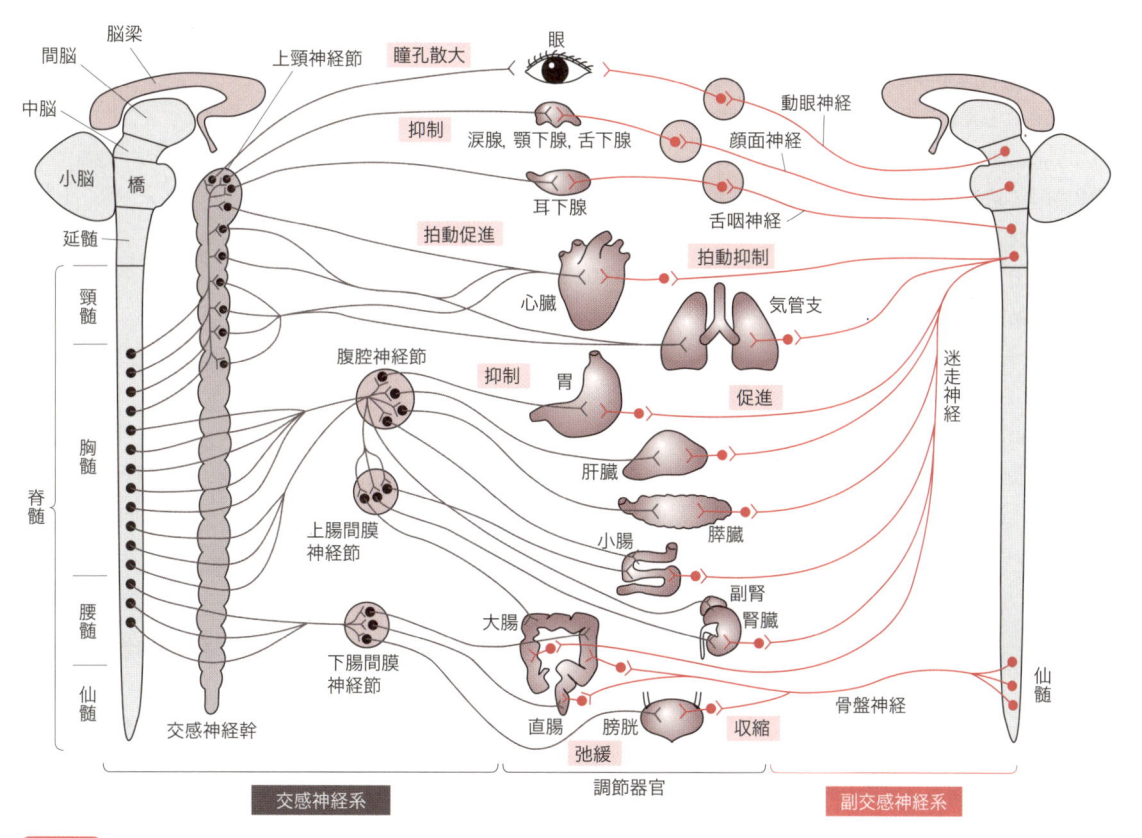

図16-7 自律神経系の構成と各臓器に対する支配

●●は細胞体，━< ━<は神経終末を示す

（図の各部ラベル）

脳梁／間脳／中脳／小脳／橋／延髄／頸髄／胸髄／腰髄／仙髄／脊髄／上頸神経節／瞳孔散大／眼／抑制／涙腺, 顎下腺, 舌下腺／耳下腺／拍動促進／心臓／腹腔神経節／抑制／胃／上腸間膜神経節／下腸間膜神経節／大腸／直腸／交感神経幹／膀胱／弛緩／調節器官／収縮／骨盤神経／仙髄／動眼神経／顔面神経／舌咽神経／拍動抑制／気管支／促進／肝臓／膵臓／小腸／副腎／腎臓／迷走神経

交感神経系　　副交感神経系

3 恒常性の維持と神経

恒常性の維持に重要な役割を担っているのが神経系と内分泌系であることは**2章**で学んだ．恒常性の維持に関与する神経系は，**自律神経系**（autonomic nervous system）である（**図16-7**）．自律神経は不随意運動を行う器官を支配しており，比較的脳の支配から独立しているためその名がつけられた．自律神経系には**交感神経系**（sympathetic nervous system）と**副交感神経系**（parasympathetic nervous system）があり，ほとんどすべての末梢器官は双方の支配を受けている．多くの場合これら2つの自律神経系の作用は拮抗的で，そのバランスにより各器官の働きが調節されている．

一方，内分泌系とは**ホルモン**（hormone, **14章3**参照）を介したシグナル伝達系である．ホルモン産生組織のうち，神経組織がホルモンを産生・分泌する現象を特に**神経分泌**（neurosecretion）と呼ぶ．神経分泌は，神経系と内分泌系を結ぶ現象といえる．拡大しつつあるホルモンの定義からみると，シナプスを介してカテコールアミンやアセチルコリンを用いてシグナル伝達を行う神経系の作用も，ホルモンのパラクリン作用の1つと捉えることができる．

視床下部の神経分泌細胞からはオキシトシンやバソプレシンというペプチドホルモンがつくられ，下垂体後葉の毛細血管に分泌されている．また下垂体前葉でも全身にある内分泌腺からのホルモン分泌を調節する各種のホルモンが合成され，血液中に分泌されている．このように，ホルモン分泌は神経細胞によって支配，統合されている．

次項では，動物の内部環境が神経系と内分泌系の協調により一定に保たれていることを，血糖の例を用いて解説する．

血糖量の恒常性

　動物細胞のエネルギー代謝は主にグルコースによって調節されるため，血糖値は適切な範囲で厳密に保たれている．血液中のグルコースは，腸における吸収や肝臓における糖新生・グリコーゲン分解による供給と，肝臓，骨格筋，脂肪組織での取り込みによる消費のバランスにより調節されている．

　血糖値が減少すると，視床下部の空腹中枢の神経細胞が刺激され食欲が増す（図16-8）．また，交感神経系が活性化されることにより膵臓のα細胞から**グルカゴン**（glucagon）が，副腎髄質からアドレナリンが分泌される．α細胞は血糖値の減少に直接反応することもある．血糖値の減少は，さらに視床下部を介して下垂体からACTHや**成長ホルモン**（growth hormone：GH）の分泌を促進する．ACTHは副腎皮質に作用して，**糖質コルチコイド**（glucocorticoid，ヒトではコルチゾル）の分泌を促進する（表14-2参照）．グルカゴン，アドレナリン，コルチゾル，成長ホルモンなどの血糖上昇ホルモンは，筋肉や肝臓に作用してグリコーゲンの分解を促進するとともに，グルコースの消費器官である脳や筋肉への取り込みを抑制する．

　血糖値が上昇したときには，視床下部の満腹中枢が刺激され，食欲が抑えられる．また，副交感神経系が刺激されることにより，膵臓のβ細胞から**インスリン**（insulin）が分泌される．同時にβ細胞は，血糖値の上昇を直接感知してインスリンを分泌する．インスリンは中枢に作用して食欲を抑制する作用をもつ．インスリンはこれまでに知られている唯一の血糖低下ホルモンで，インスリンやその受容体遺伝子に異変があると高血糖となる．インスリンは，細胞膜にグルコーストランスポーター（GLUT4）を増やすことにより，グルコースの細胞内への取り込みを促進する．細胞質にはGLUT4をもつ顆粒が存在するが，インスリンはそれを細胞膜へと移動・融合させることにより速やかに効果を発現する．

血糖量の恒常性の破綻と糖尿病

　ヒトの血液には，常に80〜100 mg/dL程度のグルコースが含まれるよう調節されている．前述のように血糖値を上昇させるホルモンは多数あるにもかかわらず，血糖値を低下させるホルモンはインスリンただ1つである．これはヒトが飢餓に対抗するため，エネルギーを蓄

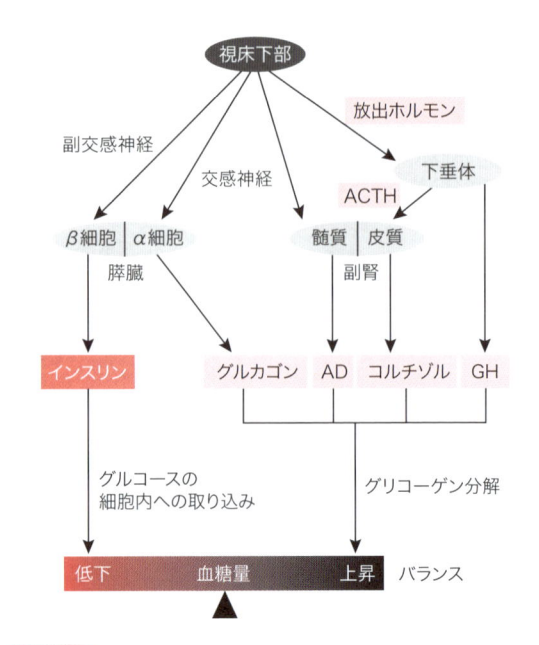

図16-8 血糖調節における自律神経系と内分泌系の相互作用
ACTH：副腎皮質刺激ホルモン，AD：アドレナリン，GH：成長ホルモン

える手段，つまり血糖値を上昇させる機構を進化させてきたが，血糖値を低下させる機構を進化させる必要がなかったためだと考えられる．膵臓のβ細胞からインスリンが分泌されない場合やインスリンの分泌量が低下した場合，そしてインスリンが分泌されても肝細胞や筋細胞がインスリンに応答せず血液中のグルコースを細胞内に取り込まない場合，血糖値の高い状態が続く．このような状態を**糖尿病**（diabetes mellitus）という．

　糖尿病は2種類に分類でき，β細胞が破壊されインスリンが分泌されないことで発症する1型糖尿病とインスリン分泌量の低下やインスリン抵抗性（後述）によって発症する2型糖尿病がある．1型糖尿病は体内のインスリンが不足するため，食後体外からインスリンを注射することで血糖値を正常範囲に調節する必要がある．一方2型糖尿病の場合，発症の初期段階ではインスリン分泌が起こる．しかし，体内でインスリンの作用を妨げる物質（脂肪細胞から分泌されるさまざまなアディポサイトカイン）が増加するため，インスリンが分泌されても，肝細胞や筋細胞が血液中のグルコースを取り込まなくなる．このような現象をインスリン抵抗性と呼ぶ．この状

態が継続すると，β細胞は，血糖値を低下させるためにインスリンを分泌し続ける．その結果，最終的にはβ細胞が疲弊し，インスリン分泌量が減少，さらに血糖値が上昇し続けるという悪循環に陥る．このような2型糖尿病は，不規則な食生活や運動不足などの生活習慣により発症し，日本人の糖尿病の約90％を占める．第2次世界大戦後，日本人の食生活は大きく変化し，栄養バランスも良好になり，それに伴い平均寿命も伸びた．一方で，糖尿病の患者数も激増し，肥満の割合も増えた．その原因を過食，飽食と誤解する傾向があるが，図16-9に示す通り，ここ70数年間，日本人の食事からの摂取エネルギー量はほとんど変化していない．大きな変化をしたのは，エネルギー摂取量に占める脂肪の割合であ

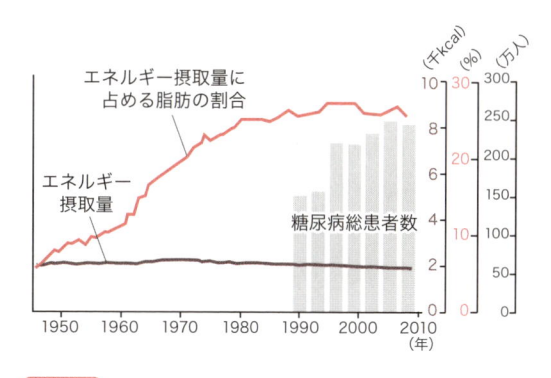

図16-9 生活習慣と糖尿病の増加
厚生労働省「国民健康・栄養調査」，患者調査（傷病分類編）」のデータより

食欲の調節

Column

先進国では肥満が生活習慣病の主な原因となっており，それに関連して食欲調節やエネルギー代謝が最近の研究トピックとして注目されている．これまで食欲は，主に血液中のグルコースや脂肪酸の量により調節されていると考えられてきた．しかし，インスリンが食欲を抑制することが明らかになり（本文参照），ホルモンの作用にも研究対象が拡がってきた．最近過食と肥満を示すマウスから肥満に関与する遺伝子（obese gene）が同定され，その遺伝子や受容体を変異させると過食や肥満が起こることがわかった．その遺伝子産物であるレプチンと呼ばれるホルモンは，脂肪細胞でつくられ肥満とともに分泌量が増え，食欲を抑制することがわかった．一方，胃で主につくられるグレリンは，成長ホルモンを分泌させるホルモンとして発見されたが，空腹時に分泌されて食欲を促進する．これらのホルモンは，視床下部にある弓状核に作用して，食欲を促進するニューロペプチドYや，食欲を抑制する黒色素胞刺激ホルモンの前駆体であるプロオピオメラノコルチン（POMC）を産生する一次ニューロンの活動を調節する（**コラム図16-3**）．これらの一次

ニューロンは，その軸索を視床下部外側野にある食欲促進ホルモンであるオレキシンや黒色素凝集ホルモン（MCH），および室傍核にある副腎皮質刺激ホルモン放出ホルモン（CRH）を

産生する二次ニューロンを，促進あるいは抑制して食欲を調節している（**コラム図16-3**）．インスリンも弓状核に作用して食欲を抑制するが，その作用はレプチンに比べて弱い．

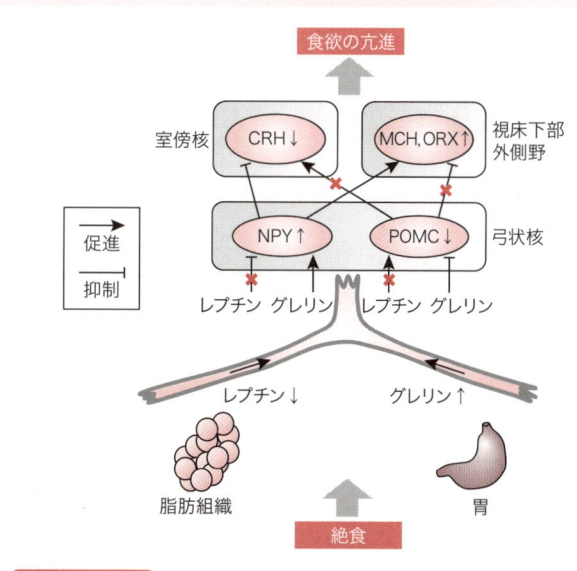

コラム図16-3 末梢と中枢における食欲調節の相関図
×印はレプチンやPOMCニューロンの促進あるいは抑制作用が減弱することを示す．CRH：副腎皮質刺激ホルモン放出ホルモン，MCH：黒色素凝集ホルモン，NPY：ニューロペプチドY，ORX：オレキシン，POMC：プロオピオメラノコルチン

り，およそ3倍に増加している．特に動物性脂肪の摂取量はおよそ5倍に増加しており，第2次世界大戦後の日本人の食生活の一番大きな変化は，こういった食の欧米化といえる．高齢社会を迎えた日本において，糖尿病患者数を減らす試みは医療費の膨大化を防ぐためにもたいへん重要であり，運動習慣の励行，脂肪の摂取過多を避けた健全な食生活がたいへん重要になっている．

以上解説したように，恒常性には自律神経系と内分泌系が協調して働いている．自律神経系では交感神経系と副交感神経系が拮抗的に作用するが，内分泌系でもインスリンとグルカゴンといった拮抗的に働く系がある．さらに，神経系はホルモンの分泌を調節し，内分泌系は神経系の活動を調節する．この内部環境の恒常性は生物の重要な属性であり，その調節機構の複雑さに生命の本質があるように見える．何重にも保証された**冗長性**（redundancy）があるおかげで，生物は大きな外部環境の変動にもうまくバランスを取り戻すことができるのである．

本章のまとめ　　　　　*Chapter* **16**

- ☐ 神経細胞は極性をもち，丸い細胞体と長い突起である軸索，他の神経からシグナルを受け取る樹状突起を有する．

- ☐ 神経細胞の興奮とは，電位依存性のNa^+チャネルとK^+チャネルにより引き起こされる一過性の膜電位の変化のことで，その膜電位変化は活動電位と呼ばれている．細胞間の活動電位の伝達はシナプスにより行われる．

- ☐ 恒常性維持の役割を担うのは，交感神経系と副交感神経系からなる自律神経系と，ホルモンを介した内分泌系である．こうした協調の例として血糖調整があげられる．

17章　細胞周期

　すべての生物の細胞は分裂することにより増殖する．ヒトでは1個の受精卵から細胞分裂が周期的に繰り返されて約30兆個の細胞からなる成人の体がつくられ，その後も，細胞を補充し新陳代謝，再生を繰り返すための細胞分裂が繰り返される．細胞増殖のサイクルの過程，すなわち1個の親細胞が分裂して2個の娘細胞ができる繰り返しの過程が細胞周期である．細胞周期という現象は古くから知られていたが，その分子機構が明らかになってきたのはこの30年ほどの間のことである．そこで，本章では細胞周期という現象についてまず触れ，それから細胞周期進行のメカニズムの基本を扱う．細胞周期は，すでに学んだ生物の増殖（2章），複製（5章）のほか，シグナル伝達の制御（15章）とも関連している．

1　細胞周期の概要

　細胞分裂（cell division）を顕微鏡下で観察すると，ヒトの細胞ではわずか1時間くらいの間に**染色体凝縮**（chromosome condensation），染色体の整列と分配がみられる．しかしこの劇的な変化はそう頻繁に繰り返されているわけではない．次のダイナミックな変化がみられるまでには，時には20時間以上も待つ必要がある．それではいったい細胞は次の細胞分裂までにどのような作業や準備をしているのであろうか．

細胞周期とは

　細胞が増殖する際には，染色体などの構成成分を2倍にし，それを2個の細胞に分配するというプロセスを繰り返している．この過程を**細胞周期**（cell cycle）と呼ぶ（図17-1）．細胞周期の中で，細胞が分裂する時期を**M期**（mitosis phase），DNAを複製する時期を**S期**（synthesis phase）と呼び，M期からS期までの時期を**G1期**（gap 1 phase），S期からM期までの時期を**G2期**（gap 2 phase）と呼ぶ（図17-2）．G1期はDNA合成の準備期，G2期は細胞分裂の準備期であると考えると，細胞の分裂と複製が交互に繰り返され，M期→G1期→S期→G2期（→次のM期）というように一方向に回転する事象が細胞周期だということができる．ヒトを含めた多細胞生物では，増殖能力をもちながら，増殖を停止している休止期の細胞がたくさんあり，この休止期を**G0期**（gap 0 phase）と呼ぶ．ヒトの細胞が増殖する際の細胞周期は24時間程度で，そのうちS期は6〜8時間，M期は1時間程度である．次に，細胞周期の各時期の特徴をもう少し詳しく説明する．

M期

　増殖中の細胞を顕微鏡で見て，ダイナミックな変化がみられるのはM期の細胞である．M期は有糸分裂期とも呼ばれ，さらにいくつかの段階に分かれる．前期では核内で染色体の凝縮が始まり，核の外側では2個の中心体[※1]が分離する．前中期は**核膜**（nuclear membrane）の分散で始まり，染色体は動原体（7章**3**参照）

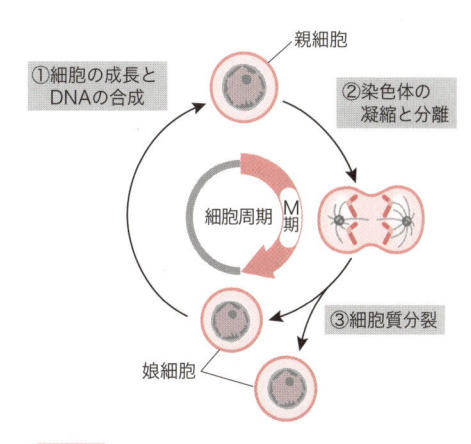

①細胞の成長とDNAの合成

親細胞

②染色体の凝縮と分離

細胞周期　M期

③細胞質分裂

娘細胞

図17-1　**細胞増殖のプロセスである細胞周期**

により紡錘体微小管に接着する．中期になると染色体は**紡錘体極**（spindle pole）の中間にある**紡錘体赤道面**（equatorial plane）に整列する．後期では，**姉妹染色分体**（sister chromatid）は分離し，2組の娘染色体が

それぞれ紡錘体極に引っ張られていく（**図17-3**）．動物細胞ではこのあと細胞膜がくびれて細胞質が分裂し，植物細胞では娘細胞の間に細胞壁が形成されて，2個の娘細胞が形成される（p.200, 201 コラム参照）．

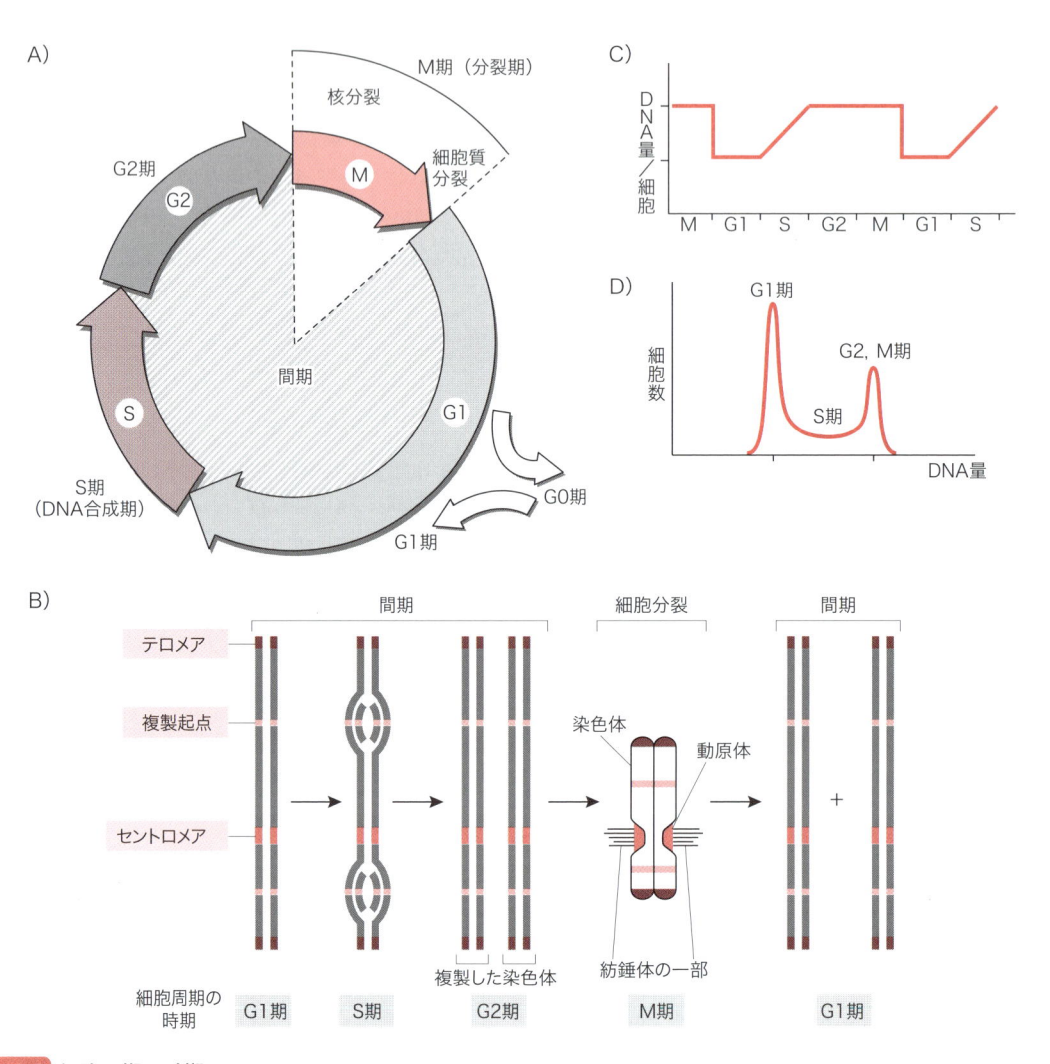

図17-2 細胞周期の時期

A）細胞周期は4期に分けられる．DNAを合成するS期と，核と細胞質の分裂するM期と，その間の2つのギャップ（G1とG2）からなる．M期が終わってS期までがG1期，S期が終わってM期までの間がG2期と呼ばれる．多くの細胞はG1期途中で細胞周期を停止しておりG0期とも呼ばれる．G1期からS期を経てG2期までは合わせて間期と呼ばれる．B）細胞周期進行の際のDNAの倍加と染色体分離の様子．間期ではDNAは観察されないが，有糸分裂の際にはDNAは凝縮して染色体として観察されるようになる．C）細胞あたりのDNA量の変化．D）フローサイトメトリー[2]による非同調細胞のDNA定量．Aは『生命科学 改訂第3版』（東京大学生命科学教科書編集委員会／編），羊土社，2009より引用

---

[1]　細胞小器官の1つで，微小管が集合する中心となる（**13章1**参照）．植物細胞においては中心体の存在は認められず，代わりに細胞内に分散する多数の極性中心が認められる．

[2]　細胞が浮遊する液体を高速で流して測定し，1個1個の細胞の蛍光強度を解析し，蛍光強度をもとにして細胞を分離する装置のこと．細胞を蛍光標識することによって蛍光強度や蛍光の種類を測定し，細胞の同定や細胞群を構成する種々の細胞の存在比を短時間で解析できる．また，DNAを蛍光標識することによって細胞内でのDNAの存在量を解析することができる．

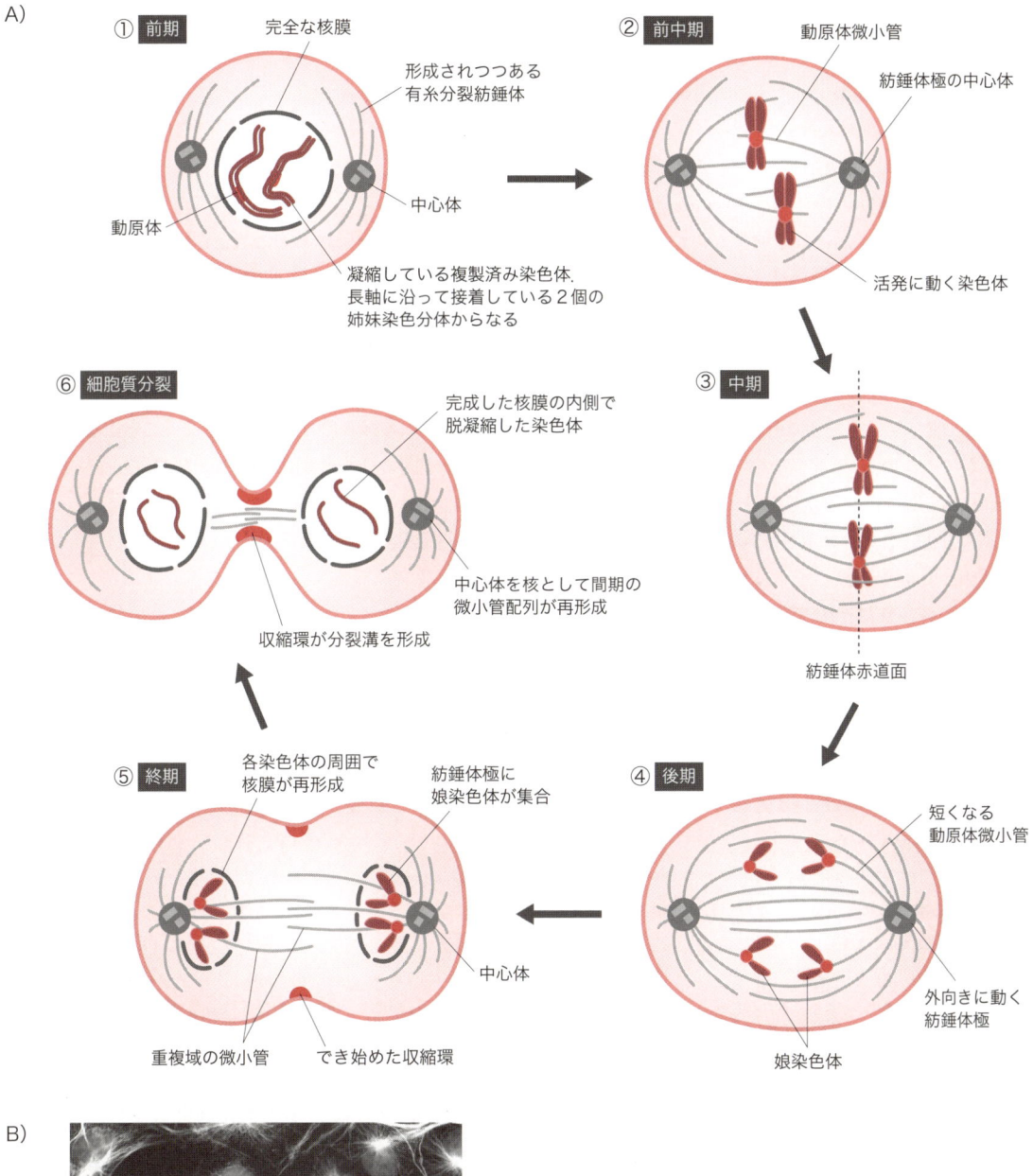

A)

① 前期
完全な核膜
形成されつつある
有糸分裂紡錘体
中心体
動原体
凝縮している複製済み染色体.
長軸に沿って接着している2個の
姉妹染色分体からなる

② 前中期
動原体微小管
紡錘体極の中心体
活発に動く染色体

③ 中期
紡錘体赤道面

④ 後期
短くなる
動原体微小管
外向きに動く
紡錘体極
娘染色体

⑤ 終期
各染色体の周囲で
核膜が再形成
紡錘体極に
娘染色体が集合
中心体
重複域の微小管
でき始めた収縮環

⑥ 細胞質分裂
完成した核膜の内側で
脱凝縮した染色体
中心体を核として間期の
微小管配列が再形成
収縮環が分裂溝を形成

B)

間期の微小管

紡錘体

図17-3 M期のステージ

A) 動物細胞のM期の素過程. B) 抗チューブリン抗体を用い
た紡錘体の蛍光顕微鏡写真. 『Molecular Biology of the Cell
6th』（Bruce Alberts, et al, eds）, Garland Science,
2014 より

G1 期

G1期では外見上は目立った変化がないものの、**細胞の増殖制御**（regulation of cell proliferation）という意味では重要な役割を果たしており、この時期に細胞増殖に向かうかどうかを決定している。哺乳類の細胞ではM期終了後に外界からのシグナル（十分な増殖因子の存在など）があれば、それを検知して増殖へ向けた細胞内反応を進行させる。しかし、ある時点から先は外界からのシグナルの存在は不要になり、自動的に細胞周期が進行するようになる。その時点を**R点**（restriction point）と呼ぶ。外界からのシグナルがあればS期に進むことができるが、不十分であれば細胞はR点を通過することができない。

同時にG1期では、休止期（G0期）だけでなく、減数分裂、分化、老化、アポトーシスに進むかどうかが外界の要因により決定される。例えば、細胞周期の研究が進んでいる分裂酵母や出芽酵母では、異なる性接合型の細胞と接すると、相手方の性フェロモンを感知し、これが増殖を負に制御している。性フェロモンが存在しな

いと負の制御がなくなり、増殖可能になる。ただし、これだけでは増殖を開始することはできない。炭素源や窒素源などの栄養素の存在によって、正の増殖シグナルが細胞に伝えられることで、細胞周期はスタートする。

S 期

遺伝情報が正確に2倍に増えるDNAの複製については、既に5章で学んだ。細胞周期の進行という観点で重要なポイントは、1回の細胞周期において遺伝情報の倍加がこのS期においてのみ、それも一度しか起きないということである。さもなければ細胞分裂のたびに遺伝情報量の異なる娘細胞が生まれてしまうことになる。DNA複製を1回の細胞周期において一度だけ起こすために、複製した状態のDNAとまだ複製されていない状態のDNAを区別する機構が存在している。

G2 期

G1期→S期→G2期までの細胞は顕微鏡で観察しても目立った特徴の変化は現れないため、間期と呼ばれて

動物細胞の細胞質分裂 *Column*

細胞質分裂は、M期における染色体の分配に引き続き、細胞質全体を2つに分ける過程である（コラム図17-1）。この過程は細胞の増殖に重要なだけでなく、その正確な実行はゲノムの安定的な維持にも重要である。細胞質分裂は多くのステップからなり、細胞表層のアクチンフィラメント系と細胞質の微小管、細胞内小胞輸送が巧妙に相互作用しながら進んでいく複雑な過程である。

典型的な動物細胞では、分裂後期にまず中央紡錘体と呼ばれる微小管の束構造が形成されるとともに、星状体※3微小管が伸長する。やがて分裂面の位置が決定され、この部分にアクチンフィラメント、ミオシンフィラメントからなる収縮環が形成され、収縮環の収縮により細胞表層にくびれ（分裂溝）が引き起こされる。分裂溝が進行し続け

るには中央紡錘体の存在が重要である。分裂溝が細胞の中央に至ると細胞表層は中央紡錘体と接することになり、ミッドボディーという構造を形成する。ミッドボディーは最終的に独立な細胞膜をもった2つの娘細胞に分離するために

重要であり、この過程で細胞内小胞輸送が活発にみられるようになる。細胞質分裂の過程ではいくつもの分裂期キナーゼによるリン酸化のほか、Rho型GTPase（p.180コラム参照）による制御が重要だと考えられている。

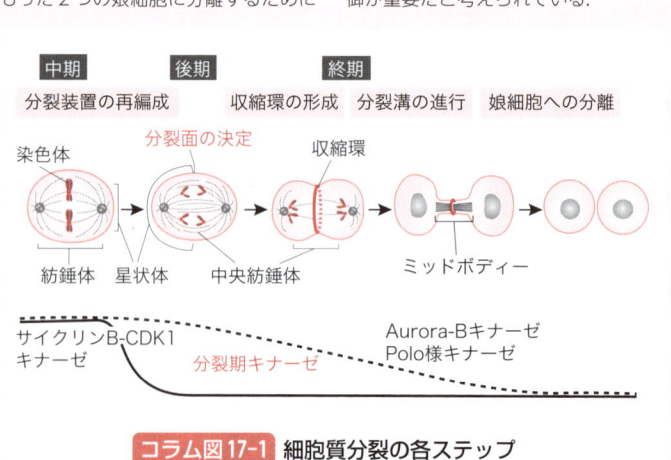

コラム図17-1 細胞質分裂の各ステップ

いる．S期が終了した後のG2期は細胞分裂の準備期であるが，具体的には，DNA複製が終了したかどうか，DNA損傷が起きていないか，M期に進行してもよいかどうかをチェックしている．

2 細胞周期制御因子 サイクリン–CDK 複合体

M期→G1期→S期→G2期（→次のM期）という一連の流れが普遍的に定まっていることから考えると，このしくみは生物にとって非常に大切なものであるといえよう．細胞周期の進行は**細胞周期エンジン**（cell cycle engine）と呼ばれる制御タンパク質が中心になって実行している．

細胞周期が進行する際には，**サイクリン**（cyclin）と**CDK**（cyclin–dependent kinase）というプロテインキナーゼからなる複合体が中心になって働いている（**図17-4**）．サイクリン–CDK複合体は細胞周期を円滑に回す機能があることから，これを細胞周期エンジンと呼ぶ．

サイクリンは細胞周期の進行を通じて量が変動するタンパク質であり，G1期とS期の間，S期，G2期からM期で発現するサイクリンは，それぞれ**G1/S期サイクリン**，**S期サイクリン**，**G2/M期サイクリン**と呼ばれる．サイクリンは細胞周期の特定の段階で急速に合成され，役目を終えると速やかに分解される．単に不要になったから分解されるだけでなく，しばしば，分解されることが細胞周期を次のステップに進めるために必要になる．

これに対してCDKは，G0期からの増殖開始には新たな合成が必要であるが，細胞周期を通してほぼ一定量存在する．特定の時期に発現するサイクリンとCDKが

■ 植物細胞の細胞質分裂と原形質連絡

Column

植物の細胞質分裂は，細胞板と呼ばれる板状の構造物によって，細胞質が2つの区画に仕切られることによる（**2章 1**参照）．細胞板をつくるのは，微小管やアクチンフィラメントからなる，植物特有の細胞骨格体である．これを隔膜形成体という．隔膜形成体は，分裂期終期に娘核の間，赤道面の中央部に現れる．隔膜形成体では，微小管が赤道面に対して垂直に並んでおり，ゴルジ体に由来する膜小胞がこの微小管に依存した輸送により赤道面に運ばれている．膜小胞は細胞板の材料となる多糖を合成する酵素などを含んでおり，赤道面に集積した膜小胞が融合すると，その中で細胞板が構築される．中心部で始まった細胞板の形成は，隔膜形成体の移動につれて，周縁部に拡がっていき，最後には細胞板が親細胞の細胞壁につながって，細胞質分裂が完了する．つまり，植物細胞では細胞質は中心部から遠心的に仕切られていくわ

けで，それだけを取り上げても動物細胞の細胞質分裂とは全く様相が異なる．

細胞板は，娘細胞の細胞質を完全に分断せず，ところどころに連絡部を残す．これを原形質連絡という[*4]．原形質連絡では隣接細胞の細胞膜，サイトゾル，小胞体のそれぞれがつながっている．原形質連絡で連続したサイトゾルを通って，細胞膜を横切ることができ

きない荷電物質や高分子も細胞間を移動できる[*5]．例えば，C4植物における維管束鞘細胞・葉肉細胞間での有機酸のやり取り（**11章 6**参照），花成ホルモンの篩管への運び込みと篩管からの運び出し（**19章**参照）などは，原形質連絡を通して行われていると考えられている．原形質連絡の存在も，植物を特徴づける重要な要素といえる．

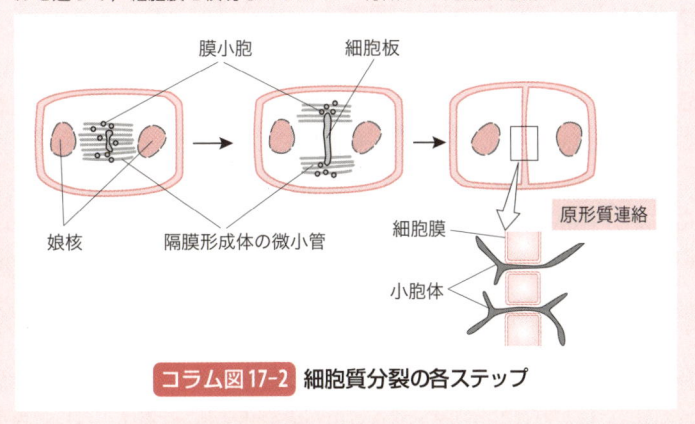

コラム図17-2 細胞質分裂の各ステップ

膜小胞　細胞板
娘核　隔膜形成体の微小管
細胞膜　小胞体　原形質連絡

[*4] 細胞質分裂の際に娘細胞間につくられる原形質連絡のほかに，細胞壁の部分分解により二次的につくられる原形質連絡もある．

[*5] 高分子が原形質連絡を通過する場合，単純な拡散ではなく，選択的輸送機構がかかわっている．

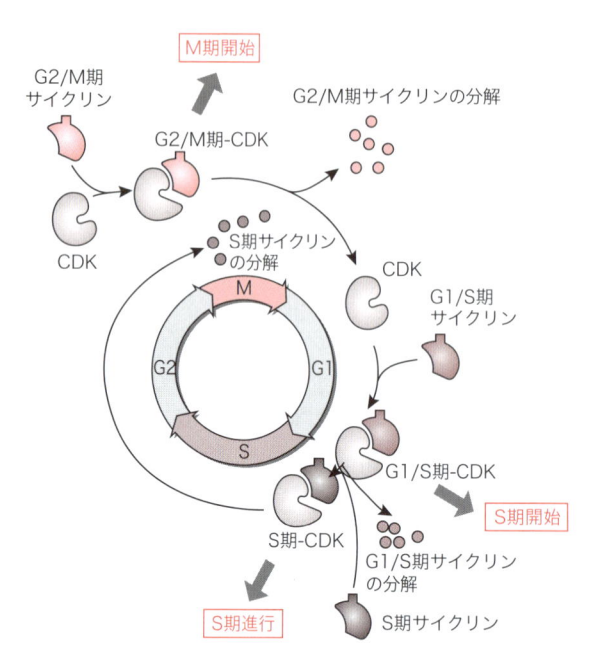

図17-4 サイクリン-CDK による細胞周期の調節

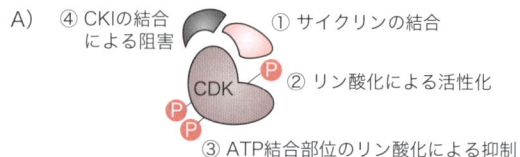

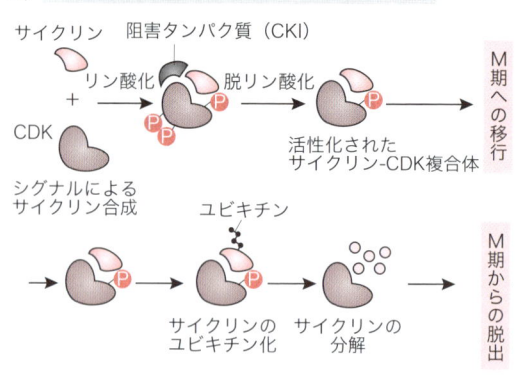

図17-5 CDK 活性の制御のメカニズム
A）CDKの活性化を制御する4つの因子．B）サイクリン-CDK 複合体の形成と不活性化

結合して活性化されると，標的となるタンパク質の特定のセリン残基やスレオニン残基をリン酸化する．リン酸化された標的タンパク質は，細胞周期のそれぞれの時期で起きる事象を実行する．

　具体的には，G1/S期に働くサイクリン–CDK複合体にはサイクリンD–CDK4/6複合体やサイクリンE–CDK2複合体など複数の種類があり，S期の開始に働く．G2/M期にはサイクリンB–CDK1複合体が活性化されることで，核膜の崩壊や染色体の形成を誘導する．

■ サイクリン-CDK の活性調節

　CDKの活性調節の全体像は非常に複雑で，まとめると図17-5のようになり，少なくとも4つの分子メカニズムで制御されている．①合成されたサイクリンとの結合，②リン酸化による活性化，③ATP結合部位のリン酸化による活性抑制とその脱リン酸化による活性化，④CKI（後述）の結合による阻害，である．サイクリン–CDK複合体の活性がこれほどまでに多種多様なメカニズムにより制御を受けている理由は，サイクリン–CDK複合体が細胞周期エンジンという中心的な役割を担っているからにほかならない．タンパク質の合成やリン酸化という分子レベルの反応を多種類の因子で行うことによって，細胞周期のDNAの複製や細胞分裂を誤りなく

進行させる巧妙なしくみが構築されている．

3 細胞周期のチェックポイント機構

　細胞周期で重要なことは，遺伝情報（ゲノム）を正確に複製し，2つの細胞に正確に分配することである．これが保証されないと重篤な問題が生じてしまう．例えば，遺伝情報が十分に複製されないままで細胞がM期に進行してしまうと，それにより生じた娘細胞は同じ量の遺伝情報をもたなくなるはずである．また，M期で紡錘体微小管に接着しない染色体がいるままで紡錘体極に引っ張られたら，染色体が均等に分配されなくなってしまう．このような誤りが起こるのを最小限にするために，細胞周期の進行はどのようなチェックポイントで監視されているのだろうか．代表的なチェックポイントであるDNA損傷チェックポイントを例に，以下に述べることにする．

　DNAは日常的にさまざまな損傷を受ける（**5章4**参照）．もし，損傷が修復される前にDNA合成を開始すると，正しい複製ができず，変異や細胞死を起こす可能性が高い．このため，DNAの塩基や構造が正しいかど

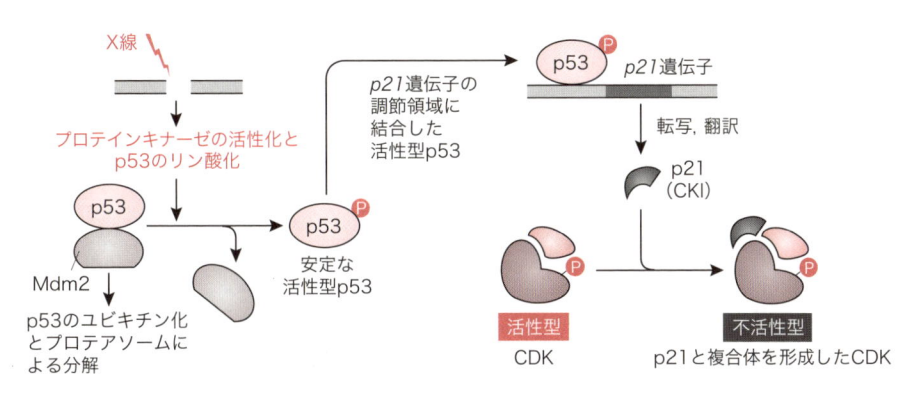

図17-6 DNA損傷チェックポイントの分子機構

うかをチェックする機構を細胞はもっている．誤り（損傷）があると，G1期，S期，G2期ではATM/Rというタンパク質の働きにより，**p53タンパク質**（p53 protein）がリン酸化によって活性化される（**図17-6**，リン酸化されていないp53はMdm2の働きにより分解される）．活性化されたp53タンパク質はたくさんの遺伝子の発現（or 転写）を活性化（遺伝子によっては抑制）する．p53タンパク質の役割の1つは，CKIの一種であるp21タンパク質の遺伝子を活性化して，p21タンパク質をたくさんつくり，サイクリン–CDK複合体の働きを抑制することである．この結果，細胞は次のステップに進めず，この間にDNAの損傷修復を行う．修復が完了すればp53タンパク質は不活性化され，p21タンパク質は分解され，細胞は次のステップに進行できる（**24章❸**参照）．

4　細胞増殖開始の制御

　細胞の増殖は，外部環境によって制御されている．単細胞生物の増殖にとってきわめて重要な外部環境とは栄養素の存在である．これに対して，多細胞生物において重要な外部環境は栄養素だけではない．エネルギー源や酸素が供給され，老廃物や二酸化炭素が除去され，温度やpHなど体内環境が適切に維持されている（恒常性，**2章❺**参照）にもかかわらず，細胞が勝手に増殖しないように，個体を維持するためにさらに高度に制御されているのはどのようなしくみがあるからだろうか．

Column

細胞周期とがん

　ヒトの多くのがん細胞では，がん遺伝子やがん抑制遺伝子が変異し，それによって増殖調節が異常になって無秩序な増殖が起きている．細胞の無秩序な増殖とは，個体として必要な，細胞数の恒常性維持という重要な調節を受けることなく，勝手に増殖をすることである．別の表現をすれば，本来増殖開始が起こらないはずの外部環境下でも，がん細胞では休止状態から脱して増殖を開始する．

　細胞増殖の開始の制御とがんとの間の密接な関係は，実際に細胞増殖の開始の制御にかかわる遺伝子ががん遺伝子やがん抑制遺伝子であることからも理解される．例えば細胞増殖の開始に働くRB，p53などの遺伝子はがん抑制遺伝子として，サイクリンD1遺伝子はがん遺伝子として知られている．RB，p53，サイクリンD1などの遺伝子に変異が入ると正常な細胞増殖の制御ができなくなって，細胞は無秩序に増殖する．もう1つの細胞周期とがんとの連関は，DNA損傷チェックポイント機構でみられる．ATM/RやCHK2などのDNA損傷チェックポイントで働く因子はがん抑制遺伝子であることが知られている．前述のp53は，DNA損傷チェックポイントにも関与している．損傷を受けたDNAの複製はがんの始まりに寄与する可能性があるクロマチンリモデリング（**20章❹**参照）を促進することから，DNA損傷チェックポイントはゲノムの安定性に寄与するだけでなく，個体レベルを考えると腫瘍の出現を抑制するために存在しているとも考えられている（**24章**参照）．

■ 細胞増殖開始までのシグナル伝達

増殖を誘導するシグナル（正の増殖シグナル）が細胞膜の受容体に達してから，細胞増殖が開始されるまでに働く細胞内シグナル伝達を，概略的に図17-7に示す．新たに発現した初期遺伝子によって合成された転写因子が，さらにさまざまなタンパク質遺伝子の発現を誘導する．その結果発現する遺伝子の中で，CDKとサイクリンがここでも重要である．これらが合成され蓄積

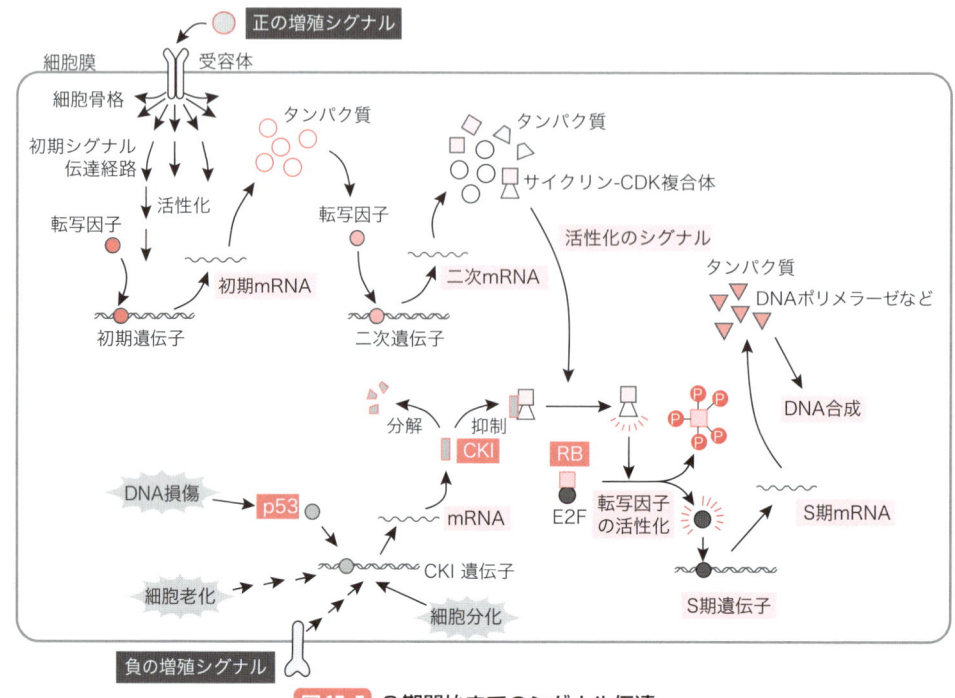

図17-7 S期開始までのシグナル伝達

■ 個体における細胞周期：筋細胞分化と筋再生を例として

成体の中枢神経系の神経細胞や心臓の心筋細胞はほとんどがG0期である．一方，造血細胞，精原細胞，消化管上皮細胞，毛根細胞などは成体でもさかんに分裂し増殖を続けている．

骨格筋は，単核の筋芽細胞とそれらが増殖し融合してできた多核の筋管細胞からなる．筋芽細胞は融合する前に増殖を止める．その後は増殖能力をもたず，筋管細胞はG0期になる．骨格筋細胞の分化は培養系でも再現できる（コラム図17-3）．また，心筋細胞もG0期である．そのため血管の閉塞などにより心筋細胞に十分な酸素が送られなくなり変性壊死すると，酸素要求度が低い繊維芽細胞が増殖し，壊死した心筋は収縮能力をもたない結合組織に置き換わる．この領域が増えると心機能低下が起き，心停止に至る．

ところで哺乳類の骨格筋は再生能力をもつ．実は骨格筋には未分化筋芽細胞（衛星細胞）が存在しており，激しい運動や打撲によって筋管細胞が変性壊死すると，衛星細胞は増殖を開始し，これらが融合して新たな筋管細胞をつくる．再生能力が高い両生類イモリでは成体でも心筋細胞が増殖するが，こうした衛星細胞は哺乳類の心臓には存在しない．ヒトの心筋細胞に再び細胞分裂できる能力を付与することができれば，現代人の主要死亡原因の1つである心疾患を克服できるようになるかもしれない．

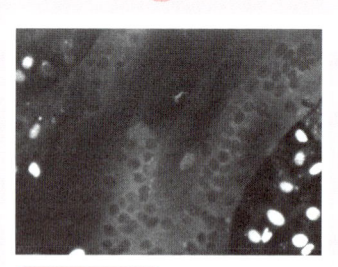

コラム図17-3 筋分化の可視化（培養細胞）

培養液にチミジンの類似化合物BrdUを加えて筋細胞を培養する．増殖中の筋芽細胞のDNAにはBrdUが取り込まれるが，G0期となった筋管細胞のDNAには取り込まれないため，抗BrdU抗体による染色で両者を区別することができる．周辺の白く光っている部分が筋芽細胞の核，黒く抜けている部分が筋管細胞の核．松田良一博士のご厚意による

して両者の複合体をつくり，さらに活性化されると他のタンパク質（例えばRBタンパク質）をリン酸化し，最終的にDNA合成に必要な遺伝子の転写因子（例えばE2F）を活性化する．そして，S期に必要なDNAの材料を合成する酵素を活性化させ，その結果，細胞はS期へ進むことができる．

負に調節するタンパク質群

サイクリンとCDKは，細胞周期を進める際に中心的な役割をもつ正の調節因子として重要である．これに対して，細胞周期を負に調節する2つのタンパク質群がある．1つはCKI（cyclin-dependent kinase inhibitor：CDK阻害因子）と呼ばれるタンパク質群である．

これらは，例えば細胞が接着した状態や増殖因子がない状態などにおいて，増殖を抑制するさまざまなシグナルによって転写・翻訳され，CDKに結合して，そのプロテインキナーゼ活性を抑制する．そして，細胞が増殖できる環境になるとCKIは分解される（図17-7）．

細胞周期の進行を負に調節するタンパク質のもう1つのグループは，がん抑制遺伝子（24章3参照）と総称される遺伝子群からつくられるタンパク質で，図17-7に示すRBタンパク質やp53タンパク質はその例である．細胞が増殖しない状態では，RBはS期に必要な遺伝子が働かないように抑制しているが，増殖因子がきてCDKが活性化されると，RBはリン酸化されることによって増殖抑制作用を失う．

細胞周期研究黎明期

Column

細胞周期エンジンとして働くサイクリン-CDK複合体の精製とサブユニットは1988年にローカ（Manfred Lohka）とマラー（James Maller）によって同定されたが，初めてその存在を示したのは，当時エール大学で研究していた増井禎夫（1998年ラスカー賞受賞）であった．

増井は，1969年にプロゲステロンで処理したカエルの卵の細胞質を未処理の細胞に注射すると卵成熟が起きることを見出した．増井が発見して卵成熟促進物質（maturation promoting factor）の頭文字からMPFと名付けられた因子は，やがて真核細胞のM期に普遍的に存在して機能することから，略号は同じMPFのM期促進物質（M-phase promoting factor）と呼ばれるようになった．このMPFを精製して調べたところ，細胞周期の進行に応じて周期的に量や活性が変動するサイクリンとプロテインキナーゼであるCDKが同定されたのである．

1970年前後にはMPFの発見以外にも，ヒト培養細胞を使った細胞融合の実験でS期誘導因子の存在を示唆〔ラオ（Potu Rao）とジョンソン（Robert Johnson）〕したり，出芽酵母の細胞周期の変異株を単離〔ハートウェル（Leland Hartwell）ら，1970〕したりするような，まさに細胞周期研究の草分けともなるような研究が相次いだ．これらの異なる生物を用いて解析していた研究が，真核生物に普遍的に存在するサイクリン-CDKの研究へと結びついたのである．

本章のまとめ *Chapter 17*

☐ 細胞周期は，M期→G1期→S期→G2期（→次のM期）と一方向に進行する．M期では染色体の分配，その後に細胞質分裂が起こる．G1期では，細胞増殖に向かうかをチェックしている．S期では遺伝情報の倍加が起きるが，これは1回の細胞周期において一度だけである．G2期では，M期に進行してよいかチェックしている．

☐ 細胞周期ではサイクリン-CDK複合体が細胞周期エンジンとして中心になって働いている．細胞周期の時期ごとに発現するサイクリンには，G1/S期サイクリン，S期サイクリン，G2/M期サイクリンがある．

☐ 細胞周期はDNA未複製チェックポイント，DNA損傷チェックポイント，紡錘体チェックポイントなどで誤りをチェックをしたうえで進行する．

☐ 細胞増殖は栄養素などの外部環境によって制御されている．多細胞生物の細胞増殖は，個体を維持するためにさらに高度に制御されている．細胞増殖開始にはG1/G2期サイクリン-CDK複合体などの正のシグナルとCKIなどの負のシグナルが関与している．

18章　動物の発生

　17章では，細胞分裂がどのように起こるか，そして7章では，個体が発生する前段階として配偶子がどのように形成され融合（受精）するか，について解説した．動物は，単細胞でないのはもちろんのこと，均一な細胞の集合体でもなく，さまざまな形態や機能をもつ細胞，さらには細胞群から構成されている．それらを生みだすためには，①受精卵が分裂を繰り返して多細胞化し，②細胞の特殊化を引き起こすとともに，③細胞の位置や胚の形をダイナミックに変化させ，④最後にそれぞれ必要な形態や機能をもつように細胞を分化させることが必要である．こうして最終的には，親と同じ複雑な構造と機能をもつ体がつくりあげられる．本章では，具体的な例を参考にしながら，動物の発生の基本的なしくみについて解説する．

1 発生生物学の歴史

　単純な形をした初期胚から複雑な個体を自律的に形成する**発生**（development）という現象はある意味不思議なものであり興味深い．その点から「発生学」は古代より研究が行われていた．発生が記述された現存最古の著書は，哲学者としてもよく知られるアリストテレス（Aristotle）の『動物誌（*Historia animalium*）』，あるいは『動物発生論（*De generatione animalium*）』である．特に『動物誌』に書かれている記述は，紀元前4世紀に書かれたものとは思えないほど詳細かつ学術的であり，発生学の進歩に大きな貢献をしたことは疑う余地がない．ところがそれ以降，発生学の進展は停滞した．その理由の1つは，卵や精子は微細な構造で観察が困難であったこともあろう．当時の宗教観などともあいまって，はじめから中に小さな個体が形成されているという「前成説」が信じられていたことも背景にある．しかし，17世紀になって顕微鏡が発明されてからは，特にニワトリ胚の発生についての記述，例えば血管系の網状構造，脊索や神経管の形成，さらには後述する三胚葉の形成などを通じ，発生学は再び進展を始め，ヴォルフ（Casper Wolff）により「器官は未形成の小さな球体の塊から生じ，最初は器官の形を形成していない」というという後成説が提唱され，本格的に発生学の道筋がついた．20世紀になると，ハエなどを用いた遺伝学，両生類胚を用いた実験生物学，本書で解説したさまざまな知見をはじめとする分子生物学・細胞生物学の発展により，以降説明するような胚の初期発生のメカニズムが分子レベルで明らかとなった．

2 動物の発生の概要と形態学的な分類

　すべての動物は多細胞生物である．海綿動物など一部の種を除き，動物はすべて多様な組織をもつ．動物の体はおおまかに3つの基本構造，すなわち体の表面を構成する表皮（皮膚），食物から栄養を吸収する消化管（腸），表皮と消化管の間に存在する筋・結合・神経組織など，から構成される（**図18-1**）．発生の初期過程においては，3つの大まかな区域[※1]が形成され，内胚葉からは消化器官など，外胚葉からは中枢神経系や表皮など，中胚葉からは筋組織や結合組織，循環器系・泌尿器系の器官などが形成される．なお，海綿動物・刺胞動物は中胚葉をもたない．細胞分裂（**卵割**：cleavage）を経て多細胞化し，胚葉や胚の方向が決められると，胚の一部が内部に陥入・移入する（後述）．

※1　**外胚葉**（ectoderm），**内胚葉**（endoderm），**中胚葉**（mesoderm），まとめて三胚葉と呼ぶ．

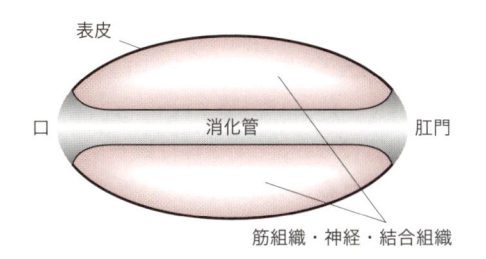

図18-1 動物の基本構造
動物の体は，3つの基本構造からなる．それは体の表面を構成する表皮，食物から栄養を吸収する消化管，表皮と消化管の間に存在する筋組織や結合組織，神経組織という構造である

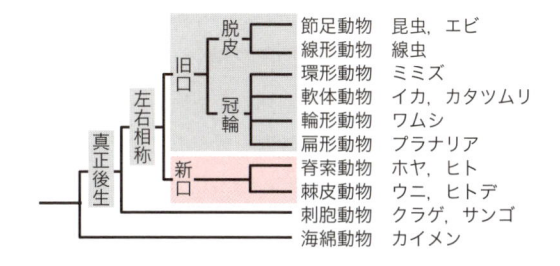

図18-2 分子系統解析から考えられる動物の分類
カイメンは明確な組織をもたず，クラゲは二胚葉性である．他は三胚葉性であり，左右相称の体をもつ．左右相称動物は，新口動物・冠輪動物・脱皮動物に大別される

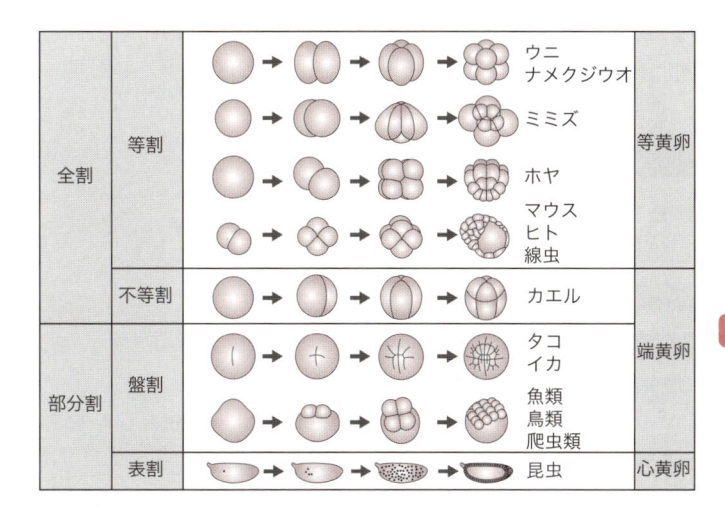

図18-3 さまざまな卵割の様式
卵割の様式は2種の分類方法がある（全割/部分割，等割/不等割/盤割/表割）．また卵黄の配置により等黄卵（均一に分布），端黄卵（片側に偏って分布），心黄卵（中央に分布）に分類される

この細胞の動きは**原腸形成**（gastrulation）と呼ばれ，陥入を始めた部分を**原口**（blastopore）と呼ぶ．原口が口になるものを旧口（前口）動物，肛門もしくはその付近になるものを新口（後口）動物と呼ぶ．その後，胚内では各器官の分化が進み，体の形や構造が複雑化する．これまでは形態学的比較に基づいて分類が行われたが，現在では分子データ（塩基配列やアミノ酸配列）に基づく分類が一般的である．現在の動物の大まかな分類を図18-2に示す．

3 初期発生：卵割と細胞の特殊化

卵割（細胞数の増加）

卵は受精が引き金となって発生のプログラムを開始する．受精により，卵と精子の一倍体の核が融合して二倍

体の核をもつ新しい個体となる．たった1つの細胞である受精卵は細胞分裂を開始し，細胞数を増加させる．発生初期にみられる卵割は，細胞周期が非常に短い場合が多い．例えばカエルでは，通常の細胞分裂における平均的な細胞周期は約16時間であるのに対し，卵割では約30分と非常に短い．これは細胞周期のG1期とG2期がなく，S期とM期だけで進行することに起因している（17章**1**参照）．このように発生の初期には短い細胞周期で細胞分裂を繰り返すことにより，短時間で細胞数を増やすことが可能になっている．また卵割の間は細胞のサイズが大きくならないため，その結果，非常に大きな特殊化した細胞であった卵が通常の体細胞の大きさに近づいていく．

卵割の様式には，分裂の向きが特殊なものや，不均等なサイズで分裂するものなど，さまざまな分裂の様式がみられる（図18-3）．このように多様な分裂様式がみられるのは，卵細胞内に含まれている栄養分（卵黄）の分布の違いに起因している（等黄卵と端黄卵）．

細胞の特殊化と三胚葉形成

　胚は卵割によってある程度細胞数を増やした後，それぞれの細胞に対して異なる性質を付与しはじめる．これが**細胞の特殊化**（cell specification）である．その例として，細胞の非対称分裂と誘導があげられる（**図18-4**）.

　多くの動物では初期の発生を進めるため，必要な物質を卵細胞内にあらかじめ蓄えている．エネルギーや個体をつくるための材料として用いられる卵黄だけでなく，初期発生において細胞の特殊化を引き起こす原因となるmRNAやタンパク質も含まれている．これらは母親由来の物質であることから**母性因子**（maternal factor）と呼ばれる．母性因子の中には，卵細胞の細胞質内に偏って蓄えられるものがある．すると胚が卵割する際，母性因子が各細胞に不均等に分配されるので，その影響を受け，それぞれの細胞が異なる運命をたどる．

Column

■ ホメオティック遺伝子

　ショウジョウバエの初期発生では，胚の大まかな領域分けがなされたあと14の体節が形成され，その後それぞれの体節が肢や翅をもつという特徴を有するようになる．ショウジョウバエの突然変異の中には，頭部の触角が脚に置き換わったり〔*Antennapedia*変異（*Antp*変異）〕，平均棍が翅に置き換わって翅が4枚になる〔*Ultrabithorax*変異（*Ubx*変異）〕変異がある．このような変異をホメオティック変異と呼ぶ．これら変異体の遺伝学・分子生物学的な解析により，翅や触角をもつといったショウジョウバエの各体節の特徴を決める遺伝子（ホメオティック遺伝子）は染色体上に並んで位置していることが明らかになった．この遺伝子群はホメオティック複合体（*HOM-C*）と呼ばれる（**コラム図18-1A**）.

　*HOM-C*を構成する遺伝子から翻訳されるタンパク質はすべて，ホメオドメインと呼ばれる60アミノ酸からなる配列をもつ[※2]．ホメオドメインはDNAと結合する部分であり（**コラム図18-1B**），その後の研究から，ホメオボックスをもつ遺伝子は*HOM-C*以外からも見出されることが知られている．

　興味深いことに，これと相同の遺伝子グループはショウジョウバエだけでなく脊椎動物にも存在する（*HOX*遺伝子と呼ばれる）．さらには，ショウジョウバエ*HOM-C*と脊椎動物*Hox*の間で，遺伝子の並びが似ているだけでなく，実際に体で発現する場所もよく似ている（**コラム図18-1C**）.

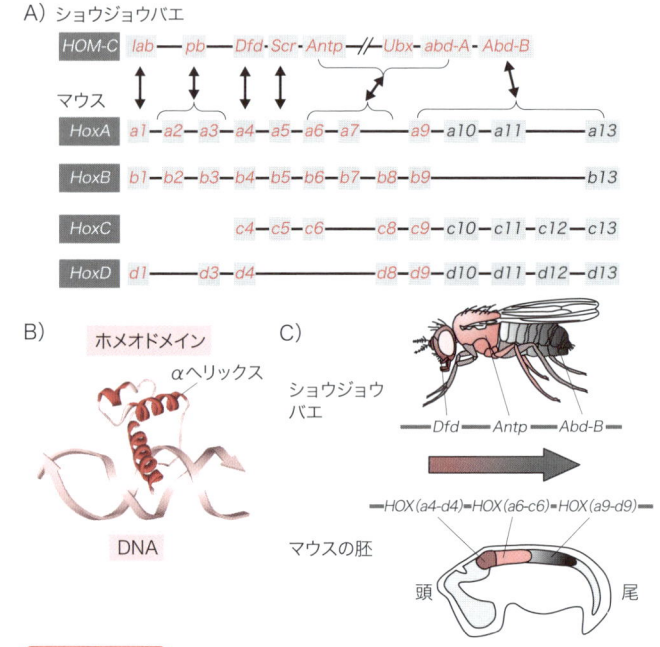

コラム図18-1　ホメオティック遺伝子

A）ショウジョウバエの*HOM-C*と，哺乳類の*HoxA*〜*D*を示す．←→は両者の遺伝子間における対応関係を示す．B）ホメオボックス遺伝子から翻訳されたタンパク質が共通してもっている，ホメオドメインと呼ばれる領域の立体構造を示す．3つのαヘリックスからなり，その領域でDNAと結合する．C）ショウジョウバエの*HOM-C*と脊椎動物の*HOX*遺伝子の発現にみられる類似性．ショウジョウバエのホメオティック遺伝子は染色体上で配列している順序と同じように，ショウジョウバエの体で発現する．この点については脊椎動物の*HOX*遺伝子についても同じである．マウスの胚の場合は，脳と脊髄に発現する*HOX*遺伝子の一部を例に示してある．矢印は，頭と尾の方向に沿ったこれらの遺伝子の発現パターンの方向性を示す

[※2]　ホメオドメインに対応する遺伝子配列は**ホメオボックス**（homeobox）と呼ばれる.

これが**非対称分裂**（asymmetric division）による細胞の特殊化である．例えば線虫の卵割では，母性因子の生殖細胞顆粒（生殖細胞になるために必要な物質の集合体）は一方の細胞だけに分配され，最終的にこの顆粒を含んだ細胞だけが生殖細胞になる．線虫においては，前駆細胞が分裂するパターンが決まっており，どのような分裂によりどの細胞が最終的に生みだされるか，その運命がほぼ決まっていることをブレナー（Sydney Brenner）が明らかにした．成体における959個の細胞[*3]すべてについて由来をたどることができ，**細胞系譜**（cell lineage）としてまとめられている．

　一方，シグナルを出す細胞が隣接する他の細胞や組織に働きかけて特殊化を促す．これを**誘導**（induction）と呼ぶ．発生過程のさまざまな局面で用いられている誘導には，主として，分泌物質，細胞膜表面の分子（細胞接着），ギャップ結合を介する3つの方法がある．このような誘導作用を繰り返すことで，少数の特殊化した細胞種から多種多様な細胞が生じ，器官が形成される．例えば，脊椎動物の発生では中胚葉は内胚葉からの分泌因子により誘導される（**図18-5**）．またその後陥入した中胚葉の一部が外胚葉に作用して，神経領域を誘導する（神経誘導）．この神経管の前方部分が脳になる．この脳の一部が左右に突出し眼胞を形成する．この眼胞は表皮と接した後，中央がくぼんだ眼杯になる．眼胞・眼杯は二次オーガナイザーとして，表皮から水晶体を誘導する．水晶体はさらに三次オーガナイザーとして表皮に働きかけ，角膜を誘導する．このような誘導の連鎖によって，次第に目（器官）が形成されていく（**図18-6**）．

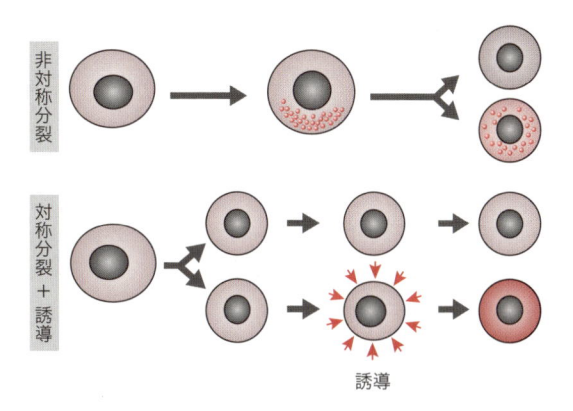

図18-4 **非対称な分裂と誘導による細胞の特殊化**

非対称な細胞分裂による細胞の特殊化では，細胞内の特殊な因子が片方の細胞だけに分配され，分裂によって生じた2つの細胞は異なる性格をもつようになる．一方，誘導による特殊化では，対称分裂して細胞数を増やした後，片方の細胞だけに特異的なシグナルが与えられて2つの細胞が異なる性格をもつようになる

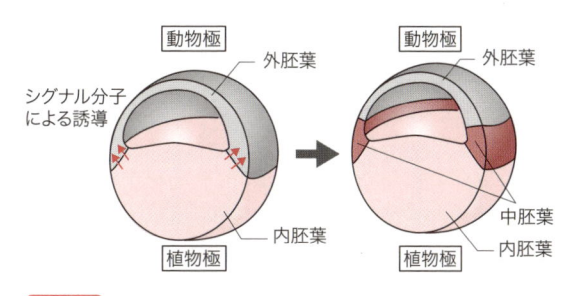

図18-5 **隣接する細胞に及ぼす誘導作用**

成長因子の分泌による誘導の例．カエルの中胚葉誘導では，内胚葉から分泌される中胚葉誘導因子により外胚葉側の細胞が誘導を受け中胚葉になる．隣接した細胞に作用を及ぼす様式については図14-3参照

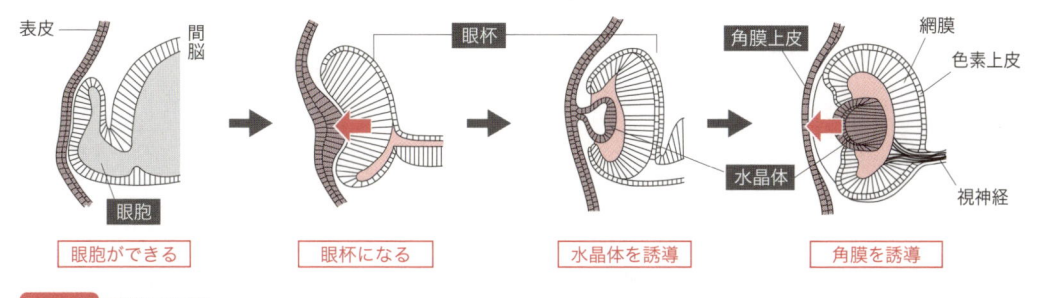

図18-6 **誘導の連鎖**

脊椎動物の発生では一次誘導後，神経管の前方部分が脳になる．この脳の一部が左右に突出し眼胞を形成する．この眼胞は表皮と接したあと，中央がくぼんだ眼杯になる．眼杯は二次オーガナイザーとして，表皮から水晶体を誘導する．水晶体はさらに表皮に働きかけ，角膜を誘導する

※3　発生過程で生じる細胞数は1,090個であるが，そのうち131個はアポトーシスにより消失する．

胚の方向性の決定

左右相称な体をもつ動物には前後（頭尾）軸，背腹軸，左右軸の3つの**体軸**（body axis）があり，これらの軸は発生の初期に決定される．その際に重要な役割を果たすのが，あらかじめ卵細胞内に蓄えられた母性因子の存在である．ここでは，ショウジョウバエやカエルの前後軸・背腹軸について述べる．

ショウジョウバエでは胚の前後（頭尾）の方向を決めるいくつかの母性因子が，卵形成の過程で卵細胞内に蓄えられる．例えば，ビコイド（*bicoid*），ナノス（*nanos*）両遺伝子のmRNAは卵細胞の両端に偏って蓄えられ，受精後に翻訳されて，タンパク質の**濃度勾配**（gradient）が胚の長軸方向に形成される（図18-7）．

ショウジョウバエの発生初期では，胚はシンシチウムのような状態にあり，すべての核が同じ細胞質内に存在する．そのため胚内の核は，細胞質内で勾配を形成したビコイド・ナノスタンパク質の濃度に応じた影響を受ける．ビコイドとナノスは転写調節因子であり，新たな遺伝子の発現を順次活性化することにより，おおまかな分節パターンを形成する．この後，領域の特殊化を決定づける因子としてホメオティック遺伝子群などが前後軸に沿って発現する（コラム図18-1参照）．なお，ショウジョウバエの発生の過程では胚の前後軸と同じように背腹軸も母性因子により決定される．

カエルの卵では，色素が多く分布していて色の濃い上側が動物極，そしてその反対側の白い色をした部分が

オーガナイザーの発見

Column

シュペーマン（Hans Spemann）は胚の各部域がいつ決定されるのかを調べるため，色の薄いイモリ胚，濃いイモリ胚を用いて交換移植実験を行っていた．異なる色の胚を用い，胚の一部を別の種類の胚に移植をすると，移植片がどのような運命をたどるかが判別できるのである．当時ドイツは第一次世界大戦直後で彼の研究も物資や資金不足だったため，実験器具はほとんど手作りであった．さらには滅菌装置や抗生物質もなかったため，移植手術した胚の死亡率が高く非常に困難な実験であった．そのころ，フランクフルト・アム・マイン大学でシュペーマンの講演を聞いたマンゴルド（Hilde Mangold）がシュペーマンの研究室に入ってきた．彼女が取り組んだ研究の1つに色の薄いイモリ胚の原口上部（原口背唇部）を色の濃いイモリ胚の腹側に移植するというものがあった．原口背唇部はそのまま発生すれば将来の脊索（脊索動物の前後軸にわたって伸びる棒状の組織）となり，初期発生期には体を支える中心的な役割を担う．

1921年のある朝マンゴルドは，神経胚に到達していた移植胚の腹側に神経板がもう1つできているのを発見した．

内部を詳しく調べると，この二次的に形成された背側構造には神経管だけでなく，耳の原基，体節など体の多くの器官がほぼ完全な配置で形成されていた（コラム図18-2）．この中で色の薄いイモリ胚由来の移植片は主に脊索に分化しており，その他の部分は色の濃いイモリ胚の将来腹側になる予定であった細胞からできていた．この結果から，

自分自身は本来の運命をたどり，さらに周りに位置する未分化な細胞に対して調和のとれた全体を形成させるような能力をもつ原口背唇部をオーガナイザー（形成体）と名付けた．これは胚の中で他の細胞に影響を与える誘導現象の最初の発見であり，シュペーマンは1935年にノーベル生理学・医学賞を受賞した．

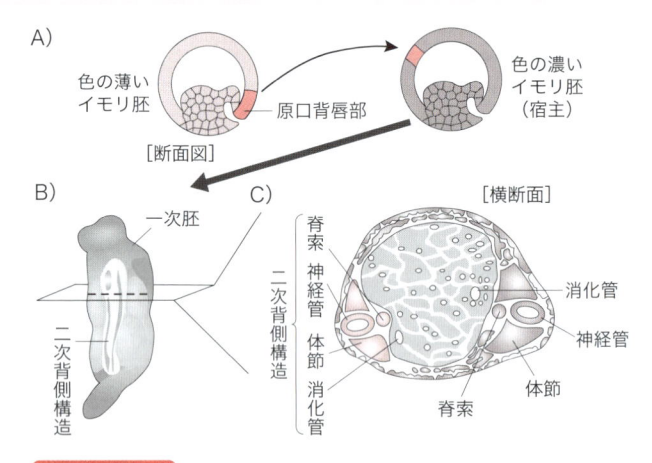

コラム図18-2　原口背唇部の移植実験

A) 色の薄いイモリ胚の原口背唇部の，色の濃いイモリ胚の腹側への移植．
B) 原口背唇部の移植により二次背側構造が形成される．C) その断面図．本来の背側構造（右側）のほかに移植によって誘導された背側構造（左側）がみられる

植物極と呼ばれている．このように受精前の卵では，動物極と植物極の向きだけしか決まっていない．ところが，受精と同時に将来の背側と腹側の向きが決定される．受精後，卵細胞の細胞質の表層部分のみが一方向に向かって移動し，植物極付近に存在していた胚の背側を決定する母性因子が，精子の進入点とは逆側の赤道付近にまで移動する．その結果，この母性因子が存在する側が将来の背側となる．このように，カエルの発生でも，卵細胞の中に局在して蓄えられていた母性因子が胚の向きの決定に重要な役割を果たしている．この母性因子の1つは移動した先で新たな遺伝子の発現を引き起こし，胚の背側構造を誘導できる**オーガナイザー**（**形成体：organizer**）と呼ばれる領域をつくり出し，そこを中心として体の基本構造が形成される（コラム図18-2参照）．

4 形態形成

　以上のように，受精卵は卵割・細胞の特殊化を経ておおまかな胚のパターンが決められる．ただ，このようなしくみだけで複雑な体のかたちはつくれるだろうか．前述の管腔構造，体中で複雑に張り巡らされる神経などは，誘導や不等分裂によって細胞種の違いを生みだすことだけではつくり出すことが難しいことは容易に想像できる．複雑な体の形をつくり出すためにはもう1つ，**形態形成**（morphogenesis）と呼ばれるステップが必要である．

　形態形成は細胞が大規模に運動・移動することによって引き起こされる，胚細胞の分布の再編成である．形態形成によって，それまで隔たって存在していた胚葉間の相互作用が可能になる．最初に引き起こされる形態形成は将来の消化管を構築する原腸形成である．原腸形成はチューブ状の動物の基本的な構造をつくるうえで最も重要な形態形成の1つである．形態形成はいくつかの基本的な細胞の変形と移動から成り立っており，細胞の片側が収縮することにより湾曲した細胞群が胚の内部に伸びていく陥入運動，細胞の再配置による伸展運動，上皮細胞の胚の内部への移入運動などがある（図18-8）．13章で，細胞の運動にはアクチンなど細胞骨格がかかわっており，重合・脱重合の制御が重要であることはすでに学んだが，発生における形態形成においても同様である．例えば，陥入した中胚葉細胞の伸展には，細胞に仮足が形成され，正中線に向かって移動し集まることが重要である（これを収束伸長と呼ぶ）．

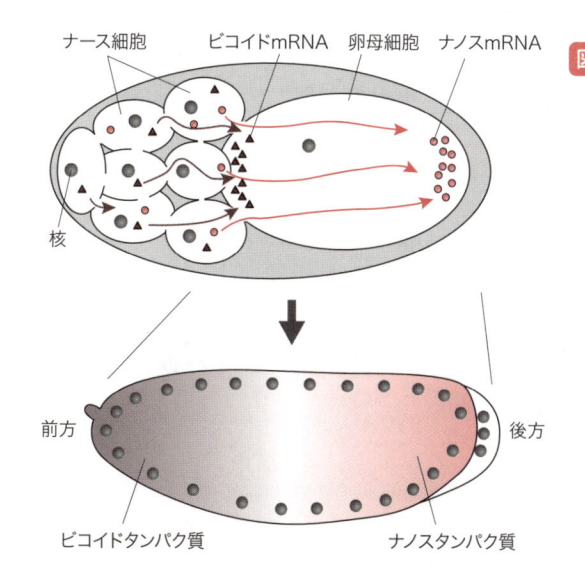

ナース細胞　ビコイドmRNA　卵母細胞　ナノスmRNA

核

前方　　　　　　　　　　　　　　　　後方

ビコイドタンパク質　　　　　ナノスタンパク質

図18-7　ショウジョウバエの母性因子

ショウジョウバエの卵形成．ショウジョウバエの卵形成はナース細胞（哺育細胞）と呼ばれる細胞の助けを借りて行われる．生殖細胞が4回分裂して16個の細胞になり，そのうちの1個だけが卵母細胞（卵形成過程の未熟な卵細胞）になる．残りはナース細胞となり，卵母細胞の形成を助ける役割を果たす．卵母細胞とナース細胞の細胞質は連絡しているので，ナース細胞で合成された多くのタンパク質やmRNA（母性因子：例えば，ナノスやビコイドなどのmRNA）が，その連絡通路を通って卵母細胞内に送り込まれてくる．それらの物質の多くは，卵母細胞内に偏在して蓄積される．→はナース細胞で合成された物質の輸送方向を示す．このビコイドとナノスのmRNAが翻訳され，それらタンパク質の濃度勾配に応じて，新たな遺伝子の発現やタンパク質合成が引き起こされる．ビコイドタンパク質とナノスタンパク質は遺伝子発現を調節する因子である．結果的にビコイドを多く含んだ細胞群が胚の前部に，ナノスを多く含んだ細胞群が後部に分化する

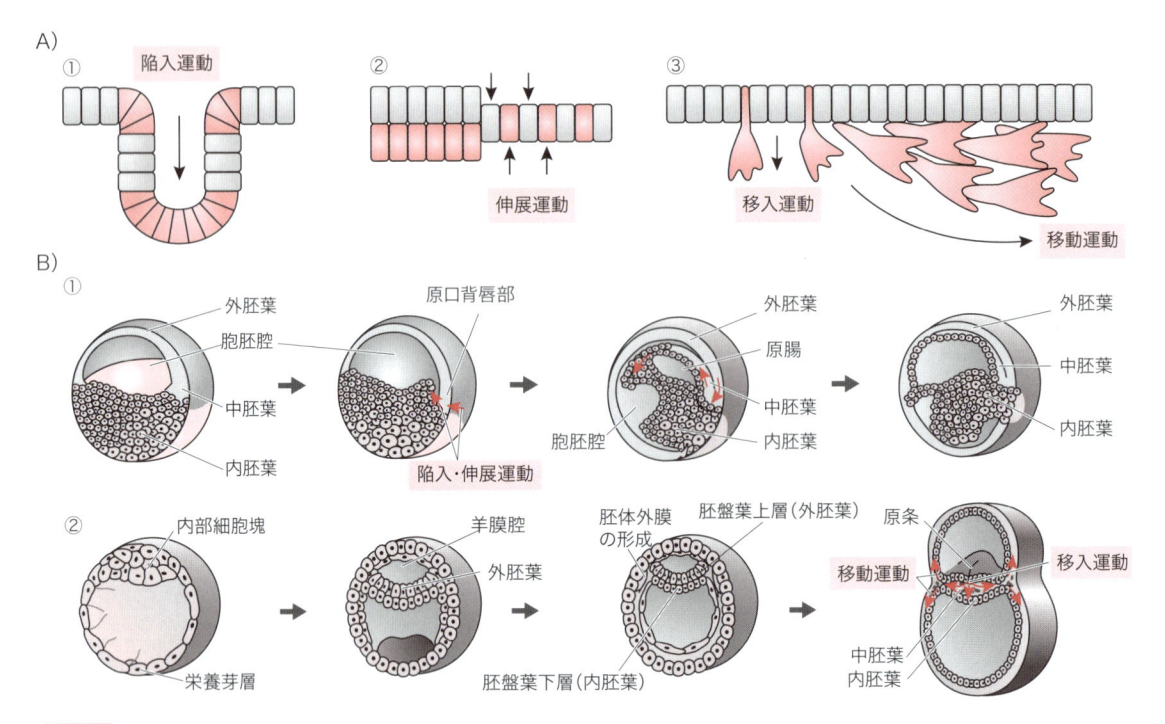

図18-8 形態形成運動

A）初期胚にみられる胚の形態形成運動．胚を構成する上皮組織の細胞の運動や変形が中心となっている．それらには，①上皮の陥入運動，②上皮細胞の再配列による伸展運動，③上皮組織からの移入運動などがある．B）両生類胚と哺乳類胚にみられる形態形成運動の例．細胞は ← の方向に移動する．①カエル胚の原腸形成．中胚葉の陥入運動がまず起き，続いて伸展運動が起こり，胚内へ陥入して外胚葉を裏打ちするようになる．②哺乳類胚の原腸形成．哺乳類胚では，外胚葉の中央部分から胚の内部に向かって細胞が遊離して内胚葉や中胚葉の細胞となる．哺乳類胚では実際に原腸がつくられるわけではないが，この形態形成運動を原腸形成と呼んでいる

ヒトの発生

Column

　ヒトの卵は，卵巣内から卵管に排卵され，輸卵管を移動する際に受精し，ある程度卵割したところで子宮に着床する（**コラム図18-3**）．受精卵は卵割が進むと胞胚（胚盤胞）となり，胞胚腔の中に内部細胞塊がつくられる．ES細胞はこの細胞からつくられる．さらに発生が進むと胚内で外側の細胞層と内側の細胞層に分かれ，内側の細胞層は2層に分かれて胚盤葉（上層は外胚葉，下層は内胚葉）となる．胚盤葉上層では陥入が始まり三胚葉が分化する．胚盤葉での形態形成は，両生類胚と非常に類似している．このようにして子宮内膜に着床した胚は発生が進み，やがて胚は胎盤を形成して母体から養分や酸素の供給を受ける．

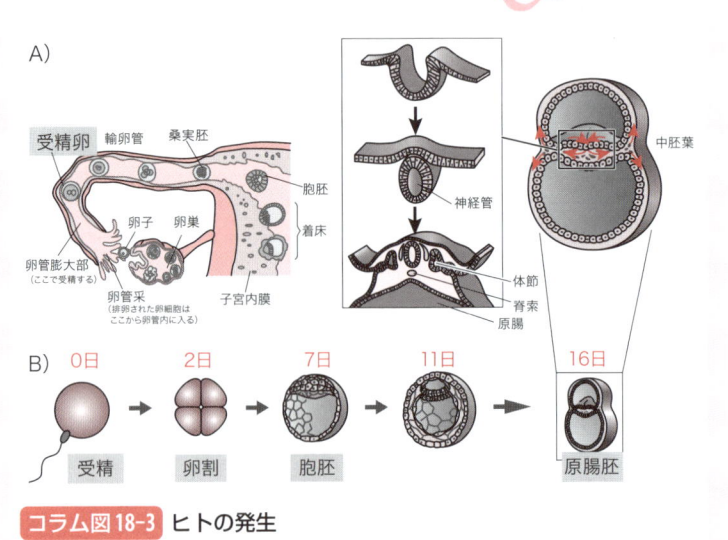

コラム図18-3 ヒトの発生

A）卵巣から子宮に至るまでの胚の輸送の道筋．B）ヒト胚の発生

5 体の形態変化

以上に述べたように，胚は形態形成を経て細胞の配置が再編される．胚の形を大きく変化させるものとして，いくつかの重要な現象がある．

体節の形成

脊椎動物では，体節と呼ばれる構造が中胚葉の一部からつくられ，体の前後軸に沿った周期的な分節構造を形成する[※4]．体節は，神経胚期ごろに頭部から尾部にかけて1つずつ順番に形成され，脊椎，骨格筋，真皮などが形成される．こういった繰り返し構造により体幹部の筋肉や脊椎は整然と配列され，胴尾部の統合的な運動が可能となる．最近の研究では，この繰り返しパ

Column

脊椎動物の左右軸形成

脊椎動物の外形は基本的には左右対称である．しかし，心臓の位置や消化管のねじれ方や他の内臓の配置は明らかに左右非対称となっている．これは狭い空間に多くの器官を配置するための工夫と思われる．われわれヒトでは心臓は左にあり，肝臓は右そして大腸は時計回りにまく．この配置が乱れるのは，ヒトの場合1：8,500〜10,000とされており，これは遺伝的メカニズムによって決まっている．この左右非対称性を決めているメカニズムは何であろうか．その理解が最近急速に進んでいる[1]．そのきっかけとなったものが，左右非対称に発現する遺伝子の発

見，左右軸に異常を示すマウスや魚の変異体（コラム図18-4A）の解析である[2][3]．

左右対称の最初に乱れは，脊椎動物のオーガナイザー領域で起こる．この領域は，マウス胚ではノード，魚類胚ではクッペル胞（コラム図18-4B）と呼ばれており，その領域の上皮には細胞ごとに1本の運動性繊毛が生えている（コラム図18-4C）．繊毛はダイニンモーター（13章3参照）により回転運動し，左向き水流を発生させている（マウスの場合，ノード流と呼ばれている）．この水流により，オーガナイザー領域の左側で液性因子の濃度の偏り，または

水流の直接的な機械的刺激により，左側で細胞内Ca^{2+}の濃度が上昇する（コラム図18-4D）．これにより左側特異的な遺伝子発現が誘発され，最終的にノーダルと呼ばれるTgf-βファミリーの左側側板中胚葉全体での広範囲の発現につながり，左右特異的な形態形成が誘発される．

参考文献
1) Grimes DT & Burdine RD：Trends Genet, 33：616-628, 2017
2) Omran H, et al：Nature, 456：611-616, 2008
3) Nonaka S, et al：Cell, 95：829-837, 1998

A) メダカ野生型胚　メダカ左右軸変異体胚

B) メダカ体節形成期胚

C)

D)

水流
液性因子
左　　右
Ca^{2+}濃度

コラム図18-4 脊椎動物胚の左右非対称とその始まり

A）メダカ胚（5日胚）の心臓原基のルーピング．野生型では心臓原基が右側へループするが（左），繊毛の運動に異常がある変異体では約半数の胚で，それが逆転する（右）．B）メダカ体節形成期胚（受精後1.5日）側面と背面の写真．矢印は尾部領域に存在するクッペル胞．C）メダカクッペル胞の内部の走査型電子顕微鏡写真．上皮組織（左）を拡大すると，細胞あたり1本の繊毛が生えているのがわかる（右）．D）哺乳類や魚類の研究成果に基づいたオーガナイザー領域での左右非対称性の出現のモデル．BCは武田洋幸博士のご厚意による

[※4]　体節はここでいう周期的な構造以外にショウジョウバエでも使われる．ショウジョウバエにおける体節は胚自体の分節構造であり，ここでいう体節と混同しないように．

ターンをつくるために，いくつかの遺伝子が周期的に発現することが示されている（図18-9）．

肢・翅の形成

おおむね丸い形状の胚がそのまま成長しても，それは丸いままである．胚が成体になるにかけ，外形的に大きく変化する構造の1つが肢，あるいはその変形物である翅である．ハエなど完全変態をする昆虫では，将来肢になる円盤状の器官が幼虫の中に備わっており，これらが中心を突出されるような形態変化を起こすことで肢がつくられる．一方，魚類を除く脊椎動物では，胚の一部に

肢の構造をつくるための位置情報が形成され，これをもとにして，正しい形の肢が形成される．例えば**肢芽**（limb bud）の後方基部ではソニックヘッジホッグタンパク質が発現しており，これが肢の前後の向きに重要な役割を果たす（図18-10）．

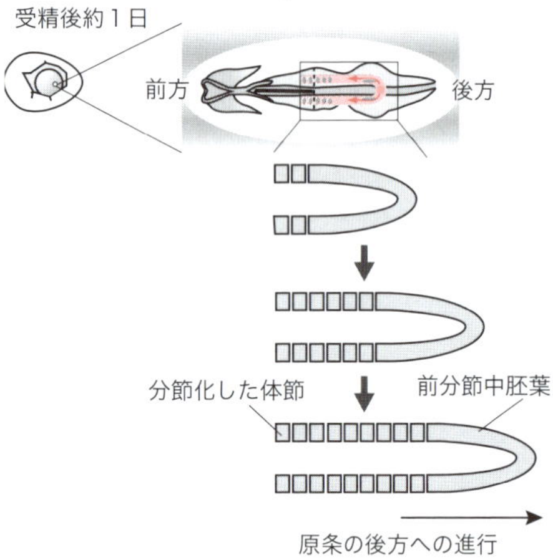

変態

昆虫や両生類など，幼生と成体で体の形を大きく変化させる生物種が存在する．この変化を**変態**（metamorphosis）と呼ぶ．多くの昆虫では，幼虫の後期に体表面を硬化させ，いわゆる「さなぎ」へと変化する．硬化したさなぎの体内ではごく一部の構造を除いて体が溶解してなくなり，それらの物質を利用することによって成虫の体に再編成される．また，両生類の一部では，いわゆる「おたまじゃくし」から成虫になる際に四肢が生じ，尾部が縮む．変態の開始には，甲状腺ホルモンの働きが必要であり，また，尾の縮退は免疫の作用に基づくアポトーシス（p.184コラム参照）が関係すると考えられている．

図18-9 体節の形成
神経胚期に前方で分節化が起こり，順次後方に分節化が進む

受精後約1日
前方
後方

分節化した体節
前分節中胚葉

原条の後方への進行

---

6 細胞分化と幹細胞

1つの受精卵は，最終的には筋細胞，神経細胞，上皮細胞など，異なった形態や機能をもつ細胞になる．これを**細胞分化**（cell differentiation）という．分化した

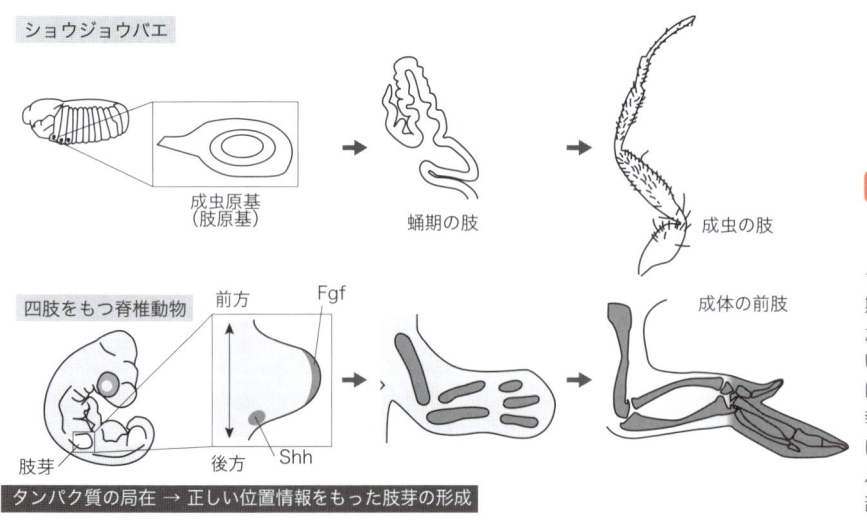

ショウジョウバエ

成虫原基
（肢原基）

蛹期の肢

成虫の肢

四肢をもつ脊椎動物

前方
Fgf

後方
Shh

肢芽

タンパク質の局在 → 正しい位置情報をもった肢芽の形成

成体の前肢

図18-10 脊椎動物・無脊椎動物の肢の形成
ショウジョウバエでは，幼虫期に体内に存在する成虫原基が蛹期に形態形成を起こし長い肢となる．一方ニワトリでは，胚内に形成された位置情報に基づき肢芽ができ，さらに肢芽の一部に局在するタンパク質が肢芽の前後方向や基部-頂端部の方向を決める

細胞の遺伝子発現パターンを比較すると，細胞の種類によって，発現する遺伝子の種類や発現量が異なっている．つまり，分化した細胞では，特定の機能を果たすために必要な遺伝子の発現が強化される一方，必要のない遺伝子の発現が抑制されているのである．分化細胞における不必要な遺伝子の発現抑制は，発現を活性化するタンパク質の量を減らしたり，逆に抑制するタンパク質の量を増やすだけでなく，抑制遺伝子そのものやヒストンの修飾変化なども関係する．この抑制は，一時的なものから半永久的なものまである（**20章 4** 参照）．

発生初期の胚細胞は，さまざまな種類の細胞になりうる潜在的な能力をもっている．このような細胞を，まだ細胞分化をしていないという意味で**未分化細胞**（undifferentiated cell）と呼ぶ．しかし，ほとんどの細胞は発生の進行とともに，限られた形態や機能をもつ細胞へと分化し，特殊な場合を除いて未分化細胞に戻ることはない．しかし，成体ではすべての細胞が分化してしまっているかというとそうではなく，複数種の細胞に分化しうる能力を保持したままの細胞も存在する．これらは**体性幹細胞**（somatic stem cell）と呼ばれ，新陳代謝の激しい組織や傷害を受けた組織における修復に活躍する．最近では，これらの幹細胞から組織や器官を人為的につくり出し，患者に移植するといった，いわゆる再生医療の研究が盛んに行われている．哺乳類発生初期

選択的スプライシングの制御による性決定

Column

ショウジョウバエなどの多くの昆虫では，選択的スプライシングの制御により（**6章5**参照），体細胞の性決定が行われる．ここでは，詳細に研究されているショウジョウバエの性決定機構について説明する．通常，ショウジョウバエの性染色体の構成は，雌が2本のX染色体，雄が1本のX染色体と1本，あるいは0本のY染色体をもっている．性決定の最初のシグナルは，X染色体と常染色体の比によって，雌特異的に*Sxl*（*Sex-lethal*）遺伝子の選択的スプライシングが変化することで引き起こされる（**コラム図18-5A**）．この変化は，受精後約2時間の間に起こり，一度，SXLタンパク質が発現すると自身の遺伝子発現を正に制御して，正のフィードバックが起こる．また，SXLはスプライシング因子として，*tra*（*transformer*）遺伝子のスプライシングも制御し，雌特異的にTRAタンパク質の発現を誘導する．TRAもSXL同様にスプライシング因子として，*dsx*（*doublesex*）遺伝子のスプライシングを雌型に変化させ，雌型DSXが体細胞を雌化する（**コラム図18-5B**）．一方，雄の場合はSxlのスプライシングが雌型に変化しないため，SXLが発現せず，その下流のTRAも発現しない．したがって，

dsxのスプライシングも雄型のままで，雄型DSXが体細胞を雄化する．

このような一連の制御によって，ショウジョウバエの性決定は行われており，分化・発生には，選択的スプライシングが密接にかかわっていることがわかる．なお，哺乳類の性決定は，ホルモンやY染色体上の遺伝子が主にかかわっており，種によって性決定の制御は大きく異なる．

参考文献
・『Developmental Biology 11th Edition』（Gilbert SF, et al, eds），Sinauer Associates，2016
・『ギルバート発生生物学』（阿形清和，ほか／訳），MEDSi，2015

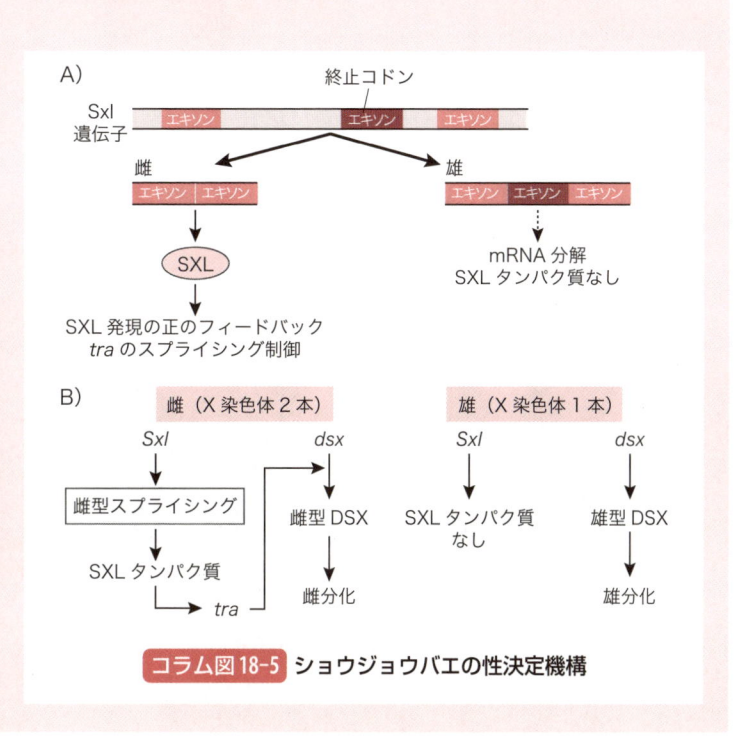

コラム図18-5 ショウジョウバエの性決定機構

の胞胚に存在する内部細胞塊は，すべての組織に分化できる分化多能性をもつ．この細胞群から作製される**胚性幹細胞**（embryonic stem cell：ES cell）を用いる方法も研究が進んでいる．ES細胞は体性幹細胞よりも多くの組織に分化できる反面，受精卵を破壊して作製しなければならないという倫理的な問題と，他人の細胞を用いることになるために生ずる免疫拒絶の問題がある．

これまで動物細胞では，変態時の細胞など一部を除くと，いったん分化した細胞を未分化な状態に戻すことはできないと考えられてきたが，2006年，マウスにおいて，皮膚などの体細胞中に4種の転写因子を強制的に発現させることによって未分化性をとり戻させることに成功した．これを**人工多能性幹細胞**（induced pluripotent stem cell：iPS cell）と呼ぶ．iPS細胞はES細胞の特徴をもつだけでなく，受精胚を破壊する必要がない，患者本人の細胞からつくれるので免疫拒絶の問題がないといったES細胞の欠点がないため，さまざまな研究が国内外で精力的に進められている．なお，iPS細胞の誘導に成功した京都大学の山中伸弥は，2012年のノーベル生理学・医学賞を受賞した．

雌の蝶だけを擬態させる分子メカニズム

Column

無毒な生物が毒のある生物に模様や形を似せることをベイツ型擬態と呼ぶが，これは多くの動物にみられ，ダーウィンの時代から着目されてきた．不思議なことに蝶ではこの擬態は雌だけにみられることが多い．大型で卵をもつ雌は雄よりも捕食者に狙われやすく，雌だけが擬態する形質が選択されてきたと考えられる[1]．

沖縄に生息するシロオビアゲハには2種類の雌がいる．非擬態型の雌は雄と同様に後翅に白い帯状の斑紋があるが，擬態型の雌の後翅は毒蝶のベニモンアゲハに似て，中心部の白い斑紋と辺縁部の赤い斑点がみられる（**コラム図18-6**）．遺伝学的な研究から，シロオビアゲハの雌が擬態するかしないかは1遺伝子座（*H*）で制御されるといわれてきたが，その実体は不明だった．しかし最近，*doublesex*（*dsx*）という性分化を制御する遺伝子が擬態形質の原因となっていることがわかった．興味深いことに，擬態型と非擬態型の*dsx*は配列が大きく異なり，擬態型*dsx*のみが擬態形質を誘導する．しかし，擬態型の*dsx*は雌の翅では発現するが，雄の翅ではほとんど発現しない．つまり，擬態型*dsx*をコードする染色体をもつ雌のみにベニモンアゲハと同様の翅が生じるのだ．表現形質の多くは，単一の遺伝子（例えば血液型）か，直接は関連のない複数の遺伝子（例えば身長）によって制御される．しかし，一部の複雑な形質は染色体上の特定領域の複数の遺伝子で制御されること（このような領域はスーパージーンと呼ばれる）がわかりつつある．*dsx*以外の遺伝子も含む*H*遺伝子座は，擬態を制御するスーパージーンと考えられる．

参考文献

1) 『だましのテクニックの進化 昆虫の擬態の不思議』（藤原晴彦／著），オーム社，2015
2) Nishikawa H, et al：Nat Genet, 47：405-409, 2015

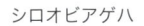

シロオビアゲハ	シロオビアゲハ	ベニモンアゲハ

| 雄もしくは非擬態型雌 | 擬態型雌 | |

コラム図18-6 擬態による後翅の違い
藤原晴彦博士のご厚意による

クローン動物

　全く同一の遺伝子組成をもつ生物集団をクローンという．植物はむかごや接ぎ木など，ハチでは単為生殖によって，それぞれクローン繁殖が可能である．では，ヒトではどうだろうか？ ヒトの細胞は，一代限りの体細胞群と，卵や精子のように次世代に生き残る生殖系列の細胞に分かれる．7章3で見たように，減数分裂では異なる染色体のセットが生殖細胞に分配されるため，異なる配偶子から生まれた生物はクローンではない．それでは，体細胞を用いたクローンの作製は可能であろうか．カエルでは体細胞の核を除核卵に移植することでクローンを作製できることが，1962年にイギリス・ケンブリッジ大のガードン（John Gurdon）によって報告されていた（ガードンは山中とともに2012年のノーベル生理学・医学賞

を受賞した）．哺乳動物については1997年2月，クローンヒツジ「ドリー」の誕生が発表された．母親の体細胞である乳腺細胞の核を除核した未受精卵に移植し，母親の子宮に戻すことで，母親と同じ遺伝子組成をもつク

ローンヒツジが誕生したのである（コラム図18-7）．現在では，ヒツジだけでなくウシ・ブタでもクローンが誕生している．これらの結果は，同じ哺乳類であるヒトでもクローン作製が不可能ではないことを推測させる．

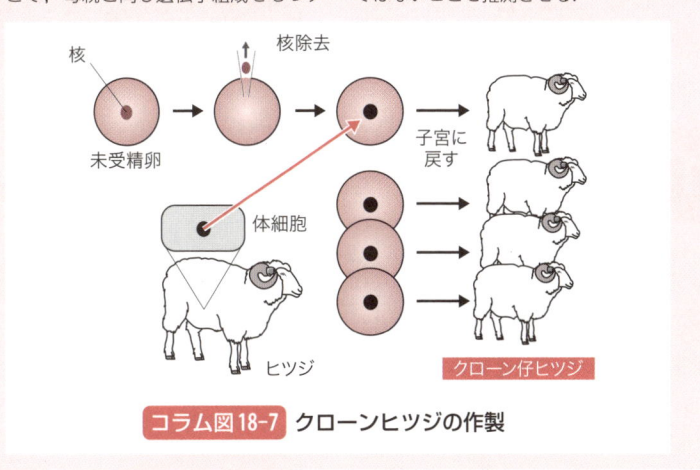

コラム図18-7 クローンヒツジの作製

本章のまとめ　　　　　*Chapter 18*

□ 発生とは個体の形態が形づくられることである．

□ 動物の体は外胚葉，中胚葉，内胚葉に由来する細胞からなる．

□ 発生初期は，受精卵の卵割により大まかな領域に区画化される．また，母性因子が胚の向きの決定や胚細胞の運命の決定に重要な役割を果たし，その不等分配と誘導が細胞の特殊化を引き起こす．

□ 形態形成運動により細胞の配置が再編成され，胚葉を越えた細胞の相互作用が可能になる．

□ 体節の形成や肢・翅の形成，変態などを経て，動物の形は大きく変化する．

□ 未分化細胞は遺伝子発現の調節により細胞分化を行う．また，幹細胞には体性幹細胞，胚性幹細胞，人工多能性幹細胞があり，現在これらを用いる再生医療が研究されている．

19章 植物の発生

種子植物は，光独立栄養で固着性という生活スタイルに合わせて，植物流の発生様式と成長調節のしくみを発達させてきた．これらは，個体としてうまく統合され理に適った営みを実現している．本章では，植物個体の成り立ちを主に形態形成の面から概説する．

1 植物の基本体制

植物体の基本となる器官は，水や無機養分の吸収に働く根，光合成の主要な場である葉，葉を支え根と連絡する茎，のわずか3種類である（図19-1）．ここではまず，種子植物全体に共通する器官構成の原則を取り上げ，植物の体制の本質的な特徴を述べる．

器官構成

地上部では，1本の茎とそれについた葉を，構造の単位とみることができる．これをシュート（shoot）と呼ぶ．シュートの先端には頂芽，葉の付け根には腋芽がある．腋芽が成長すると新たなシュート，すなわち側枝となる．側枝の腋芽からもシュートは発達し，分枝は繰り返されていく．

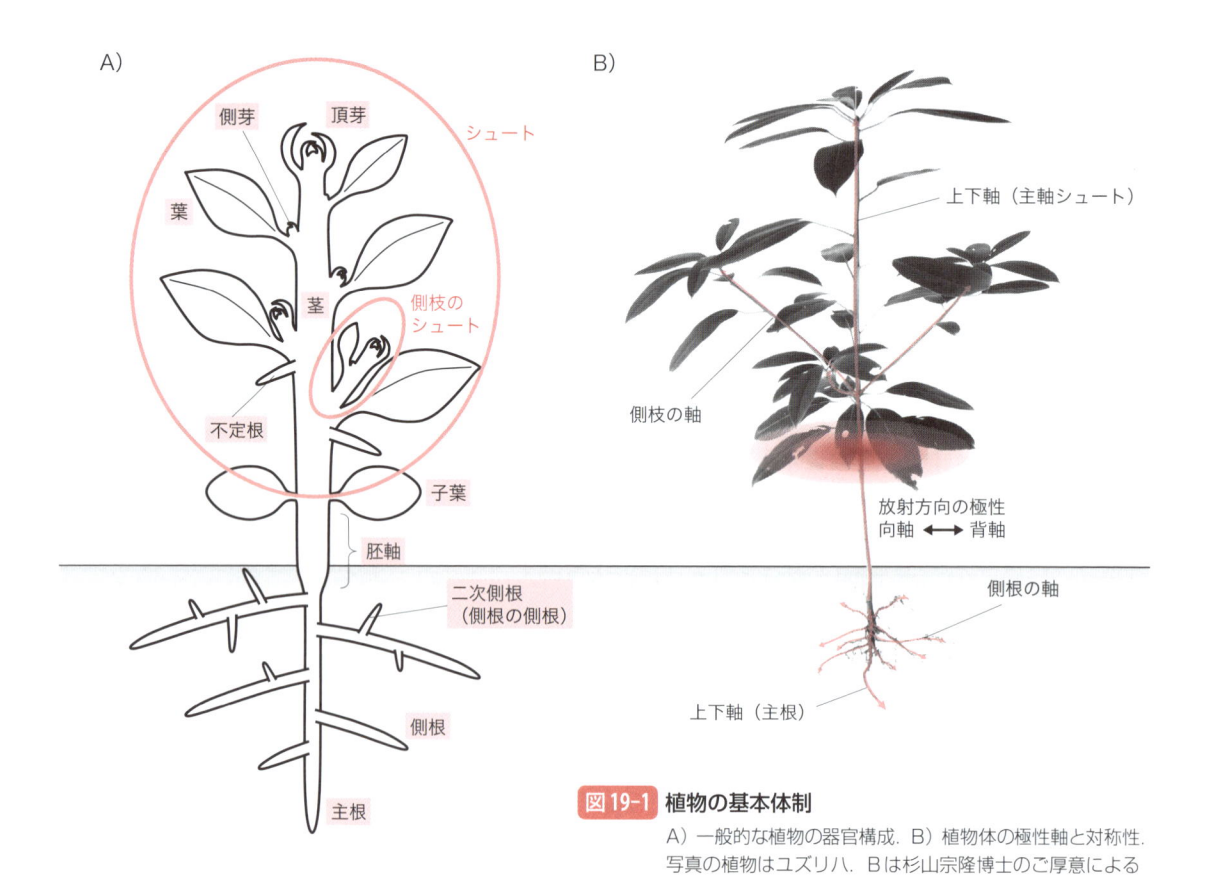

図19-1 植物の基本体制

A）一般的な植物の器官構成．B）植物体の極性軸と対称性．写真の植物はユズリハ．Bは杉山宗隆博士のご厚意による

地下部では，胚の幼根に由来する主根の内部から側根が生じ，この側根からも側根が生じ，さらにこれが繰り返されて，複雑に分枝した根系が形づくられる．主根とシュート主軸の茎とは，胚軸を介してつながっている．胚軸は胚発生のときにつくられる点で，芽でつくられる茎と区別されるが，機能的には茎に類する器官である．

地上部と地下部の両方にみられる注目すべき形態は，同じユニット（地上部ではシュート，地下部では根）の繰り返しで，入れ子になった分枝パターンである．これは生涯にわたって器官をつくり足していく植物ならではの特徴であり，外見上の植物らしさはかなりの部分この分枝パターンによっている．

■ 植物体の対称性

図19-1Bでは，極性と対称性の観点から，植物の基本体制を整理した．茎と根はどちらも放射対称性の軸性器官であり，この軸に沿った，つまり基部から先端部に向かう極性をもつ．放射方向については，向軸（軸中心に向かう）←→背軸（軸中心から離れる）という極性がある．葉は一般には左右相称性を示すが，葉と茎をまとめてシュートとしてみれば，やはり放射対称性である．さらに植物個体全体では，主軸シュートの先端から主根の先端に至る上下軸を中心とした放射対称性を示すことが多い．多くの動物の体が左右対称であることを考えると，放射対称性もまた植物の姿形を特徴づける大きな要因といえる．

2 細胞の分裂と成長

植物に限らず，多細胞の生物では，発生・成長は細胞分裂による細胞数の増加によって支えられている．植物の細胞は移動能力をもたず，また互いに細胞壁でつなぎ止められているので，他の細胞との位置関係を大きく変えることはない．したがって，植物の発生・成長においては，いつどこで細胞が増えるかということが，特に重要な意味をもっている．

■ 分裂組織

胚の時期を除くと，活発な細胞分裂がまとまって起き

ているのは，植物個体のごく一部の領域に限られる．こうした領域には，頂芽や側芽に含まれる**シュート頂分裂組織**（shoot apical meristem），根の先端の**根端分裂組織**（root apical meristem），茎や根の側方分裂組織である形成層，イネ科植物の節間や葉の基部にみられる介在分裂組織などがある．これら局所での細胞分裂はそれぞれの場所での局所的な成長だけを担うので，全体としてみれば，体の大半の部分がそのまま残る，増築型の成長様式となる．

■ 細胞の成長

植物の発生・成長では，細胞数の増加に加えて，個々の細胞の成長もまた無視できない要素となっている．植物の細胞は，液胞を発達させることで，著しい体積増加を示すからである．多くの場合，液胞化を伴う急激な細胞の成長は，細胞分裂の停止に引き続いて起きる．根端や茎頂，イネ科植物の葉などでは，これを空間的配置として捉えることができる（図19-2）．これは，細胞分裂とこれに連動した細胞成長が，植物器官の成長の両輪となっていることを端的に表している．

さらに細胞の成長は，その方向性を通しても，器官の形態形成に関与している．細胞が器官の軸に対してどの向きにより成長するかが，器官全体の形に大きな影響を与えるのである．この問題に関しては，**本章5**で茎の成長と関連づけて取り上げる．

3 種子形成と休眠・発芽

ここからは，被子植物の個体の発生と成長，そしてその制御を場面ごとにみていく．第一幕は，種子形成から発芽までである．

■ 種子の形成

種子の形成は，花粉管から放出された2つの精細胞の一方と胚嚢の卵細胞が融合し，もう一方の精細胞が胚嚢の中央細胞と融合して，重複受精が起きるところから始まる（p.91コラム参照）．受精した卵細胞は分裂して，胚の本体になる部分と胚柄になる部分に分かれる．胚本体となる部分では，全域において活発な細胞分裂が続き，

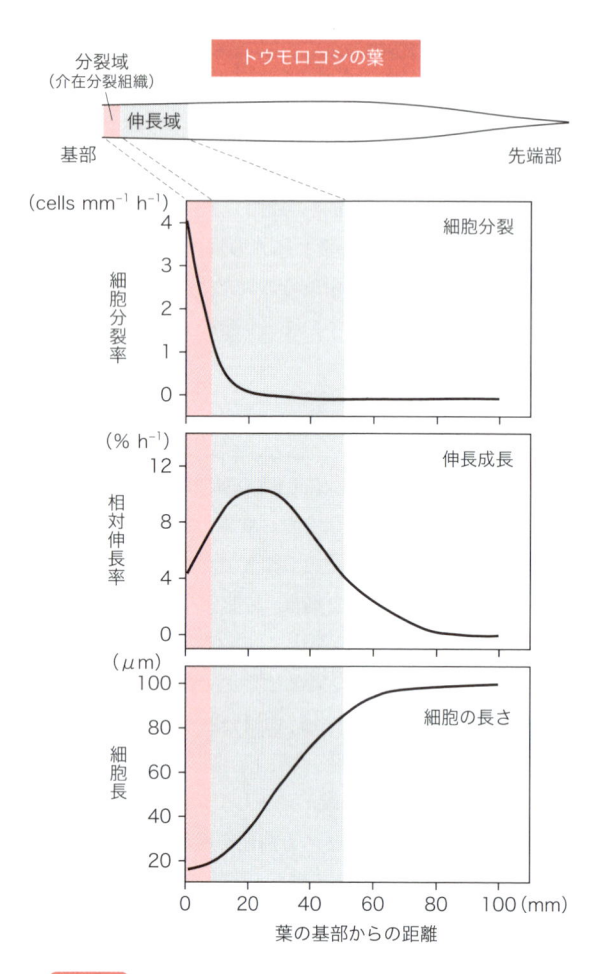

図 19-2 **細胞分裂と細胞成長の関係**
例として，トウモロコシの葉における表皮細胞の分裂と伸長成長を示す．トウモロコシの葉では，細胞は基部の介在分裂組織で生産され，基部から離れるに従って急激に伸長する

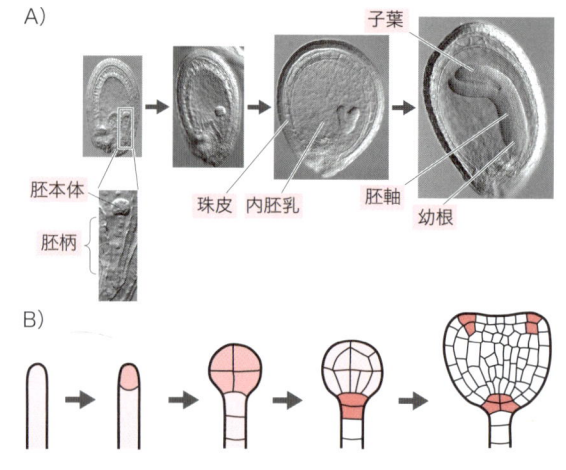

図 19-3 **胚発生**
A）シロイヌナズナの胚発生．B）胚におけるオーキシンの濃度分布．着色した部分でオーキシン濃度が高い．Aは杉山宗隆博士のご厚意による

　胚発生の後期になると，基本的な形態形成が終了し，種子成熟の準備が始まる．この時期には**アブシシン酸**（abscisic acid）の含有量が増大し，このアブシシン酸が貯蔵物質の蓄積，脱水，耐乾燥性を誘導する．最終的に胚は**休眠**（dormancy）の状態に入るが，この頃にはアブシシン酸含有量は低下している．こうして成熟した種子では，丈夫な種皮が休眠中の胚を保護しており，植物の生育には適さない環境にもかなり耐えられる構造となっている．一般には，ある程度の休眠期間を経て，種子は発芽能を獲得する．

種子の発芽

　乾燥した成熟種子に水を与えると，速やかに吸水する．最初の吸水は物理的で可逆的なプロセスである．発芽能のある種子が水を得たときに適当な環境下にあれば，この物理的な吸水段階から胚が不可逆的な成長を始める段階へと進み，ついには成長した胚が種皮を突き破って出現する．これが**発芽**（germination）である．

　発芽に関係する環境条件は植物によって異なるが，水以外に，比較的多くの植物で発芽要件となっているのは光である．このとき光を感知するのは，**フィトクロム**（phytochrome）という光受容体であり，赤色光が発芽を促進し，遠赤色光が逆に発芽を抑制するように作用する（p.229 コラム参照）．一方，クロロフィルは赤色光をよく

子葉，胚軸，幼根が形づくられていく（**図 19-3A**）．これを**胚発生**（embryogenesis）という．中央細胞は受精後，核分裂を行って，内胚乳となる．母体の組織である珠皮からは，胚発生の進行と並行して，種皮がつくられる．

　個体の形態形成の出発点という意味で注目されるのは，胚発生の中で体軸に沿ったパターンと放射方向のパターンが生まれる過程である．このパターン形成では，植物ホルモンの一種である**オーキシン**（auxin）が重要な役割を果たしており，主に**極性輸送**（polar transport）によって生じるオーキシン濃度の偏りが，胚の極性軸そしてパターンの確立に関与すると考えられている（**図 19-3B**）．

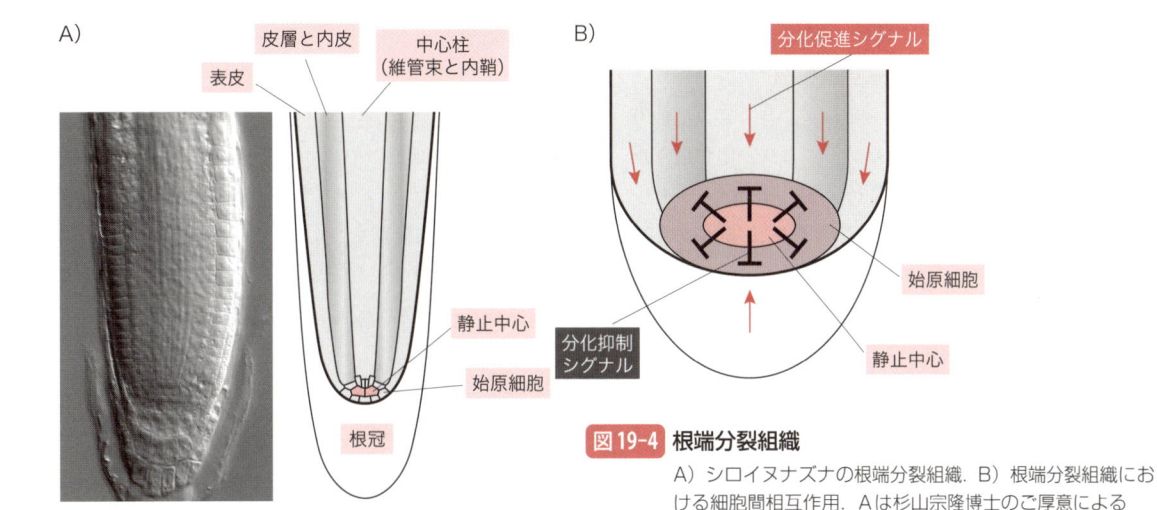

A)

表皮
皮層と内皮
中心柱
（維管束と内鞘）

静止中心
始原細胞
根冠

B)

分化促進シグナル

分化抑制
シグナル

始原細胞

静止中心

図19-4 根端分裂組織

A）シロイヌナズナの根端分裂組織. B）根端分裂組織における細胞間相互作用. Aは杉山宗隆博士のご厚意による

吸収するので，植物が生い茂った場所では，赤色光が少なく相対的に遠赤色光の割合が高い光が地面に届くことになる．したがって，フィトクロムによる発芽の制御は，他の植物に覆われておらず，光合成のための光を十分に受けられる場所あるいは時期を選んで発芽することにつながり，発芽後の生存にとって有利に働くと考えられる．

　温度も植物の発芽を左右する重要な環境要因である．単にある程度の暖かさが発芽に必要というだけでなく，一定期間低温にさらされることで初めて休眠が打破され，発芽が可能になる植物も少なくない．四季が明瞭な温帯地域では，このような性質が発芽時期の選択と深く関連している．すなわち，秋には適温であっても発芽せず，冬の低温を経験した後に春を迎え，改めて適温になったときに発芽するのである．

　種子の発芽にはいくつかの植物ホルモンがかかわっているが，中心的な働きをするのは**ジベレリン**（gibberellin）である．例えば，ふつうは発芽に光を要求するレタスなどの種子も，ジベレリンの投与により暗所で発芽させることができる．また，低温期を経て発芽できるようになる種子では，低温処理によってジベレリンの含有量が増加することも知られている．

4 根の成長と分枝

　発芽した幼植物は，貯蔵物質を消費して，細胞分裂

を伴う本格的な成長を開始する．根では根端分裂組織が細胞分裂を始め，この活動によって根は成長していく．根端分裂組織における秩序立った細胞分裂の制御が，根の形態形成と成長を理解する鍵である．

根端分裂組織の構造と維持

　根端分裂組織は，根の本体の先端にあって，根冠に覆われている未分化な細胞集団である．**静止中心**（quiescent center）と呼ばれる，細胞分裂をほとんど行わない少数の細胞と，その周りの分裂活性の高い細胞群が根端分裂組織を構成している．シロイヌナズナの根の縦断面（図19-4A）では，外側から順に表皮，皮層，内皮，維管束を含む中心柱が整然と列をなしており，それらが根の先端の一極に向かって収束している様子が観察される．この極にあるのが静止中心で，静止中心に隣接しているのは各組織のもととなっている**始原細胞**（initial cell，動物の幹細胞に相当）である．静止中心と始原細胞は根端分裂組織にいつまでも留まるという点で，特異な存在である．分裂組織のそれ以外の細胞は，自ら分裂しながらも，静止中心により近いところで起きる細胞増殖のために，順次分裂組織から押し出される．分裂組織から離れた細胞は，急速に伸長しながら分化形質を獲得して，やがて成熟することになる．

　根の成長には通常，発生プログラム上の限界点はない．長期間にわたって，木本植物ではときには何百年も続く．このような成長を無限成長という．根の無限成長には，根端分裂組織の構造安定性が重要である．これ

には，始原細胞に対する2種類の細胞間シグナルの均衡がかかわっているらしい．一方は未分化状態を保つように働きかける，静止中心からのシグナルであり，他方は分化を誘導するように働きかける，より分化が進んだ組織からのシグナルである（図19-4B）．実際，レーザー照射によって静止中心の細胞を破壊すると，隣にある始原細胞は分化してしまう．また特定の組織の細胞列で分化した領域と未分化な領域との連絡を断つと，その組織

の分化が起きなくなる．

根の分枝と植物ホルモン

　根の分枝は，側根の形成による．まず，主根の内鞘（中心柱の最外層，つまり内皮の1層内側の組織）の細胞が分裂して側根原基をつくる．このときには原基全体で細胞分裂が起きる．ある程度の大きさに発達した後は，原基内に構築された根端分裂組織が活動を始め，側

植物ホルモン

　植物の発生・成長を調節し，全体としての調和を実現するには，植物体内での化学情報のやりとりが不可欠である．環境要因が発生・成長に影響する場合でも，外界からの刺激は化学情報に変換されて植物体内を伝わり，協調的な反応を引き起こす．このような体内情報を担っている分子の中でも主役級といえるのが，植物ホルモンである．植物ホルモンは，「植物自身が生産し，生産部位から他の部位へ移動して，ごく低濃度で生理的作用を示す有機化合

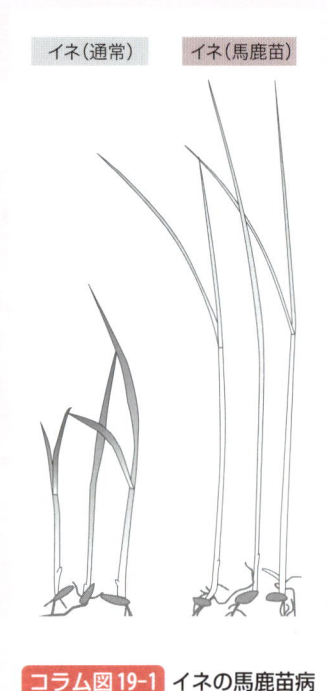

イネ（通常）　　イネ（馬鹿苗）

コラム図19-1 イネの馬鹿苗病

物（およびその類縁物質）」として定義される．一般に植物ホルモンとして認知されているのは，オーキシン，サイトカイニン，ジベレリン，アブシシン酸，エチレン，ブラシノステロイド，ジャスモン酸，サリチル酸，ストリゴラクトンの9種類である（コラム表19-1）．植物の一生のさまざまな場面でさまざまな器官の発生・成長を制御するには，種類数が少なすぎると感じられるかもしれないが，1つ1つの植物ホルモンが多面的な作用をもつうえ，植物ホルモン間で，また他の制御因子との間で相互に影響を及ぼし合うため，それらの総体としてきわめて複雑で精妙な制御が実現している．

　植物ホルモンの研究では，日本の研究者が大きな役割を果たしてきた．これを少し紹介しよう．初期の植物ホルモン研究における日本人の業績といえば，第一にジベレリンの発見が挙げられる．発見のきっかけとなったのは，馬鹿苗病というイネの病気の研究である．苗の異常な伸長を特徴とするこの病気は，稲作に大きな被害をもたらすものとして，我が国では古くから知られていた．馬鹿苗病の科学的な研究は1900年頃から始まり，1920年代には，その原因が*Gibberella fujikuroi*というカビの一種が分泌する毒素であることが，台湾総督府農事試験場の黒沢英一によって突き止められた．1930年代に入って，東京帝国大学（現在の東京大学）の藪田貞治郎らのグループが，こ

の毒素の単離・結晶化に成功し，ジベレリンと命名した．その後，健全な植物体からジベレリンが見つかり，さらに調べたどの植物もジベレリンをもつことがわかって，ジベレリンは，病原菌の出す特殊な毒素というよりも，植物の普遍的な生理活性物質，つまり植物ホルモンであるという認識が確立したのである[1]．

　近年になってからも，植物ホルモン関連分野では，日本の研究者の世界的発見が相次いでいる．ストリゴラクトンの研究もその一例である．もともと寄生植物の発芽促進物質として知られていたストリゴラクトンは，植物体内で頂芽優勢に働いていることが証明された結果，最近新たに植物ホルモンの仲間入りを果たした．この証明の一翼を担ったのが日本の研究グループである[2]．また，サイトカイニンのシグナル伝達やジベレリンのシグナル伝達（p.224コラム参照）は，日本のグループの先導により解き明かされた．さらに上記の植物ホルモン以外の植物成長調節因子に話を拡げれば，花成ホルモンの同定（p.230コラム参照），生理活性ペプチドとその受容体の同定などにおいても，日本の研究グループが大きな貢献をしている．

参考文献
1）Stowe BB & Yamaki T：Annu Rev Physiol, 8：181-216, 1957
2）Xie X, et al：Annu Rev Phytopathol, 48：93-117, 2010

根の伸長が始まる．側根形成の開始には，極性輸送によってシュートから主根の中心柱を通って運ばれてくるオーキシンが必須である．また，主根先端部で合成される**サイトカイニン**（cytokinin）は，側根形成に抑制的に作用する．このようなオーキシンとサイトカイニンのバランスが，根の分枝における内的制御の基礎となっている．

5 茎の成長と分枝

　茎の軸方向の成長は，シュート頂分裂組織における細胞数の増加と，分裂組織近傍での細胞の伸長に依存している．この成長は，巨視的には根と同じような先端成長であり，無限成長である．しかし，図19-5A に示したように，分裂組織の構造は根といくらか異なる．シュー

Column

コラム表19-1 植物ホルモン一覧

種類名[*1]	物質名[*2]	主な作用・役割	代表的な物質の構造	特記事項
オーキシン	インドール酢酸 (IAA)，*2,4-D，NAA* など	細胞成長の促進，細胞分裂の活性化，頂芽優勢（腋芽の成長の抑制），発根の誘導，屈性（偏差成長），維管束分化，エチレン生成など	IAA 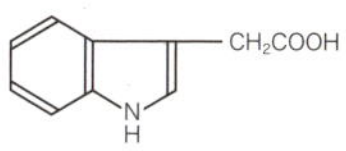	極性輸送で移動（p.226コラム参照）
サイトカイニン	イソペンテニルアデニン，ゼアチン，カイネチンなど	細胞分裂の促進，腋芽の成長の促進，不定芽形成の誘導，老化遅延など	ゼアチン 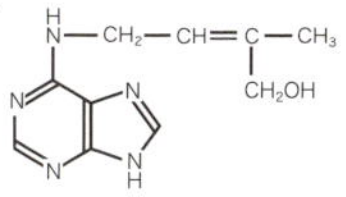	
ジベレリン	GA_1，GA_3 など	茎の伸長成長の促進，発芽の促進（種子の休眠の打破）など	GA_3 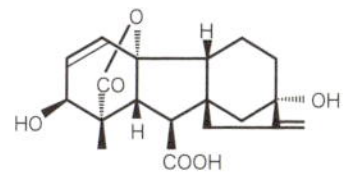	
アブシシン酸	アブシシン酸	種子の成熟と休眠，気孔閉口，水ストレスや低温ストレスに対する応答など	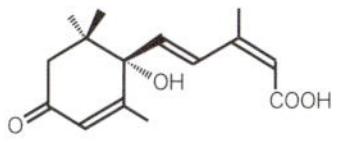	
エチレン	エチレン	果実の成熟，落果（離層形成），花や葉の萎凋，茎の伸長抑制と肥大成長など	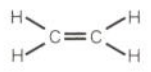	気体
ブラシノステロイド	ブラシノライドなど	成長促進，維管束分化など	ブラシノライド 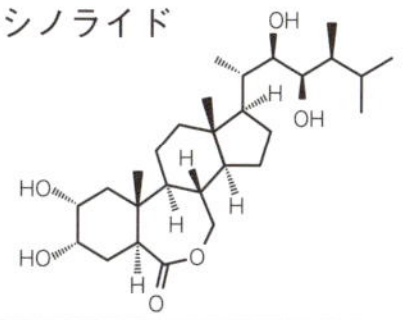	
ジャスモン酸	ジャスモン酸，ジャスモン酸メチル，イソジャスモノイルイソロイシン	傷害応答など	ジャスモン酸 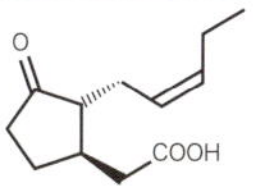	ジャスモン酸メチルは揮発性
サリチル酸	サリチル酸，サリチル酸メチル	感染応答など	サリチル酸 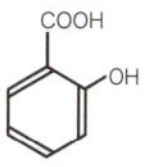	サリチル酸メチルは揮発性
ストリゴラクトン	ストリゴールなど	頂芽優勢（腋芽の成長の抑制）など	ストリゴール 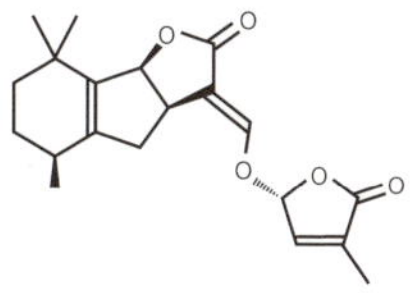	

＊1　植物ホルモンの種類は作用（あるいは構造）によって区分されており，天然物でなくても同様の活性（あるいは構造）をもつ物質は植物ホルモンの一員とみなすことが慣例となっている．
＊2　天然ではない物質は，イタリックで示した．

19 章 植物の発生

ト頂分裂組織の表面近くは層状構造をとり，1〜数層の細胞層が明白に認められる．これは**外衣**（tunica）と呼ばれる．外衣の細胞分裂は基本的には，分裂面が層面に対して垂直の方向に入る，垂層分裂である．外衣の内側では，細胞分裂に決まった方向性はみられず，細胞は層を成していない．この部分を**内体**（corpus）と呼ぶ．外衣の各層の中心部と内体の頂点には，それぞれ始原細胞群があって細胞の供給源となっている．

シュート頂分裂組織を支える分子機構

シロイヌナズナの発生分子遺伝学的解析によれば，シュート頂分裂組織において組織化を主導しているのは，内体の深奥部にある少数の細胞である（**図19-5B**）．これらの細胞は**形成中心**（organizing center）と呼ばれる．形成中心は，上方の細胞群に対して，未分化状態を維持し，始原細胞となるよう働きかける．この意味では，シュート頂分裂組織の形成中心は，根端分裂組

植物ホルモンのシグナル伝達

Column

最近の研究の進展により，植物ホルモンの受容体が次々に同定され，シグナル伝達の概要も次第に明らかになってきている．例えば，サイトカイニンは細胞膜上の受容体に結合して活性化させ，その情報がタンパク質のリン酸化の連鎖によって受け渡されていく（**コラム図19-2A**）[1]．エチレン，アブシシン酸，ブラシノステロイドのシグナル伝達においても，タンパク質のリン酸化状態の変化が鍵となっている．このようなタンパク質のリン酸化（あるいは脱リン酸化）を介したシグナル伝達は，さまざまな生物の細胞内シグナル伝達に広く見られるものである（**15章 2**参照）．

少し変わっているのはオーキシンやジベレリン，ジャスモン酸の場合で，これらはタンパク質分解を通して遺伝子発現を調節することにより応答を引き起こす．オーキシンのシグナル伝達を例にとって説明しよう．オーキシン応答にかかわる遺伝子群は，ARFと呼ばれる転写因子の制御のもとにある．オーキシンがないとき，ARFはAux/IAAファミリー※のタンパク質と結合しており，転写活性化能力が妨げられた状態にある．オーキシン受容体のTIR1/AFB

は，このAux/IAAタンパク質をユビキチン化（タンパク質修飾反応の1つ）する酵素のサブユニットで，これによってユビキチン化されたタンパク質はプロテアソームで分解されることになる．TIR1/AFBがオーキシン依存的にAux/IAAの分解を促進し，それによって解放されたARFがオーキシン応答遺伝子群の転写を活性化する，というしくみである（**コラム図19-2B**）．ユビキチン化に依存したタンパク質分解を介するところなどは，TNFαによるNFκBの活性化（**図15-8**参照）と似ているが，受容体がユビキチン化酵素それ自身を構成している点は特異であり，その意味でTIR1/AFBの機能の解明は受容体の研究に新たな1ページを加えることとなった[2]．

参考文献

1）Hwang I, et al：Annu Rev Plant Biol, 63：353-380, 2012
2）Mockaitis K & Estelle M：Annu Rev Cell Dev Biol, 24：55-80, 2008

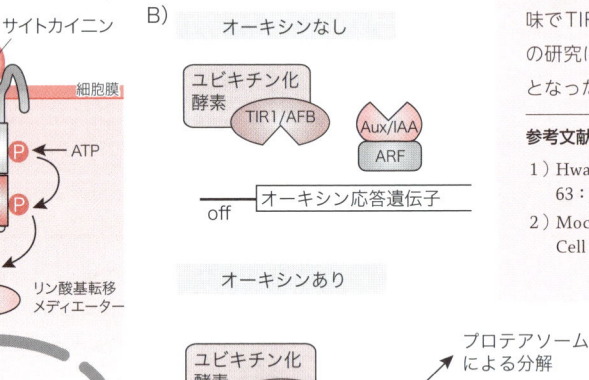

コラム図19-2
サイトカイニンとオーキシンのシグナル伝達

※ 同じような構造をもつタンパク質の1グループで，名前は**オーキシン**（auxin）および天然オーキシンのIAAに由来する．オーキシン流入キャリアーのAUX1（p.226 コラム参照）とは全くの別物なので注意．

織の静止中心に似た役割をもっている．シュート頂分裂組織の構造を維持するには形成中心と始原細胞の関係を調和させる必要がある．これについては制御の中核となる2つの分子，WUSCHEL（WUS）とCLAVATA3（CLV3）が見出されている（図19-5B）．WUSはホメオドメインをもつ転写調節因子で，形成中心としての特性を付与する．形成中心からの作用を受けて始原細胞となった細胞は，オリゴペプチドのCLV3を分泌する．CLV3は周辺に拡がって，WUSの発現を抑制し，形成中心となるのを妨げる．WUSとCLV3が形成する，このようなフィードバック回路が，形成中心と始原細胞の細胞数を調整している．

■ 茎の伸長と肥大

分裂組織で生み出された細胞は，先端から遠ざかるにつれて伸長する．この細胞伸長を介した茎の成長制御には，いくつもの植物ホルモンが関係している．細胞の伸長を促進する働きをもつ植物ホルモンとしては，まずジベレリンがあげられる．ジベレリンを植物体に散布すると茎が伸びて背が高くなり，ジベレリンの生合成を阻害するような薬剤を投与すると植物体が矮化する．ジベレ

リンは，**表層微小管**（cortical microtubule）と呼ばれる細胞膜直下の微小管の配向を介して，細胞壁の**セルロース微繊維**（cellulose microfibril）の配向に影響する．これによって細胞の成長は横方向が妨げられ，縦方向に誘導されて，茎の伸長成長が高まる（図19-6）．**エチレン**（ethylene）も表層微小管そしてセルロース微繊維の配向に影響するが，ジベレリンとは作用が逆で，細胞の縦方向の成長を抑え，横方向の成長を促進するように働く．成長を妨害するような物理的な負荷が植物体に加えられると，エチレンの生成が上昇する．このエチレン増大は，細胞の成長方向を変えて茎を太くし，負荷に対抗できるよう植物体を丈夫にする，という意味をもっている．なお，オーキシンによる茎の切片の伸長促進は，表層微小管の配向変化によるものではなく，細胞壁がゆるんで細胞が成長しやすくなるため，と考えられている．

■ 頂芽優勢

シュート頂では，茎のほかに葉も形成され，それとともに葉腋に腋芽のシュート頂分裂組織がつくられる．この分裂組織が活動すると側枝となり，茎の分枝が起きる．しかし多くの場合，頂芽が及ぼす阻害的影響のために，腋芽の分裂組織の活動は抑止されるか長くは続かず，分枝が抑えられる．これが**頂芽優勢**（apical dominance）と呼ばれる現象であり，分枝パターンに深くかかわっている．頂芽優勢において，頂芽の作用を仲介するのは，オーキシンとサイトカイニンである．腋芽

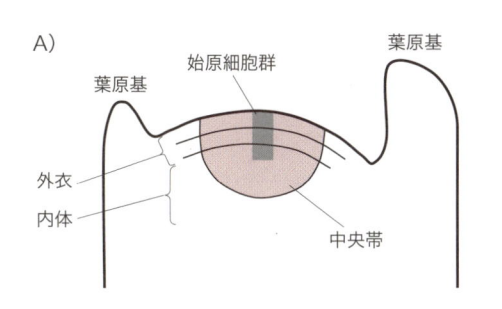

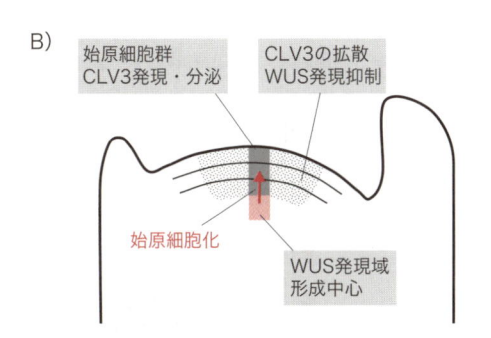

図19-5 シュート頂分裂組織
A）シュート頂分裂組織の基本構造．B）WUSとCLV3のフィードバック回路

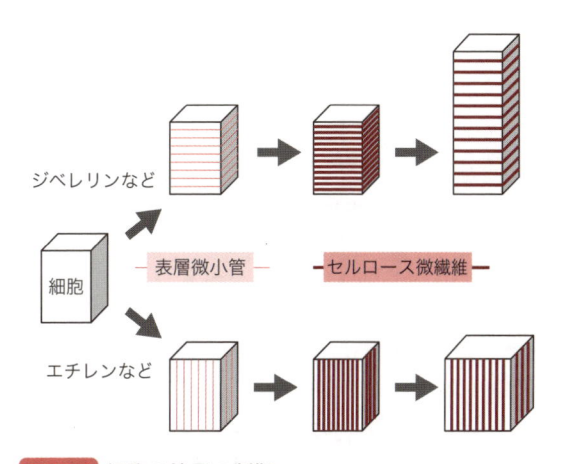

図19-6 細胞の伸長の制御
ジベレリンやエチレンは，表層微小管の配向を変えることで，細胞の成長方向をコントロールする

の成長には腋芽近傍の茎で合成されるサイトカイニンが必要であるが，頂芽が生産して下方に送るオーキシンが，このサイトカイニン合成を阻害して腋芽の成長を妨げるのである．

6 葉の形成

　シュート頂分裂組織の周縁部では，盛んに細胞分裂を行いながら外側に突出する形で成長する細胞集団が

みられる．これが葉のもととなる**葉原基**（leaf primordium）である．茎の表皮層では先端に向けて求頂的にオーキシンが運ばれているが，こうして供給されるオーキシンが葉原基の形成開始には必須である．葉原基の形成位置には，先に発生した葉が干渉して，葉が近接するのを妨げる（**図19-7A**）．その結果として連続する葉の位置関係が規則性をもち，数学的にも美しい葉の配列が生み出される．干渉作用の実体については完全には解明されていないが，先行した葉がオーキシンの分布状態に与える影響が重要であると考えられている．

　葉の形態形成では，向軸側（表側）と背軸側（裏側）

▌ オーキシンの極性輸送

　オーキシンは弱酸性物質で，IAAの場合，pKaは約4.8である．植物の細胞外液層はpHが5〜6程度の酸性区画であり，そこでは多くのIAA分子が解離してIAA$^-$となっているが，解離していない分子も少なくない．一方，細胞内は中性であるため，ほとんどのIAAは解離して，IAA$^-$の状態で存在する．解離していないIAAは電荷をもたないので細胞膜を通過することができ，単純拡散で細胞内に入るが，IAAのそれ以外の出入りはタンパク質の仲介を必要とする（**コラム図19-3A**）[1]．H$^+$との

共輸送で行われるIAA$^-$の細胞内への流入では，AUX1/LAXファミリータンパク質がトランスポーターとなっている．細胞外へのIAA$^-$の排出には，PINファミリータンパク質が関与する．また，ABCトランスポーターのPGPサブファミリータンパク質も，排出トランスポーターとして働いている．

　AUX1/LAXとPINは，細胞膜上に一様に分布しているわけではなく，たいがいは特定の膜面に偏っている．組織ごとにある一定の偏在パターンがあり，それがオーキシンの移動に方向性をも

たらし，極性輸送を実現している．PINの局在については特に詳しく解析されており，その結果からオーキシン極性輸送と形態形成との密接な関連が次々と明らかになっている（**コラム図19-3B**）[2]．

参考文献

1) Zazímalová E, et al：Cold Spring Harb Perspect Biol, 2：a001552, 2010
2) Jan Petrášek & Friml J：Development, 136：2675-2688, 2009

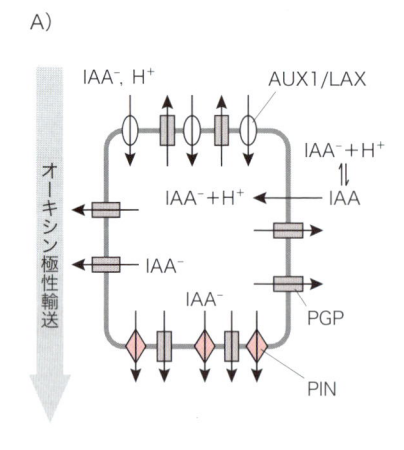

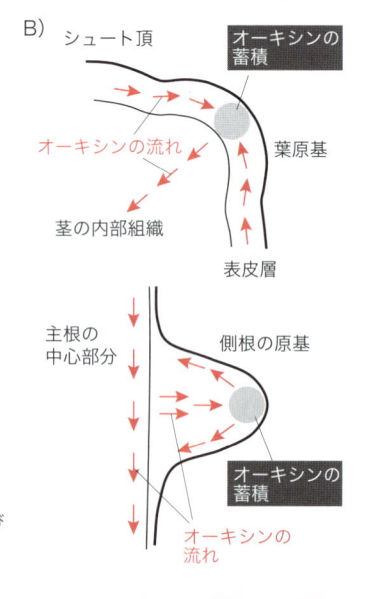

コラム図19-3 ● **オーキシンの輸送**
A）オーキシンの輸送担体．B）葉原基および側根原基におけるオーキシンの流れ

の差異化が鍵を握っている。シュート頂分裂組織との連絡を人為的に断つと，葉原基は背軸側構造のみをもつ，棒状で放射対称性の葉になる。このことから，シュート頂分裂組織が発する何らかの信号が，葉原基の向軸側に向軸側特有の性質をもたらすと考えられている（図19-7A）。葉原基に向軸側領域と背軸側領域の両者が決定づけられると，その境界に沿って成長が起き，葉身が形成される。変異によって異所的な背軸側化あるいは向軸側化が引き起こされた場合には，向軸側特性をもつ領域と背軸側特性をもつ領域が接するところで成長が異常に進み，葉身のような構造が形成される（図19-7B）。

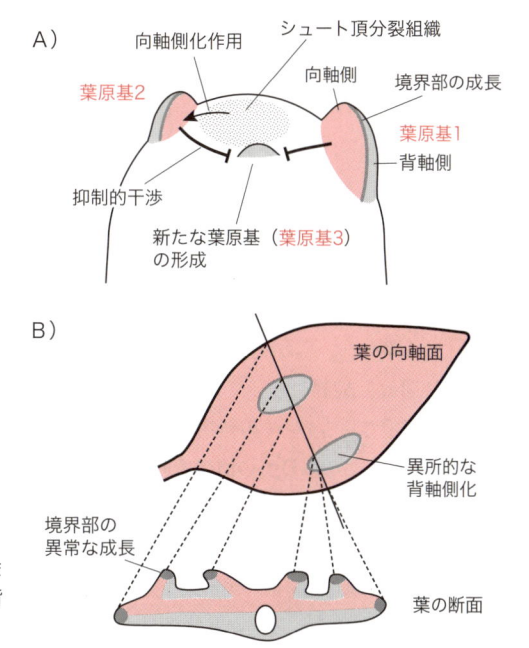

図 19-7 葉の形成
A）葉の形成にかかわるさまざまな相互作用。B）葉の向軸面に背軸側領域の斑が生じた変異体

屈性 Column

　植物の器官は，ある種の外部刺激に対して，刺激に向かうように，あるいは刺激を避けるように屈曲する反応を示す。この性質を屈性と呼び，刺激源の方向に曲がるときは正の屈性，反対の方向に曲がるときは負の屈性という。茎における負の重力屈性と正の光屈性，根における正の重力屈性，負の光屈性，正の水分屈性などがその例である。茎と根の役割を考えると，いずれも植物の生育にとって都合のよい曲がり方といえる。

　茎や根の屈曲は，オーキシンの不均等分布のために，刺激源側と逆側とで細胞伸長率に差が生じ，偏差成長が起きることによる。根の重力屈性の場合には，根冠にあるコルメラ細胞が重力を感知する（コラム図19-4）。コルメラ細胞はデンプンを貯め込んだアミロプラストを発達させており，このアミロプラストが一種の平衡石として働く。横倒しにされた根のコルメラ細胞ではアミロプラストが沈降し，このことが何らかの二次メッセンジャー（有力候補

は Ca^{2+}）を介して，細胞膜のPINタンパク質の局在変化を誘導する。オーキシンは極性輸送系により，根の中心部分を求頂的に運ばれてきて，根冠で放射方向に分配され，皮層では求基的に送り返される。この根冠におけるオーキシンの分配にPINタンパク質の局在

変化が影響し，下側の皮層に戻されるオーキシンを増やすのである。その結果，下側では伸長域皮層組織のオーキシンが濃くなり過ぎて細胞伸長が抑えられ，最終的には上下の細胞伸長の違いから下方に根が屈曲することになる。

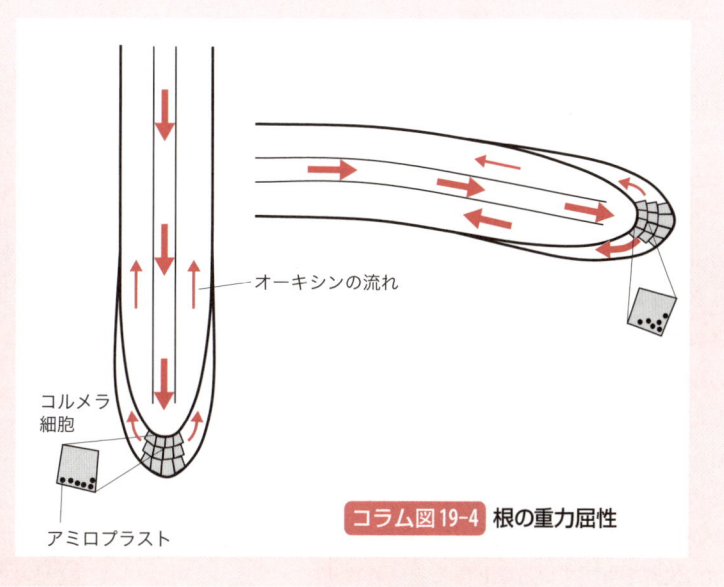

オーキシンの流れ

コルメラ細胞

アミロプラスト

コラム図 19-4 根の重力屈性

7 花成

栄養成長期にもっぱら葉を形成しながら成長していた頂芽や側芽は，生殖成長への切り替えに伴い，花器官を形成する花芽になる．この移行の過程が**花成**（flowering）である．

光周性花成

花成の時期は，植物にとって有性生殖の成否を左右する重要な問題である．多くの植物は，花芽の分化にふさわしい時期を知るのに日長の情報を利用している．日長と花成との関連から植物を区別すると，日長が長くなると花成が誘導される長日植物，日長が短くなると花成が誘導される短日植物，花成が日長と直接関係しない中性植物に分けられる．日長など光条件の周期的な変化に応答して起きる反応を**光周反応**（photoperiodic response）と呼ぶ．長日植物や短日植物の花成は，光周反応の典型的な事例といえる．

日長は字義通りなら昼の長さであるが，一般に重要なのは実は夜の長さである．長日植物では夜がある決まった時間，**限界暗期**（critical dark period）より短くなると花芽を形成し，短日植物は夜が限界暗期より長くなると花芽を形成する．ここでの夜の長さとは，連続した暗期の長さであって，1日の暗期の長さの合計ではない．例えば，11時間の暗期の途中に1時間の光照射（光中断）を行って，暗期を5時間ずつに分割したとき，夜として有効な暗期の長さは，11時間でも10時間でもなく，5時間となる．

植物が昼夜をどう感じ分け，どのようにして限界暗期との照合を行っているかについては，計時機構が**概日リズム**（circadian rhythm）を刻む**生物時計**（biological clock）に依存すること，光の感知にフィトクロムとクリプトクロムが関与することなどがわかっている．感知された光の情報は，生物時計で決められる位相の特定の相に光があるかないかに応じて処理され，その結果として日長が判定されると考えられている．一方，生物時計をリセットし，明暗周期に同調するよう時刻を合わせるのにも，フィトクロムとクリプトクロムによる光受容がかかわっている．したがって，光周性花成では光は二重の役割をもっていることになる（図19-8）．

春化

温度も花成にさまざまな影響を与える．秋に発芽し越冬してから花芽を形成する植物には，一定期間の低温を経験することが花成の前提条件となっているものが多い．この性質をうまく使って，人工的に低温処理を施し，花成を促進することを**春化処理**（vernalization）という．春化処理は一般には活動しているシュート頂分裂組織（をもつ植物体）に対して行ったときにのみ有効であり，休眠種子の発芽能獲得にかかわる低温の効果とは区別が必要である．

8 花器官の形成

被子植物の花では，外から内に向かって，がく片，花弁，雄ずい（雄しべ），心皮が並んでいる（図19-9A）．心皮が合着してできているものが雌ずい（雌しべ）である．がく片，花弁，雄ずい，心皮はいずれも，葉が特殊化した器官と考えられている．

花芽には4つの領域が同心円を描くように存在し，正常な花では一番外の領域（環状場1）にがく片が，次の領域（環状場2）に花弁が，次の領域（環状場3）に

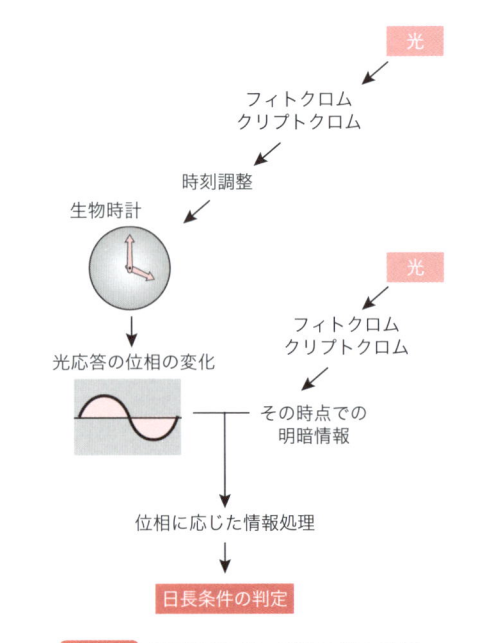

図19-8 光周性花成における光の役割

雄ずいが，一番内側の中心となる領域（環状場4）に心皮が発生する．花の器官構成が異常になったホメオティック変異体の研究により，どの環状場にどの器官がつくられるかを決めているのは，A，B，Cの3つにクラス分けされる花器官決定遺伝子（転写因子）の働きであることがわかっている．このしくみを整理したのが，**ABCモデル**（ABC model）である（図19-9B）．Aクラスの遺伝子は環状場1と2で，Bクラスの遺伝子は環状場2と3で，Cクラスの遺伝子は環状場3と4でそれぞれ働く．Aクラス遺伝子だけが働くとがく片ができ，Aクラス遺伝子とBクラス遺伝子の働きが組み合わさった

ときには花弁，Bクラス遺伝子とCクラス遺伝子の働きが組み合わさったときには雄ずい，Cクラス遺伝子だけが働くときには心皮ができる．また，Aクラス遺伝子とCクラス遺伝子はお互いの働く場所を排除し合う関係にある．例えば，変異によってAクラス遺伝子の働きが失われると，環状場1と環状場2を含むすべての領域でCクラス遺伝子が働くようになり，その結果，がく片ができるべき環状場1に心皮が，花弁ができるべき環状場2に雄ずいが発生する．3つのクラスの花器官決定遺伝子がどれも働かないと，花の器官ができるはずの領域すべてに葉のような器官が生じる．

A)

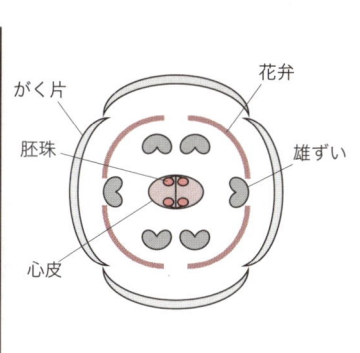

B)

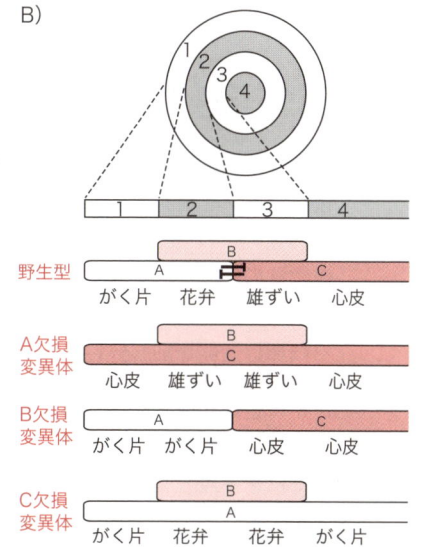

図19-9 花器官形成の遺伝的制御
A）シロイヌナズナの花と花の模式図．B）ABCモデル．
Aは杉山宗隆博士のご厚意による

Column

光受容体

　植物にとって，光は光合成のためのエネルギー源であるだけでなく，形態形成や成長，その他さまざまな生理反応を調整するための重要な外部信号となっている（**3章**参照）．植物が信号としての光を感知するのに用いている光受容体には，大きく分けてフィトクロム，クリプトクロム，フォトトロピンの3種類がある．

　フィトクロムは，開環状テトラピロール化合物を発色団とする色素タンパク質である．フィトクロムには，PrとPfrという2つの型がある．Prは波長666 nmの赤色光域に，Pfrは波長730 nmの遠赤色光域に，それぞれ特徴的な吸収ピークをもつ．光のない環境下ではフィトクロムはPrとして存在し，赤色光を含む光の照射を受けるとPfrに変わる．Pfrは遠赤色光の照射でPrに戻る．光による発芽促進，光周性花成の光中断による促進または阻害など，フィトクロムが関与する事象の多くは，赤色光で誘導され，遠赤色光で打ち消される．これはPfrが生理反応を引き起こす活性型であることによる．

　クリプトクロムとフォトトロピンは，青色光を受容する色素タンパク質である．クリプトクロムはフラビンアデニンジヌクレオチド（FAD）とプテリンを，フォトトロピンはフラビンモノヌクレオチド（FMN）を，それぞれ発色団としてもつ．クリプトクロムは，生物時計の同調，光周性花成などにかかわる．フォトトロピンが関係する反応には，光屈性や気孔開口，光の強さに応じて葉緑体が配置を変える葉緑体光定位運動がある．

花成ホルモンの同定

花芽分化は頂芽または腋芽で起きるが，日長を感じとっているのは一般には葉である．葉で受けとった日長情報は，何らかの形でシュート頂に伝えられて，花芽分化を引き起こすわけである．この点については，短日植物と長日植物の組み合わせによる興味深い接ぎ木実験が行われている．例えば，長日植物であるオオベンケイソウの接ぎ穂を短日植物であるカランコエの台木に接いだときには，短日条件下で接ぎ穂に花芽が形成された．これは，長日植物であろうと短日植物であろうと，葉からシュート頂に送られる花芽分化誘導情報は基本的に同じものであることを意味している．この花芽分化誘導情報を担う生理活性物質として想定されたのが，花成ホルモン（フロリゲン）である．

フロリゲンの実体は，長い間謎に包まれていたが，今世紀に入って大きな展開があった．シロイヌナズナの遺伝学的研究から花成の決定に関与することがわかっていた *FT* 遺伝子が，葉で発現するにもかかわらず，シュート頂で機能すること，さらにFTタンパク質が葉から篩管を通ってシュート頂に移動しうることが示されたのである．これらの知見から，今ではFTタンパク質がフロリゲンの本体であると考えられている．

本章のまとめ　　　　　　　　Chapter 19

- ☐ 植物は生涯にわたって器官をつくり足し，同じユニットの繰り返しで入れ子のようになった，分枝パターンを呈する．植物体は全体として，シュート頂と根端を結ぶ上下軸を中心とする放射対称性を示す．

- ☐ 植物体の形成と成長は，時間的・空間的に制御された細胞数の増加と細胞体積の増大によるものである．

- ☐ 受精卵は活発な細胞分裂を行い，植物体の基本的な軸性を備えた胚を形成する．胚は成熟すると乾燥耐性を獲得し，休眠する．休眠から覚めた種子が吸水したときに適当な環境下にあれば，胚が不可逆的な成長をはじめて発芽に至る．

- ☐ 根の成長は，根端分裂組織の活動に依存している．根の分枝は側根の形成によるもので，この開始にはオーキシンが必須である．

- ☐ 茎の成長は，シュート頂分裂組織の活動に依存している．茎の分枝パターンには，オーキシンとサイトカイニンによる頂芽優勢がかかわっている．

- ☐ 葉の向軸側と背軸側の違いは，シュート頂分裂組織との位置関係によって生まれる．向軸側領域と背軸側領域の境界が葉の縁として運命づけられる．

- ☐ 植物は，日長などの環境情報を感知して栄養生長期から生殖成長期に入り，花芽を形成する．このとき日長として重要なのは，夜の長さである．

- ☐ 花器官（がく片，花弁，雄ずい，心皮）は，葉が特殊化したものである．どの領域にどの花器官ができるかは，3つのクラスの花器官決定遺伝子によって制御される．

20章　遺伝子発現の制御

　6章で遺伝子からmRNAを経て，タンパク質が翻訳されるしくみをみた．さらにこれまで生物でのさまざまな現象を学んできた．この時点で改めて遺伝子というものを眺め直そう．生物はもっている多くの遺伝子すべてをいつも発現しているわけではない．生物では数多くの遺伝情報のうち，発生・分化する過程や生育環境の変化に応答して生き延びていく中で，発生時期に見合った遺伝子，その環境での生存に適した遺伝子を発現する，あるいは逆に不向きな遺伝子の発現を抑制することが行われている．本章ではそうした遺伝子発現の制御機構について概観していく．

1　遺伝子発現の制御の重要性

　これまでに学んだように，細胞が生存し増殖するためにエネルギー生産，糖・脂質・アミノ酸などの中間代謝，核酸やタンパク質合成といった過程にかかわる酵素などのタンパク質は，細胞の種類を問わずすべての細胞種共通に不可欠である．こうした酵素をコードするような遺伝子はその機能から生命維持のための遺伝子ともいえ，どの細胞でも発現していると考えられる．このような遺伝子を**ハウスキーピング遺伝子**（house-keeping gene）と呼ぶ．

　一方でヒトのような多細胞生物では，多種類の分化した細胞があって，それぞれの分化細胞に特有の遺伝子が働いている．皮膚の細胞，肝臓の細胞，神経細胞など，それぞれ形も働きも違うのは，それぞれで働く遺伝子の種類が違うからである．例えば，血清アルブミンタンパク質の遺伝子は肝実質細胞だけで働き，インスリン（16章**3**参照）遺伝子は膵臓のβ細胞のみで働く．これらの遺伝子は他の細胞では働くことがない．

一生同じ遺伝子をもちつづける個体内の細胞

　分化した細胞はそれぞれ複数の特有の遺伝子を発現するが，1人のヒトを構成するすべての体細胞は，同じ遺伝子をもつと考えられる．植物では1つの体細胞から完全な1植物体を再生できることが古くから示されている．近年，動物でも，何種類もの哺乳類において1つの体細胞由来の遺伝子をもとにクローン動物の作製の成功例が示されている（p.217コラム参照）．こうした例は1つの体細胞がもつ遺伝子が，個体を構成するすべての細胞（体細胞も生殖細胞も）をつくる能力をもつことを示している．すなわち，すべての体細胞はその見かけが異なっていても，同じ遺伝子をもっている．しかし一方で異なる遺伝子を発現した分化細胞が存在するのは，遺伝子発現を調節する機構が働いているからである．細胞は分化とともに異なる遺伝子を使うようになり，その細胞で以後使わない遺伝子であっても捨てることなどはしない．学んできた生物現象と重ね合わせて，遺伝子発現の調節・制御に関する機構とはどのようなものかを考えてみよう．

遺伝子の発現制御が起こる場面

　細胞のエネルギー代謝やタンパク質合成にかかわる遺伝子は，細胞が生存し続けるために常に働くことが必要である．このように遺伝子がいつも発現していることを**構成的発現**（constitutive expression）という[※1]．多くの遺伝子では，実際には状況に応じて発現が変化する．

　分化にかかわる遺伝子には，大きく分けて2つの型の発現調節がある．1つは，組織（細胞）特異性をもった発現調節である．例えばニワトリ体内のさまざまな細胞のなかで，輸卵管上皮細胞のみが卵白アルブミン遺伝

[※1]　ハウスキーピング遺伝子には構成的に発現するものが多いが，エネルギー代謝にかかわる酵素の遺伝子といえども，細胞の置かれた状況に応じて発現量が変化する場合が多く，増殖にかかわる遺伝子も増殖停止状態では発現が抑制される．

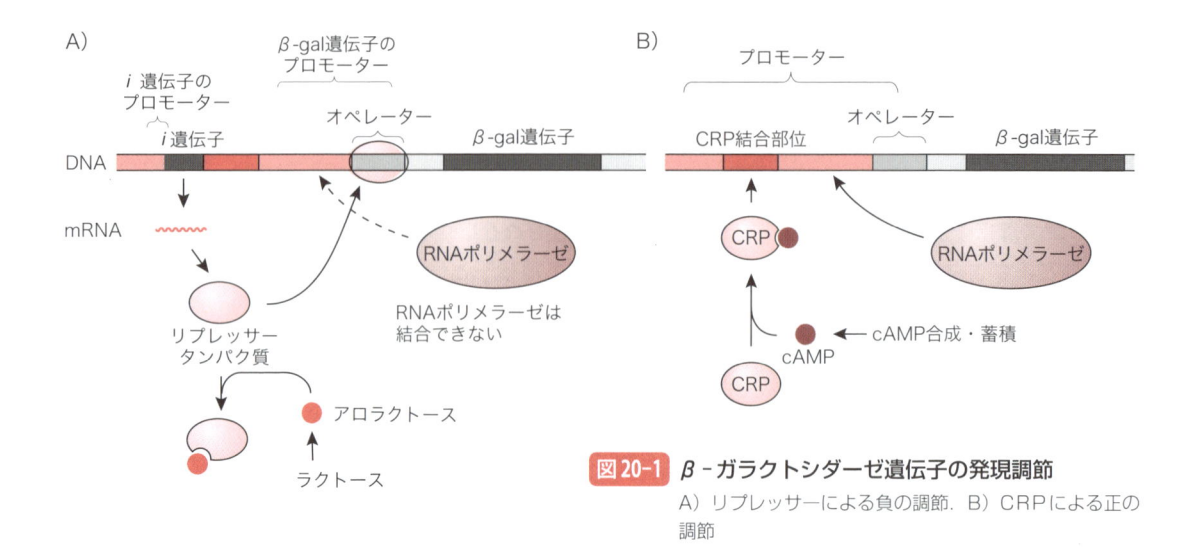

図20-1 β-ガラクトシダーゼ遺伝子の発現調節

A）リプレッサーによる負の調節．B）CRPによる正の調節

子（*OVA*）を発現し，他の細胞ではほとんど発現しない．もう1つは，状況に応じた発現調節である．輸卵管上皮では常時*OVA*遺伝子が働いているわけではなく，エストロゲン（雌性ホルモン）の作用によって排卵が起こるとともに，*OVA*遺伝子の発現が上昇する．必要な遺伝子の多くは一部の細胞でのみ，あるいは発生の一時期にのみ発現する．こうした発現調節には，それぞれのしくみ，機構が存在する．動植物を問わず，すべての細胞における分化機能についても同様のことが想像される．

6章でDNAからの転写の基本を学んだ．そのあとの章で種々の生命現象についても学んできた．その個々の生命現象にかかわるタンパク質，その遺伝子からの発現についても細胞の違い，環境状況の違いによってその転写が促進あるいは抑制される調節を受けていることを考えてみてほしい．これからそうした調節がどのような分子機構で行われているのか，明らかとなっていることをみていこう．

2 転写調節の基本が学べる原核生物の例

原核生物では，mRNAがまだ合成途上にあるうちから，リボソームが結合してタンパク質合成が開始される．mRNAは数分の半減期で分解されるので，遺伝子が発現してタンパク質がどれだけ翻訳されるかには，

mRNAが転写されるかどうか，つまり**転写調節**（transcriptional regulation）が重要である．mRNA転写の調節は真核生物でも重要で基本的なものである．

遺伝子が発現する際の調節機構が明らかとなった最初の例は，ジャコブ（François Jacob）とモノー（Jacque Monod）の研究による大腸菌のβ–ガラクトシダーゼ（β–galと略す）の系についてである（図20-1）．古典的となった知識であるが，そこで明らかとなった機構は，多くの生物が遺伝子の発現促進，あるいは抑制する機構の基本を示しているので，ぜひ理解したいところである．

負の調節

大腸菌は，二糖であるラクトース（図10-4参照）をβ–gal酵素で加水分解し，グルコースとガラクトースにしてから利用する．大腸菌はグルコースがある環境ではβ–gal酵素をつくらない（β–gal遺伝子が働かない）．グルコースがなくなり，ラクトースのみがある状態となって初めて，β–gal酵素をつくり出してラクトースを利用するようになる．

図20-1に示されるβ–gal翻訳領域とその上流配列をみながら，この調節のしくみを概観しよう．β–gal遺伝子上流にプロモーター領域がある．その領域に重なって**オペレーター**（operator）領域がある．*i*遺伝子から**リプレッサー**（repressor）という，β–gal遺伝子の調節をするためのタンパク質が構成的につくられている．こ

のリプレッサータンパク質はこのオペレーター領域に結合することができ，するとRNAポリメラーゼがプロモーター領域に入ることが阻止されて，β-gal遺伝子からの転写が抑制される．これがβ-gal遺伝子に対する**負の調節**（negative regulation）で，ラクトースが存在しないと意味のない酵素遺伝子が転写されないような状態を維持している（図20-1A）．

状況が変化しラクトースが存在する状況となるとどうなるか．ラクトースの代謝産物であるアロラクトースがリプレッサータンパク質に結合する活性をもっている．その結合によって，リプレッサータンパク質は高次構造が変化し，オペレーターに結合できなくなる．こうしてラクトース存在下ではRNAポリメラーゼがプロモーターに結合できるようになり，β-gal遺伝子のmRNAが転写され，続いて酵素が翻訳される．

▌正の調節

細胞内ではその栄養状況に応じてcAMP（サイクリックAMP，15章3参照）が合成されている．一般に飢餓状態となるとその濃度が上がると考えるとよい．cAMPが**CRP**（あるいは別名CAP）というタンパク質と結合し，そのcAMP-CRP複合体がプロモーターに結合すると，招き入れられるようにRNAポリメラーゼ（6章4参照）がプロモーターに結合しやすくなる，というβ-gal遺伝子の転写に対する**正の調節**（positive regulation）も存在する（図20-1B）．

ラクトースがあってもグルコース[※2]があるときはβ-gal遺伝子の発現が抑制される．グルコースが十分にあるとラクトースを細胞内へ輸送するトランスポーターの働きが阻害され，結果としてアロラクトースができず，リプレッサーがオペレーターから外れないためにβ-gal遺伝子は発現しない[※3]．

正と負に調節するタンパク質があって，それぞれが遺伝子のプロモーター領域に結合することで転写が調節される．この領域の塩基配列を図20-2に示した．このような調節のしくみは，大腸菌などの原核生物の遺伝子発現を行っている場面で広く用いられている．

3 真核生物の転写調節はより複雑に

真核生物の転写でもRNAポリメラーゼが各遺伝子のプロモーターに結合するという基本的なしくみは原核生物と類似しているが，その調節機構ははるかに複雑なことがわかってきた．

▌シスエレメント

真核細胞には，いわゆるプロモーター領域にみられるTATAなど特定の塩基配列を認識する因子を含めた**基本転写因子**（general transcription factor）と呼ばれる複数種類のタンパク質があり，それらが結合することで，RNAポリメラーゼII（Pol II）の結合を促進する（図20-3）．プロモーターを含めて，転写調節にかかわる

リンパ球だけは遺伝子が変化する

Column

1人のヒトの体細胞は同じ遺伝子をもつけれども，リンパ球だけは例外で，ゲノム中のある遺伝子群の構造が成長の過程で変化することが利根川進によって示された．ヒトは何億種類もの抗体（タンパク質）をつくることができる．個体としてそれだけの種類の遺伝情報をもっているのだが，その数の全長に渡る遺伝子をもっているわけではない．

すべての体細胞は抗体分子のドメインごとに部品のようになった遺伝子の前駆体をもっている．リンパ球では特異的に，1つ1つが分化する過程でこうした部品部分が1つの抗体遺伝子として合わさるように抗体関係の遺伝子領域の組換えが起こる．結果として各リンパ球が他にはない1つの特定の抗体遺伝子の形となり，固有の抗体分子を発

現するようになる．細胞によって異なる組換えを起こす結果，個体としては何億種類もの抗体をつくれるだけの遺伝子をもつことができることになる．

この機構の発見により，利根川進は1987年ノーベル生理学・医学賞を受賞した．

[※2]　グルコースは解糖にすぐ入っていける．

[※3]　この機構は，ジャコブとモノーによる調節機構の発見から40年も経った1996年に日本の饗場弘二らによって発見されたものである．

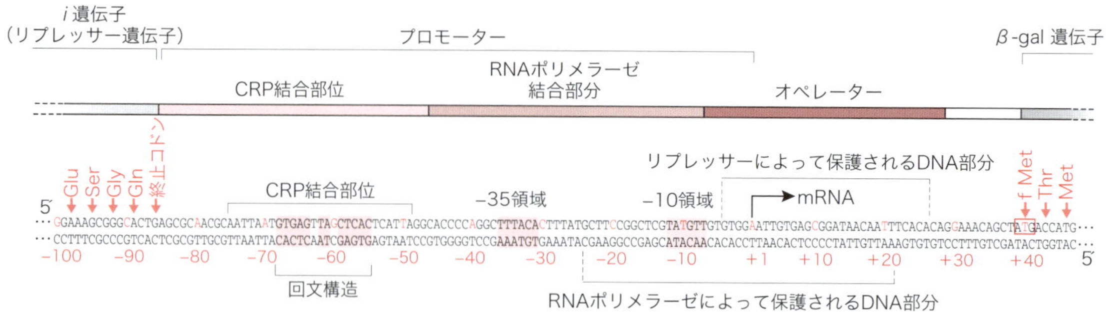

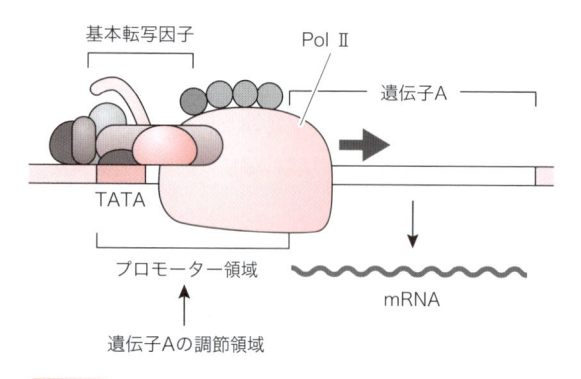

図20-2 発現調節領域付近の塩基配列

β-gal遺伝子の発現調節領域（上段）と塩基配列（下段）との対応を示した．リプレッサー（*i*）遺伝子とβ-gal遺伝子の間の短い領域に，RNAポリメラーゼのほか，転写を調節する複数のタンパク質の結合にかかわる領域が並んでいる．遺伝子と発現調節領域とがDNA上に密に並んでいることがわかる．−10領域，−35領域はRNAポリメラーゼとの結合に特に重要で，コアプロモーターともいう

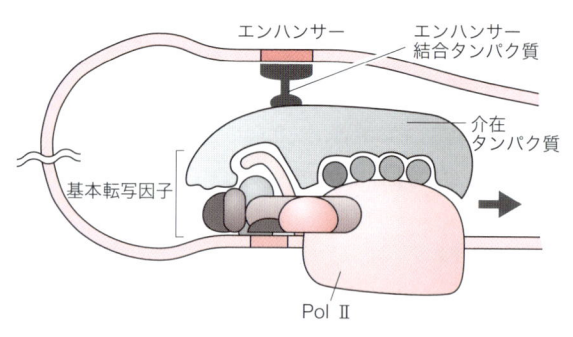

図20-3 真核生物プロモーターからの転写開始
『Molecular Biology of the Cell 6th』（Bruce Alberts, et al, eds），Garland Science, 2014 より

図20-4 エンハンサーによる転写促進が起こる機構
『Molecular Biology of the Cell 6th』（Bruce Alberts, et al, eds），Garland Science, 2014 より

DNA上の特定の塩基配列を総称して**シスエレメント**（*cis*-element）という．そこに結合して発現を調節するタンパク質が存在し，それらが事前に結合していれば，基本転写因子は，膨大な遺伝子DNAの配列のなかで，RNAポリメラーゼ自体が端から端まで探さないでもプロモーター領域を見定めやすい．こうして迅速にRNAポリメラーゼによる転写の開始が果たされると考えられる．

エンハンサー配列の存在

さまざまな遺伝子がさまざまな細胞内外の状況変化に応じて転写活性を変化させるために，プロモーター領域，翻訳領域以外にも，転写活性に影響を与える配列が存在することが明らかとなってきた．それは**エンハンサー**（enhancer）や**サイレンサー**（silencer）と呼ばれる特有の塩基配列をもったシスエレメントを指す（**図20-4**）．エンハンサーにこれらの塩基配列を認識するエンハンサー結合タンパク質が結合すると，プロモーター部位へのRNAポリメラーゼの結合が高まり，遺伝子発現が著しく高まることが明らかとなってきた（**図20-4**）．サイレンサーは逆に遺伝子の発現を抑制するシスエレメントとして定義されている．

エンハンサー（あるいはサイレンサー）配列がプロモーターと異なるのは，遺伝子部分上流のかなり離れた位置（ときには数十kbp）でも，あるいはときに遺伝子内部や遺伝子の下流にあっても働くことである[4]．もう1つの異なる点は，エンハンサーは塩基配列を逆向きに置き換えても同様に働くことである[5]．

真核生物では1つの遺伝子に，種類の異なるこのよう

なシスエレメントが複数あると考えられ，細胞内外からのさまざまなシグナルに応じて発現を調節しているのである．このような状況で真核生物の転写を調節するシスエレメント領域は非常に長く，10 kbpを超えることも珍しくないと考えられる[※6]．

こうした転写の制御のしくみは，これでもまだ実際の様子をかなり簡略化したものである．実際には**本章4**で見るヒストン，染色体構造の変化も一緒になった制御となっていると考えられる．

転写後調節

真核生物の場合，遺伝子DNAが核に格納され，転写が核内で起こるため，細胞質で行われる翻訳と切り離されている．mRNAはまず前駆体pre-mRNAとして転写される．核内でスプライシング，キャップ構造の付加，ポリA尾部の付加などのプロセシングを経た後に成熟したmRNAとして，核膜孔を通って細胞質へ輸送され，そこでようやくmRNAがタンパク質合成に使われる（**図20-5**，図6-9参照）．転写直後からタンパク質合成に至

真核生物に見られる主なシスエレメントと転写因子 *Column*

Pol IIによって転写される遺伝子（タンパク質をコードする遺伝子）について，代表的なシスエレメントとそこに結合する転写因子（トランスファクター）を示した（**コラム表20-1**）．1つの遺伝子の上流には，これらのシスエレメントが複数存在するのがふつうで，さらに上流のエンハンサーの働きと合わせて，複雑な発現調節を実現している．

コラム表20-1 よく知られたシスエレメントと転写因子

配列名	共通配列	転写因子	特徴
一般的なシスエレメントと転写因子			
TATA ボックス	TATAAAA	TBP（TATA-binding protein）	最も一般的なコアプロモーター．TBPは基本転写因子TF II Dを構成する．
CCAAT ボックス	GGCCAATCT	C/EBP（CCAAT-enhancer-binding protein）	一般的なシスエレメント．
GC ボックス	GGGCCG	SP1	TATA ボックスをもたない遺伝子に見られる一般的なシスエレメント．
特定の遺伝子に見られるシスエレメントと転写因子			
HSE（heat shock element）	CNNGAANNTCCNNG[*]	HSF（熱ショック因子）	熱ショック反応に関係する．
CRE（cAMP response element）	TGACGTCA	CREB（cAMP response element binding protein）	CREBは神経細胞においてPKAによるリン酸化依存的に活性化され，長期記憶の形成，維持に働く（16章参照）．
GRE（glucocorticoid-response element）	CGTACANNNTGTTCT	糖質コルチコイド受容体	糖質コルチコイド受容体はリガンド依存的に核内に移行して転写因子として働く（核内受容体，15章参照）．
κB モチーフ	GGGACTTTCC	NFκB（nuclear factor-kappa B）	NFκBはイムノグロブリンκ鎖遺伝子のエンハンサーに結合し，免疫反応において中心的な役割を担う（15章参照）．
E ボックス	CANNTG	MyoD	MyoDは筋細胞特異的に発現する遺伝子の転写，筋分化に主要な役割を担う（13章参照）．
Pax6 結合配列	CAATTAGTCACGCTTGA	Pax6	Pax6は2つのDNA結合ドメイン（ペアードドメインとホメオドメイン）をもち，眼や中枢神経系の発生に主要な役割を担う．
CArG ボックス	CC (A/T)$_6$ GG	MADS ボックスファミリー転写因子	動物の血液応答因子SRFや，植物のABCモデルに登場する遺伝子産物（**19章6**参照：実は転写因子）がもつアミノ酸配列モチーフがMADSボックス

* Nは任意の塩基

※4　プロモーターについてはRNAポリメラーゼが結合して転写を開始するので，遺伝子部分から離れて存在することはなく，遺伝子下流には存在しえない．
※5　プロモーターはその塩基配列の向きによって，DNA二本鎖のうちRNAポリメラーゼが転写のもととする鋳型鎖を決定する．配列を逆に置くとRNAポリメラーゼは逆向きに進み，全く異なる配列を転写することになる．
※6　すぐ隣の遺伝子の間，遺伝子間配列領域にはこうした機能があると考えてみた方がよいだろう．

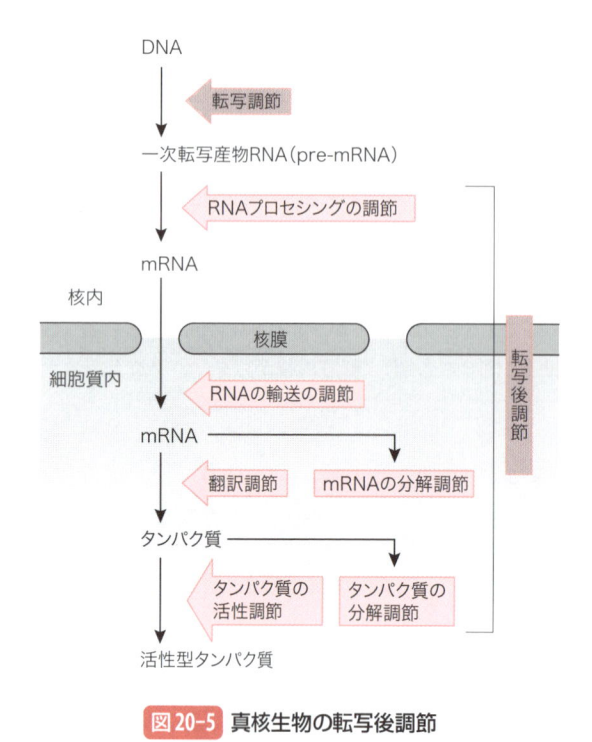

図20-5 真核生物の転写後調節

るまでのこうした過程にも種々の調節が起こることがわかってきた。こうした転写後の過程における調節を**転写後調節**（posttranscriptional regulation）という。真核生物には転写後調節もあることが特徴である。

転写後調節としてスプライシングの段階，核から細胞質への輸送の段階にかかわる機構が知られている。転写後調節は同じ細胞でも発生段階によって異なったり，組織や細胞によって特異性があったり，体内の生理状態によって変化したりする例が知られている。エキソンの中には，常にmRNAに含まれる恒常的エキソンと，組織や時期特異的に含まれる選択的エキソンがあり，そのエキソンの組み合わせを変化させる選択的スプライシングが起こることで，1つの遺伝子から多くの種類のmRNAが合成され，機能の異なるタンパク質ができる。私たちヒトをはじめとする真核生物は，遺伝子の数を増加させるだけでなく，選択的スプライシングなどの遺伝子発現の方法の多様化によって，より複雑な生命活動を獲得している。また，同じ遺伝子からできるpre-mRNAが，異なった細胞では異なった運命をたどることで，異なったアミノ酸配列をもつタンパク質ができる例も知られている。こうした現象は，研究の対象となる遺伝子ごとに制御の種類，複雑さがかなり異なる。

4 真核生物の染色体構造による遺伝子発現調節

真核生物のDNAは，ヒストンという塩基性タンパク質と強固に結合した，ヌクレオソーム構造として存在する（図6-5参照）。ヌクレオソームはさらに他のタンパク質も結合してクロマチン繊維を形成している（6章**3**参照）。

クロマチンリモデリングによる調節

ヒストンとDNAとがしっかり結合した状態では，RNAポリメラーゼがプロモーターに結合してRNA合成を開始することが難しい。エンハンサーの役割の1つは，ヒストンとDNAとの結合を緩めて，ヌクレオソーム構造を破壊し，RNAポリメラーゼによるRNA転写を促進することにある。この現象は，ヌクレオソームの構造を変化させるという意味で，**クロマチンリモデリング**（chromatin remodeling）という。

クロマチンリモデリングによる調節は，非常にたくさんの種類の酵素やタンパク質がかかわる複雑な反応である。特定のエンハンサーに転写促進タンパク質が結合すると，そこへヒストンアセチル化酵素が結合して，ヒストンのアミノ基をアセチル化する。するとヒストンの塩基性が低下するので，DNAとの結合が弱くなる。これを契機にその周囲に向かってヒストンとDNAとの解離が進行して，やがてプロモーターが露出し，RNAポリメラーゼ複合体が結合しやすくなり（**図20-6**），転写活性がいっそう上がる。

逆に発現を抑制する場合には，ヒストン脱アセチル化酵素が働いてアセチル基を外して，ヌクレオソーム構造を戻す。そのことで転写活性が下がる。

ヘテロクロマチンとユークロマチン

塩基性染色剤で染色した核を顕微鏡で観察したとき，強く染まる**ヘテロクロマチン**（heterochromatin）と，弱く染色される**ユークロマチン**（euchromatin）とがみられる（図9-8B参照）。ヘテロクロマチンでは，クロマチン繊維にさらに別のタンパク質が働いてクロマチンを強く凝縮している。ここには発現しない遺伝子が集まっている。ユークロマチンはクロマチンが緩く集合していて，発現しうる遺伝子が集まっている。

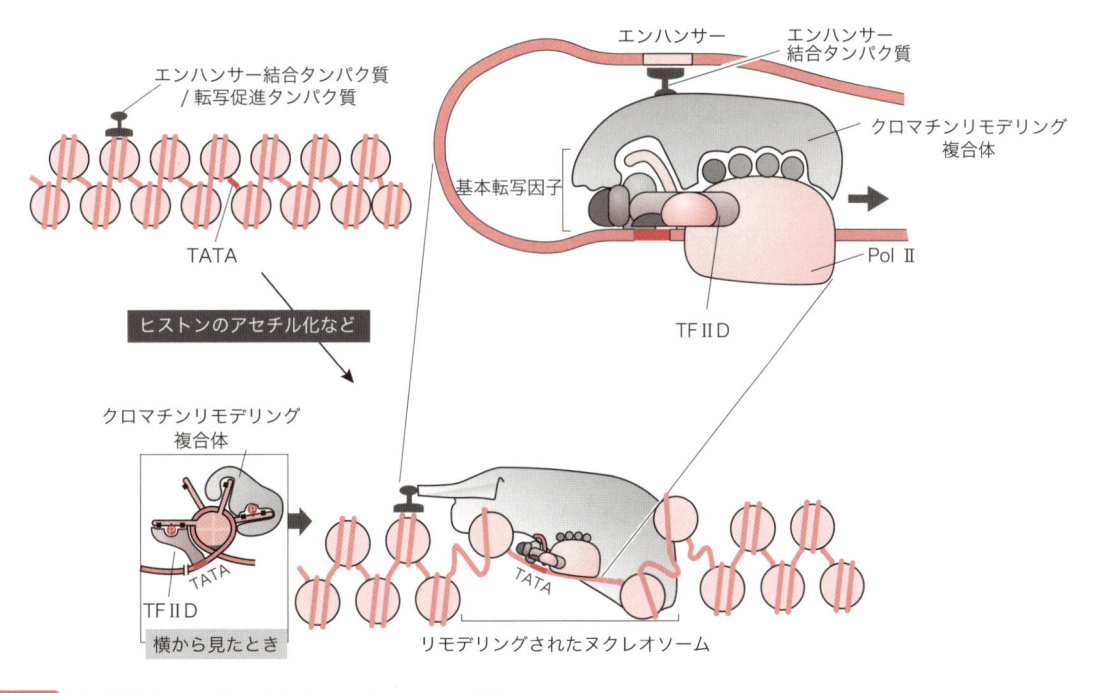

図 20-6 転写因子により緩められるヌクレオソーム構造
クロマテンリモデリングによるプロモーター領域のヌクレオソーム構造の変化

ヘテロクロマチンには，構成的ヘテロクロマチンと可逆的ヘテロクロマチンがあると考えられている．構成的ヘテロクロマチンは，細胞の一生にわたってヘテロクロマチンを形成していて，そこに含まれる遺伝子が発現抑制されている．女性がもつ2本のX染色体のうちの1本は，このような構成的ヘテロクロマチンを形成している．

構成的に発現が抑制されている遺伝子のDNAでは，核酸塩基のシトシン（C）が高度にメチル化されている．特に，5′-CG-3′という2塩基配列のある箇所では，70％以上のCがメチル化されている．ヌクレオソームを構成するDNAに多くのメチル化Cが存在すると，メチル化Cを認識するタンパク質複合体がここに結合し，複合体に含まれるヒストンメチル化酵素がヒストンをメチル化する．さらにこれに結合するタンパク質が結合して，この部分のクロマチンを強く凝集した状態に保つ（図20-7）．これが，構成的ヘテロクロマチンである[7][8]．

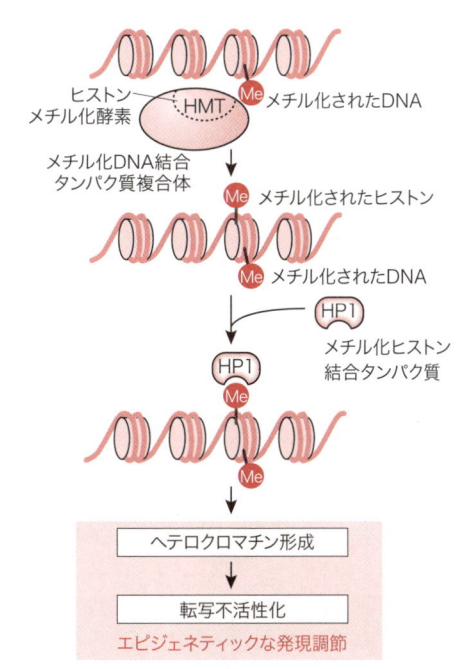

図 20-7 ヒストン，DNAからみたエピジェネティック制御機構

※7　これに対して，発現している遺伝子部分のDNAは，メチル化の程度が低い．

※8　X染色体の1本が不活性化されるときはX染色体上からある種のRNAが合成され，それが染色体DNAと結合することで遺伝子の発現が抑制される．

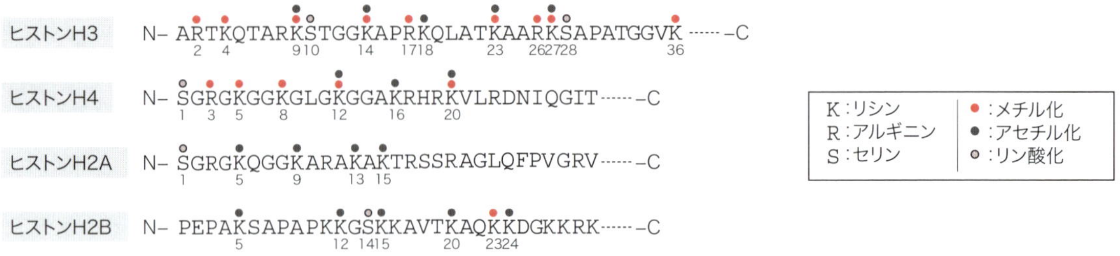

ヒストンH3 N- ARTKQTARKSTGGKAPRKQLATKAARKSAPATGGVK……–C
2 4 910 14 1718 23 262728 36
ヒストンH4 N- SGRGKGGKGLGKGGAKRHRKVLRDNIQGIT……–C
1 3 5 8 12 16 20
ヒストンH2A N- SGRGKQGGKARAKAKTRSSRAGLQFPVGRV……–C
1 5 9 13 15
ヒストンH2B N- PEPAKSAPAPKKGSKKAVTKAQKKDGKKRK……–C
5 12 1415 20 2324
K：リシン
R：アルギニン
S：セリン
●：メチル化
●：アセチル化
○：リン酸化

図20-8 ヒストンコードで関係するヒストンのアミノ酸配列上の修飾

エピジェネティックな制御とは

細胞が増殖するとき，新しくつくられたDNA鎖（娘鎖）のCはメチル化されていない．しかし，鋳型鎖（親鎖）の方がメチル化されているとき（塩基配列はどちらの鎖も5′-CG-3′である），複製された娘鎖のこの部分のCをメチル化する酵素があって，結局親鎖・娘鎖両方のCがメチル化状態を保つ．こうして，ヘテロクロマチン内にあって発現しない遺伝子の状態は，細胞が増殖しても子孫の細胞に伝わることになる．塩基配列の変化はないが，あたかも遺伝的な変化（変異）が子孫の細胞に伝わるように伝達されるので，これを**エピジェネティクス**（epigenetics）という（図20-7）．

ヒストンコード

ヒストンのメチル化は重要な修飾で，発現促進にも発現抑制にもかかわっている．例えば，ヒストンH3の9番目，27番目のリシンのメチル化はヘテロクロマチン部分の発現しない遺伝子部分にみられるが，4番目のリシンのメチル化はよく発現している遺伝子部分にみられる．

さらに，ヒストンはメチル化だけでなく，アセチル化など多くの修飾を受ける（図20-8）．ヒストンのどのアミノ酸がどのような修飾を受けるかが，エピジェネティックな遺伝子発現調節にかかわる暗号になっているという意味で，**ヒストンコード**（histone code：ヒストン暗号）という．エピジェネティクスには，DNA塩基の修飾とヒストン修飾の両方がかかわっている．

多くの種類の分化した細胞から構成される真核多細胞動物の場合，一個体を構成する体細胞はほぼすべて同一の遺伝子構成をもつと考えられる．しかし，肝細胞は分化すれば肝細胞を生み，肝細胞が神経細胞や皮膚細胞を生むことはない．このように，特定の体細胞が子孫の体細胞へ特定の形質を伝える現象も，細胞から細胞への形質の遺伝と理解できる．しかしこの場合には，DNAの塩基配列（遺伝暗号）は同一個体内の体細胞では共通なので，分化した細胞がもつ特定の形質を伝えるに際しては，エピジェネティックな遺伝子発現制御機構，具体的には塩基のメチル化修飾とヒストンの修飾（ヒストンコード）が重要な役割を担っている．

Column

DNAのメチル化と発生

DNAのメチル化は，ヘテロクロマチン形成と深い関係があり，高度にメチル化されたDNA部分の遺伝子は発現しない．生殖細胞から発生初期の細胞のDNAは，低メチル化状態，つまりすべての遺伝子が発現しうる状態にある．言い換えれば，すべての細胞に分化しうる全能性をもっている．発生が進んで体細胞が分化するにつれ，細胞の種類によってメチル化される領域は異なるものの，DNAのメチル化が次第に進行し，分化しうる方向が狭まる．やがて，特定の遺伝子を除いて，分化機能にかかわる大部分の遺伝子は生涯発現する必要のない，DNAが高度にメチル化された状態になる．この意味で発生過程とは，DNAのメチル化が進行する過程であるということもできる[※9]．一般的に体細胞によるクローン動物作製の成功率が非常に低いのは，体細胞で高度にメチル化されていた状態から，低メチル化状態へ移行させる（これを初期化という）効率のよい条件が見つかっていないことも，1つの理由といわれる．

※9　DNAの特定領域をメチル化する機構は現在研究されているところである．

5 真核生物の翻訳レベルでの遺伝子発現調節

これまでmRNAができる前の段階，あるいは途中段階の遺伝子発現制御をみてきた．mRNAが途中プロセシングなどを受け，細胞質で翻訳されるまでに，さまざまな調節のチャンスがある．実際に多くの遺伝子mRNAが翻訳レベルで調節を受けていることが明らかとなってきた．この場面も生物，遺伝子ごとの個性が強い部分であることを申しておこう．

mRNA の寿命の調節

真核生物のmRNAの5′末端に存在するキャップ構造は，mRNAの細胞内における安定性に関与していることが多くのmRNAで示されている．人工的にキャップ構造をもたないmRNAを作製した場合に，その生物学的な活性が弱いこと（つまりあまり翻訳されない）がわかっている．

細胞内にはキャップ構造，ポリA尾部を外す酵素が存在する．末端のこうした構造がなくなると，5′-3′分解酵素あるいは3′-5′分解酵素と呼ばれるRNA分解酵素の餌食となる．こうした連携した反応は不要となったmRNAを分解する役割をもつが，翻訳量を調節する意味で積極的にキャップ構造を分解する反応，ポリA尾部を外す反応が起こり，そのmRNAの寿命を短くしている例が数多くある．積極的な翻訳レベルでの調節と考えられる．多くの種類のmRNAのなかから特定のmRNAを分解する識別の機構については未知の部分が多いが，現在多くの研究がなされているところである．

miRNA による標的 mRNA の翻訳調節

1994年，線虫の発生段階を進行させる新規で特殊な遺伝子として lin-4 が報告された．その遺伝子領域はタンパク質をコードしていなかったが，この領域に変異があると，幼虫の胚発生が進まず，大人になれないという発生異常を示した．21世紀に入るまで実はこの遺伝子に限られた事例と考えられた．

線虫を用いた発生遺伝学者であるファイア（Andrew Fire）とメロー（Craig Mello）による **RNAi**（RNA interference：**RNA 干渉**）の発見は，1998年にNature誌に発表された．20〜35塩基長の小分子RNAが，相補的な塩基配列をもつRNAを標的とすることによって遺伝子発現を抑制するしくみを総称してRNAサイレンシング[※10]と呼び，RNAiは特に **siRNA**（short interference RNA）を介した遺伝子発現抑制機構を指す．siRNAは，長鎖二本鎖RNAを前駆体としてDicerがもつヌクレアーゼ（RNase III）活性によって切り出されたのちにArgonauteタンパク質と1対1で結合しRISC（RNA-induced silencing complex）を形成する．生物によってArgonaute遺伝子の数は異なり，例えば分裂酵母は1つの，ヒトは8つの *Argonaute* 遺伝子をもつ．いずれのArgonauteタンパク質もsiRNA，あるいは後述するその他の小分子RNAとRISCを形成するが，その細胞内局在によってRNAサイレンシングの標的が異なる．細胞質局在型RISCは，標的RNAの切断や分解の促進，あるいは翻訳阻害を誘導することによって転写後レベルで遺伝子発現を抑制する一方，核移行型RISCはDNAから転写されつつあるRNAを標的とし，DNA修飾やヒストン修飾を介して転写レベルで遺伝子発現を抑制する．この研究は，生体（細胞）内に強制的に導入した長鎖二本鎖RNAが，相補的な遺伝子の発現を効率よく，しかも特異的に抑制しうることを明らかにしたが，それ以降，RNAiは遺伝子機能の解析のための一大技術へと発展した．

RNAiはヒト細胞においても有効で，創薬につながる可能性も重要視され，2006年，ファイア，メロー両氏はノーベル生理学・医学賞を受賞した．その後の研究によって，ショウジョウバエや線虫は，RNAi機構をウイルス感染などから自己を防御する免疫機構として用いることが判明した．また，内在性siRNAを発見し，トランスポゾンを抑制することによって自身のゲノムの品質管理をする生物もいることがわかっている．

こうした研究が進むなか，先の線虫遺伝子領域について新たな発見があった．タンパク質はコードされないが，この遺伝子領域からはRNAが転写され，非常に短い **miRNA**（microRNA：**マイクロ RNA**）と呼ばれる21塩基の小分子RNAが，複雑なプロセシングを経て最終的に生み出されることが判明した．その機能は，*lin-14*

※10　RNAサイレンシングをRNAiと置き換えて呼ぶ場合もあるが，減少の傾向である．

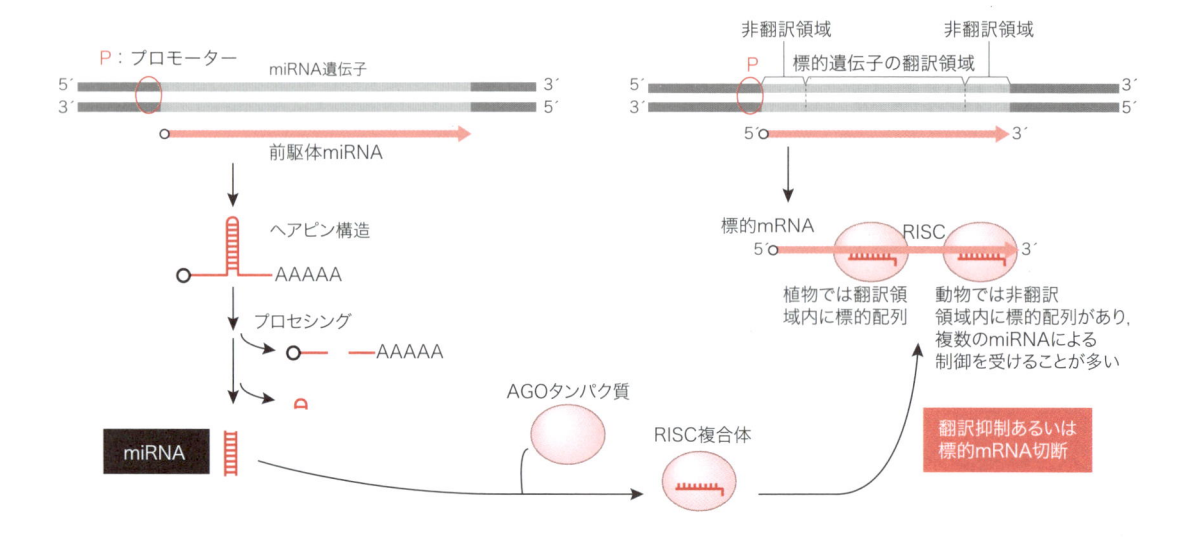

図20-9 miRNAの誕生と，標的mRNAの翻訳抑制を起こすまで

miRNAは独自にその配列をコードする遺伝子をもち，いったんまず前駆体miRNAとして転写される．ヘアピン構造をとる前駆体miRNAはいくつかの酵素によるプロセシングを受けたのち，機能する21塩基長のmiRNAとなる．AGOタンパク質と呼ばれるタンパク質とともにRISC（RNA induced silencing complex）複合体を形成し，miRNAと相補的な配列をもつ標的mRNAを探し，その発現を抑制する．miRNA遺伝子と標的遺伝子は染色体上離れてコードされていることに注目

など発生進行にかかわる重要なタンパク質mRNAの配列と相補的な配列をもっていることで，そのmRNA（標的mRNAと呼ぶ）と結合してそのmRNA由来の翻訳を抑制していたのである．標的mRNAの翻訳を負に調節するために，このmiRNAが産出されていたのである．

恒常的に発現するArgonauteタンパク質（AGOサブファミリーメンバー）はmiRNAともRISCを形成する．miRNAとAGOとのRISC複合体は，多くのmRNAのなかから相補的な塩基配列を探して標的mRNAと結合する．そしてその標的mRNAからの翻訳抑制，またはmRNAの分解[11]が起こり，結果タンパク質翻訳の抑制につながり，その遺伝子の働きを抑えている（**図20-9**）．

RNAサイレンシングを引き起こす小分子RNAとしては，siRNA，miRNAの他に**piRNA**（PIWI-interacting RNA）が知られる．植物はpiRNAをもたないが，tasiRNAなどと呼ばれる植物特有の小分子RNAを発現する．生殖組織特異的に発現するArgonauteタンパク質（PIWIサブファミリーメンバー）はpiRNAとpiRISCを形成し，トランスポゾン[12]の発現を抑制することによって生殖細胞のゲノムの品質を管理する．

miRNAの機能的役割

*lin-4*で初めて見出されたmiRNAは，21世紀に入って多細胞生物で広く発見され，特に発生・分化のプロセスで大きな役割を果たしていることが明らかになってきた．機能的なmiRNAの発見は相次ぎ，ヒトでは現在1,000種類くらい見つかっている．全能性幹細胞や多能性幹細胞（**18章 6** 参照）では，増殖能力と分化能力の維持と，分化機能発現の抑制が必要だが，それぞれに複数のmiRNAが役割を果たしていることがわかってきた．幹細胞からの増殖と分化が進むにつれて，発現するmiRNAの種類も変化する．発生・分化で働くタンパク質の遺伝子だけでなく，その発現を負に調節するmiRNAも動物界を通じて進化の過程で保存されている

※11　複合体中のタンパク質がRNA分解活性をもつ場合に起こる．
※12　染色体DNAのある領域から，他の領域に移動することがある．またはその能力をもつDNA配列があり，これをトランスポゾンという．可動性遺伝因子とも呼ばれる．「染色体DNA上の位置を変える，動く遺伝子」の概念はマクリントック（Barbara McClintock）が1951

年に発表したが，当時はDNAの構造も知られていない状態であり，ほとんど受け入れられなかった．その後「動く遺伝子」の実体がトランスポゾンであることが判明し，彼女は1983年にノーベル生理学・医学賞を受賞した．

らしい．miRNAの発現が異常となると，細胞ががん化する例も知られてきた．ヒトではタンパク質遺伝子の30％程度がmiRNAによる発現調節を受けるという報告もある．

　陸上植物についても，コケ植物から被子植物まで保存されたmiRNAがいくつも見出され，発生における共通の制御機能がうかがえる．それらは分化や体軸の形成にかかわる転写因子の発現を負に制御するものが多い（**19章**参照）．

6 タンパク質情報をもたない ncRNA

rRNA，tRNA，snRNA（**6章5**参照）などは，アミノ酸配列情報をもたない**非翻訳RNA**（non-coding RNA：ncRNA）である．miRNAもncRNAの一種である．

　動物の体細胞で発現する内在性siRNA，生殖系列の細胞で発現するpiRNAも機能性ncRNAである．動物では他にも機能性ncRNAが見つかっている．

　哺乳類の場合，タンパク質のアミノ酸配列情報をもっているのはDNA全体の1.3％以下でしかなく，イントロンや発現調節領域などの遺伝子にかかわる部分全体を含めてもせいぜい25％程度と見積もられていた．しかし現在，マウスやヒトでゲノムDNA配列上のかなりの部分が転写されていることがわかり，さらにこうして読まれたRNAがncRNAとして何らかの働きをもつ可能性がある．

本章のまとめ　　　　　　　　　　Chapter 20

□ 個々の遺伝子の発現は必要性や状況，発生の進行状況などに応じて調節されている．調節的発現は，プロモーター領域への転写因子の結合によって転写は正または負に調節される．

□ 原核生物の遺伝子発現はmRNA合成の増減でなされる場合が多い．

□ 真核生物の遺伝子発現は転写調節と転写後調節で行われる．前者については，プロモーターだけでなくエンハンサーやサイレンサーなどの遺伝子発現調節領域がある．

□ エンハンサーやサイレンサーによる発現調節にはクロマチン構造のリモデリングを伴う場合がある．発現しうる遺伝子はユークロマチン領域に，発現しない遺伝子はヘテロクロマチン領域に存在する．エピジェネティックな発現調節は細胞分裂しても引き継がれる．

□ 遺伝子発現は翻訳でも調節される．翻訳抑制にはmiRNAが大きな役割を果たしている．

□ 非翻訳RNAには，rRNA，tRNA，snRNA，miRNAがあげられる．

21章　ゲノムと進化

生物を形づくる遺伝情報は DNA に含まれ，この総体がゲノムである．ゲノム情報が解読され，知識として蓄積されていくにつれ，従来なしえなかった新たな発見が可能になった．ゲノム情報を駆使した新研究分野の開拓や，これまでの研究の再検証が行われている．本章では，ゲノムの観点から，生物の分類と，進化，さらに生命科学の今後について述べる．

1 ゲノムとは

遺伝子と同様，**ゲノム**（genome，5章1参照）や遺伝情報という言葉の意味も新しくなっている．真核生物の場合，単に DNA の配列情報だけでなく，その DNA をとりまくタンパク質や RNA の状態も遺伝子発現に影響を及ぼす．つまり，遺伝情報とは，DNA や RNA だけでなく，それらをとりまくタンパク質（その修飾状態）がもつ情報の総体である．

ゲノムの解読

遺伝子の DNA 配列の解読は，1970 年代後半の DNA 配列決定法に始まるが，1990 年代からは，ゲノム配列の完全解読へと向かった．DNA 解読技術と，その処理に使われるコンピュータの性能向上により，ゲノム解読にかかる時間は飛躍的に短縮した．ヒトゲノムは，2022 年に全ゲノムが解読されて，完了宣言が出された．最近では，次世代シークエンサーの飛躍的な進歩により，個人の全ゲノムすら，1 日で解読されるようになった（8章1参照）．

ゲノム解読の効用は大きく，ある生物がもっているすべての遺伝情報を対象としたデータを取得し，異なる生理的条件や病気などの影響について，比較検討することができるようになった．iPS 細胞（18章6参照）の開発もその恩恵の 1 つであり，すべての遺伝子の中から，未分化細胞に特異的に発現している遺伝子を特定できたことにより，さらに，未分化状態の維持にかかわる遺伝子を絞り込むことができたのである．

2 進化と分子系統生物学

生物がどのような歴史をたどり，どのように進化してきたかを知る進化学の領域にも，ゲノム情報は大きな発展をもたらした．

形態学的特徴からゲノム比較へ

以前は，生物の形態や生活様式，生態環境により，生物を分類していた．大きな区分から順に，**界**（kingdom），**門**（phylum），**綱**（class），**目**（order），**科**（family），**属**（genus），**種**（species）がある．しかし，異なった大陸で同じ方向の進化が起こるなどの平行進化や，地下生活をする異種の動物の目が同じように退化していくなどの収斂進化の場合，比較対象の生物同士が共通の祖先をもたない．このような問題には，遺伝子やゲノムを使って，分子進化解析をすることが有効である．実際に，クジラやイルカがカバと近縁であることなど，それまでの形態比較ではわからなかった成果が報告されている．

ゲノム配列でみる比較生物学，分類学

ゲノム配列を比較すると進化の方向がわかる（**表21-1**）．例えば，ここに，4 種類の近縁な種 a，b，c，d が存在すると仮定しよう．そのすべてのゲノムの同じ箇所に同じ変異が入っていれば，その変異はこれらの種が分岐する前に導入されたものだろう．a，b，c には変異がないが，d だけにその変異が入っていれば，a，b，c に比べて d が遠縁にあることが推定される．ゲノム上の多くの塩基置換について，このように逐一，相同性を比較していけば，最終的には変異を要素とした演算で論理

表21-1 さまざまな生物のゲノムサイズとタンパク質を コードする遺伝子数

	ゲノムサイズ （総塩基対数）	遺伝子数
大腸菌	4,640,000	4,240
出芽酵母	12,200,000	6,002
線虫	100,000,000	19,998
ショウジョウバエ	138,000,000	13,963
メダカ	734,000,000	22,071
ニワトリ	1,070,000,000	17,477
マウス	2,730,000,000	22,077
ゾウ	3,200,000,000	21,094
チンパンジー	3,050,000,000	21,522
ヒト	3,100,000,000	19,772
シロイヌナズナ	120,000,000	27,477
イネ	374,000,000	28,738

NCBIのデータベース（2020年6月時点）を参照して，これまでにゲノムが決定された代表的な生物のゲノムサイズとタンパク質をコードする遺伝子数をまとめた．遺伝子とは，ゲノム上で1つの機能を司る単位を指すが，ここではタンパク質をコードする遺伝子に絞って数を記した．ゲノムサイズは高精度で解読された領域の総和を有効数字3桁で表示した．

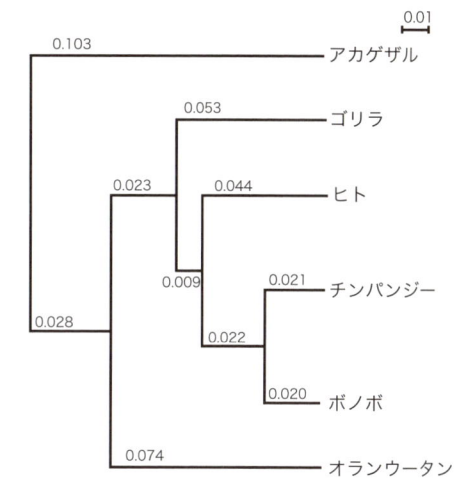

図21-1 ゲノム配列をもとにした分子系統解析の例

ヒト，ボノボ，チンパンジー，ゴリラ，オランウータン，アカゲザルのミトコンドリアDNAは，各々約16,000bpからなる．そのすべての配列を生物種間で比較し，それをもとに近隣結合法によって系統樹を作成した．各枝に書いてある数字は，塩基置換頻度[1]を表している．この系統樹から，ボノボとチンパンジーが最も近縁であり，次にヒト，ゴリラ，オランウータン，アカゲザルというように分かれていることがわかる

的に**系統樹**（phylogenetic tree）が推定できる（**図21-1**）．

進化の理論

進化（evolution，**1章9**参照）という概念を最初に示したのは，フランス人のラマルク（Jean-Baptiste Lamarck）である（『動物哲学』1809年）．進化の理論には，ダーウィン（Charles Darwin）が1859年に『種の起原』で提唱した自然淘汰説と，木村資生が1968年に発表した中立進化説がある．ダーウィンの進化論は，変異が**自然選択**（natural selection）されることにより，進化が起きるというものである．その後，メンデルの遺伝法則が認知されると，変異が自然選択によって選択的に蓄積することによって，新たな種が生まれるという総合説が確立した．この場合，異なる遺伝子型をもつ集団の繁殖率に差があって，最終的に，一方が残ることを意味する．

中立進化と分子時計

生物集団全体の中で，ある1つの個体において，遺伝情報を構成する1つ1つの核酸塩基が変異によって変化したとすると，どんなに低い確率であっても，新たに生じた変異が，集団全体に広まる可能性が存在する．これを**遺伝的固定**（genetic fixation）と呼ぶ．他方，かなりの確率で，集団のどの個体もその変異をもたないようになる可能性もある．特に淘汰されたり有利に働く変異でないものを，**中立変異**（neutral mutation）と呼び，これは，確率的に固定される．固定されてはじめて進化が起きたことになる．

全く中立な変異の場合には，集団のサイズによらず，変異の起きる率が，固定率で測った進化速度と等しくなる．これを利用すると，遺伝子変異の頻度で時間を逆算していくことができ，その対象となる遺伝子を**分子時計**（molecular clock）と呼ぶ．

※1　ある生物種の任意の塩基を抽出してきたときに，比較対照とする生物の同じ位置の塩基が置換している確率のことで，値が0に近いほどよく似ており，1に近いほど遠縁であることを示している．この図で生物同士の塩基置換頻度を比較する場合，互いの枝の長さ（この場合，水平方向のみ）を足し合わせる必要がある．

3 ゲノムの変化

ゲノムの垂直伝播

　ゲノムにおける変異の導入に裏づけられた表現型の変化が，進化を突き動かしている．したがって，ゲノム

が世代を経て受け継がれるごとに，つまり，ゲノムが世代を経て垂直に伝播するごとに，ゲノムレベルの変異の導入，言い換えれば進化のチャンスがある．

　紫外線などの変異原による点変異や，遺伝子の複製時に起こる取り込みエラーもゲノム変化の1つであり，特に有性生殖を行う生物では，配偶子の減数分裂時に

系統樹のつくり方（最節約法）

Column

　DNAやアミノ酸配列が手に入れば，それらを要素とした分子系統樹を作成することができる．しかし，分子系統樹の作成にはさまざまな計算方法があり，それぞれに一長一短がある．いまのところ，系統樹計算の完全無欠な決定版というのは存在しないというのが実情である．実際にはいくつかの計算方法で系統樹を推定し，それぞれを比較することで，系統樹の正当性を吟味することが望ましい．ここでは最節約法と呼ばれる方法について，簡単に説明する．

　コラム図21-1に示したような塩基配列をもつ，4種類の生物種がいたと仮定しよう．これをもとに系統樹を作成したいが，はじめは互いの関係が全くわからない状態である．よって❶のような樹形から出発しよう．

　次に，系統樹作成にあたって基準となる種（外群）を選ぶ．外群とは，研究対象群（内群）に含まれないことが他の証拠から明らかであるが，内群に

近縁である種または種群のことをいう．ここでは簡単のため，dが外群であることが判明しているとして，議論を進める[※2]．

　左から順に，1番目の塩基に注目してみる．cは外群のdと同じだが，aとbは異なっている．したがって，aとbは新たな形質を獲得しているとして❷のように楔を打ち，グループ化して分けてしまおう．2番目の塩基はすべての種で同じだから検討対象からはずす．次に3番目の塩基は外群だけで異なっている．したがって❸のように楔を打つ．5番目の塩基は悩ましい．(a, b, d) というグループとcというグループに分けたらどうかと考える人がいるかもしれない．しかし，ここではdが外群であることが判明しているため，この変化はcという種が確立されたのちに導入された塩基置換と考えれば合点がいく．したがって❹のようになる．

　このようにして逐一，塩基置換を系統樹に反映させる演算を繰り返していけば，最終的には❺のような形で収まるだろう．このようにして系統樹を推定する方法を最節約法（または，最大節約法）という．外群を用い，最節約法に従って塩基置換を検討する場合，外群から内群に向かって祖先形質から派生形質へと流れる方向があることを意識し，共有派生形質で区分けしていくことが重要である．

　実際に最節約系統樹を作成する場合，基本的には可能性のあるすべての系統関係（トポロジー）について，系統樹を作成してみる．そして最終的に，系統樹作成時に必要な塩基置換の総数が，最少で済むような系統樹を採択する．これは端的に「仮定の数が最少で済む仮説が一番優れている」という最節約原理の考えに従っている．

　最節約法の他にも，近隣結合法，最尤法，ベイズ法など，系統樹のつくり方はさまざまであるが，1つの方法だけに頼らず，併用することが一般的である．

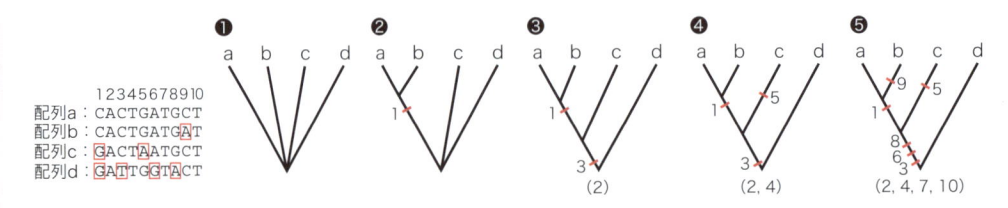

コラム図21-1　最節約法を用いた系統樹の作成例

1～5にかけて加えた楔の数字は，そのまま比較している塩基の番号に対応する．1番目の塩基から最後の10番目の塩基について楔を打つ作業を行った結果，最終的に5のような系統樹が作成される

※2　配列が最も異なったものが外群になるとは限らず，外群比較を行うときには，別の観点からの保証が必要である．

起こる遺伝子重複，交叉や逆位などの遺伝的組換えが，垂直伝播時におけるゲノム変化を引き起こす．例えば，ヒトの2番染色体はチンパンジーの12番と13番の2本の染色体が断片的につながってできたと考えられており[3]，このことは染色体の組換えというゲノム変化と種の進化が関連していることをうかがわせる（**図21-2**）．

ゲノムの垂直伝播と多様性

多細胞生物の場合，その形態に非常に多くの多様性がみられる．これはゲノムの垂直伝播時に入った遺伝子変異の蓄積の結果であることを想像させる．一方で，多様性があると思われた形態も足，胸，腹というように部分構造に分けてみてみると，それらの構造自体は驚くほど相同性が保たれている．これら生物の形態形成にかかわる遺伝子として，ホメオボックスと呼ばれる遺伝子が知られている（p.208コラム参照）．ホメオボックス遺伝子は多くの種間で比較すると，よく保存されている．このような形態形成にかかわる遺伝子の変異は容易に死につながり，生存するためには遺伝子変異が受け入れられなかったのだろう．一方でホメオボックス遺伝子は，ゲノム上ではよく似た遺伝子配列が並んだ構造をしている．これは遺伝子重複によって少しずつ異なった機能をもつ遺伝子が生まれ，それが多様な形態形成につながった可能性を示唆している．また，ホメオボックス遺伝子の産物はDNAに結合して遺伝子の転写を促す転写因子であるため，この転写因子が結合するDNA配列の点変異や重複，逆位などのゲノム変化の蓄積も，多様な形態形成を可能にしてきたと考えられる．

ここに例をあげたホメオボックス遺伝子を通じて，ゲノム配列の変化が進化を担っていること，ゲノム配列によって変化しやすい箇所と変化しにくい箇所があること，遺伝子産物の機能とゲノム配列の変化がかかわりあいながら多様性が生まれてきたことがわかる（**図21-3**）．ゲノムを比較していくことで，生命の進化という時間軸を逆にたどっていける理由もここにある．このようにしてみていくと，種という概念は確固として固定されたものではなく，時間軸に沿って変化していくことがわかる．ヒトという種も，長い目でみればゲノムレベルで変

A)

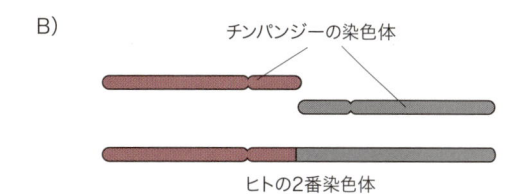

ヒトとチンパンジーのゲノムの比較		

染色体数	22組とX, Y	23組とX, Y
ゲノム全体の長さ	約30億塩基対	約30億塩基対
塩基配列の違い	1.23%	
タンパク質をコードする遺伝子数（推定値）	約20,000	約22,000

B)

図21-2 ゲノム変化と種の進化
A）ヒトとチンパンジーではゲノムサイズ，遺伝子数ともにほぼ同じであるが，染色体の数は異なっており，両者の交配により子孫を残すことはできない．B）ヒトの2番染色体は，チンパンジーの12番と13番染色体が融合した構造をしている．このとき動原体が1つになる変化も起こった

化している．

遺伝子の水平伝播

それでは，分子進化学的に，生命の起源を縦方向にどこまでさかのぼることができるのだろうか．ゲノムレベルで比較していくと，そう簡単ではないことがわかってきた．特に原核生物において，細菌，古細菌ともに，異種生物種間のDNA配列のやりとりが頻繁に行われてきたと推定される．バクテリオファージ[4]，プラスミド，トランスポゾンなどが，このような遺伝子の**水平伝播**（horizontal gene transfer）を可能にする．現在では，互いの種がゲノムレベルで互いにDNA配列を交換しあうような系統樹の概念が提案されている．

※3 ヒトの場合22組の常染色体と1組の性染色体．チンパンジーの場合は23組の常染色体と1組の性染色体をもつ．

※4 ウイルスのうち，細菌に感染するものをバクテリオファージと呼ぶ．

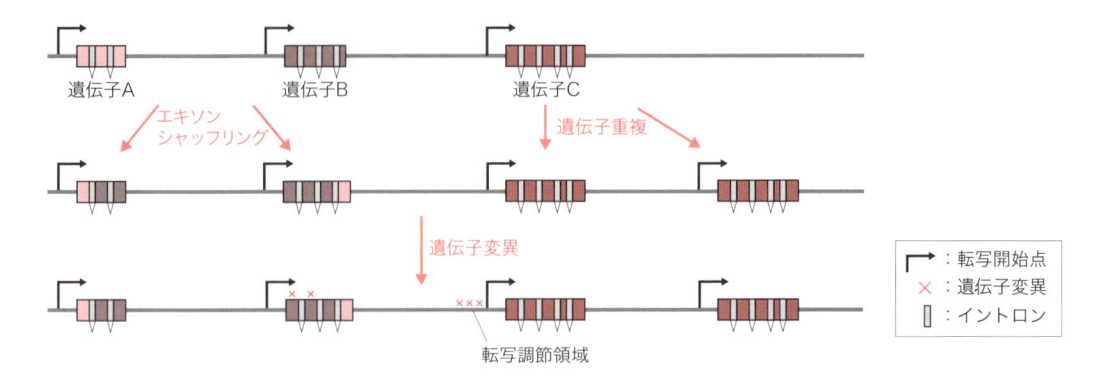

図21-3 ゲノム変化と多様性

エキソンシャッフリング（エキソンの交換による遺伝子構造の変化）のような遺伝的組換えが起こると，新たな機能をもつ遺伝子が誕生する場合がある．遺伝子の重複が起こった後に，各々の遺伝子に変異が蓄積していけば，それぞれ機能が異なる遺伝子が生まれていくことにつながる．遺伝子変異はアミノ酸配列だけでなく，遺伝子の発現調節が行われる領域をはじめとした非翻訳領域に蓄積することもある．これらのゲノム変化が，遺伝子の多様化と発現の変化による形態形成の変化を通じて，形態や機能の多様性，すなわち生物の多様性を生んでいったと考えられる

4 生命の起源の学説

　生命の起源は，いまだに大きな謎である．かつて，腐敗肉から「ウジ」がわくことなどをみて，生命は自然に発生すると考えられた（自然発生説）．これが否定されても，微生物が見つかると，自然発生説は「生物は有機物中の生命力から生まれる」と形を変えた．1861年，パスツール（Louis Pasteur）は，肉汁を煮沸した後にフラスコの首を熱して曲げる有名な「白鳥の首形フラスコ」の実験を行い，自然発生説を最終的に否定した．しかし，パスツール自身も述べているように，それでは本当の生命の起源はどこにあるかという疑問が浮上する．地球上の生命が宇宙からやってきたというパンスペルミア説も有力だが，その場が宇宙であれ地球であれ，どのようにして初期生命が誕生したのかという問題は避けて通れない．

地球の歴史と生命

　生命の誕生と進化は，生命体を育む地球環境の理解抜きには語れない．ビッグバン理論からの計算により，この宇宙は約137億年前に誕生したとされる．また，地球を含む太陽系は約46億年前に誕生したといわれている．生命活動の痕跡は約40億年前の岩石からみられ，最古の細胞の化石は約35億年前といわれている（図21-4）．原始地球では小惑星や隕石の衝突が繰り返して起こり，地球は高温のマグマ状態であった．水蒸気，二酸化炭素や窒素ガスからなる火山ガスのような成分の大気が地球を覆っていたが，地球が冷えていくにしたがって大気中の水蒸気は凝結して海を形成し，二酸化炭素がその海に溶け込むなどして約38〜40億年前には，原始海洋が形成された．また，地球が誕生して20億年の間は酸素濃度が非常に低かった．このような古い時代の地球環境が，原始生命の誕生に大きく寄与した[5]．

　その後，シアノバクテリアなどが生み出した高濃度の酸素が太陽の紫外線と反応して，オゾン層を形成した．これによって，生物の陸上進出が可能になった．

地球環境の変化と化学進化

❖ オパーリンとミラー：化学進化説

　生命が地球で誕生した場合，無機的な無生物の状態から，生命体と呼べる存在の出現への一大転換が起きたはずである．

---

[5] 35億年前には，現代とも遜色ないような，予想よりはるかに高濃度の酸素が存在していたという説があるなど，原始地球の形成過程については，まだ完全な理解が進んだとはいえない状況である．原始生命誕生時における地球環境が異なれば，その発生過程も当然のように変化していくだろう．

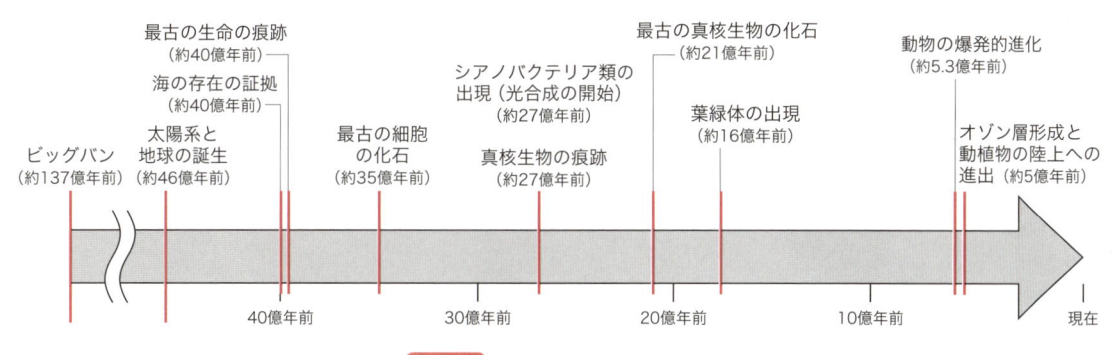

図21-4 地球環境と生命の歴史

図中のラベル：
- ビッグバン（約137億年前）
- 太陽系と地球の誕生（約46億年前）
- 最古の生命の痕跡（約40億年前）
- 海の存在の証拠（約40億年前）
- 最古の細胞の化石（約35億年前）
- シアノバクテリア類の出現（光合成の開始）（約27億年前）
- 真核生物の痕跡（約27億年前）
- 最古の真核生物の化石（約21億年前）
- 葉緑体の出現（約16億年前）
- 動物の爆発的進化（約5.3億年前）
- オゾン層形成と動植物の陸上への進出（約5億年前）
- 40億年前／30億年前／20億年前／10億年前／現在

1924年に発表されたオパーリン（Aleksandr Oparin）のコアセルベート仮説では，無生物から原始地球上の化学反応により有機物がつくられ，さらに，より複雑な有機物がつくられ，これらが集まって小液滴（コアセルベート）として分離し，ついには生命体が形成されたという．1953年のミラー（Stanley Miller）の実験では，原始地球の大気成分と想定されるメタン，水蒸気，アンモニア，水素ガスの混合物をフラスコに入れ，加熱するとともに，雷を模した放電を繰り返すことにより，アミノ酸をはじめとする有機物が生成した．実は，原始大気の組成は酸化的なものだったらしく，そうすると，ミラーの実験は間違いとされてしまう．

ところが，近年の研究により，局所的には，還元的な環境があったことがわかり，ミラーの実験の価値が見直されている．現在でも，深海の熱水噴気口では，硫化水素など還元的な物質が供給され，高温のエネルギーもある．原始海洋でも，同様の環境があって，原始生命の温床となった可能性が考えられている．いずれにしても重要なのは自然界で無機物から有機物，さらには生命が誕生する可能性が示されたことであった．

❖ RNAワールド

原始的な生命体は，RNAを成分とすることで成り立っていたというRNAワールド仮説は，1986年，ギルバート（Walter Gilbert）[6]により提唱された[7]．その根拠として，デオキシリボースは化学進化ではできないこと，ATPやNADのように，細胞内の活性物質にはリボヌクレオチドが多いこと，触媒活性をもつRNA（リボザイム）があるということなどがある．もともと遺伝情報の蓄積や機能分子としての触媒活性の両方をRNAが担っている時期があったが，遺伝情報の保持はRNAからRNAよりも安定なDNAに取って代わられ，機能分子はRNAからより高機能なタンパク質に取って代わられたと考えられる．

リボザイムは数百塩基のRNAが自ら三次元構造をつくることにより，他の核酸の加水分解をするなどの触媒活性をもったもので天然のものをもとに人工的なリボザイムが開発されている．

RNAワールドは過去の遺物ではない．われわれの細胞のリボソームでは，タンパク質合成反応の本体は，rRNAが担っている．ゲノムから転写された短いncRNAが，mRNAに作用することにより，遺伝子の発現を調節していることも知られている（**20章6**参照）．ただし，化学進化によるRNAワールド形成に関しては，自然の条件で合成された有機物から自己複製するRNAができることの説明ができないなど，解決すべき課題も多い．

5 ゲノム解読とこれからの生物学

ヒトをはじめとした多くの生物のゲノムが解読されたことから，DNAだけでなく，その情報をもとにつくられるRNAやタンパク質の全体像を明らかにできるようになってきた．現在，ゲノム配列情報を読み解く研究が盛んに行われている．真核細胞では，遺伝情報はDNAの配列だけでなく，DNAやヒストンの修飾様式として

※6　DNA配列解析法を考案したギルバートと同一人物である．　　※7　概念そのものはこれより以前にあったともいわれる．

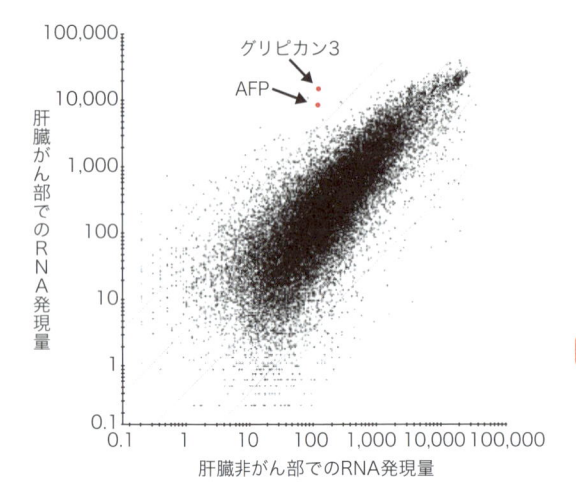

図21-5 トランスクリプトームの一例

ここでは肝臓がんと非がん部でのトランスクリプトーム解析を示している．手術で切除された肝臓から，がん部と非がん部でのmRNAの発現量を比較して，がん部に発現の多い遺伝子（AFP，グリピカン3）が同定されている

も，コードされていること（エピゲノム）がわかってきている．

個体間の遺伝的差異：SNPとCNV

実際のゲノム研究では，まずある種の生物1つの個体のゲノムを解読する．ついでその種内での個々の個体ごとの差異を検討する．ヒトでは血縁でない2人の配列を比較すると1,000～2,000塩基に1塩基の配列の違いが見つかる．異なる人種の多数のヒトの配列を国際的に比較して，30億塩基対のゲノム全体では1,000万カ所の違い（多型）が見つかっている．これを**1塩基多型**（single nucleotide polymorphism：**SNP**）という．タンパク質のアミノ酸をコードしている領域にSNPが存在する場合もあるが，ほとんどのSNPは，遺伝子の発現調節領域にあることが知られている．SNPは連鎖解析に有効である（**27章6**参照）．

さらに，遺伝子のコピー数にも変異のあることがわかった．ヒトなどでは染色体が2本あるため，遺伝子は2コピーであるのが一般的と考えられてきたが，遺伝子を含む数千～数百万塩基の長さの大きな領域がゲノム上で重複し，遺伝子の見かけのコピー数が個人によって異なることがわかってきたのである．このような変異を**コピー数変異**（copy number variation：**CNV**）と呼ぶが，こうした変異はヒトのゲノムの12％以上という予想よりはるかに広い領域にみられ，遺伝子の個人差や病気の発症率にかかわっていると考えられるようになった．

これら個体レベルでの遺伝的差異を通じて，ヒトという種のなかでも，さまざまな遺伝子の変異があること，そしてそれらが種のなかで多様性を生み出すと同時に，種を維持していく原動力となっていることがわかる．

トランスクリプトーム

技術の進歩により，ある細胞や生物個体のRNAを抽出して，その配列を大規模に決定できるようになった．読まれたRNA配列の包括的情報を，**転写産物**（transcript）の全体という意味で**トランスクリプトーム**（transcriptome）という．多細胞生物では，細胞種ごとに特徴的なトランスクリプトームをもっている．トランスクリプトーム解析から，例えば**図21-5**に示すがん化に特異的な遺伝子発現を発見でき，がんの新たな診断や治療の標的となる遺伝子の同定を通じて，ゲノム創薬が発展している（**25章1**参照）．

また，転写や翻訳を抑制する短いmiRNAなどの存在がわかってきたのも，トランスクリプトーム解析の成果である．RNAは一本鎖のため，相補的な配列をとるDNAやRNAを認識して特異的に結合できる．またそれ自身でループやヘアピンといったさまざまな立体構造をつくり，タンパク質と結合する．このようにRNAが，タンパク質，DNA，RNAと複合体をつくることで生理機能を果たす例が知られてきているが，その一番大きな働きは転写や翻訳の制御である．

プロテオーム

質量分析を用いてたくさんのタンパク質を短い時間で同定できるようになった（**8章2参照**）．ゲノム解析やトランスクリプトーム解析と同じように，ある生物，ある細胞に存在する**タンパク質**（protein）の全体像の**プロテオーム**（proteome）解析が可能になってきた．さらに，タンパク質のリン酸化，アセチル化，メチル化などの修飾を系統的に調べることもできる．

タンパク質が同定できると，医学への応用として，血液や尿の中のタンパク質の系統的な解析から，健康状態や栄養状態を反映する**バイオマーカー**（biomarker, p.289コラム参照）の探索が可能となる．

タンパク質の系統的な研究で，もう1つ重要なのは立体構造の決定である．そのためには，X線結晶回折が用いられるが，結晶ができないと，困難な場合も多い．また，水溶液中のタンパク質の動的な構造を解明するため，NMR（核磁気共鳴）による構造解析も進められている．

生命科学のタイムマシーン：古代DNA・古代ゲノム解析

Column

生命は歴史的存在であり，その歴史は遺伝情報のなかに刻まれている．前世紀後半に発展したバイオテクノロジー，今世紀初頭に登場した次世代シークエンサーによって現生生物の遺伝情報解析が進んだ（**8章参照**）が，生物遺骸を対象とした古代DNA・古代ゲノム解析も活発に行われている．古代DNA・古代ゲノム解析は，「過去を直接知る」ことを主な目的とした，"生命科学研究におけるタイムマシーン"である．

1984年，絶滅したクアッガ（*Equus quagga*）の剥製筋肉組織からDNAを抽出し，その配列データから絶滅種の系統関係を明らかにしたのが，古代DNA解析の最初の報告である．当時，骨からDNAを抽出できる見込みは過小評価されていたために軟部組織を用いた分析が行われたが，生物遺骸として残される部位は骨や歯などの硬組織が圧倒的に多く，現在では硬組織を用いた分析が主流である．古代DNAの保存状態は，死後の経過時間に加え，温度，湿度をはじめとするさまざまな外的条件に大きく依存する．ミイラ，洞窟や永久凍土から出土した骨や歯，毛髪試料ではDNAの保存状態はきわめて良好であるが，東アジアや東南アジアなどから出土した生物遺骸の大多数では，残念ながら，そのような幸運に恵まれることは皆無である．

大多数の生物遺骸から抽出されたDNAは，①きわめて微量であるうえに，②短く断片化され，③脱アミノ化による修飾の影響が両末端で顕著にみられる（**コラム図21-2**）．さらに，④遺骸となっている生物由来のDNAの割合はごくわずかであり，抽出DNAの99％以上は生物遺骸に侵入した土壌菌などの外来DNAである．また，ヒト遺骸の分析にあたっては，遺骸の取り出しから実験までのあらゆる工程にかかわった人々のDNAが混入（コンタミネーション）する可能性を排除する必要がある．加えて，次世代シークエンサーからの出力データの処理，古代ゲノムの特徴検証，得られたリード配列の信頼性評価など，「古代ゲノムに特化した一連の解析（パイプライン）」が必要である．

さらに，生物遺骸から得られるDNAの状態・状況は，個々の試料ごとに著しく異なっている．したがって，研究者は最先端技術を駆使しながらも，試料それぞれの特徴に応じた解析をしなければならない．古代DNA・古代ゲノム解析は，研究者の工夫がつまった"手作り感満載のタイムマシーン"である．

参考文献
・Veeramah KR & Hammer MF：Nat Rev Genet, 15：149-162, 2014
・Marciniak S & Perry GH：Nat Rev Genet, doi：10.1038/nrg.2017.65. [Epub ahead of print], 2017

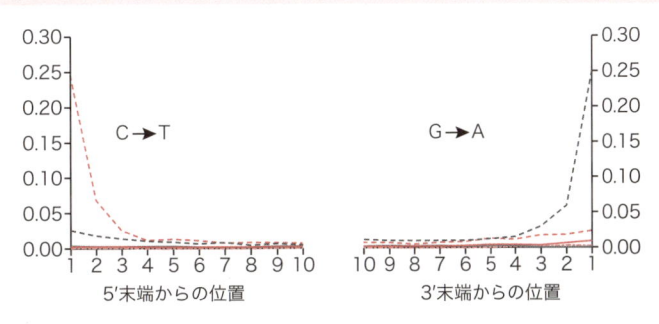

コラム図21-2 **古代DNAにみられる特徴（誤って取り込まれた塩基とその割合）**

生物遺骸から抽出されたDNAをシークエンスすると，脱アミノ化の影響を受けて，古代DNAの5′末端ではシトシンがチミンに，3′末端ではグアニンがアデニンに，誤って読みとられる割合が高いことが示されている．この特徴は，古代DNAの指標（現代DNAの混入ではないことを示す指標の1つ）としても用いられている

- □ 生物を形づくるのに必要なすべての核酸配列をゲノムという．これまでに多くの生物のゲノムが解読されており，これからも増えるであろう．

- □ ゲノム情報を利用して分類学や進化学に役立てることができる．

- □ 進化には，生命の垂直伝播におけるゲノム変化や異種生物同士での水平的なゲノム配列のやりとりが寄与していると考えられる．

- □ 原始生命から現在のゲノム形成までには不明な点もあるが，途中でRNAワールドと呼ばれる時期があったと推定されている．

- □ ゲノム情報を活かした個体差の研究や転写産物，タンパク質の全体像などを網羅的に捉える研究も進んでいる．

22章　生物群集と生物多様性

　地球にはさまざまな生物が至るところで生息している．これまでに記載されただけでも180万種に達し，未記載種も含めると数千万種ともいわれている．しかし，20世紀の100年間は地球史上かつてない速さで生物種が絶滅した時代でもあった．絶滅の多くは人為によるものであり，乱伐・乱獲，生息地破壊，外来生物侵入，大気汚染や水質汚染などがあげられる．地球の人口は今や70億人を超え，人間が生活することで地球環境に大きな負荷を与えている．これからは，地球環境の持続可能性（サステナビリティ）の視点から，生物多様性と生態系の保全を考えなければいけない．生物多様性をなぜ保全するか？——それは生態系機能（水循環の維持，気候の制御，大気や水質の清浄化，大気組成の維持，土壌の形成と維持，海岸・河岸の侵食防止，天敵による農業害虫の防除など）を十分に発揮させるためである．本章では，生物群集と多様な種の共存を解説し，そのうえに立って生物多様性と生態系の保全を説く．

1　生物群集と多様な種の共存

相互作用のネットワーク

　自然界においては，多くの種が同じ生息場所に共存している．このような種の集まりを**生物群集**（biological community）という．ある1種の生物は独立して生きてはおらず，同じ場所にすむ多くの生物と関係（相互作用）をもっている．代表的な相互作用には，捕食，競争，共生がある．**捕食**（predation）とは，食うものと食われるものの関係である．**競争**（competition）とは，餌や生息場所などの資源をめぐって争う関係であり，**共生**（symbiosis）とは，ある生物が他の生物から利益を得る関係である．捕食や競争は，相互作用する種の一方または両方が負の影響を受けるので，負の相互作用と呼ばれる．一方，共生は，相互作用する種の両方が正の影響を受けるので，正の相互作用と呼ばれる．生物群集においては，これらの正負の相互作用によって多くの生物が互いに関係しあっている．

　例えば，陸上生態系の生物群集では，植物が光合成によって有機物を合成し，その植物は一部の動物に餌として食べられる．この植物を食べる動物（植食者：herbivore）は，**肉食者**（carnivore）の動物によって捕食される．また，植物や動物の種間で，同じ餌をめぐ

る競争もみられる．さらには，同じ動物でも，植物から栄養をもらうかわりに，この植物を他の動物（植食者）から守り，植物と共生関係をもつものもいる．このように，さまざまな相互作用によって生物種間は結ばれており，生物群集全体では，相互作用は複雑なネットワーク状の構造を示す．つまり，相互作用のネットワークが生物群集なのである．

群集を構成する多様な種の共存

　多様な種が群集内に共存するメカニズムには，大きく分けると2つある．1つは，生息場所や餌の分化によって種間競争が緩和され，共存可能となる場合である．餌や生息場所の利用のしかた，つまりニッチを微妙に分け合い，その結果，競争による駆逐が避けられて多様な種の共存が可能になるのである．この学説を**ニッチ分化説**（niche differentiation theory）と呼ぶ．

　もう1つのメカニズムは，自然界において各種の個体群は，気候の変動や天敵による捕食作用によって，種間競争が強く効果を発揮するよりもずっと低い密度に抑えられているというものである．競争による駆逐が起こるほど高密度レベルに達することは稀で，餌や生息場所は余剰にあるので，同じ生息場所や餌を要求する種同士がニッチを分化することなく多種が共存可能であるという．この考え方を**非平衡共存説**（non-equilibrium

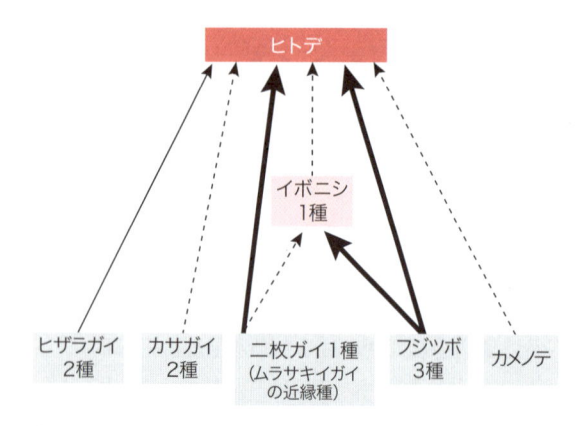

図22-1 ヒトデが下位の生物をどのように捕食するかを示した食物網の模式図

線の太さは摂食量に対応．Paine RT：Am Nat，100：65，1966より

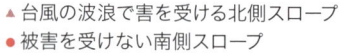
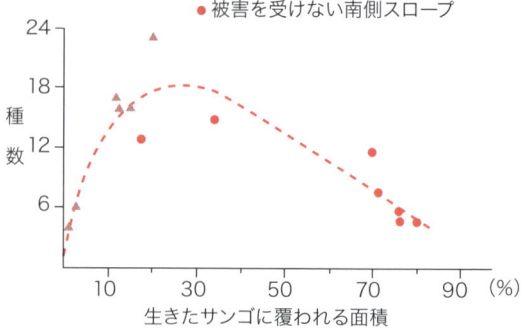

図22-2 サンゴ礁における波浪の撹乱とサンゴの共存種数

Connell JH：Science，199：1302，1979より

coexistence theory）という．

非平衡共存説を支持する例

　ニッチの分化なしに多種の共存がみられる場合，捕食者が競争による駆逐を妨げているとする例が潮間帯群集での研究で得られている．この群集では，通常，ヒトデを最上位捕食者とする多様な種からなる生物群集がみられる（図22-1）．調査区画から人為的にヒトデを除去し続けたところ，3カ月目でフジツボが岩場の大半を占め，1年後には今度はムラサキイガイが急速に岩表面を独占して，ところどころに捕食性の巻貝イボニシが散在するだけの状態になった．岩表面を利用できなくなった藻類は激減し，それを餌としていたヒザラガイやカサガイは消失した．潮間帯では岩表面の空間をめぐる競争がとても厳しく，ヒトデは競争力の高いムラサキイガイやフジツボを多く捕食することにより，それらの種が岩場の表面を独占するのを妨げていたのである．このように，捕食者が優勢な競争種を抑えることで群集の多種共存が促進される考え方を捕食説という．

　天候の変化による撹乱も，その程度によっては多種共存を促進することがある．オーストラリアのサンゴ礁で，台風の波風でサンゴが被害を受けやすい北側斜面と被害を受けない南側斜面とで，サンゴの種数を比べた研究が図22-2である．岩場表面に固着している生きたサンゴに覆われる面積は，波風による被害の程度と逆の関係にある．この図では生きたサンゴに覆われる面積が30％くらいの場所が最も種数が多く，それより波風の

影響を強く受けすぎるとサンゴの生息は限られる．逆に，波浪の影響をほとんど受けないと，岩場を覆う優勢な種が競争によって他の種を駆逐するので，共存する種数は減少してしまう．このことから中規模の撹乱は集団が平衡状態に達して競争による駆逐が生じるのを妨げる作用があり，多種共存を促進する（**中規模撹乱説**：intermediate disturbance hypothesis）．

植生の遷移

　植物は，動物に食物として有機物を供給する役割と，動物に生活場所を与える役割を担っている．このため，自然の生態では植物の存在が重要な位置を占めている．植物の集団のことを**植物群落**（plant community）という．植物群落は多くの種から成り立っているが，そのうち，地表を広く覆ったり，個体数の多い種を**優占種**（dominant species）という．

　環境中で生活する生物は，その環境条件を自ら変化させる．このため，群集構成種の存在によって環境条件はどんどん変化し，これが新たな種の加入を促進する．そのようにして群集の種構成が移り変わることを**群集の遷移**（succession）という．

　陸上植物群集の遷移として，過去80年の間に約20年周期で噴火が起きた三宅島を例に説明しよう（図22-3）．地衣類やイタドリなどの多年生草本は，溶岩台地に真っ先に侵入してくる．母岩の風化が進むにつれて，乾燥に強い地衣類やコケ類が侵入する．それらの遺骸と風化した土壌の混合物が溶岩のくぼみにわずかに積もった場

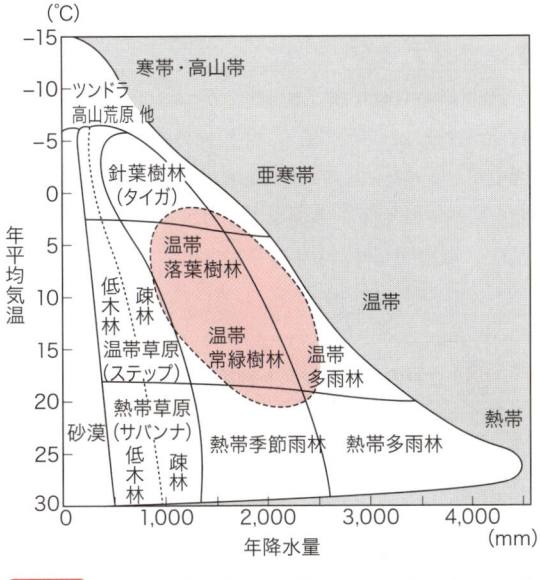

退行遷移

裸地（溶岩の台地）	草本	低本	陽樹	陽樹と陰樹	陰樹（極相）
植物：コケ植物類 地衣類	イタドリ ススキ	オオバヤシャブシ ニオイウツギ ガクアジサイ カジイチゴ ヒサカキ	アカマツ ヤマザクラ オオバヤシャブシ カラスザンショウ ハチジョウキブシ エゴノキ ハチジョウイボタ アカメガシワ	アカメガシワ アカマツ ハチジョウイボタ エゴノキ スダジイ タブ	スダジイ タブ カクレミノ ヤブニッケイ ヤブツバキ

海岸
シャリンバイ
ヒサカキ

ギャップ種
アカメガシワ
ガラスザンショウ

図22-3 三宅島でみられる火山による溶岩台地の跡の植生遷移
溶岩台地の古さの異なる（よって，遷移の段階の異なる）複数の調査地を1つの図にまとめたもの

所を利用して，イタドリ・ススキなどの多年草の株や木本オオバヤシャブシが定着し，やがてそれらが散在するようになる．これらの草本や木本が侵入すると，枯草が分解されて土壌に有機物が増え，栄養塩も増加して養分に富んだ土壌がどんどん形成されていく．このころになると周囲から生長の早いアカメガシワやオオバヤシャブシ・アカマツなどの陽樹（実生や稚樹が明るい場所で速く育つ）が侵入を始め，やがて陽樹の林になっていく．

しかし林が形成されるにつれ，その林床は次第に暗くなる．そうすると，生長は遅くてもそのような条件下でも生育できるスダジイやタブなど陰樹（実生や稚樹が暗い場所でも育つ）が侵入を始め，次第に陰樹は陽樹に取って代わる．いったん陰樹の林が成立すると，その下層は非常に暗く，このような暗い環境で生育できるのは陰樹の幼木だけとなる．もはや陽樹は育たず，以後安定した陰樹の林が続くことになる．この状態を**極相**（climax）という．しかし，森林のどこかで地滑りや大きな陰樹の老木が台風で倒れたりすると，その間隙（ギャップ：gap）には日光が差し込み，ギャップ特有の陽樹（ギャップ種）が生える．よって，極相はあくまでも操作概念であり，定常的には陰樹と陽樹のモザイク状の森になるのが実態である．

各地域の平均気温と降水量に依存した植生からみた大地域の景観のまとまりは，そこに生息する典型的な動物も含めて**バイオーム**（biome：生物群系）と呼ばれる．日本では本州西部以降の暖温帯では常緑広葉樹林，

図22-4 温度と水分条件から区分された世界の主なバイオーム
赤色の部分は，日本の気温と降水量のおよその範囲を示す．『Communities and Ecosystems 2nd Ed.』（Whittaker RH），The Macmillan Company，1975より

本州東部以北の温帯では夏緑樹林，亜寒帯では針葉樹林が，それぞれ代表的なバイオームである．世界のバイオームについても図22-4にまとめられている．日本のような温暖な地域は図22-4の中央に位置しているが，世界中には乾燥地帯から極北に至るまで，さまざまなバイオームがみられる．

2 生物多様性

生物多様性とは

生物多様性は，生物にみられるあらゆる変異性であり，種内の多様性，種間の多様性，生態系の多様性を含む．種内の多様性には，遺伝的多様性があり，これはDNA情報を利用してアレルの多様さなどで測られる．種間の多様性は，ある地域における種の豊富さや，個体数の種間での均等さなどで測られる（26章5参照）．生態系の多様性は，ある地域における異なる生態系の組み合わせなどで測られる．このように，生物多様性はその定義が広いが，もっとも頻繁に使われる生物多様性の指標は種の豊富さである．

レッドデータ

20世紀の100年間は地球史上かつてない高い率で生物種が絶滅した時代である．生物種の絶滅をもたらす要因の多くは人為によるものであり，羽毛・毛皮や肉・油脂を求めての乱獲，多様な生き物が生息する熱帯林の乱伐，環境開発による生態系の劣化と優勢な外来生物

の侵入，大気汚染や水質汚染などの公害があげられる．

生物多様性を保全するために，絶滅の危険性の高い種が指定されたり，ある地域に特有の生態系や生物群集が指定される．絶滅の危険度をいくつかに区分し，ある地域に生息する野生生物に対して，その区分に該当する種・亜種・個体群を一覧にしたものを**レッドリスト**（redlist）と呼び，それを掲載した本をレッドデータブックと呼ぶ．例として，**表22-1**はレッドデータに載っている絶滅危惧生物の一覧表を示す．

国際自然保護連合（IUCN）では，世界中の絶滅危惧種の情報をまとめたレッドデータブックを数年おきに発行している．絶滅リスクの度合いは，個体数の減少速度，生息面積の広さ，全個体数と繁殖個体群の分布，成熟個体数，絶滅確率などの数値基準によって，危機的絶滅寸前（CR），絶滅寸前（EN），危急（VU）の3つに区分されている．IUCNが2009年に発表したレッドリストでは，17,000種以上もが絶滅危惧種として分類されている．IUCNの最近の報告書では，ゴリラやオランウータンなど世界の霊長類の約3割が，絶滅の危機に直面していると記している．さらに現在394種が確認されている霊長類のうち114種が，深刻な森林破壊，違

表22-1 世界のレッドリスト動植物種

分類群	絶滅種	野生絶滅種	危機的絶滅寸前種 (CR)	絶滅寸前種 (EN)	危急種 (VU)	絶滅危惧種合計
脊椎動物						
哺乳類	76	2	188	449	505	1,142
鳥類	133	4	192	362	669	1,223
爬虫類	21	1	93	150	226	469
両生類	37	2	484	754	657	1,895
魚類	91	13	306	298	810	1,414
無脊椎動物						
昆虫類	60	1	89	151	471	711
甲殻類	7	1	84	126	396	606
軟体動物	296	14	291	245	500	1,036
その他*1	1	0	15	38	233	286
動物合計	722	38	1,742	2,573	4,467	8,782
コケ類	3	0	23	32	27	82
シダ類*2	3	0	32	39	68	139
裸子植物	0	4	65	95	162	322
被子植物						
双子葉類	77	22	1,295	1,874	3,969	7,138
単子葉類	2	2	156	276	378	810
陸上植物合計	85	28	1,571	2,316	4,604	8,491

IUCN日本委員会2009より．＊1　研究がほとんど進んでいないので，数値は少ない．＊2　便宜上，ヒカゲノカズラ門をシダ類に含めた

法な狩猟，ペット目的の捕獲，地球温暖化などによって絶滅の恐れがあると指摘している．

生物集団の絶滅リスク

連続した森林などの自然生態系に，道路がつくられ環境が開発されると，それまで，ある生物個体群の生息地だった連続した大きな森林がいくつかに区切られ，次第に孤立した小さな林の集まりに変わっていく．幅の広い道路などがいくつもできると，道路によって小型の野生動物は行き来がかなり妨げられる．このような状態を**細分化**（分断化：fragmentation）といい，それぞれの局所個体群が隔離された状態になることを**孤立化**（isolation）という．

細分化された局所生息地は，そのサイズが小さくなっているので，そこで維持される局所個体群も個体数の少ない小集団となる．孤立化が進んだ小集団は，早晩，絶滅する危険性（**絶滅リスク**：extinction risk）が高くなる．これは，局所個体群が小さくなることで，次のようないくつかの要因が連動して作用するからである．

❖ 人口学的確率性

局所個体群が消滅する要因の1つに，個体群内部での人口学的確率性（一腹の出生数や性比の偏り）がある．十分に個体数の多い大きな個体群では，通常，1匹の雌が生む一腹出生数はその動物本来の期待値に近づき，雄と雌の性比も1：1に近くなるのがふつうである．しかし，小さな局所個体群では，親が健康であっても，確率的に子が生まれなかったり，どちらかの性に偏る傾向がしばしばみられる．これによって，小さな集団では繁殖力が低下することが多く，これが原因で小さな局所個体群の絶滅リスクが増大する．

外来生物

Column

原産地などから人間によって意図的または偶然に運ばれて，新たな地域に定着した生物のことを外来生物，または帰化生物という．セイヨウタンポポやセイタカアワダチソウ，ウシガエル，アメリカザリガニ，アオマツムシ，新しいところでは，ブラックバスやブルーギルなどがその典型例である（**コラム図22-1**）．主に人工的な環境からなる都市やその近郊の湖水では，ニッチに空きができていたり，天敵がいなかったりすると，外来生物が空いたニッチに侵入し，次第に高密度になって広く蔓延する可能性がある．ドジョウやフナ，コイ，トノサマガエル，カントウタンポポなど童謡や歌で親しまれた在来生物が，外来生物に駆逐されるのは，日本の文化の危機といえよう．

アメリカシロヒトリは，1945年頃，北アメリカから東京付近に偶然に運ばれて，その後，日本各地に分布を広げた帰化害虫である．幼虫は，都市環境で大発生して街路樹などの葉を食害するが，自然の山野にまでは分布は拡大しない．これは，生態系を構成している種が多様であれば，その捕食者の天敵がさまざまに生息して，アメリカシロヒトリの個体数を抑制する機構が働くからである．一方，都市の生態系は単純で捕食者や競争相手が少ないために，街路樹の葉の資源を十分利用できているためである．

日本では，2005年6月に「外来生物法」が施行され，これ以降，在来生物に多大な影響を与える指定外来生物は，飼養，栽培，保管，運搬，輸入などについて規制が行われている．動物ではタイワンザル，アライグマ，オオクチバス，ウシガエル，ジャワマングース，セイヨウオオマルハナバチ，植物ではオオキンケイギク，オオフサモ，アレチウリなど，指定種が増えつつある．

アメリカザリガニ　　ウシガエル　　ブラックバス

ヒメジョオン　　セイヨウタンポポ　　セイタカアワダチソウ

コラム図22-1 いろいろな外来生物

❖ 近交弱勢

近親交配による近交弱勢も関係する．大きな個体群では，変異によって有害形質をもたらす潜性アレルが出現しても，正常な顕性アレルとヘテロ接合になっている限り，表現型として現れてくることはない．しかし，局所個体群では，交配する相手が他の個体群から来ることは稀である．そのため，少数の親から生まれた血縁者同士で近親交配する場合が多くなり，子世代の集団に有害アレルがホモ接合になる割合が増えると，近交弱勢が現れる．

❖ 遺伝的浮動

集団の遺伝子頻度が世代間で偶然的に変動することを遺伝的浮動という．局所的個体群が小さくなればなるほど，遺伝的浮動が働きやすくなり，これは自然選択の作用を弱める効果がある．例えば，ある遺伝子座において，わずかに有害な効果をもつ弱有害アレル（健常な野生アレルの適応度に比して約1％未満減）が，自然選択の淘汰を受けずに，たまたま健全な野生アレルに確率的に取って代わることがある．1個だけ置き換わるだけではたいしたことはないが，ゲノム中に次第に多数の遺伝子座がそのようになると体調不良になる個体が多くなり，やがて局所個体群が衰退し絶滅リスクが高まる．

❖ 絶滅促進要因の連動効果

このほかにも，局所個体群を絶滅に向かわせる要因はいくつか知られている．そして，それぞれの要因は単独で作用するものではなく，連動効果を伴うのである．たまたまある地域の自然生態系の何割かが人為による環境開発によって損なわれると，それが引き金となって他の絶滅促進要因が作用し始める．さらに個体数が減少すると，もっと別の要因も一緒に働き出すことで，徐々に**絶滅の渦**（extinction vortex）に引き込まれていく（図22-5）．

3 生態系の保全

一般に，自然生態系や生物群集における栄養段階の構成や各種の個体数は，ある程度変動しながらも，それが一定の範囲内に保たれていることが多い．これを**生態系のバランス**（持続性：persistence）といい，バランスが保たれるのは，少々撹乱を受けても生態系がもとの状態に戻ろうとする**復元力**（resilience）をもち，全体として系を持続し保つ働きがあるからである．

十分に発達した生態系は，動植物の種構成も多様で，物質循環やエネルギーの移動など，バランスが保たれている生態系である．ところが，過度の人間活動は，多くの種で構成されている生物群集を単純化し，自然の生態系内で行われていたさまざまな調節作用を弱める．その結果，生態系が変化してしまい，多くの生物種が絶滅の危機に瀕することになる．

▎物質循環と人間活動

生態系内の生物群集はさまざまな物質を取り込んで利用し，かつ排出しているが，これらの物質は食物連鎖（食物網）によって生態系内を循環する．生物体を構成する主要な物質の1つである炭素の源は大気中や水中の二酸化炭素（CO_2）であり，生産者はCO_2を取り込んで光合成によってスクロースやデンプンを合成する．こ

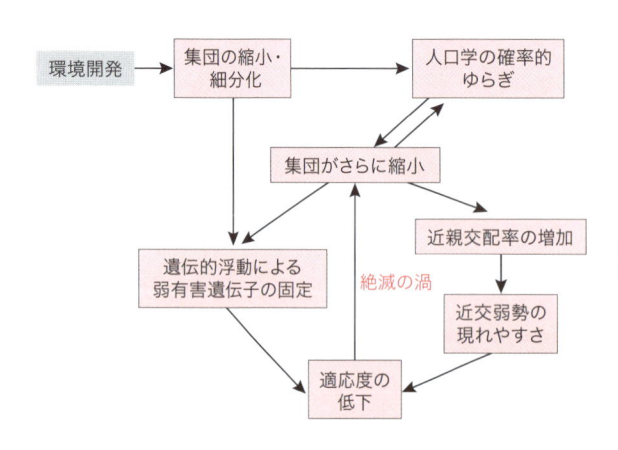

図22-5 絶滅促進要因の連動効果による「絶滅の渦」の概念図

環境開発などでたまたま集団が縮小したとき，それがきっかけとなって，さまざまな絶滅促進効果が連動してかかりはじめる．矢印の向きにより，このサイクルは連動して増進効果をもたらすことがわかる

れを植食者や肉食者が摂食することによって，炭素は順に高次の栄養段階へと移動する．光合成の一次生産にはじまって高次の栄養段階につながる食物連鎖を，**生食連鎖**（grazing food chain）と呼ぶ．また，生物の遺骸や排出物などのデトリタス（有機物）は，細菌などの微生物によって分解されるが，デトリタスからはじまる食物連鎖を**腐食連鎖**（detritus food chain）と呼ぶ．有機物が分解されて発生するCO_2は，再び大気中や水中に戻される（炭素循環，図22-6）．近年，人類が石炭・石油など化石燃料を大量に燃焼させることで大気中のCO_2濃度が増加し，問題になっている．これは大気中のCO_2濃度が増えると，地球から大気圏外へ放射される

はずの熱が大気中にこもる温室効果が生じて，大気温度の上昇（地球温暖化）をもたらすからである．

窒素は生体物質を構成するタンパク質や核酸などに含まれているが，ほとんどの生物は窒素ガス（N_2）を直接利用することができず，わずかに窒素固定細菌や根粒菌（26章**2**参照）によって固定されるだけである．無機態で存在する窒素のうち，アンモニウムイオンや硝酸イオンは植物に取り込まれ，窒素同化によってアミノ酸が合成されてタンパク質がつくられる．これが食物連鎖により高次の栄養段階へ移動したり，あるいは遺骸や排出物となって分解され，再び生産者に利用される無機態窒素となる（窒素循環，図22-7）．このようにみれ

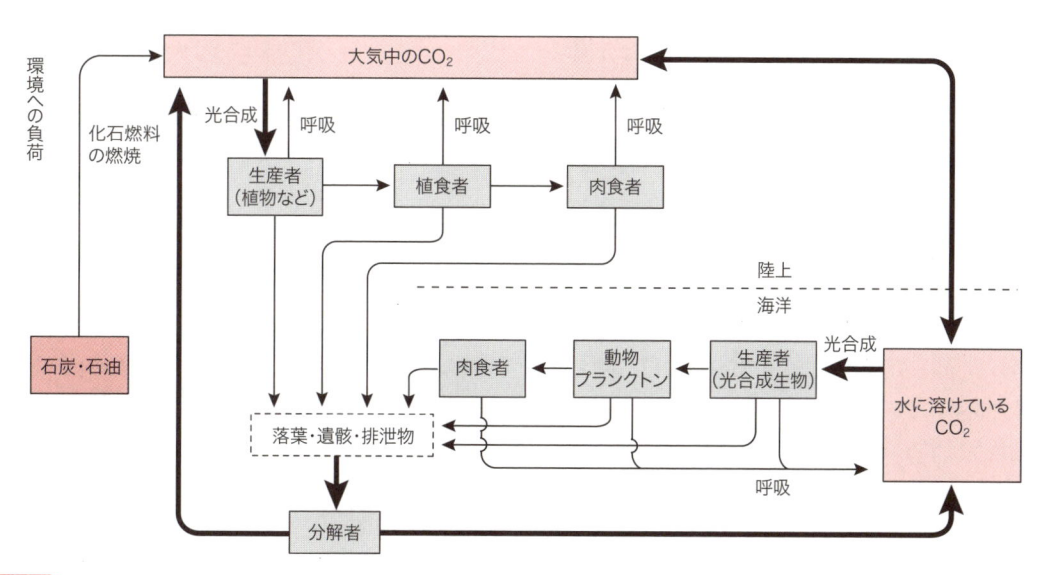

図22-6 **地球上の炭素循環の模式図**
生物圏は，陸上と海洋に大きく分けられる．陸上の生態系では呼吸で排出したCO_2は大気中のCO_2プールに蓄積され，海洋の生態系では海水中のCO_2プールに蓄積される．両方のCO_2プールは行き来がある．矢印の太さは転移する量を大まかに示している

図22-7 **生態系における窒素の循環**
大きく2つの循環として理解できる．右半分は食物連鎖を介する窒素の循環で，硝酸塩あるいはアンモニウム塩を植物が吸収し，動物がこれを食べ，その動植物遺体や排泄物を菌類などが分解してアンモニウム塩に戻している．左半分は，まず大気中の窒素を窒素固定細菌がアンモニアへと変換する．酸素があると容易に硝化細菌がアンモニア塩を硝酸塩にする．脱窒細菌は硝酸塩を還元し，大気中へ窒素を戻している

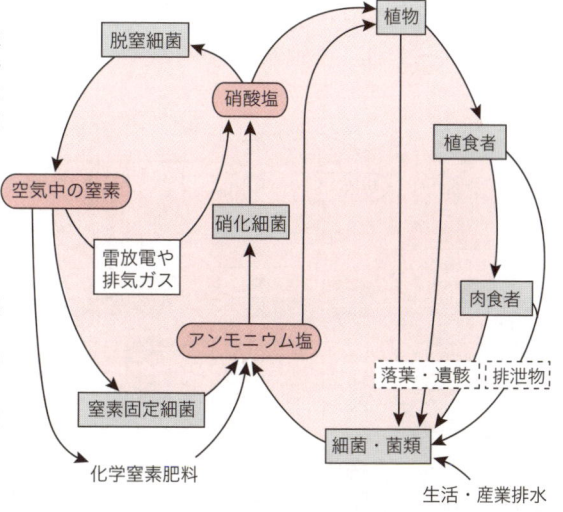

ば，土壌微生物がいかに重要な働きをもっているかがわかるだろう．窒素の物質循環においても，近年の人間活動の影響は大きなものとなっている．空中窒素を触媒により固定してつくられる窒素肥料や，森林を農地に改変することなどにより，窒素が過度に陸上生態系に供給され，余った窒素は流域を通して下流の湖や海に運ばれ，富栄養化の問題を引き起こす．

窒素とならび生体物質に重要なリンは，核酸やリン脂質などに含まれている．無機態のリン酸イオンが植物に吸収されて，食物連鎖を通して高次の栄養段階に利用されるほか，遺骸や排出物が分解されて，再び生産者に利用される（図22-8）．富栄養化の原因としても窒素とならんで重要な元素である．過剰に農地に供給された肥料や家庭や工場からの排水に含まれるリンは，流域を通して下流に流されて湖や海の富栄養化をもたらす．

森林生態系の保全

日本人は，森林を古くから身近な自然として，また重要な資源として利用してきた．樹木を一方的に伐採せずに，伐採した跡地には植林し，薪や炭を燃料とし，下草を刈るなどして森林を保ってきた．いわゆる里山の使われ方である（図22-9）．里山は二次生態系（人の手が加わった自然生態系）であるが，このような生態系にも特有の動植物は存在する．例えば，秋の七草のフジバカマなどである．人間がときどき手を入れる程度の穏やかな撹乱があることで，極相林にまで進むことなく，二次遷移状態の明るい林に生息する生物種は多い．ところが近年，このような里山は放置されたり，土地の開発などにより急速に失われつつあり，保全対策が急がれている．

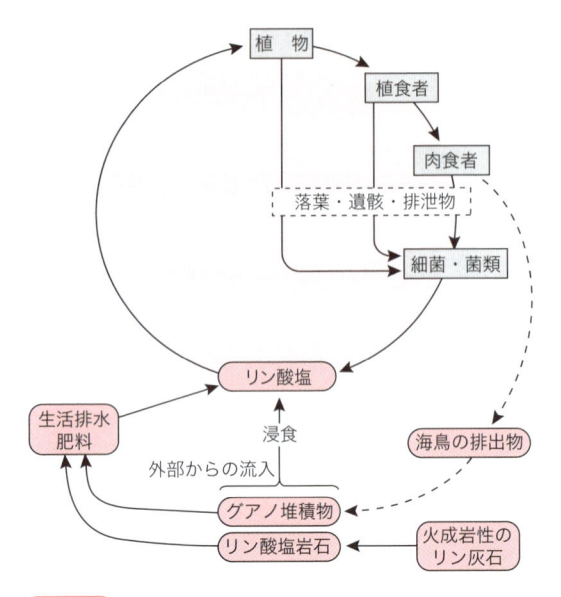

図22-8 **生態系におけるリンの循環**
他の元素と同様，食物連鎖を介した生物作用やリン鉱石の風化など物理化学作用のほか，人為的な作用が加わって循環している．生活排水や余剰肥料などによりリン酸塩が余分に供給されて，富栄養化の原因となる

また，人間の手がほとんど加わっていない原初自然生態系の森林については，一部は国立公園や世界遺産などの自然公園に指定され，無許可で開発が行われないような保全対策が立てられている．

熱帯林の保全

赤道を中心に広がる熱帯には，熱帯雨林，熱帯季節林，熱帯サバンナ林のほか，海岸に発達するマングローブ林など，さまざまな熱帯林が分布しており，陸上の森

図22-9 **里山の図**
里山の典型的な風景．薪炭にするコナラ・カシなどの広葉樹の明るい林，神社仏閣を祭る鎮守の森の大木，丘陵地が浸食されて形成された谷状の地形に設けられた谷津田と棚田，田に水を引く水路，田を仕切る畦道，屋根を葺く萱などを採取する湿地など，複雑なモザイク状の環境要素からなる二次生態系である

林面積の半分近く（約1,700万km²）を占めている．特に，熱帯雨林には膨大な生物種が生息していると推定されている．

近年，熱帯林の消失は進んでおり，地球規模で毎年13万km²ずつ消失し続けている森林のほとんどは熱帯林である（図22-10）．この森林消失の速度は，日本の国土の面積（約37万km²）にあたる森林が，わずか3年弱の時間で失われることに相当する．熱帯林が消失した主な原因は無計画な焼畑耕作，燃料としての大量利用，商業伐採などがあげられる．従来の伝統的な焼畑耕作では，焼畑を行った土地は20年ほど休耕させていた．しかし，近年行われている焼畑耕作では休耕期間を設けず，森林は回復せずにそのまま荒れ地となる．なぜなら，熱帯の土壌では微生物の働きが盛んで，落葉などの有機物は分解されてすぐに樹木に吸収されるため，土壌中には栄養塩は希薄である．したがって，焼畑地ではいったん大雨で表層土が流出すると，土壌は基質だけが残る状態になる．そうなると，植物がほとんど生えない裸地になり，熱帯林はなかなか回復しない．さらに，伐採後の露出した地面に多量の強い雨が降ると，土壌が流失してサンゴ礁などの海洋生態系に大きな影響が及ぶ．

熱帯林は，樹木などの生物量（バイオマス）が最も多い森林であり，地球規模での炭素の貯蔵庫となっている（3章❷参照）．熱帯林では光合成とともに活発な蒸散が起こっており，水の循環や気温に対する影響も

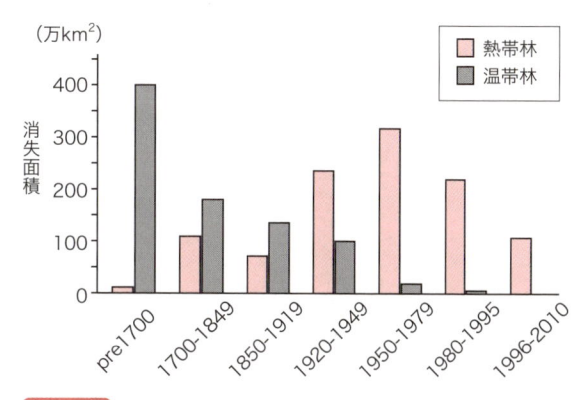

図22-10　**森林の消失**
温帯林の消失は近年は少なくなっているが、熱帯林の消失は現在も進行中である．横軸の年代区切りが不規則なことに注意．FAO（2012）State of the World's Forests 2012より

大きい．したがって，広大な面積の熱帯林が消失すると，その分の光合成によるCO_2吸収量は減少し，おまけにそれが焼失されるとその分だけCO_2排出量が増加する．このように，地球規模で気候が変化する可能性がある．

水域生態系の保全

干潟は微生物の働きが盛んで，ゴカイや二枚貝・カニなどのように海水中や泥に含まれるデトリタスや微生物を食べる分解者の動物が多く生活しており，海水の浄化作用が働く生態系である．そのため，内湾に面した干

生物多様性国家戦略

生物多様性基本法に基づき，生物多様性の保全および持続可能な利用に関する基本的な計画として，政府が策定している．最初の生物多様性国家戦略は1995年に策定され，5番目となる生物多様性国家戦略2012-2020が，2012年9月に策定された．生態系サービスと人間生活のかかわりから生物多様性の重要性を指摘し，自然のしくみを基礎とする真に豊かな社会をつくるための基本的な考え方を提示している．

2010年に名古屋市で開催された生物多様性条約第10回締約国会議（COP10）において，自然と共生する世界の実現のための愛知目標（愛知ターゲット）が採択された．この愛知目標に基づき，生物多様性国家戦略においても，2050年までの長期目標と2020年までの短期目標が定められている．このうち，2020年までに重点的に取り組むべき施策の大きな方向性として，以下の5つの基本戦略が提示された．

＜5つの基本戦略＞
①生物多様性を社会に浸透させる
②地域における人と自然の関係を見直し，再構築する
③森・里・川・海のつながりを確保する
④地球規模の視野をもって行動する
⑤科学的基盤を強化し，政策に結びつける

また，100年という長期的視野に立った，自然共生社会における国土のグランドデザインも提示されたほか，具体的な行動計画である日本の生物多様性関連施策を網羅して記述するなど，生物多様性国家戦略2012-2020はこれまでの戦略から大幅に拡充されている．

Column

22
章
生物群集と生物多様性

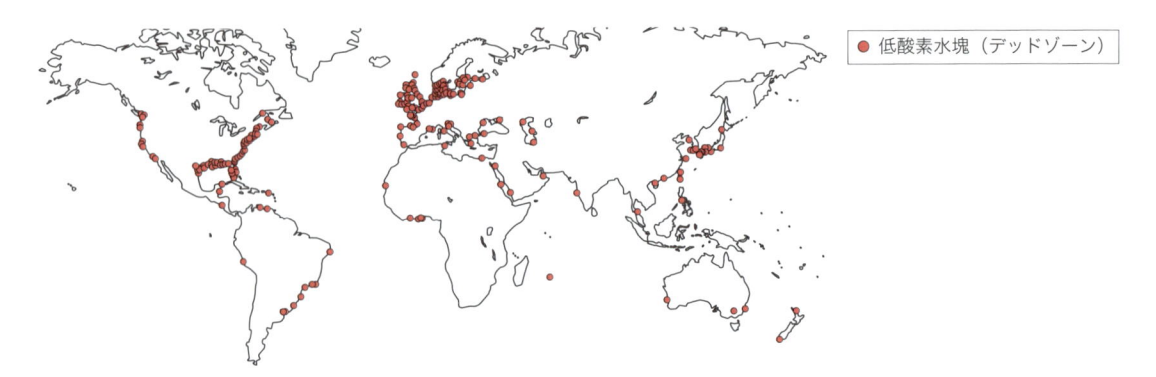

図 22-11 世界の海に広がるデッドゾーン（低酸素水塊）
河川から排出された過剰な栄養塩によって，海の沿岸域は富栄養化し，結果として，海水中の酸素濃度が極度に低下してさまざまな生物に負の影響を与える．そのような低酸素の海域はデッドゾーンと呼ばれ，人為的影響の強い北半球に数多く見られる．その数は年々増加しつつある．Diaz RJ & Rosenberg R：Science, 321: 926, 2008より

潟は漁村の活動には欠かせない場であった．しかし，家庭からの生活排水や工場排水・農業排水などが海に大量に流れ込むと，干潟がもつ自然の浄化作用を上回ってしまう．また，最近の護岸工事により干潟がどんどん消失している．そうなると，内湾では有機物のほか窒素やリンなどの濃度が急速に高まって富栄養化し，特定のプランクトンが高密度で異常発生して赤潮が起こることもある．赤潮の原因となる植物プランクトンには，魚介類などに有害な物質を分泌するものもある．富栄養化により大量に発生した植物プランクトンはやがて死に，大量のデトリタスとして海底に沈んで，やがて微生物によって海水中の酸素を大量に消費して分解される．その結果，海底付近は低酸素状態になってデッドゾーンと呼ばれる場所をつくり，多くの生物に被害を与えて生態系に大きな影響が出る（図 22-11）．

このような富栄養化は湖沼でもみられ，シアノバクテリアの大発生によってアオコが出現する．大量に発生した植物プランクトンはやがて死に，海の内湾や沿岸帯と同じように，湖底には低酸素や無酸素の水がつくられ，生態系に大きな影響を与える．

富栄養化は，自然生態系がもつ物質循環が人間活動によって改変されることで起こる環境問題である．下水道の処理や農業肥料の適切な使用など，さまざまな富栄養化対策が長年続けられているが，いまなお富栄養化の問題は解決されていない．

本章のまとめ　　　　　　　　　*Chapter* **22**

☐ 生物群集の多種共存を説明する学説としてニッチ分化説と非平衡共存説がある．植物群集は環境との関係や植物間の競争により陽樹から陰樹へと遷移がみられる．また植物群集の構成は気温と降水量に応じて大きく変化し異なるバイオームを形成する．

☐ 生物多様性には，遺伝的多様性，種多様性，生態系多様性などが含まれる．生物個体群の絶滅リスクにはいくつかの絶滅促進要因が関係し，これらは局所個体群が小さくなればなるほど強く連動して作用する．

☐ 生物を構成する主要な元素の炭素，窒素，リンは生態系のなかで循環している．近年これらの物質循環は人間活動による影響を大きく受けている．自然生態系の喪失や劣化は陸域でも水域でも進行しており，現代社会は地球環境や生物多様性に関するさまざまな問題に直面している

Advance
ヒトと生命科学

23章　感染と免疫

感染症は，いつの時代にもヒトにとって大きな脅威である．われわれの生存を脅かす多くの疾病が，ミクロの，多くは単細胞生物によって引き起こされることがわかったのは，19世紀のことであった．これらの微生物に対しわれわれの体が備えている防御システム，すなわち免疫というしくみの発見は，それより100年前のジェンナーによる種痘の開発に端を発する．これをきっかけに免疫のしくみや働きが徐々に明らかにされ，免疫学の体系が確立された．20世紀の医学生物学の領域における重要な発見の多くがこの領域から生まれている．免疫学の知識に基づいて1970年代に生み出されたモノクローナル抗体が，1997年以来医薬品として使用され，その結果それまで治療が困難とされた病気を治すことができるようになった．日々多くのヒトの命がワクチンや抗生物質によって救われている事実の重要性は，誰しもが認めざるを得ないであろう．本章では，このような感染と免疫を生物学の目で捉え，それらのエッセンスを紹介する．

1　人類と感染症の戦い

ヒトが地球上に出現したときにはすでに微生物とのかかわり合いは始まっていた．細菌などの微生物のなかには，常在菌のようにヒトにとって有益なものも多く，人類の進化・繁栄にも大きな影響を与えたと考えられる（26章参照）．一方，病原微生物がヒトの生命を脅かすような事態，すなわち感染症も人類にとっては常に重大な脅威として存在してきた．結核，天然痘などは紀元前1000年以前のミイラにもすでにその痕跡をみることができる．文明が発展し人口が増え，都市などでの集中が起こるにつれ，感染症の流行が大きな問題となった．ヨーロッパで発生した1348年からのペストの大流行では，数十年のうちに全人口の1/3が失われたとされる．コッホ（Robert Koch）による細菌と病気の関連の発見はそれから500年以上，北里柴三郎によるペスト菌（Yersinia pestis）の発見は1894年まで待たなければならなかった．なお，感染症の原因として細菌と同じく重要なウイルスもこの少し後に発見されている．

14世紀当時，病原微生物による感染症という理解がない状況で，ペスト流行の原因は天体の位置や火山活動などに求められた．感染症が，たとえその実体が不明であるにせよ，伝染する病気として認識され，環境衛生が意識されるようになったのは19世紀に入ってからである．これにより，感染症の流行や発生がある程度抑制されるようになった．しかし，感染症に直接的に対抗できるようになったのは抗菌薬が登場してからである．最初に発見されたのはペニシリン（図26-6A参照）で1929年，イギリスのフレミング（Alexander Fleming）がカビの一種から見出した．その後広くペニシリンは臨床応用されたが，1960年代には抗菌薬の効かない菌（薬剤耐性菌）が出現し，今日まで新薬の開発と耐性菌の出現のいたちごっこが続いている（p.263コラム参照）．

2　微生物と感染

感染とは

感染（infection）とはヒトを中心に考えれば，ヒトに病原微生物が侵入し定着する現象と考えられる．そのことで病気を発症すれば感染症となる．しかし，細菌などの微生物は定着するだけで病気を起こさないことも多い．この違いはその微生物とヒトとの関係に大きく依存しており，その背景には微生物の性質とヒトの生体防御反応がある．

ヒトの体表面や体内には細菌やカビなど無数の微生

物が棲みついている．感染しているだけで感染症を起こす病原体もあるが，宿主の免疫機能の低下など特殊な場合を除いて「お行儀よく」している微生物は多い．常在菌は，消化管内の常在菌のように，単に定着しているだけではなく消化吸収などで積極的にヒトに有用な役割を果たしているものから，皮膚や粘膜の表面など，免疫系の物理的バリア（図23-1）の外にいてヒトの免疫系から大目にみてもらっている程度のものまでさまざまである．外傷などが原因で常在菌が大量に体内に侵入する場合や，もともと少量ながら頻繁に血流などに紛れ込んでしまう口腔内や腸管内の常在菌を排除できないほど免疫機能が衰えているような場合などは常在菌による感染症も発生しうる．

ヒトの病原微生物は細菌，真菌，ウイルスに大別できる[※1]．ヒトの病気に関係のある細菌の大半は真正細菌で，古細菌は通常ヒトに感染症を起こさない．一般にはあまり意識されていないが，真菌が原因の感染症も数多い．ウイルスは生物とは考えられていないが，ウイルスも感染症の原因となる重要な病原体である．

感染症は病気がどこで起こっているかによって病名がついていることが多い．肺ならば肺炎，膀胱ならば膀胱炎といった具合である．さらに，その原因によって細菌性，ウイルス性などの言葉が接頭語的につけられる．一方で，結核やインフルエンザのように病原体と病名が直接的に結びついている場合もある．感染症の見方によっ

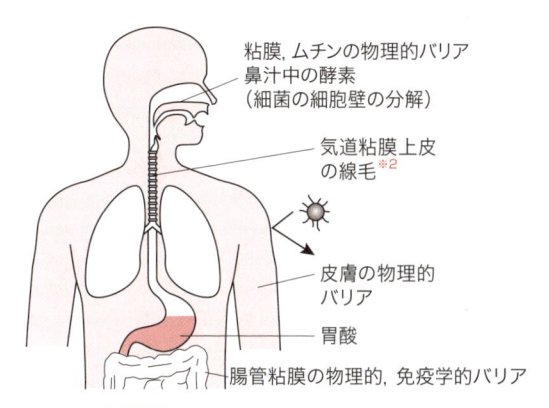

粘膜，ムチンの物理的バリア
鼻汁中の酵素
（細菌の細胞壁の分解）

気道粘膜上皮の線毛[※2]

皮膚の物理的バリア

胃酸

腸管粘膜の物理的，免疫学的バリア

図23-1 ヒトの生体防御の最前線の例

て呼び方も変わってくるが，ここでは微生物学的な観点で病原体を分類し感染症を起こした場合の特徴を解説する．

細菌の感染

細菌の基本構造は図9-7Aのようになっている．細菌は原核生物であり核はもたない．細菌を数時間〜数日かけて培養してどのような糖やアミノ酸を利用できるか，どのような酵素を産生しているかなどの性質を調べることで細菌種が同定できる．また，医療現場では，細菌の顕微鏡的観察に基づいた分類が簡便で迅速な方法として広く用いられている．丸く見える菌は球菌，長い棒状に見える菌は桿菌，グラム染色と呼ばれる方法で細胞壁

抗菌薬と耐性菌 *Column*

抗菌薬は抗生物質のうち，細菌感染症の治療に用いられるものである．その多くはヒトの細胞に影響することなく細菌の増殖を抑制し，あるいは殺菌的に作用する．これは細菌特有の構造，例えば細胞壁に作用することで，ヒトへの副作用を最小限に抑え細菌特異的にその効果を発揮できるからである．

ペニシリンは細胞壁合成阻害剤で，細菌が細胞壁を合成する際，細胞壁合成酵素にペニシリンが結合してそこから

先へは細胞壁が伸長しなくなってしまう．細菌内は浸透圧が高く，増殖に必要な細胞壁ができないと菌は破裂して死んでしまう．

ところが，同じ種の細菌のなかに細胞壁合成酵素の構造がわずかに異なるものが出現することがある．これにはペニシリンが結合できない．よってペニシリンが存在しても細菌の増殖は正常に行われる．これがペニシリン耐性菌である．この他，抗菌薬を分解あるいは修飾した

り，細菌菌体内から抗菌薬を強力にくみ出すなど，薬剤耐性（AMR）にかかわるさまざまなメカニズムが知られている．

同じ細菌種であれば薬剤耐性菌の方が増殖しにくいことが多い．しかし，抗菌薬が乱用されることでセレクションがかかった結果，薬剤耐性菌が多く生き残ってくると考えられていて，感染症治療における適切な抗菌薬使用が呼びかけられている（例：厚生労働省 AMR対策アクションプラン）．

[※1] **菌類**（fungi）が起こす感染症を医学領域では**真菌感染症**（fungal infection）という．真菌という言葉は菌類と同義だが医学領域では菌類感染症という表現は用いない．

[※2] 医学用語では線毛と書く．本書中他章の繊毛と同義と考えてよい．

が染め出される（紫色）ものをグラム陽性菌（黄色ブド
ウ球菌など），染め出されない（赤色）ものをグラム陰
性菌（大腸菌など）という．また抗酸染色で染まるもの
を抗酸菌（結核菌など）という．いずれも細胞壁の性質
の違い（**9章4**参照）によるものだが，細胞壁の性質は
病態や治療によく相関している．グラム陽性菌やグラム
陰性菌によく効く抗菌薬がわかっているので，肺炎患者
の痰など細菌を含む試料のグラム染色の結果から，速
やかに抗菌薬を選択できる場合がある．

　感染を起こした細菌は酵素や毒素[※3]を産生して宿主
組織を傷害する（**図23-2A**）．タンパク質分解酵素が産
生されると，細菌が定着した周囲の組織が破壊される．
コレラ菌が出すコレラ毒素は小腸の細胞に作用して水分
の分泌を過剰にし，激しい下痢を起こさせる．破傷風の
原因となる破傷風菌が産生する毒素は神経–筋間のシグ
ナル伝達に異常を起こし，筋肉が緊張したままとなって
しまうため，呼吸筋が障害されれば死に至る．毒素の産
生は同じ細菌種でも菌株によって異なることが多い．大
腸菌は細胞表面のリポ多糖の抗原性の違い（O抗原[※4]）
と鞭毛の抗原性の違い（H抗原）で分類されている．O
抗原が157番のもので，H抗原が7番のものがいわゆる
病原性大腸菌O157である．大半の大腸菌はヒトにとっ
て無害だが，O157：H7はベロ毒素と呼ばれる毒素を
産生する．患者の血流に乗ったベロ毒素はさまざまな臓
器で重篤な障害を引き起こす．

　細菌が外に分泌する毒素を外毒素と呼ぶのに対して，
内毒素と呼ばれるものがある（**9章4**参照）．これはグ
ラム陰性菌の外膜に含まれるリポ多糖で，本当の意味の
毒素ではないが，有害反応を引き起こす細菌内の物質
として内毒素と呼ばれる．細菌の菌体が破壊されること
で作用が顕著になる．内毒素はさまざまな細胞の免疫
反応を異常に活性化するため，グラム陰性菌の血流感
染などでは，しばしば過剰な免疫反応の結果として患者
がショック[※5]に陥ることがある．

　細胞への侵入も細菌感染の病原性の重要な要因であ
る（**図23-2B**）．例えば赤痢菌は自らが分泌するタンパ
ク質により大腸粘膜の細胞の食作用を誘導し，細胞内

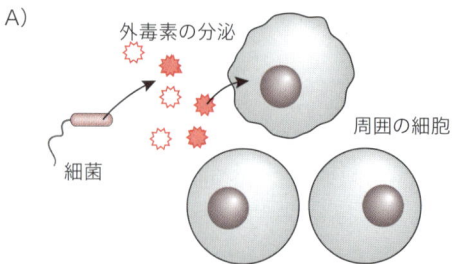

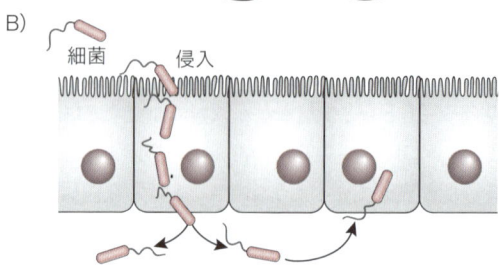

図23-2 **細菌の病原性**
A）細菌が分泌する外毒素が周囲の組織に障害を与え
たり，宿主の恒常性に影響を与える．B）宿主の細胞
に対して侵入性を示す細菌は，細胞に取り込まれるこ
とで，増殖したり細胞を破壊したりする

に入り込む．細胞内に入ると増殖し，隣接する細胞にも
広がっていく．この過程で粘膜の細胞は破壊され出血
を起こしてしまう．

　結核も細菌感染症の1つであるが，しばしば通常の細
菌感染症とは分けて考えられる．それは，結核菌のもつ
性質が診断や治療，感染対策において，通常の細菌と
は異なる対応を要求するからである．結核菌は通常よく
行われるグラム染色では見つけにくい．培養には特別な
方法が必要で，しかも増殖が遅い．増殖が遅いために
治療にあたっては抗菌薬を長期間投与しなければならな
い．また空気感染という感染様式をとることから集団感
染を起こしやすい．このように同じ細菌感染症でも結核
は違いが際立っている．

真菌の感染

　真菌は真核生物で，単細胞のみならず多細胞生物も
存在する．真菌は環境に多く存在し，ビール，ワイン，

※3　病原微生物由来の物質のうち，生体内の受容体や酵素などを標的
として作用し有害反応を引き起こすものを毒素という．
※4　抗体が特異的に結合する物質を抗体に対応するものという意味で
抗原と呼ぶ．大腸菌の菌株の分類で用いられるO抗原，H抗原は抗体を

用いて検出することから抗原と呼ばれる．
※5　末梢の微少な循環の異常で重要臓器が障害を受ける．血圧の低下
など全身の血液循環の異常を伴う．生命の危険がある重篤な状態である．

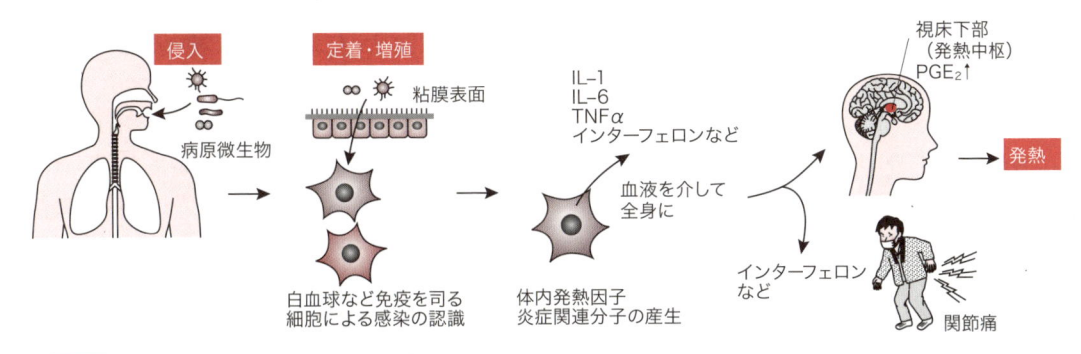

図23-3　発熱のメカニズム

呼吸器感染症では，細菌やウイルスなどの病原微生物が呼吸の際の空気の通り道である気道粘膜から侵入してくる．病原微生物が定着・増殖し感染が成立すると，免疫担当細胞からサイトカインと呼ばれるタンパク質である，インターロイキン（IL-1，IL-6）やTNFα（tumor necrosis factor α：腫瘍壊死因子α），インターフェロンなどが産生される．これが発熱中枢である視床下部でプロスタグランジンE_2（PGE_2）という物質の合成を促し，その結果の全身反応として発熱が起こる．また発熱時に経験する関節痛などにもこうしたサイトカインが関与している

日本酒やパンなどの発酵は真菌の一種である酵母によるものである．こうした有用な真菌も多いが，特に免疫機能が低下した患者で重症の真菌感染症がみられ，医療の現場では重要な問題となっている．それ以外では皮膚などの体の表面の感染症が多い．いわゆる「水虫」も真菌感染症であり，おそらく感染症のなかでは最も罹患者が多いものの1つではないだろうか．真菌の病原性は，酵素による組織破壊や菌体そのものの増殖による中小血管の塞栓と，それによる組織壊死などが中心であ

る．細菌に比べると真菌の外毒素[6]の例は多くはない．

ウイルスの感染

ウイルスは核酸とそれを包むタンパク質をもっているが，自身で増殖することはできず，感染を起こしたあとに宿主の細胞の装置を使って増殖する．ウイルスは生物ではなくとも，ヒトからヒトに伝染し病気を起こすこともあることから，医学的には細菌，真菌と同じように取り扱われることが多い．多くのかぜ，インフルエンザ，

ワクチン

Column

感染症を未然に防ぐ有効な手段の1つがワクチン接種である．

ワクチンには不活化ワクチンと弱毒生ワクチンがある．不活化ワクチンは病原体や毒素を処理してヒトへの毒性がない状態にしたもので，弱毒生ワクチンは，病原体をさまざまな方法で生きたまま改変して免疫原性は元の病原体と同様でありながら病原性は示さないようにしたものである．これらを接種することで，実際に真の病原体や毒素が体内に侵入してきた場合には速やかに免疫系を活性化して排除できるようになる．感染の予防，病原体の排除

に主に働くのは抗体である（体液性免疫）．抗体が病原体や毒素に結合してその活動を直接抑制したり，細菌に結合してマクロファージなどによる貪食を促したり（オプソニン化という）する．また，多くのワクチンでは細胞性免疫も賦活化される．弱毒生ワクチンでは細胞傷害性T細胞も誘導される．記憶T細胞もこのときに生まれ相当長期間生き続けると考えられる（ワクチンの場合「病原体」はワクチン由来の物質ということになる）．一般に不活化ワクチンよりは弱毒生ワクチンの方が免疫原性が強い．

ワクチンはヒトがもって生まれた免疫系を活用した，感染症予防の有効な手段であるが，病気の治療とは異なり健康な人に処置をするという点で，より高い安全性が求められる．その安全性に不安が生まれるとワクチンの接種率が極端に下がり，公衆衛生的な観点からも疾患の流行を防げなくなる．国民に対するインフォームド・コンセントをしっかり行いつつ積極的に進められるのが望ましい．これまでのところ日本人は予防接種に対しては消極的なようである．ワクチンに関する正しい知識の普及が求められる．

※6　感染症の視点とはやや異なるが，穀物に生えるカビの一種*Aspergillus flavus*が産生するアフラトキシンという毒素は肝細胞がんを起こす発がん物質とされる．

水痘（水ぼうそう），麻疹（はしか），エイズなどはウイルス感染によって引き起こされる．ウイルスはさまざまな遺伝子の担体として種の進化に大きくかかわってきているとも考えられているが，このことについては本書では扱わない．

ウイルスは宿主細胞の中に入らないと増殖できないと同時に，その病原性を発揮することもできない．ヒトへの侵入経路は通常は粘膜や血液を介してである．それぞれのウイルスには親和性の高い臓器があり，その臓器の細胞に取り込まれ増殖する．肝炎ウイルスは肝炎を起こし，日本脳炎ウイルスは脳炎を起こすのはこのためである．HIV〔後天性免疫不全症候群（エイズ）の原因ウイルス〕は免疫機能を担うリンパ球（※後述）の一部に選択的に感染し，リンパ球細胞内でウイルスの増殖が終わるとその細胞は死んでしまう．その結果，最終的には免疫機能を担う一群の細胞が枯渇し，宿主（患者）は免疫不全状態となってしまう．B型肝炎ではウイルスは感染した肝細胞を破壊しないが，宿主の免疫担当細胞がウイルスの感染している肝細胞を破壊してしまうため肝炎が引き起こされる．ウイルスでは細菌のような毒素産生による宿主への病原性はない．しかし，ウイルス感染により引き起こされるさまざまな免疫反応がウイルス感染症の症状をもたらす．

■ 感染から症状発生へ至るしくみ

感染により全身症状が出現するまでの経過を発熱を

例にとって説明する（図23-3）．感染が起こると，これを察知した免疫を司る白血球などの細胞がさまざまなシグナル分子を放出する．このうちのいくつかは体温調節系に作用して，より高い体温を維持するように作用する．これが発熱であり，感染したウイルスの排除など，生体防御上有用な反応と考えられるが，過度の発熱は体力の消耗や臓器障害の原因となり，かえって有害な結果をもたらす．また発熱に伴って経験する腰痛や関節痛などの症状の出現にもインターフェロンという分子が関与している．

感染について病原微生物を中心に説明してきたが，宿主の側の反応とは切り離せない現象であることはたびたび述べてきた通りである．次節では，宿主の生体防御反応である免疫のしくみについて解説する．

3 免疫とは何か

■ 免疫系の成り立ち

ここまで述べたように，細菌，真菌，ウイルスなどはヒトをはじめとする生物と共生し，あるいは感染症を起こしうる．感染症は多様であり，病気としての重篤さもいろいろで，なかには非常に致死率の高いものもある．多細胞生物は，これらの寄生体の侵入を防ぐメカニズムを備えている（図23-1参照）．これが生体防御反応で

Column

■ 自己免疫疾患

免疫系は体外から侵入した異物（抗原）を非自己と認識して，それを排除し個体を守るように働く．感染症を引き起こすウイルスや細菌，またそれら由来のタンパク質などの抗原が標的となり抗体や免疫担当細胞がそれらを排除する．

自己免疫疾患では，免疫系の攻撃が自己に向けられていることが共通の病態である．例えば類天疱瘡と呼ばれる自己免疫疾患は皮膚のタンパク質に対する抗体（自己抗体）があるためにその部分で障害が起き，皮膚に水ぶくれ

やただれが生じてしまう．関節リウマチや強皮症などでもそれぞれの疾患に特徴的な自己抗体がみられる．

また，自己免疫疾患では何らかの理由で本来出現しないはずの自己を認識する抗体が産生されるようになる．自己抗体と病態の関連が不明なものも多いが，多くの自己免疫疾患は免疫抑制剤を使うことで症状を緩和できる．代表的な免疫抑制剤であるステロイドは幅広い範囲のサイトカイン，免疫グロブリンの産生を抑制する．

関節リウマチは患者の多い自己免疫

疾患で，関節などの結合組織が炎症を起こし破壊されていく疾患である．痛み止めや抗炎症作用のある薬剤の他，免疫抑制剤も治療薬の選択肢に入る．炎症過程に関与するサイトカインなどに直接働きかける分子標的薬，インフリキシマブ（infliximab）は，TNFαというサイトカインの作用を阻害する．TNFαは組織などでの炎症の発生に関与しており，関節リウマチの病態でも重要な役割を果たしている．従来の治療薬では効果が得られなかった関節リウマチ患者には福音となっている．

あるが，ヒトを含む脊椎動物のもつ生体防御反応は，一度かかって治った感染症には二度目はかからないかまたは軽症に終わる，という特徴をもつ．この効率的かつ特異的に感染源などの異物を排除する防御システムが**免疫系**（immune system）である．

免疫系の理解と利用によって，人類は多くの危険な感染症から逃れ，安心して暮らせるようになった．一方，原因がわからず治療法の見つからない多くの難病が，実はこのシステムの不具合による**自己免疫疾患**（autoimmune disease）であることもわかってきた．過剰な免疫応答による花粉症などのアレルギー[※7]に苦しむ人が最近特に増加している．これらの事実は，免疫系が多くの謎と問題を抱えておりその理解と制御法の開発が今後も続けられる必要があることを物語っている．感染症，自己免疫疾患ばかりでなく，移植された臓器に対する拒絶反応，がん，代謝疾患，神経疾患などにおいても免疫系の寄与は大きい．特に免疫系を使ってがんを治療する可能性への期待は大きい（p.272 コラム参照）．

免疫系は病原体やアレルゲン[※8]を認識して応答する．これを**免疫応答**（immune response）というが，感染初期に重要な役割を果たすのが自然免疫で，続いて獲得免疫系が活性化される（**本章4**参照）．免疫系の重要な特徴としては，自己と非自己を見分けること，特異的で迅速な応答をすること，そして獲得免疫では応答すべき相手が記憶されることも重要である．記憶が生じる結果，免疫系は同じ外来抗原に対して二度目にはより効率的に応答するようになる．昆虫などの無脊椎動物は獲得免疫をもたず，自然免疫のみに頼っているため，二度とかからないという現象はみられない．自然免疫の機構は脊椎動物にも備わっており，後で述べるように獲得免疫のシステムと共同して働く．

自己と非自己

ところで，免疫系は自己と非自己を見分ける，と述べた．「自己」・「非自己」とはどういうものであろうか．免疫系の仕事として見分けた結果「非自己」と判断されたものについては免疫系のあらゆる手立てを用いて排除が試みられる．一方，「自己」はそうした攻撃から免れることになる．免疫系の文脈でいう自己は，自分の体の

中に元からある組織であり，細胞であり，それらを構成するさらに小さい物質である．逆に，非自己とは，自分自身以外の個体から体内に入ってきた組織（臓器・組織移植など），細胞やその他の物質（骨髄移植，輸血，細菌，ウイルスなど），ということになる．もちろん，移植など医療行為として行われるものについては，移植された臓器などを免疫系が非自己と認識しないためのさまざまな工夫が行われている．高等動物において自己・非自己を見分けるためのしくみについてはp.268 コラムを参照してほしい．

免疫を担う細胞と組織

脊椎動物において免疫を担う細胞の多くは，**骨髄**（bone marrow）において幹細胞から一生つくられ続け，分化しながら体内に分布する．血液中の**白血球**（leucocyte）がその代表例である．白血球には細菌の捕食を主な機能としている**好中球**（neutrophil），寄生虫の排除やアレルギーに関与する**好酸球**（eosinophil）や**好塩基球**（basophil）などがある．単球が組織に入ってさらに分化した**マクロファージ**（macrophage）や，**樹状細胞**（dendritic cell）と呼ばれる細胞は感染性の寄生体が侵入してくると危険信号を発し，好中球やリンパ球などの細胞に対応を促す（**表23-1**）．この危険信号は1997年，ジェインウェイ（Charles Janeway）とメチトフ（Ruslan Medzhitov）によって発見された**Toll様受容体**（Toll-like receptor：TLR）と呼ばれるタンパク質が病原体に共通の構造に反応することによって発生することが明らかになり，多くの多細胞生物に共通に存在する自然免疫と呼ばれる現象として脚光を浴びた．2011年のノーベル生理学・医学賞はこの分子の発見と，自然免疫応答によって獲得免疫の引き金を引く細胞である樹状細胞の発見という研究成果に対して贈られた．獲得免疫は，脊椎動物だけがもつ生体防御のしくみである．

抗原とそれを認識するタンパク質

リンパ球（lymphocyte）は獲得免疫応答を直接担う細胞である．リンパ球の表面にはリンパ球ごとに，特定の物質（**抗原**：antigen）と結合する受容体がある．こ

[※7] 原因物質に2度目以降に遭遇した際に起こる異常な免疫反応をアレルギーと呼ぶ．

[※8] アレルギー反応を起こす原因物質をアレルゲンという．

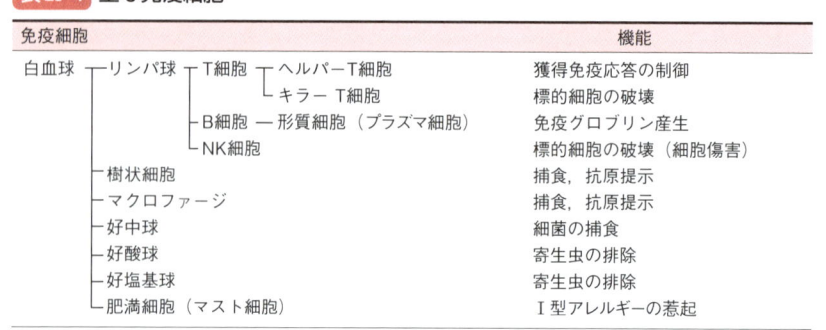

表23-1 主な免疫細胞

免疫細胞				機能
白血球	リンパ球	T細胞	ヘルパーT細胞	獲得免疫応答の制御
			キラーT細胞	標的細胞の破壊
		B細胞 — 形質細胞（プラズマ細胞）		免疫グロブリン産生
		NK細胞		標的細胞の破壊（細胞傷害）
	樹状細胞			捕食，抗原提示
	マクロファージ			捕食，抗原提示
	好中球			細菌の捕食
	好酸球			寄生虫の排除
	好塩基球			寄生虫の排除
	肥満細胞（マスト細胞）			Ⅰ型アレルギーの惹起

の受容体は遺伝子組換えの結果その種類は無数であるが，1個のリンパ球については1種類である．無数につくられた受容体と抗原との結合は偶然性による[9]．リンパ球が生まれるときにその受容体の構造が決まるが，その個体（自己）を構成する物質と結合する性質のある受容体をもったリンパ球は生まれてすぐ排除されてしまう．そのため，体内を循環しているリンパ球はその個体内では出会えない外界からの異物（非自己）と結合するものばかりということになる．こうした非自己の異物と結合したリンパ球は，リンパ球自身の種類に応じて，その異

MHC と移植片の拒絶

Column

　MHC遺伝子の産物は，ClassⅠが細胞内の感染寄生体，ClassⅡが細胞外のそれをT細胞に感知させるための抗原提示分子であり，同時に移植臓器，移植細胞が感知される際に重要な移植抗原である．ヒトのMHCはもともとヒト白血球抗原（HLA）と呼ばれ，ClassⅠがABC 3つの遺伝子座，ClassⅡがDP，DQおよびDRの3つの遺伝子座を6番染色体上にもつ．それぞれがアミノ酸配列の違いに基づく多型をもつ．この多型は，ヒトの遺伝子の中でも最も多様性に富むものであり，多様性をもつことがヒトの集団として進化の途上で有利であったことが明らかである．MHCの多様性には2つの重要な意味がある．第1は，この多型が抗原提示のためにペプチド[10]を結合する部分にあるため，同じタンパク質抗原のペプチド配列の中でT細胞に提示できる配列が個人によって異なることである．つまり，MHCの多様性はそのまま免疫応答の多様性なのである．第2の意義は，MHCの多様性ゆえに拒絶が起こらない移植のドナーを見つけることが非常に困難だという事実である．一対の染色体の両者が発現し顕性なので，3つの遺伝子座の主なバリエーションがそれぞれ5種類であっても5^6種類の個人差があることになる．骨髄移植を行う場合には，骨髄細胞にリンパ球が含まれているため，骨髄を提供したヒト由来の細胞が移植を受けた個体の細胞を攻撃するというGVH（Graft-versus-host）反応を起こして重篤な結果となることがある．MHCの違いは，多くの疾患，特に自己免疫疾患へのかかりやすさと関係が深い．

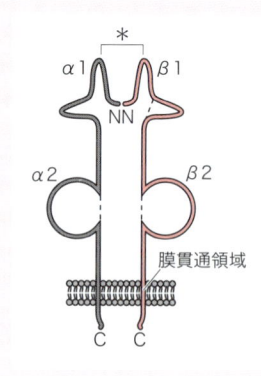

コラム図23-1 ClassⅡ MHCと抗原ペプチドとの相互作用

X線結晶構造解析の結果から，MHC遺伝子産物にはβシート上に2本のαヘリックスで囲まれた溝があり，そこに抗原ペプチドがはまり込んでその複合体としてT細胞受容体に認識されるという構造が予想された．それゆえMHCのこの部分の配列に変異があれば，非自己として認識される

---

[9]　リンパ球が発現する受容体分子や抗体が遺伝子の情報に基づいてつくられているとすると，認識できる抗原の種類に合わせて無数の遺伝子が必要，ということになる．限られた遺伝情報のなかで無数の抗原に対応する多様性を生み出すしくみは，①ある程度多数の遺伝子がある，②リンパ球で変異が起こりその分種類が増える，③リンパ球で遺伝子組換えが起こる，などであることがわかってきている．

[10]　ClassⅠでは9アミノ酸，ClassⅡでは12アミノ酸から成り，それらのうち通常2個のアミノ酸とその間の距離が結合できるかできないかを決める．

物を排除するためのさまざまなプロセスを分担する．リンパ球の一部には受容体と同じ抗原結合性をもつタンパク質を細胞外に分泌するものがあり，このタンパク質は免疫グロブリンからなり**抗体**（antibody）と呼ばれる（p.55コラム参照）．

マクロファージや樹状細胞などの自然免疫細胞から危険信号を受けた獲得免疫細胞であるリンパ球は病原体（外界の異物）に抵抗するために増殖を開始する．このとき，侵入した病原体（非自己の抗原）を特異的に認識するタンパク質を表面にもつリンパ球ばかりが増殖する．こうした反応が起こるのは二次免疫器官と呼ばれるリンパ節や粘膜に局所的に存在する組織で，リンパ球同士やリンパ球と抗原が相互作用をする場となっている．

制御性T細胞：その多彩な役割

Column

免疫系は細菌，ウイルス，がん細胞といったさまざまな病原体を排除して個体の生命を守っているが，一方で自己構成成分や腸内細菌などの共生細菌，さらには食物や花粉といった無害な物質に対して過剰に反応すると，自己免疫疾患，炎症性疾患，アレルギー疾患といったさまざまな疾患を引き起こす．個体の健康を守るためにはこれら病的な免疫応答を負に制御することが重要であり，免疫系にはそのためのブレーキが複数備わっている．なかでも必須の役割を担っているのが**制御性T細胞**（regulatory T cells：Treg）と呼ばれるT細胞サブセットである．

Tregは，自己免疫疾患の発症を抑制する活性をもったT細胞サブセットとして1980年代に同定されたが，永らくその実体は不明であった．2003年に，転写因子Foxp3がTregに特異的に発現してその他のT細胞と区別する分子マーカーであり，Tregの発生・分化と機能を制御する重要な機能を担っていること，そしてFoxp3欠損マウスに発症する致死的な自己免疫疾患が機能的なTregの欠損に起因することが明らかにされ，Tregが個体の健康を守るために必須の役割を担っていることが証明された[1] [2]．Tregは自己免疫のみならず，炎症，アレルギー，移植片拒絶反応といったさまざまな病的な免疫応答を抑制する重要な役割を担っているが，一方でTregは過剰に働くと感染性微生物やがん細胞に対する免疫応答をも抑制し，これら病原体の成長に寄与すると考えられている（**コラム図23-2**）[1] [2]．また，最近では，Tregは傷害を受けた組織修復の促進など，組織の恒常性維持にも重要であることが明らかにされつつある（**コラム図23-2**）．抑制の分子機構に関しては，抑制性サイトカインを介した抑制，抗原提示細胞の不活性化，T細胞増殖因子の消費など，諸説が提唱されているが，単一

のメカニズムではなく，状況に応じて異なったメカニズムを使い分けていると考えられている．Tregの多くは胸腺において自己抗原を強く認識することで分化し，自己免疫反応を抑制している．一方，一部のTregは末梢（胸腺外）においてもある種の腸内細菌，食物，がん細胞，胎児などの抗原に反応して分化し，これら"非自己"に対する免疫応答を抑制していると考えられている．

Tregの多彩な機能に着目し，Tregを人為的に制御することでさまざまな疾患の治療につながるのではないかと期待されており，Tregの分化と機能のメカニズムに関する研究が世界的に進められている．

参考文献
1）Sakaguchi S：Annu Rev Immunol, 22：531-562, 2004
2）堀昌平：実験医学，25：2834-2875, 2007

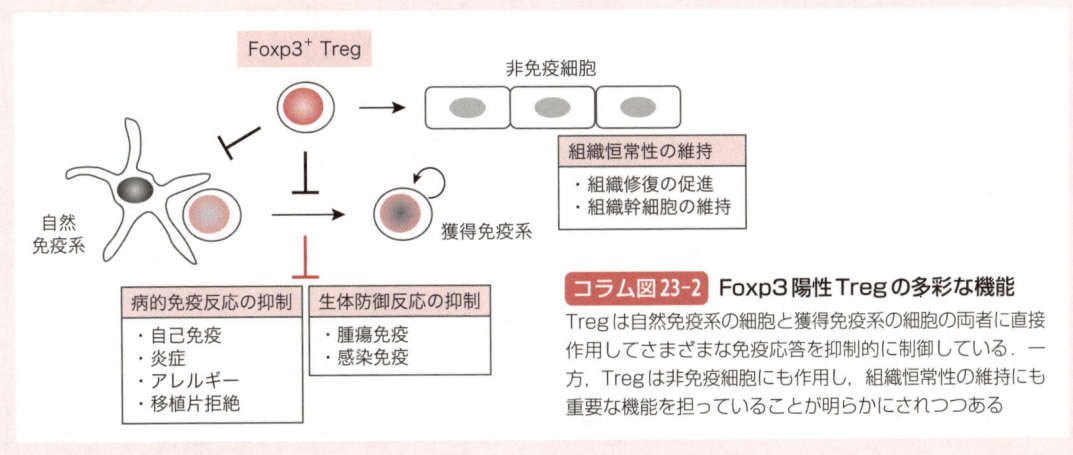

コラム図23-2 Foxp3陽性Tregの多彩な機能

Tregは自然免疫系の細胞と獲得免疫系の細胞の両者に直接作用してさまざまな免疫応答を抑制的に制御している．一方，Tregは非免疫細胞にも作用し，組織恒常性の維持にも重要な機能を担っていることが明らかにされつつある

4 免疫応答のしくみ

免疫系が感染源の攻撃を感知して応答するしくみ

実際に免疫応答がどのように開始されるのかをみてみよう．転んですりむいたときは皮膚から，咳をした人の近くを通ったときは気道の粘膜から，食べたものが腐敗していたときは消化管から，微生物が侵入してくる．それらが上皮を破壊する能力をもっているか，他の理由で上皮の表面が壊れていると，上皮細胞の間や直下の結合組織に常在しているマクロファージと樹状細胞はこれらの侵入を感知して危険信号を発する（図23-4）．

危険信号とは，具体的にはサイトカインとケモカインと呼ばれる微量で生理活性をもつタンパク質を分泌することである．マクロファージが，危険信号であるサイトカインやケモカインを分泌すると，白血球が危険信号が発せられている部分に集まってくる．白血球は微生物を直接殺傷して処理する細胞であり，感染の初期段階の防御でも重要な役割を果たす．また，同時に分泌されている別な種類のサイトカインは，防御上有利になるよ

うに，前述したように体温調節系を刺激して体温を上昇させ，感染が起こっている局所の腫れを引き起こす．こうした一連の反応は**自然免疫**（innate immunity）と呼ばれ，対象となる侵入者が何であってもある程度共通に起こる反応である．個別の病原体に特化した効率のよい防御反応ではないかわりに，病原体の進入からごく短い時間のうちに速やかに反応が起こり初期の生体防御で重要な役割を果たしている．

自然免疫は，獲得免疫の活性化においても重要である．自然免疫の担い手である樹状細胞は細胞内に取り込んで分解した微生物を構成するタンパク質（抗原）を細胞表面に運んで周囲のリンパ球に提示する．このうち，このタンパク質を異物として認識できる受容体をもつリンパ球では増殖と活性化が起こる．ここまでは微生物の侵入を受けて1日以内に起こるが，実際に特定の抗原に対応できるリンパ球が，増殖して十分な数に達するには少なくとも2～3日を要する．活性化したリンパ球の一部は微生物由来の抗原に結合する抗体を産生するようになるが，これには数日を要する．これらの一連の免疫応答の結果，免疫担当細胞の中でも，侵入した病原体を認識できるものが増殖し，また，病原体に特異的

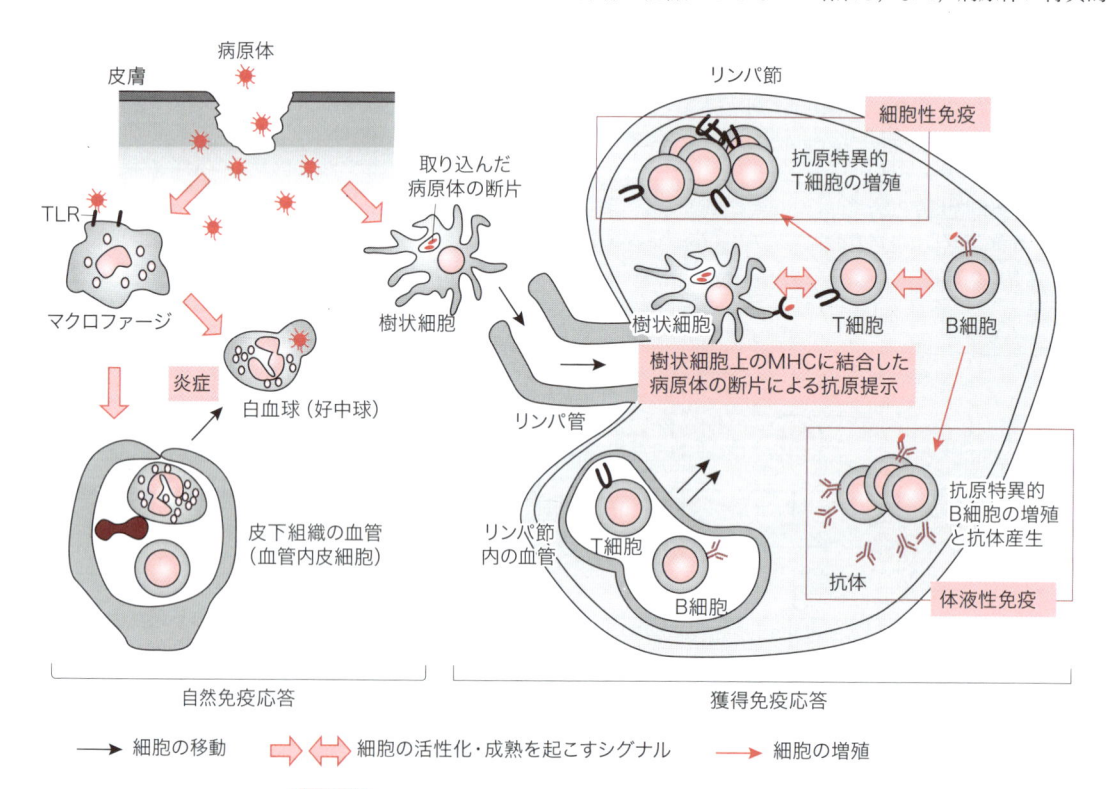

図23-4 皮膚に侵襲した病原体に対する免疫応答の過程

な分泌タンパク質である抗体がつくられるようになる．こうして感染源は効率的に排除されるのである．

体液性免疫と細胞性免疫

免疫応答の結果として，病原微生物を排除するために働く最終的なメカニズムには大別して2つのカテゴリーが知られており，**体液性免疫**（humoral immunity，リンパ球のうちB細胞と呼ばれるものがつくる抗体が重要な役割をもつ）と**細胞性免疫**（cellular immunity，

リンパ球のうちT細胞と呼ばれる一群が重要な役割をもつが，B細胞はかかわらない）がそれである（図23-4）．抗体はB細胞表面の抗原を認識する受容体と同じ遺伝子からつくられ，血液中に分泌される可溶性のタンパク質である．体液性免疫と細胞性免疫は共同して働くことが多いが，寄生虫などの細胞外寄生体に対しては前者が，ウイルスや結核菌などの細胞内寄生体に対しては後者がより重要である．抗体は細菌の表面に結合して他の免疫系の攻撃を容易にしたり，ウイルスに結合して

花粉症とアレルギー

アレルギーは過敏症ともいわれ，免疫応答が個体にとって不都合な結果をもたらすことを指す．花粉症もアレルギー反応の1つで，医学的には，（季節性）アレルギー性鼻炎（鼻水，鼻づまり）とアレルギー性結膜炎（目のかゆみ）をまとめた概念である．原因抗原は花粉で，春のスギ花粉が代表的である．近年になって増えてきた理由は，戦後植林されたスギが花粉を多く放出するような樹齢に達したことで花粉の飛散量が増えたためではないかと考えられている．一方で，大気汚染の影響を示唆する実験データも示されている．

花粉症の症状出現のメカニズムを**コラム図23-3**に示す．花粉が飛散する季節になると大気中の花粉が鼻粘膜や眼結膜に接触する．これにより免疫系が反応して花粉を抗原とする抗体をつくるようになる．花粉症患者では，感染症などに対しての生体防御で作用する抗体とは異なる種類の抗体が多くつくられる．この抗体は粘膜や組織中の肥満細胞と呼ばれる，種々の化学物質を顆粒中に蓄えている細胞の表面に結合する．この化学物質のうちヒスタミンはアレルギー症状を起こす代表的な物質で鼻症状のほか，皮膚のかゆみなどにも関与している．ここまでで花粉症の症状発現の準備は完了である．再び花粉が粘膜などに接触すると，今度は，肥満細胞上の抗体に結合して肥満細胞の顆粒中の化学物質を一気に放出させ

る．この化学物質が鼻の神経を刺激すれば反射的にくしゃみが出たり，鼻水が流れたり，また血管を刺激すると粘膜が腫脹して鼻の通りが悪く（鼻づまり）なってしまう．

花粉症に限らず，アレルギーの治療の原則は原因抗原の回避である．しかし，現状では環境から花粉をなくしてしまうことは難しい．花粉の多い関東から沖縄や北海道など花粉の飛散が少

ない地域に移住するのも容易ではない．マスクやゴーグルを使うというのは1つの方法だろう．薬物療法も選択肢である．これは肥満細胞から化学物質が放出されるのを抑制したり，放出された化学物質が他の標的にたどり着くのを阻害する薬剤が中心である．ほかにも，神経や血管，免疫系全体に作用する薬剤もあるが一長一短である．

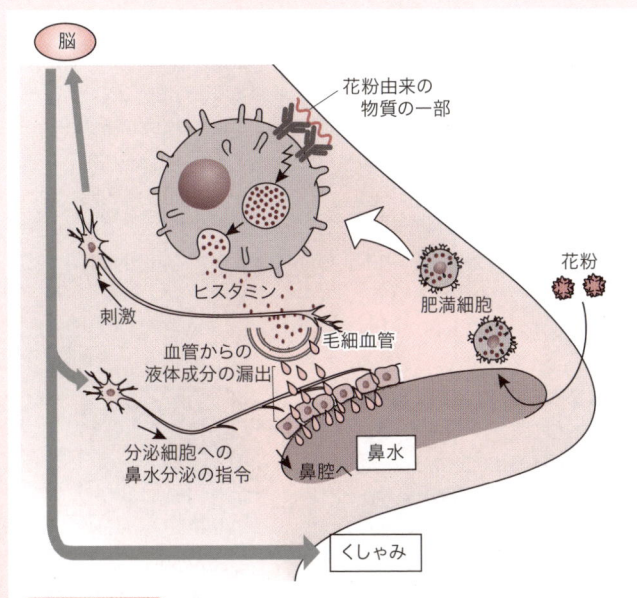

コラム図23-3 花粉症のメカニズム

鼻から花粉を吸入すると，鼻粘膜の組織中にある肥満細胞は，花粉を構成する物質に刺激を受けて，分泌顆粒中の化学物質を放出する．この化学物質の代表的なものはヒスタミンと呼ばれるもので，アレルギーの諸症状の原因となっている．肥満細胞の表面には抗体分子が結合していて，花粉に反応する抗体がつくられすぎると花粉症を発症しやすい

ウイルスを不活性化したりする．細胞性免疫ではウイルスが感染した細胞を攻撃して細胞死を起こさせるなど，専門の役割を担う細胞が存在する．

免疫応答に参加したリンパ球の一部は，免疫反応が終息したあとも生き続ける．これらの細胞は同じ抗原に再び出会うと，ただちに活性化して，初回よりも速やかに強力に免疫応答を示すことができる．これが，獲得免疫の**免疫記憶**（immunological memory）のしくみであり，一度かかった感染症には二度とかからない，あるいはかかっても軽くすむ理由である．予防接種は病原微生物由来の物質や類似の弱毒病原体で，感染症を発症しないまま初回の免疫応答を引き起こしておき，初感染のときに，強力な免疫応答を引き起こさせ，感染症の発

症や重症化を予防しようとするものである．ジェンナー（Edward Jenner）が開発した天然痘の予防接種法が，最初の実用的なワクチンの例である．致死率の高い天然痘よりもはるかに軽症の牛痘に人為的に感染させることで，天然痘への感染を予防するというものであった．

アレルギーとは本来必要でない免疫応答を意味し，体液性免疫によるもの（花粉症など）と細胞性免疫によるもの（接触性皮膚炎など）がある．前者では抗体（IgE）がアレルギー反応を引き起こす化学物質（ヒスタミンなど）を大量に含む細胞に結合することがきっかけとなってその化学物質が細胞外に放出され，アレルギー症状が出現する（p.271コラム参照）．

免疫チェックポイント阻害薬によるがん治療

Column

　Tregに加えて免疫応答のもう1つのブレーキとして重要な働きをしているのが，CTLA-4やPD-1といった抑制性免疫補助受容体である．これら受容体は抗原刺激によりT細胞が活性化された後に発現が誘導され，T細胞受容体のシグナルを抑制することでT細胞の活性化を抑制している[1]．どちらの遺伝子欠損マウスも自己免疫疾患を発症することから，CTLA-4とPD-1は自己免疫応答の制御に重要である．また，自己免疫に加えて，感染免疫，腫瘍免疫，移植免疫などさまざまな免疫応答を抑制することが明らかにされている．CTLA-4のリガンド（CD80およびCD86）の発現が樹状細胞などの抗原提示細胞に限られているのに対し，PD-1の2つのリガンド（PD-L1およびPD-L2）のうち特にPD-L1は免疫細胞のみならず末梢組織の細胞にも認められることから，これら2つの抑制受容体は空間的に使い分けられていると考えられている．これら抑制性受容体は，免疫応答が活性化されるか否かを決める「チェックポイント（検問所）」として働く意味で，「免疫チェックポイント分子」とも呼ばれる．
　CTLA-4とPD-1が腫瘍免疫の抑制

にも関係していることが動物実験から明らかにされ，ヒトにおいても特にPD-L1がさまざまながん組織において発現し，その発現ががん患者の生命予後と逆相関することが複数のがんにおいて見出されたことから，免疫チェックポイント分子が実際のがん患者においても腫瘍免疫を減弱していると考えられた．これらの知見に基づいて，免疫チェックポイント分子に対するモノクローナル抗体を用いてT細胞の抑制シグナルを阻害することでがん細胞を排除できるのではないかと期待された

（**コラム図23-4**）．そして，抗CTLA-4抗体，抗PD-1抗体，抗PD-L1抗体といった「免疫チェックポイント阻害薬」が開発されて臨床研究が行われ，皮膚がんの一種である悪性黒色腫において高い治療効果が認められて認可を受けた．その後，肺がんなど他のがんにおいても奏功することが示されて適応が拡大されている．

参考文献
1）岡崎拓，他：生化学，87：693-704，2015

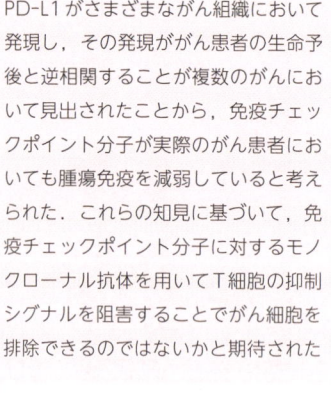
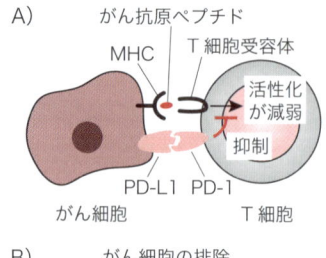
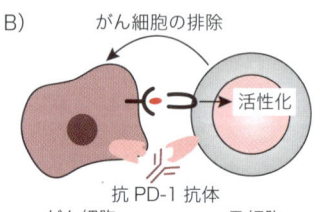

A) がん抗原ペプチド / MHC / T細胞受容体 / 活性化が減弱 / 抑制 / PD-L1 / PD-1 / がん細胞 / T細胞

B) がん細胞の排除 / 活性化 / 抗PD-1抗体 / がん細胞 / T細胞

コラム図23-4 抗PD-1抗体によるがん治療

A）がん細胞はMHC分子によりがん抗原由来のペプチドをT細胞に提示するが，同時にPD-L1分子を発現してPD-1を介してT細胞受容体からの活性化シグナルを抑制する．このためにがん抗原特異的T細胞は活性化されず，がん細胞を排除できない．B）抗PD-1抗体を投与すると，抗体がPD-1に結合してPD-L1との相互作用を阻害し，PD-1からの抑制性シグナルを解除する．これによりがん抗原特異的T細胞が活性化され，がん細胞を排除する

免疫応答の制御と自己免疫

免疫系には活性化させるメカニズムとともに，免疫応答を起こさせないメカニズムや免疫応答を終息させるメカニズムが備わっている．応答の終息は単純には，抗原が除去されてなくなったことによってリンパ球が活性化されなくなり，アポトーシスを起こす，ということで説明できる．しかし，前述のように一部のリンパ球は特定の抗原に対して応答性をもつ**記憶細胞**（memory cell）として生存し続けることが知られている．免疫記憶はほとんど一生保たれることから，記憶細胞の寿命も非常に長いと考えられている．

免疫応答を制御し，終息させるシステムの不具合が，自己免疫疾患やアレルギーの原因になっていると考えられている．免疫系において，このような制御ポイントは免疫応答のあらゆるステップに無数といってよいほど存在し，それらのいずれもが疾患の原因または治療の対象となりうる．例えば，免疫応答の最初に抗原を認識した細胞が危険信号として発信する分子がサイトカインであることを述べたが，最も初期にマクロファージから放出されるTNFαはこのような意味で最も強力なサイトカインの1つである．このTNFαに結合して中和する抗体は自己免疫疾患である関節リウマチの治療薬として威力を発揮している（p.266コラム参照）．

一方，**本章3**でも述べたように，リンパ球の表面の抗原を認識する受容体や抗体は，自己の抗原を認識するものも出現しうる．こうした自己抗原を認識するリンパ球を除去または不活性化するしくみは，リンパ球が遺伝子の組換えを伴い分化していく器官である骨髄と胸腺に備わっている（骨髄と胸腺は一次免疫器官とも呼ばれる）．おおざっぱにいうと，自己抗原を認識する細胞を1つ1つ選び出してアポトーシスを起こさせることで，自己抗原を認識する細胞が全身に流れ出ないようにしているのであるが，そうすると，これらの臓器においては自己の産生するあらゆるタンパク質を準備しておかなくてはならないということになる．少なくとも胸腺では，リンパ球に抗原を提示している胸腺上皮細胞には，体内の特定の組織にしか本来は発現しないはずのタンパク質，例えば，膵臓でしかつくられないはずのインスリンや，皮膚にしかないはずのケラチンを発現させる特別の機構が備わっているらしい．このような転写制御を行うタンパク質の遺伝子に異常があると，多臓器に対する自己免疫反応がみられるようになることが知られている．

このような比較的まれな遺伝的な背景のある自己免疫疾患と異なり，多くの自己免疫疾患では，遺伝的な背景は疾患への罹りやすさに影響はするものの，直接の発症の引き金は多様である．末梢の運動神経に対する自己免疫応答によって四肢の麻痺などが起こるギランバレー症候群はこうした点で興味深い．ギランバレー症候群の患者の一部は，発症前に激しい下痢などが特徴であるカンピロバクターという細菌の感染を起こしていることが知られている．この細菌の表面は運動神経細胞の表面にある物質ときわめてよく似た化学構造をもつ物質に富んでおり，カンピロバクターに対する防御応答のために産生された抗体が，運動神経細胞を傷害すると考えられている．これにより筋肉の麻痺が生じるのである．免疫系に課されている，自己と非自己の微妙な違いを見分けて感染性の寄生体を排除する，という使命が容易ではないことを示す一例である．

本章のまとめ　　　　　　*Chapter 23*

- [ ] 感染症とヒトの戦いには長い歴史があり，ペニシリンを契機として直接対抗できるようになった．
- [ ] 細菌の病原因子には，定着因子，侵入因子，外毒素，内毒素があげられる．ウイルスは感染した宿主細胞のタンパク質を利用して増殖する．増殖したウイルスが細胞を破壊することや宿主の免疫作用によって病原性が現れる．
- [ ] 脊椎動物の免疫系は自己と非自己を見分け，非自己である感染性寄生体，移植された組織，アレルゲンなどに応答してそれらを排除しようとする．この機構は進化的に離れた生物由来の形を見分けるしくみと自己のなかに存在しないあらゆる形を認識するしくみによって営まれている．
- [ ] マクロファージ，樹状細胞，リンパ球など骨髄にその起源をもつ免疫細胞は体内に広く分布し，サイトカインやケモカインを使って免疫系を精緻に運営している．

24章 がん

　高齢化が進む現代では日本人男性の2人に1人，女性の3人に1人ががんを患い，日本人の3人に1人ががんで死亡するといわれており，がんの画期的な診断・治療法の開発が社会的にも強く期待されている．がんはがん遺伝子やがん抑制遺伝子をはじめ，さまざまな遺伝子に異常が蓄積することによって進行する．近年のがん研究はこうしたがんにおけるさまざまな異常を遺伝子，分子，細胞，個体レベルで明らかにするとともに，がんにおける分子の異常を標的とした新たな治療法の開発を可能にしてきた．同時にがん研究を通して多くの生命現象を明らかにすることで，生命科学全体の発展にも貢献してきた．本章ではがんを引き起こすさまざまな要因からがん遺伝子やがん抑制遺伝子の働き，がんの浸潤・転移の分子機構を述べ，がんの新たな治療法について解説する．

1　がんの発症と進展

がんのさまざまな原因

　がんの原因は多様である．タバコに含まれる発がん物質などの**化学的要因**（chemical factor），紫外線や放射線照射などの**物理的要因**（physical factor），ある種のウイルス[※1]やピロリ菌（**26章3**参照）などの**感染**（infection）ががんの原因となることはよく知られているが，実際には多くのがんの原因は不明である．世界のタバコの消費量は第二次世界大戦中から1990年頃まで急速に増加したが，タバコの消費量の増加から30年以上遅れてタバコ関連の肺がんによる死亡が世界的に増加したことが統計的に示されている．C型肝炎ウイルスの感染は慢性肝炎，肝硬変を経て肝臓がんを来すことがあるが，肝臓がんの発症はウイルス感染から30年以上経過して起こる．このようにがんの原因となる出来事からがんが発症するまでには長い年月を要し，このことががんの原因が多くの場合明らかとならない理由の1つであろう．

　しかし上記の化学的要因，物理的要因，感染などのがんの原因となる出来事はいずれも遺伝子に損傷を来すという点で共通しており，「がんは遺伝子の病気である」といわれるゆえんでもある．生物は常に遺伝子を損傷する要因にさらされている．遺伝子の損傷の多くは修復機構によって修復されるが，修復系が不完全な細胞では発がんの危険性が高まる．がんはまれに遺伝性疾患（家族性）としてみられることがあるが，その中には色素性乾皮症のように遺伝子損傷の修復系に異常がみられるものがあることも「がんは遺伝子の病気である」ことを物語っている．また，がんは日常的に発生しているが，遺伝子損傷の修復機構を免れても異常細胞の大部分は免疫系の働きによって排除される．免疫機能が低下するとがんの発生が高まることが，がんに対する免疫系の重要性を示している．

　こうしたさまざまな防御機構を免れて，細胞にがん遺伝子やがん抑制遺伝子に異常が蓄積すると，悪性度の高いがんが形成される．修復機構を免れて複数の遺伝子に異常が蓄積するにはしばしば長い年月を要することから，がんの頻度は高齢になるほど増加していくわけである．

細胞の極性の喪失

　上皮細胞（epithelial cell）は消化管や気道，乳腺などの管腔の表面を一層に覆う細胞である．大腸は多くの窪み（**陰窩**：crypt）をもっており，上皮細胞は陰窩を

※1　B型肝炎ウイルス，C型肝炎ウイルス，ヒトパピローマウイルス，EBウイルス，ヒトT細胞白血病ウイルスなど．

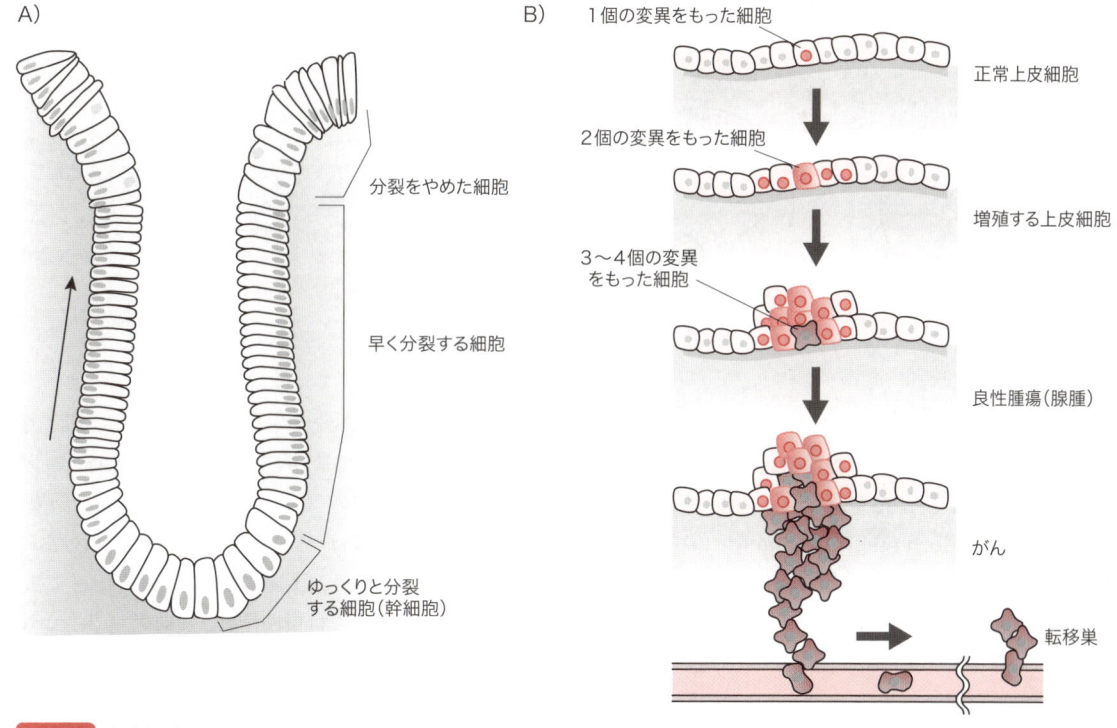

図24-1　上皮細胞の一生とがんにおける上皮細胞の多段階の悪性化と転移
A）大腸の陰窩における上皮細胞の運命を示す．B）遺伝子の変異による上皮細胞の極性の喪失と浸潤を示す

含めて大腸表面を覆っている．陰窩の下部に存在する幹細胞が分裂すると，できた細胞は分裂を繰り返しながら，陰窩の上方に向かって移動する（**図24-1A**）．やがて上皮細胞は分裂を停止し，分化した後，細胞死に陥って消化管表面から脱落していく．このように上皮細胞は分裂を繰り返しながら古い細胞と入れ代わっている．

　上皮細胞には，管腔に接する**頂端側**（apical side）と基底膜に接する**基底側**（basal side）があり，**極性**（polarity）を有するのが特徴である．上皮細胞に遺伝子の異常が起こると極性が失われ，上皮細胞が形成する層構造に乱れが生じ，しばしば**腺腫**（adenoma）をつくる（**図24-1B**）．しかし，1個もしくは数個の遺伝子に異常が起きて腺腫ができても，それだけでは多くの場合は悪性度の高いがんにはならない．腺腫の形成後，さらに複数の遺伝子に異常が起こると，上皮細胞は基底膜を破壊し，やがて深部へと浸潤を開始する．浸潤した上皮細胞はリンパ管や血管内へ侵入し，転移を開始していくのである．

■ がんのクローン性増殖

　がんは1個の細胞に遺伝子の変異が起こることから発生する．がんをX線写真で発見するには直径1cm程度の大きさになることが必要であるが，この中には約10^8個のがん細胞が存在する．がんを触知するためには直径数cmになることが必要である．がん細胞がさらに増殖して患者を死に至らしめるときには，約10^{12}個の細胞があると考えられる．1個のがん細胞ができて10^8個に増えるまでには，がん細胞は30回近く細胞分裂を起こす必要があるが，10^8個から10^{12}個になるまでには十数回の分裂で十分である．このことは，がんが発見されるよりはるか以前に，ヒトの身体の中にがん細胞が発生していることを示している．

2　がん遺伝子

■ 増殖シグナルとがん遺伝子

　増殖因子はそれぞれに特異的な受容体に結合して細

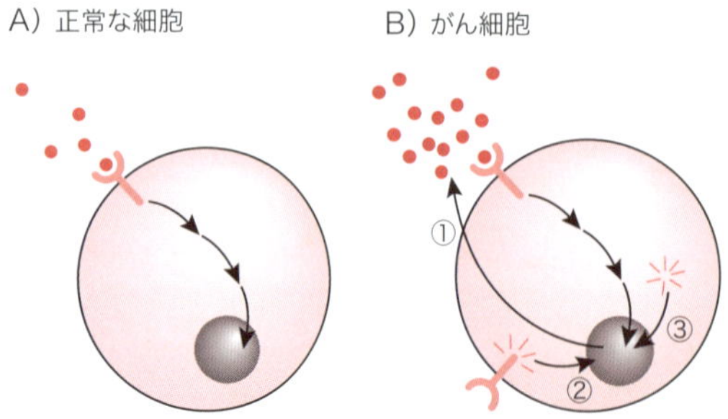

A）正常な細胞　　B）がん細胞

図24-2　正常細胞の増殖シグナルとがんにおけるがん遺伝子の働き

A）正常の細胞では増殖因子が受容体に結合すると細胞内にシグナルを伝えて増殖を促進する．B）がん細胞では，①がん細胞が増殖因子を過剰に産生したり，②遺伝子の変異などにより受容体からのシグナルが過剰に伝えられたり，③細胞内シグナル分子からの信号が受容体からのシグナルを受けずに恒常的に伝達されると，細胞の自律性の増殖が起こる

胞内にシグナルを伝達し，細胞の増殖促進をはじめさまざまな作用を発揮する．**上皮増殖因子**（epidermal growth factor：EGF，15章**2**参照）や**血小板由来増殖因子**（platelet–derived growth factor：PDGF，表14-2参照）などの増殖因子はチロシンキナーゼ型受容体に結合すると受容体の二量体化を促進し，受容体のもつチロシンキナーゼを活性化する．その結果，RAS–MAPキナーゼ経路などの下流のシグナル経路を活性化し，細胞の増殖や生存を促進する（**図24-2A**）．

　がん遺伝子（oncogene）の多くはがんウイルスがもつ発がんに密接にかかわる遺伝子として，あるいは正常の培養細胞に導入した際に細胞の形質転換を引き起こして腫瘍を形成させる遺伝子として発見された．がん遺伝子は自律性の細胞の増殖を促進し，その多くが増殖因子そのものや，増殖因子受容体，あるいは細胞内シグナル伝達経路に関連する遺伝子である．骨肉腫や脳腫瘍などではがん細胞がPDGFを高いレベルで産生することで自らの増殖を刺激する．一部の肺がんではEGF受容体に異常が起こり，受容体からのシグナルが異常に強く伝達されることで細胞の自律性増殖がみられる．細胞内シグナル伝達分子RASは膵臓がんや肺がんなど多くのがんで点変異が起こって下流のシグナルを恒常的に活性化し，自律性の増殖を促進するのである（**図24-2B**）．

　がん遺伝子の活性化は**点変異**（mutation），**欠失**（deletion），**転座**（translocation），**増幅**（amplification）などによって起こる．点変異による活性化はヒト*RAS*遺伝子で代表的にみられる．*RAS*はヒトのがんで最も高頻度に異常がみられるがん遺伝子で，すべてのがんの約30％に変異がみられる．RASは低分子量Gタンパク質の一種であり，増殖因子の刺激によって活性化

されるとRAF–MAPキナーゼ経路を活性化し，細胞増殖を促進する．がんではDNAの変異によりRASタンパク質のアミノ酸残基の一部に変異が起こり，その結果，増殖因子の刺激を受けないでもRASタンパク質は常に活性化した状態となり，下流へとシグナルを伝達する．転座の代表的例としては**慢性骨髄性白血病**（chronic myeloid leukemia：CML）でみられる*ABL*遺伝子の9番染色体から22番への転座があげられる（次項を参照）．増幅の例としては*N–MYC*があげられる．小児でみられるがんである神経芽細胞腫ではしばしば*N–MYC*遺伝子の増幅により高いレベルでN–MYCタンパク質がみられ，増殖のシグナルを過剰に伝えることによって細胞の自律性増殖を引き起こす．

慢性骨髄性白血病とBCR-ABL

　慢性骨髄性白血病は30～40歳代を中心にみられる白血病である．急性白血病では幼弱な白血病細胞が骨髄内を充満し，末梢血の白血球も幼弱な白血病細胞に置き換わっているのに対し，慢性骨髄性白血病では白血球数が著明に増加しているものの，末梢血では幼弱な白血球から一見正常に見える分化した白血球までが混在しているのが特徴である．慢性骨髄性白血病では慢性期の間は顕著な臨床症状はみられないが，3～10年で急性白血病に転化する．慢性骨髄性白血病から転化した急性白血病は治療が困難で，患者は多くの場合死に至る．このことから慢性骨髄性白血病では慢性期の間に適切な治療を行い，急性転化をいかにして回避するかが重要となる．

　ABLタンパク質は血球細胞の増殖・分化に重要な働きを有するシグナル分子である．チロシンキナーゼ領域をもつが，チロシンキナーゼ型受容体と異なり膜を貫通

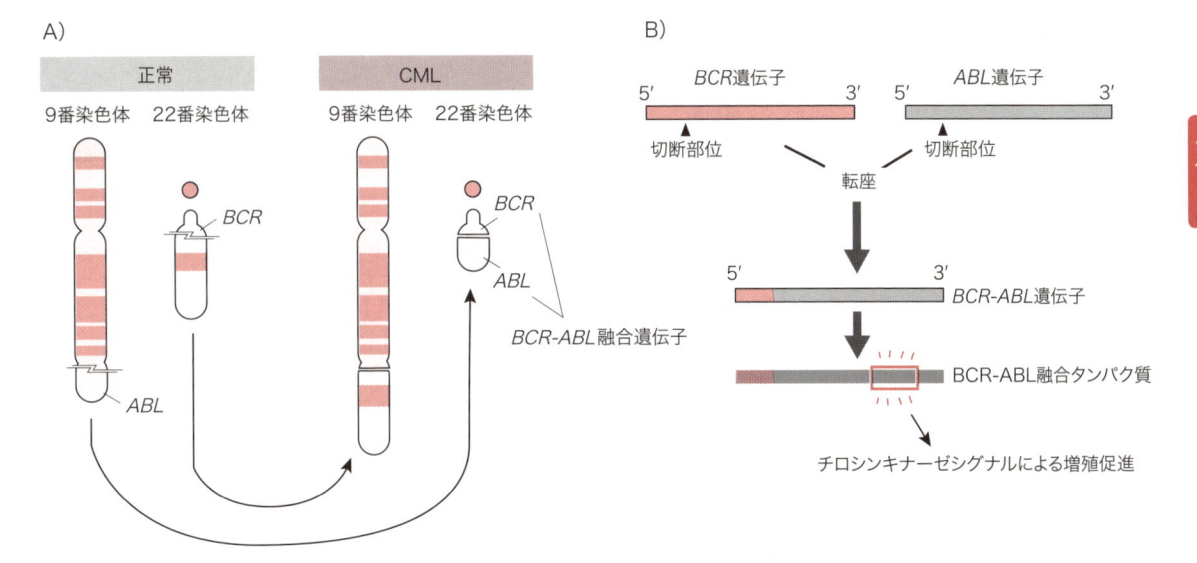

A)

正常		CML	
9番染色体	22番染色体	9番染色体	22番染色体

BCR
ABL
BCR-ABL融合遺伝子
BCR
ABL

B)

BCR遺伝子
ABL遺伝子
5′ 3′　5′ 3′
切断部位　　切断部位
転座

5′ 3′
BCR-ABL遺伝子

BCR-ABL融合タンパク質

チロシンキナーゼシグナルによる増殖促進

図24-3 慢性骨髄性白血病（CML）における染色体異常とBCR-ABL融合遺伝子の生成機構
A）CMLでみられる9番と22番染色体の転座を示す．B）BCR遺伝子とABL遺伝子が転座によって融合し，BCR-ABL融合タンパク質がつくられるとアミノ末端部分がBCR遺伝子がコードするアミノ酸配列に置き換わり，ABLタンパク質のチロシンキナーゼ活性の制御が正常に行われなくなる

しておらず，細胞質内に存在する．慢性骨髄性白血病細胞ではフィラデルフィア染色体と呼ばれる染色体の異常がみられることが1960年には知られていた．フィラデルフィア染色体は9番染色体と22番染色体の間で転座が起こることが原因でみられることがその後の研究で明らかとなった（**図24-3A**）．9番染色体と22番染色体の間で転座が起こると，融合したBCR-ABL遺伝子が形成される（**図24-3B**）．BCR-ABL融合遺伝子でつくられるタンパク質ではアミノ末端領域がBCR遺伝子がコードするアミノ酸配列で置き換わっており，この結果ABLチロシンキナーゼの活性の制御が起こらなくなる．この結果，BCR-ABLタンパク質は過剰なシグナルを伝達し，白血球の自律性増殖が起こるのである．

近年のがんの分子標的治療[※2]に関する研究の進歩により，さまざまなシグナル分子を制御する薬剤が開発されている（p.292コラム参照）．**イマチニブ**（imatinib）はABLチロシンキナーゼのATPが結合する部位に入り込み，ABLチロシンキナーゼの機能を効率よくかつ特異的に抑制する．この結果，BCR-ABLの機能が抑制され，慢性骨髄性白血病細胞の増殖が抑えられることか

ら，現在では本疾患の特効薬として臨床的に広く用いられている．

3 がん抑制遺伝子

がん遺伝子とがん抑制遺伝子

がん抑制遺伝子（tumor suppressor gene, anti-oncogene）は，がん遺伝子とは逆にがんの形成を抑制する遺伝子である．がん遺伝子では遺伝子に変異や転座が起こってがん遺伝子のつくるタンパク質の機能が異常に活性化する**機能獲得型**（gain-of-function）の異常が起こることでがん化を促す．このため，がん遺伝子はヒト染色体上に存在する1対のがん遺伝子のうち片方が活性化されることでその機能を発揮する．一方，がん抑制遺伝子ではつくられるタンパク質の機能が欠失する**機能喪失型**（loss-of-function）の異常が起こることでがんの進展に寄与する（図7-3参照）．このためがん抑制遺伝子ではヒト染色体上に存在する1対のがん抑制遺

※2　がん細胞で異常を起こした特定の分子を狙い撃ちして，その機能を制御することによってがんを治療する方法．

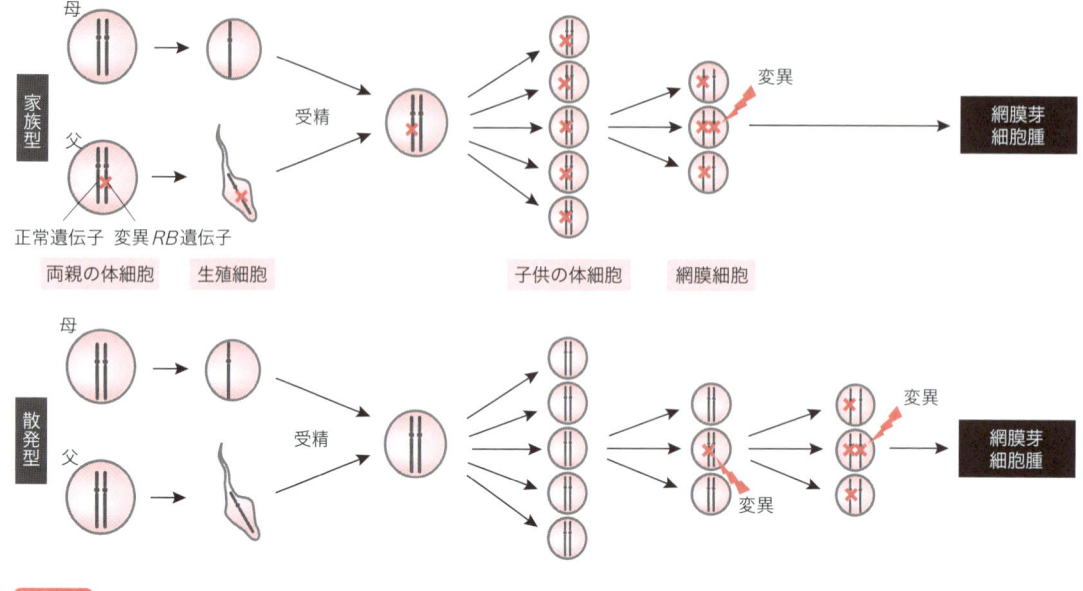

図24-4　網膜芽細胞腫の発症機構
家族型（上）と散発型（下）の網膜芽細胞腫の発症機構を示す

伝子の片方に異常が起きても，もう片方が正常に発現していれば細胞はがん化しない．1対のがん抑制遺伝子の両方に異常が起きる[※3]ことでがん抑制遺伝子は機能を失い，細胞はがん化していくことになる．

RB 遺伝子と網膜芽細胞腫

がん抑制遺伝子の中で最初に研究が進んだのは小児にみられる腫瘍である**網膜芽細胞腫**（retinoblastoma）の原因遺伝子である**RB**である．網膜芽細胞腫は家族型に起こる場合と散発的に起こる場合とがある．家族型の網膜芽細胞腫は散発型に比べて若年の小児（4歳くらいまで）に起こる傾向がある．また家族型の網膜芽細胞腫は両眼に起こったり，片方の眼でも多発性に起こったりするなどの特徴がある．

家族型の網膜芽細胞腫では両親のどちらかから変異を起こしたRB遺伝子を1個受け継ぐ（**図24-4**）．このため患児の細胞はすべて，正常のRB遺伝子と異常なRB遺伝子を1コピーずつもつことになる．生後，網膜細胞のもつ正常のRB遺伝子に新たに変異などにより遺伝子の不活性化が起こると網膜芽細胞腫を発症することになる．一方，散発型の場合は両親からは正常のRB遺伝子

を受け継ぐことから，患児の細胞は正常のRB遺伝子を2コピーもつ．このため，生後，網膜細胞のもつ片方のRB遺伝子に異常が起こってももう片方の機能が保たれていると網膜芽細胞腫の発症には至らない．その後，もう一方のRB遺伝子が不活性化されて2つのRB遺伝子の機能が失われると網膜芽細胞腫が発症する．このように網膜芽細胞腫が発症するためには2つのRB遺伝子の機能が失われることが必要である．この現象は1974年に提唱され，**ツーヒット説**（two-hit theory）と呼ばれている．

がん遺伝子のつくるタンパク質の多くは，増殖因子やその受容体，シグナル伝達分子に密接にかかわる分子である．一方で，がん抑制遺伝子の作用のメカニズムは多様である．RB遺伝子がつくるRBタンパク質はいくつかの重要な働きをもつが，代表的な作用として転写因子E2Fの抑制作用がある．E2FはサイクリンEの転写制御など細胞の増殖に重要な働きを有しており，RBタンパク質はE2Fの働きを制御することによって細胞の増殖を抑える（図17-7参照）．細胞周期の進行によってRBタンパク質がリン酸化されるとE2Fに対する抑制作用を失い，細胞の増殖が進行する．RB遺伝子に異常が起

※3　またはエピジェネティックな異常により遺伝子のプロモーター領域のメチル化が起き，遺伝子の発現が起こらなくなる．

こって正常のRBタンパク質がつくられないとE2Fの機能が制御されないために細胞の自律性の増殖が起こり，網膜芽細胞腫の発症の原因となると考えられている．

がん抑制遺伝子 p53

p53はヒトのがんの約半分で異常がみられるといわれており，肺がん，大腸がん，膵臓がんなど多くのがんに関連している．p53の機能は多彩であるが，ここでは最も研究が進んでいるp53の転写因子としての作用について述べる．

p53は文字通り53 kDaのタンパク質である．p53タンパク質の半減期は約20分ときわめて短く，細胞内で産生されたあとユビキチン化を受けてすぐに分解されるということを繰り返している（図24-5）．放射線の作用などによって**DNA損傷**（DNA damage：5章**4**参照）が起こるとp53タンパク質はリン酸化を受けて分解されにくくなり，細胞内にp53タンパク質が蓄積し，その作用を発揮するようになる．p53は細胞周期の進行を抑制するタンパク質p21（CKIの一種，**17章4**参照）の産生を誘導し，細胞周期の停止を引き起こす．またGADD45などのDNA修復にかかわるタンパク質の産生を誘導し，損傷を受けたDNAの修復を行う．細胞周期の停止とDNA修復はDNA損傷を受けた細胞の回復をもたらす．一方，極度のDNA損傷を受けた場合には，

がんの代謝学的特徴

Column

がん細胞が特徴的な代謝プロファイルをもっていることは古くから知られていた．最も有名なのはワールブルグ（Otto Warburg）が発見したワールブルグ効果である．がん細胞は，好気的条件下にあってもグルコースを乳酸へと代謝し，エネルギー産生を解糖により大きく依存しているというものである．近年のメタボローム解析はそれを裏付けるだけではなく，がん細胞の代謝学的特異性はさらに広範であることを明らかにした．まず，グルコースを完全酸化させないのは，それを核酸や脂質を合成するための材料として用いるためである．また，がん細胞は細胞内酸化還元バランスを維持するために

正常細胞とは異なるさまざまなしくみを使っていることもわかってきた．Mycやp53といった多くのがん関連転写因子が代謝経路を制御していることからもがんと代謝の関係が注目されている．

そして，近年最も重要な概念の1つとなったのがオンコメタボライトである．これはがん化を引き起こしうる代謝産物のことを指す．なかでも有名なのは，変異型イソクエン酸デヒドロゲナーゼ（IDH）によって産生されるD-2-ヒドロキシグルタル酸（D-2HG）である．脳腫瘍や白血病の一部では高率にIDH遺伝子に変異が起こっている．機能喪失型の変異であればどのような箇所に変異が入ってもよいが，IDHの

場合は「特定の」アミノ酸残基の置換を伴う．IDHは本来はイソクエン酸をα-ケトグルタル酸に変換する酵素である．しかし，がんに特徴的な変異をもつと酵素の基質特異性が変化し，α-ケトグルタル酸からD-2HGが産生されてしまう．D-2HGがエピゲノム変化を介して発がんを誘導すると考えられている．

参考文献
- Benjamin DI, et al：Cell Metab, 16：565-577, 2012
- Losman JA & Kaelin WG Jr：Genes Dev, 27：836-852, 2013

コラム図24-1 オンコメタボライトD-2-ヒドロキシグルタル酸による腫瘍化
正常イソクエン酸デヒドロゲナーゼ（IDH）はイソクエン酸からα-ケトグルタル酸を産生するが，がん細胞に特徴的な変異型IDHはα-ケトグルタル酸からD-2-ヒドロキシグルタル酸（D-2HG）を産生する．D-2HGはα-ケトグルタル酸依存的酵素を阻害することでエピゲノム変化などを引き起こし，腫瘍化へと導く

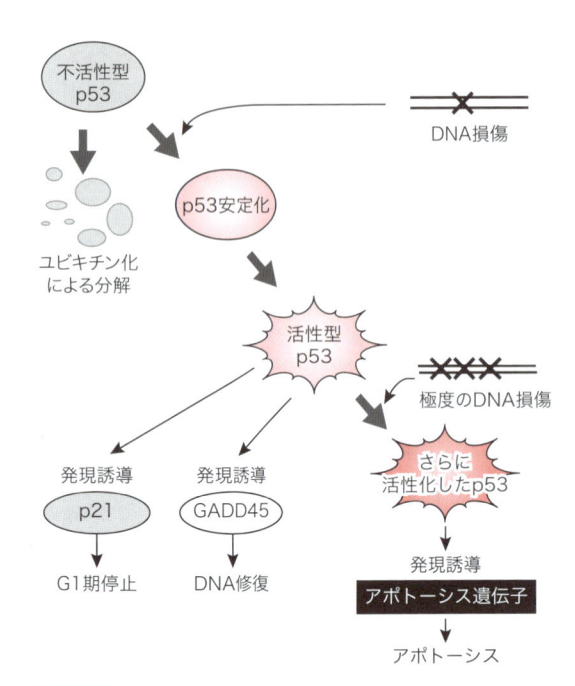

図 24-5 DNA損傷を受けた細胞におけるp53の働き

DNA損傷を受けるとp53は活性化し，細胞周期の停止やDNA修復を誘導する．過度のDNA損傷を受けるとp53はさらに活性化され，アポトーシスを誘導し，細胞を死に至らしめる

p53の作用により*BAX*などの**アポトーシス**（apoptosis）を引き起こす遺伝子が誘導され，細胞は死に至る（p.184 コラム参照）．異常な細胞をアポトーシスで排除する機構が存在することは，生体をがんから防御するうえで重要である．p53以外にもアポトーシスを制御する遺伝子ががん遺伝子（*BCL-2*が有名）やがん抑制遺伝子として働くことが知られている．

がん細胞で正常のp53がつくられなくなると，細胞周期の停止が起こらず，また損傷を受けたDNAの修復が起こらず，細胞死に至ることもない．このため，異常な遺伝子をもった細胞が修復されないまま生き残って，その中からがん細胞が出る可能性が高まるのである．

4 がんの浸潤と転移

がんの広がり

がんは単に腫瘤をつくるだけでなく，周囲の組織に浸潤（invasion）し，リンパ行性に周囲のリンパ節に**転移**（metastasis）したり，血行性に遠隔の臓器に転移することが特徴である．また，がんが深部に浸潤すると腹腔内や胸腔内に広がることがある〔これを**播種**（shedding）と呼ぶ〕．がんが遠隔臓器に転移したり，腹腔あるいは胸腔内に播種すると手術で完全に摘出することはできなくなり，多くの場合，放射線治療や抗がん剤による化学療法が行われることになるが，この段階ではがんを根治することはきわめて困難となる．

がん微小環境

がんの組織にはがん細胞のみが存在するわけではない．がん細胞の周りには炎症細胞や繊維芽細胞などの間質細胞，血管やリンパ管などが存在し，がんの**微小環境**（microenvironment）と呼ばれる構造を形成している．がんの微小環境はがんの種類によってまちまちで，それぞれのがんに特徴的な組織像を形づくっている．例えば膵臓がんの多くは繊維組織がきわめて豊富で血管の侵入は比較的乏しく，肉眼的にも硬い構造を示す．一方，腎臓の淡明細胞がんでは，顕微鏡で観察するとがん細胞は明るい細胞質をもち，その周囲に血管が豊富に存在し，繊維組織がほとんどない．

がんと血管新生

がんの微小環境の特徴の1つが，がん組織内に侵入してきた血管である．血管の侵入は**血管新生**（angiogenesis）によって引き起こされる．がんは血管の侵入なしでもある程度大きくなることができるが，血管の侵入がないとがんは1～2 mm以上の大きさを超えて増殖することができない．やがて**低酸素**（hypoxia）の状態に呼応して腫瘍組織から血管新生を促進する物質が放出される．この結果，血管が腫瘍組織内に侵入し，酸素や栄養分を供給し，老廃物を排出することによってがんはさらに大きくなることができると考えられている．また血管が腫瘍組織内に侵入すると，がん細胞は血管内に入り込んで転移を開始することが可能となることから，腫瘍組織における血管新生は，がんの進展に重要な役割を果たす．

こうした腫瘍組織における血管新生は種々の血管新生促進因子と血管新生抑制因子の作用のバランスによって調節されるが，なかでも最も研究が進んでいるのは血

管内皮細胞に作用してその増殖を促進して血管新生を促す**血管内皮増殖因子**（vascular endothelial growth factor：VEGF）である．EGFやPDGFと同様にVEGFもチロシンキナーゼ型受容体に結合して血管内皮細胞の増殖を促す．

VEGFががんにおける血管新生を促進することからVEGFのシグナルを抑制することでがんを治療しようという試みがなされており，VEGFに対する抗体やVEGF受容体のキナーゼ阻害薬ががんの治療薬として用いられている．しかし，血管新生の抑制によるがん治療は臨床的にはある程度の効果はあるものの，がんを治癒するほどの劇的な治療効果を示すには至っていない．がんは低酸素状態が続くとこれに順応し，血管が減少しても生存していく能力を得ることなどが，現在の血管新生抑制療法が期待するほどの効果を示していない原因の1つと考えられる．がんの組織における血管は蛇行し漏れやすいなど，正常組織の血管とは構造的にも機能のうえでも異なっており，腫瘍血管の特徴に関するさらなる研究の進展が重要であろう．

がんの発生から転移巣の形成まで

がんの転移はいくつかのステップを経ることによって

Column

がん幹細胞

生体内のさまざまな組織は幹細胞からつくられる（**18章6**参照）．幹細胞は分裂して幹細胞自身とその子孫の細胞へと分裂し，子孫の細胞は特徴的な機能をもった細胞へと分化していく．がんの組織に存在するがん細胞は均一ではなく，がん幹細胞と非がん幹細胞が存在すると考えられている．一般にがん幹細胞はがん組織の中で数%以下しか存在しないが，がん幹細胞を免疫不全マウスに移植すると高い確率で腫瘍を形成する（**コラム図24-2**）．一方で非がん幹細胞は免疫不全マウスに移植してもほとんど腫瘍を形成することができないことから，腫瘍形成能は主としてがん幹細胞が担っていると考えられている[1][2]．

がん幹細胞は特徴的なタンパク質を発現していることから，がん幹細胞に特異的なタンパク質を標的として，非がん幹細胞から分離することが可能である．がん幹細胞は抗がん剤や放射線などの治療に抵抗性であるが，その理由としてがん幹細胞は幹細胞ニッチと呼ばれる微小環境の中で増殖を停止していることや，がん幹細胞が薬剤を細胞外へ排出する能力（**9章3**参照）をもつことがあげられている．

通常の抗がん剤や放射線治療では細胞分裂を盛んに行っている細胞が死滅するが，がん幹細胞はこうした治療の後も生き永らえており，やがて残存したがん幹細胞が増殖を開始すると，がんが再び発育することとなる．このため，近年ではがん幹細胞を標的とした新たな治療の開発が期待されている．

なお，がん組織におけるがん細胞は多様であるが，実際にがん幹細胞が存在するか否かについては議論が残るところである．このためがん幹細胞という用語よりもがん始原細胞という用語を用いる場合も多い．

参考文献

1）Dick JE：Blood, 112：4793-4807, 2008
2）『ワインバーグがんの生物学 第2版』（武藤誠, 青木正博/訳），南江堂, 2017

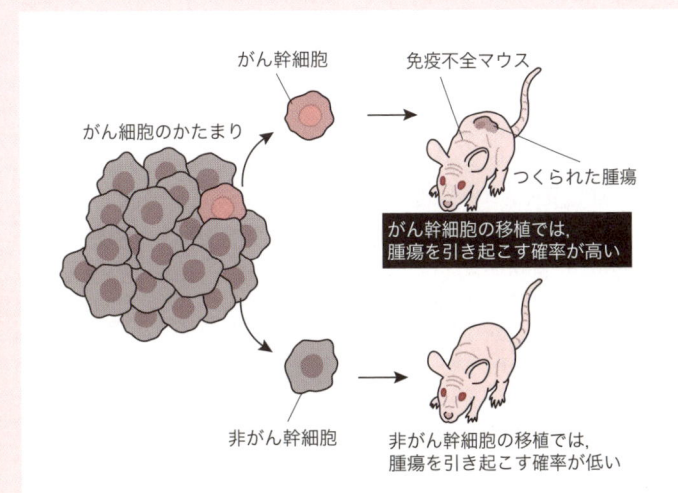

がん幹細胞　免疫不全マウス
がん細胞のかたまり
つくられた腫瘍
がん幹細胞の移植では，腫瘍を引き起こす確率が高い
非がん幹細胞
非がん幹細胞の移植では，腫瘍を引き起こす確率が低い

コラム図24-2 **がん幹細胞による腫瘍形成**

がんの組織ではがん幹細胞と非がん幹細胞が含まれる．がん幹細胞を免疫不全マウスに移植すると高い確率で腫瘍ができるが，非がん幹細胞を移植した場合には腫瘍を形成する確率はきわめて低い

完成する．がんの原発部位ではがん細胞同士の結合が破綻し，がん細胞は基底膜を破壊，細胞外マトリックス（細胞外基質）を分解しながら組織の中へ浸潤していく．このためにがん細胞には細胞間の接着に重要な役割をもつ**Eカドヘリン**（E-cadherin）の発現の低下や運動能の亢進が起こり，**マトリックスメタロプロテアーゼ**（matrix metalloprotease：**MMP**）などの基底膜や細胞外マトリックスを分解する酵素の産生能が上昇することが重要である．またがんがリンパ行性や血行性に転移していくためには原発腫瘍部位に新しく**リンパ管**（lymphatic vessel）や血管の新生が起こることが重要である．リンパ管新生や血管新生が起こるとがんはリンパ管や血管の中に侵入し，転移していく．

血管内にがん細胞が侵入すると，がん細胞は単独で血中を循環することもあるが，ときにがん細胞に血小板が凝集し腫瘍栓子をつくって循環する．腫瘍栓子ではがん細胞は機械的な力や免疫細胞に対する抵抗性を示す．血中を循環する過程で多くの細胞が死に至るが，生き残ったがん細胞は遠隔臓器へたどり着き，毛細血管でつなぎとめられ，そこで**転移巣**（metastatic lesion）を形成する（図24-1B 参照）．大腸がんや膵臓がんなどの消化器がんが門脈血に乗って最初にたどり着く臓器は肝臓であることから，これらのがんはしばしば肝臓に転移を引き起こす．さらにこれらのがん細胞が肝臓を通過した後，肺へ到達すると肺への転移を引き起こすことになる．一方で乳がんや皮膚がんなどは静脈血に乗って最初に肺にたどり着き，肺の毛細血管でつなぎとめられることから肺への転移が多くみられる．がんが遠隔臓器の毛細血管でつなぎとめられると，血管壁へ接着する．この過程ではケモカインとその受容体の働きが重要で，がん細胞がある種のケモカイン受容体を高いレベルで発現していると，これと結合するケモカインを発現している細胞が存在する場合に転移巣の形成が起こりやすくなる．

がん細胞は血管壁へ接着した後に組織に侵入し，新たな環境の中で生存して増殖する．やがて転移組織内

がんの骨転移 Column

転移巣が形成されるためにはがん細胞が血流に乗って遠隔臓器にたどり着くだけでなく，転移先の臓器の環境ががん細胞の生存・増殖に適したものであることが重要である．乳がんなどのある種のがんは骨に転移する傾向がある．骨は決して血流が豊富な臓器ではないが，がんがしばしば骨へ転移する原因として，骨の中の微小環境がある種のがんの生存や増殖に適しているためと考えられる．19世紀末に英国の医師パジェット（Stephen Paget）は，がんの転移におけるがんと微小環境の関係を種子と土壌（seed and soil）説（日本語では環境適応説と訳されることも多い）で説明した．すなわちがんが転移するにはがん（種子）が増殖するために適切な土壌が必要であるという考えである[1]．

骨は骨をつくる細胞である骨芽細胞と骨を壊す細胞である破骨細胞とがともに働いて骨組織の再構築を行っている．がん細胞が骨に転移すると骨芽細胞を活性化する．その結果，骨芽細胞の働きによって破骨細胞前駆細胞が活性化され，破骨細胞により骨が破壊される（**コラム図24-3**）．これにより骨から多くの生理活性物質が放出され，これらが転移してきたがん細胞の生存や増殖を促進することで悪性サイクルを形成し，転移巣の形成を支持すると考えられている．このため，がんの骨転移の治療にはがん細胞を直接標的とする薬剤だけでなく，悪性サイクルを遮断するような薬剤の開発が進められている[2]．

参考文献
1) 『ワインバーグがんの生物学 第2版』（武藤誠，青木正博/訳），南江堂，2017
2) 米田俊之：実験医学増刊 癌と微小環境，27：241-248，2009

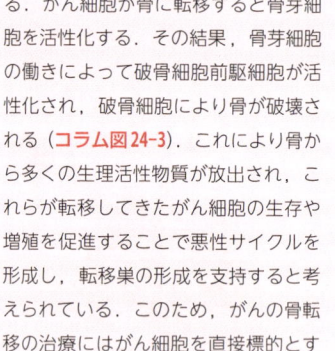

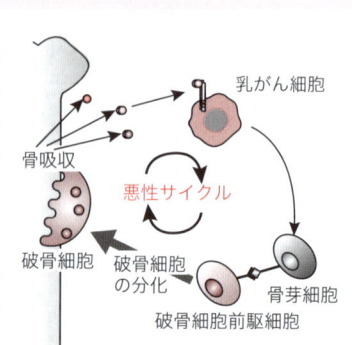

コラム図24-3 乳がんの骨転移の分子機構

乳がん細胞が骨に到達すると種々の生理活性物質を放出し骨芽細胞を活性化する．骨芽細胞が破骨細胞前駆細胞を活性化すると破骨細胞が骨を吸収する．その結果，骨から放出されるさまざまな物質が乳がん細胞の生存・増殖を促し，悪性サイクルが形成される

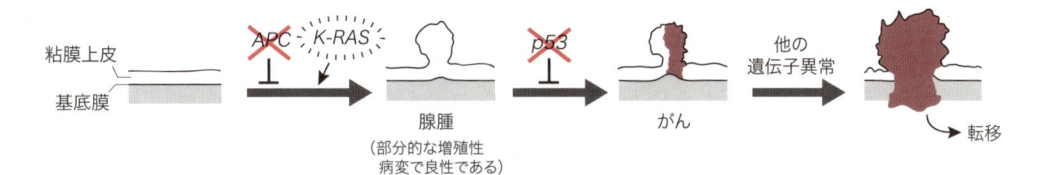

図24-6 **大腸がんの多段階発がんモデル**

正常組織からがんに進むに従っていくつかの遺伝子の異常が積み重なっていく．*APC*はがん抑制遺伝子で本来細胞の骨格に関係している．*K-RAS*はがん遺伝子で*RAS*の一種である．これらの異常により大腸粘膜に腺腫が出現する．さらにがん抑制遺伝子で転写制御に関与している*p53*に異常が生じると，がんとなる．さらに遺伝子異常が蓄積し転移などがみられるようになる

で血管新生が起こり，酸素や栄養分が供給されるようになると転移巣が形成される．がん細胞が血管壁に接着した後，遠隔臓器内で転移巣が形成されるまでには多くのがん細胞が死に至り，わずかに生き残った細胞のみが転移巣を形成すると考えられている．

5 多段階発がん機構

最近完了した乳がんや大腸がんの全ゲノム解析によると，1つのがんは平均90個の遺伝子変異を蓄積しているといわれている．がんは1個の細胞に遺伝子の異常が起こることから発生し，さまざまな遺伝子に異常が蓄積することによって，自律性の増殖能に加えて浸潤や転移していく能力を獲得する．

大腸がんを例にとると，正常の上皮細胞にがん抑制遺伝子*APC*の異常が起こる（図24-6）．*APC*は家族性の大腸がん（家族性大腸腺腫性ポリポーシス）で見つかったがん抑制遺伝子であるが，家族性でない大腸がんでも発生の初期から遺伝子の異常がみられることが多い．*APC*に続いてがん遺伝子*K-RAS*（ヒトの3種類の*RAS*遺伝子の1つ）の活性化が続き，さらにがん抑制遺伝子*p53*の機能の喪失などが起こる．これに伴い，大腸上皮では過形成から腺腫の形成が起こる．その後さらにそのほかの遺伝子に異常が起こると腺がんを形成し，がんは浸潤・転移を開始して進展していく．大腸がんの**多段階発がん**（multi-step carcinogenesis）モデルは1990年頃より提唱され，現在では大腸がんの発症機構の1つとして広く知られている．

膵臓がんでも複数の遺伝子の遺伝子の異常が蓄積することが重要である．がん遺伝子*K-RAS*の異常は膵臓がん発生の早期にみられる．その後，*p16*（CKIの一種）や*p53*などのがん抑制遺伝子をはじめ多数の遺伝子に異常が蓄積することで悪性度の高い膵臓がんへ進展していく．

がんのゲノム医療

近年のゲノム医学の進歩により，さまざまながんにおける発がん機構の解明が進み，抗がん剤の代謝や副作用の発症に関する遺伝的多型などの情報も明らかになってきた．こうして，旧来のようにがんを発生部位で分類し（胃がん，肺がんなど）治療方針を決定する考えから，ゲノム情報を利用して分子標的治療薬を中心に各個人のがんに最適な治療法を計画するゲノム医療へ

と，がんの治療は大きく変革しつつある．

例えば肺がんの中でも，EGF受容体遺伝子の活性型変異を有する症例にはEGF受容体のチロシンキナーゼ活性を阻害する薬剤（ゲフィチニブなど）が利用される．EGF受容体遺伝子に変異をもつ肺がんは組織学的には肺腺がんで，非喫煙あるいは軽度喫煙歴を有するアジア人に多い．正常のEGF受容体

が高いレベルで発現している肺がんも比較的多くみられるが，これらの症例ではゲフィチニブは効果を示さない．一方で遺伝子の転座によりチロシンキナーゼALKをコードする遺伝子が*EML4*遺伝子と融合遺伝子（*EML4-ALK*）をつくっている症例にはALKのチロシンキナーゼ活性を阻害する薬剤（クリゾチニブなど）が用いられており，臨床的に有効である．

本章のまとめ　Chapter 24

- □ がんは化学的要因，物理的要因，感染などさまざまな原因によって，遺伝子の異常が蓄積することで引き起こされる．また，臨床的に症状を現すまでには長い年月を要する．

- □ がん遺伝子は細胞増殖のシグナル伝達と密接にかかわる．慢性骨髄性白血病は遺伝子の転座によってABLチロシンキナーゼが恒常的に活性化されることによって起こる．

- □ がん抑制遺伝子は，1対のがん抑制遺伝子の両方に異常が起こることで機能を失う．RBやp53は代表的ながん抑制遺伝子である．

- □ がんの微小環境には炎症細胞や血管，リンパ管などが存在する．血管新生はVEGFなどの増殖因子により誘導され，がん転移の経路になることで進展に寄与する．がん転移はいくつかのステップを経る．原発部位から血液やリンパ管に入り込み，遠隔臓器の組織中に侵入して転移巣を形成する．

- □ がんは1個の細胞に遺伝子異常が起こることから発生し，さまざまな遺伝子に異常が蓄積することで浸潤や転移する能力を獲得する．

25章　創薬と生命科学

創薬とは疾病を治療できる新たな物質を研究開発することである．伝承的な生薬・天然物やペニシリンのように偶然の発見により薬となったものも多いが，近年では生命にかかわる幅広い科学分野で得られた知見およびゲノム情報に基づいた創薬が行われている．天然化合物を含めて低分子量の化学物質（低分子医薬品）が医薬品の70％以上を占めているが，バイオテクノロジー技術の進展により，生物材料を起源としたバイオ医薬品と呼ばれる抗体医薬，ワクチン，抗毒素，遺伝子組換えタンパク質あるいは動物抽出成分（例：ヘパリン）などの生物由来製品も開発されるようになってきた．新薬の開発は，目的とする薬理活性を有する物質を見出す探索研究に始まり，そこで見出された化合物から医薬品候補化合物が創出され，前臨床試験（非臨床試験），臨床試験を経て国内では厚生労働省の許認可を得た後，医療の場に供される．本章では，新薬開発の歴史と医薬品候補化合物を創出するまでの開発過程を低分子医薬品を中心に解説する．

1　新薬開発の歴史

人類は何千年の昔より病気の治療に多くの動植物や鉱物あるいはそれらの抽出物を薬として使用してきた．薬の歴史は古く，「医学の父」と呼ばれる古代ギリシャの医師ヒポクラテス（Hippocrates）はヤナギの樹皮や葉を解熱や鎮痛に用いたといわれており，現在でも自然界から見出されて使用されている医薬品もいくつか知られている．一方，化学合成に基づいて新薬を開発する研究は百有余年ほどの歴史しかない．エールリヒ（Paul Ehrlich）が生体組織に選択的な親和性をもつ染料の研究から，受容体（**14章1**参照）の存在を提唱したのは1900年であった．またラングレー（John Langley）は1905年にアドレナリンが結合する受容体の存在を予想した．このエールリヒとラングレーが示した，化合物が病気にかかわる特定の標的分子（受容体や酵素など）に選択的に結合することで薬として作用するという概念は，現在に至るまで変わっていない．

鍵と鍵穴

フィッシャー（Emile Fisher）が1894年に酵素による糖の異性体を識別する研究をもとに提唱した**鍵と鍵穴理論**（lock and key theory）は薬の作用を説明するためによく用いられる．受容体や酵素は鍵穴，それに合う鍵に相当する物質により鍵が開く，すなわち何らかの生化学反応が起こる，というものである．例えば，ある病気が特定の酵素の活性が亢進していることにより引き起こされている場合には，鍵穴に差し込むことはできるが鍵は開かない「偽の鍵」のような物質は，鍵穴を埋め，酵素の活性を阻害することで薬になりうる．また，逆に病気の原因が，ある酵素活性が通常よりも低下していることに起因しているのであれば，鍵を開けることができる「別の鍵」があれば鍵の代用として使え，それも薬の候補化合物となりうる．したがって，医薬品は「偽の鍵」もしくは「別の鍵」，鍵穴は**薬物標的**（drug target）に相当するといえる．

創薬の創生期（1890年代〜1970年代）

この頃は薬物標的を見出す科学が未発達であったので，すでに薬としての作用が期待されていた植物などの天然物から化合物を見出すことが主流であった．1897年にドイツの化学者ホフマン（Felix Hoffmann）がヤナギ由来のアセチルサリチル酸を化学合成した．この物質は世界で初めて人工合成された医薬品であり，1899年に発売された．次いで，1910年には，エールリヒと秦佐八郎らが，ある種の染料には抗菌活性があるという実験結果に基づいて化合物を合成し，606番目の化合

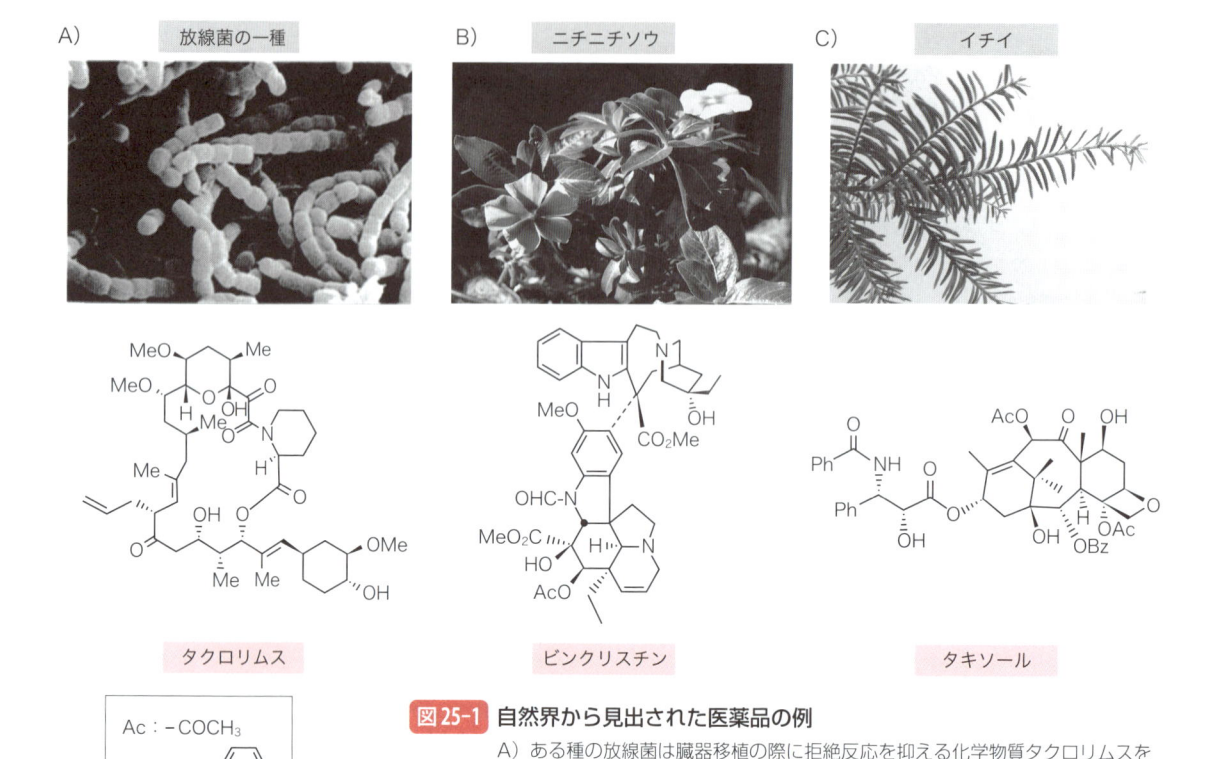

A) 放線菌の一種　B) ニチニチソウ　C) イチイ

タクロリムス　　ビンクリスチン　　タキソール

Ac：−COCH₃

Bz：−CH₂

Me：−CH₃

Ph：

図25-1 自然界から見出された医薬品の例

A）ある種の放線菌は臓器移植の際に拒絶反応を抑える化学物質タクロリムスを産生する．B）ニチニチソウには急性白血病，悪性リンパ腫，小児腫瘍の治療に用いられるビンクリスチンなどのビンカアルカロイドが含まれている．C）イチイの樹皮や根には固形がんや卵巣がんに有効な抗悪性腫瘍活性を有するタキソールが含まれている．Aは「高校生のための薬学への招待 1998年版」，日本薬学会，1998より転載

物として「サルバルサン」を梅毒の治療薬として開発した．1929年にはフレミング（Alexander Fleming）が世界初の抗生物質としてペニシリンを発見した．実用化には10年以上の歳月を必要としたが，これを契機に微生物の二次代謝産物を**スクリーニング**（screening：ふるいに掛けるという意味）し，新たな作用を見出すことが新薬開発の1つの手段となり，その後のストレプトマイシン（1944年），クロラムフェニコール（1947年），クロルテトラサイクリン（1948年）など放線菌からの有用な抗生物質の発見につながった．医薬品の中にはニチニチソウやイチイなどの植物から見出されたものもある（**図25-1**）．

　1930年代になると大量の化合物をスクリーニングする方法が行われるようになり，この手法により見出された赤色プロントジルが初めての合成抗菌薬として1935年に発表された．この化合物はスルホンアミド（−SO₂NH₂）部位をもつことからサルファ剤と呼ばれ，これに続いて多くのスルホンアミド誘導体が医薬品とし

て開発された．1933年に炭酸脱水酵素が単離同定され，1940年には薬物標的として初めて，サルファ剤がこの酵素を抑制することが報告された．そして1945年，尿細管における炭酸脱水酵素の作用が解明され，この炭酸脱水酵素の阻害剤をつくれば，浮腫の治療に用いられる利尿薬になることが示された．

　炎症や免疫反応で重要な役割をもつマスト細胞（p.55コラム参照）などから放出されるヒスタミンに対して拮抗阻害（**4章3**参照）を示す，抗ヒスタミン薬と呼ばれる合成アミン誘導体が1937年に報告された．その後，多くの抗ヒスタミン薬がつくられた．これらの抗ヒスタミン薬はヒスタミンが関与する胃酸の分泌を抑制しないことから，ヒスタミン受容体には種々のサブタイプが存在することが，ブラック（James Black）の研究チームによって示され，胃酸の分泌を制御する受容体のサブタイプをヒスタミンH₂受容体と名付けた．1972年には，ヒスタミンH₂受容体拮抗薬シメチジンの開発に成功し，胃潰瘍・十二指腸潰瘍の治療に供された．2017年現

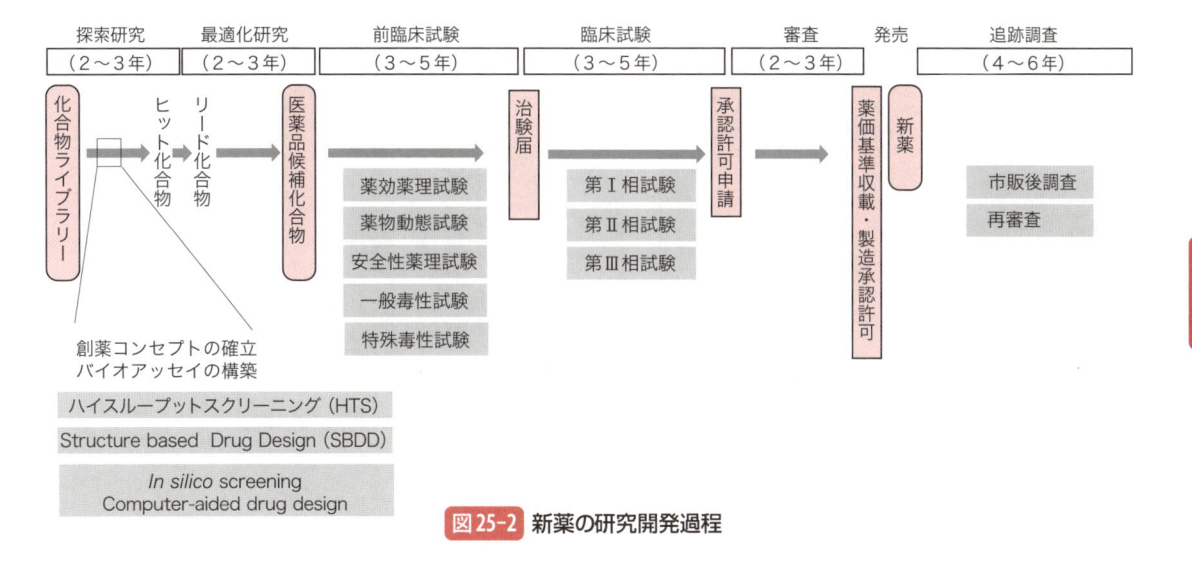

図の要素:

| 探索研究 (2～3年) | 最適化研究 (2～3年) | 前臨床試験 (3～5年) | 臨床試験 (3～5年) | 審査 (2～3年) | 発売 | 追跡調査 (4～6年) |

化合物ライブラリー → ヒット化合物 → リード化合物 → 医薬品候補化合物 → 治験届 → 承認許可申請 → 薬価基準収載・製造承認許可 → 新薬

薬効薬理試験
薬物動態試験
安全性薬理試験
一般毒性試験
特殊毒性試験

第Ⅰ相試験
第Ⅱ相試験
第Ⅲ相試験

市販後調査
再審査

創薬コンセプトの確立
バイオアッセイの構築

ハイスループットスクリーニング (HTS)
Structure based Drug Design (SBDD)
In silico screening
Computer-aided drug design

図25-2 新薬の研究開発過程

在，ヒスタミン受容体には少なくとも H_1 ～ H_4 の4種類のサブタイプが存在することが知られている．

1971年にはベイン（John Vane）によって，長い間謎であったアスピリン（アセチルサリチル酸）の作用機序が解明された．アスピリンはシクロオキシゲナーゼをアセチル化することでシクロオキシゲナーゼの酵素活性を阻害し，これにより生理活性物質であるプロスタグランジンの産生を抑制し，抗炎症作用を示す．以上のように1970年代になると，薬物標的である受容体や酵素に関する研究と創薬がつながりをもつようになってきた．

創薬の発展期（1970年代～現在）

この40余年間に創薬にかかわる科学は飛躍的に進展した．1973年に報告された遺伝子組換え技術を用いて，1982年にそれまで生体から取り出す以外に方法がなかったインスリンが遺伝子組換えにより製造されるようになり，ついで組換え型ヒト成長ホルモンが1985年に治療に使われるようになった．また，1975年に発表されたモノクローナル抗体をつくるハイブリドーマ技術（**8章2**参照）によって，現在では多くの抗体医薬が開発されている．

2003年にはヒトゲノムの解読が完了した．これを契機に，ヒトゲノム情報を解析して病気や体質の原因となる遺伝子を探索し，その情報をもとに新しい医薬品を研究開発する，いわゆる**ゲノム創薬**（genome medicine）と呼ばれる新しい創薬手法が始まった．1998年にはRNAi（**20章5**参照）が発見され，病気に関連する特定のmRNAをノックダウンすることができることから，RNAを薬物標的とする道が切り開かれた．

一方，低分子化合物に基づく新薬の開発においては，1990年代のはじめに化学物質を多様なパターンで組み合わせることで，膨大な種類の有機化合物を短時間につくり出すコンビナトリアルケミストリーの手法が開発され，スクリーニング化合物の網羅的な供給が可能となった．また，数十万種類以上の多量の化合物を高速にスクリーニングできる**ハイスループットスクリーニング**（highthrough-put screening：HTS）機器も開発され，1週間で数十万化合物のスクリーニングも可能となった．

また，コンピュータを利用して得られる，薬物標的と薬物との特異的な相互作用の解析に基づいて望ましい分子を設計する**論理的医薬品設計**（rational drug design）の方法も開発され，コンピュータ上で分子を設計し，バーチャルにスクリーニングすることも可能になってきている．

2　新薬開発の過程

創薬コンセプトとバイオアッセイ

創薬研究（**図25-2**）は生物学・医学など生命科学全般の知見に基づいて，疾病にかかわる新規のメカニズムや酵素などの新たな生体分子の発見など新薬創出につな

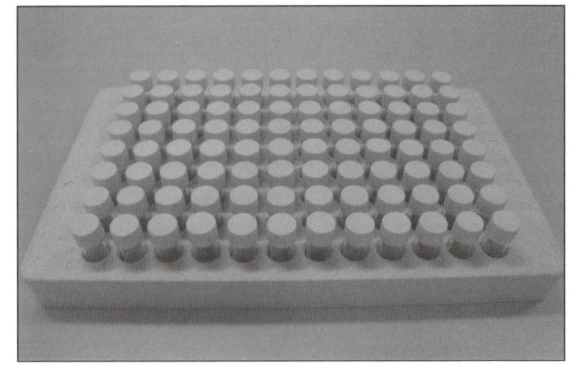

図25-3 大型化合物ライブラリー保管庫とコンピュータ管理された化合物群
多田幸雄博士, 長野哲雄博士のご厚意による

がるアイデアをもとに**創薬コンセプト**（concept of drug discovery）を確立することに始まる. 創薬コンセプトの確立とは, ある生体分子の活性を制御することにより疾病の治療につながることが期待できる証拠が得られることと定義できる. すなわち, 創薬コンセプトとは,「この疾病に対して, どこをどうすれば薬をつくることができるのか?」という設問に対して,「その疾患には, ここをこうすれば薬になる」という新しい仮説もしくはアイデアである, ということもできる. その創薬コンセプトに合った化合物を見出すために, **バイオアッセイ**（bioassay）と呼ばれる生物学的試験が構築される. バイオアッセイでは生物の個体から細胞, 細胞小器官, さらにはタンパク質まで多種多様な生物材料が用いられる.

ステップ①：探索研究

構築したバイオアッセイを用いて, 化合物をスクリーニングし, あらかじめ設定した評価基準を満たした化合物を見出す. 基準を満たした化合物を**ヒット化合物**（hit compound）と呼ぶ. 最近では**化合物ライブラリー**（chemical library, 図25-3）を用いてHTSを行うことにより, ヒット化合物を探索する方法が一般化している. この過程を**探索研究**（exploratory research）と呼ぶ. 得られたヒット化合物がそのまま**リード化合物**（lead compound）になることは少なく, さらに数多くの類縁化合物などを合成・スクリーニングすることでリード化合物に至る. ここでいうリード化合物とは薬理活性をもつ化合物であり, 最終の医薬品候補化合物の創出を目指して, 薬としての有効性, 選択性, 薬物動態[1]および安全性がさらに改良できそうな優れた性質を有する出発化合物であり, 医薬品を「導き出す（リード）」という意味を表す.

ステップ②：最適化研究と前臨床研究

次に, 得られたリード化合物を薬として適切な体内動態および安全性が担保できる化合物に仕上げる最適化研究に移行する. この過程では化合物が体内で有効に作用するために, **化合物の吸収**（absorption）, **分布**（distribution）, **代謝**（metabolism）, **排泄**（excretion）および**毒性**（toxicity）[2]に関して, 薬に適した条件を満たし, 新薬誕生に至る可能性があると判断できる医薬品候補化合物を見出す. 最終的に選ばれた医薬品候補化合物は薬理試験, 薬物動態試験, 毒性試験などからなる前臨床試験に供される.

医薬品候補化合物に対して, 前臨床試験ではマウス, ラット, ウサギ, イヌ, サルなどを用いて, 薬理試験（効力を裏付ける薬効薬理試験）, 副次的薬理（一般薬理）, 安全性薬理, その他の薬理（薬力学的薬物相互作用）, 薬物動態（ADME）試験, 毒性試験（単回投与毒性, 反復投与毒性, 遺伝毒性, 生殖発生毒性, その他

---

[1] 化合物を経口で服用した場合に, 肝臓などで代謝されたり, 尿中に排泄されたりする過程.

[2] これらを総称してADME-Toxと呼ぶ.

の毒性）を実施し，原薬の規格を決定するとともに臨床試験で使用する製剤化を検討し，治験届を提出し承認を得た後，臨床試験に移行する．

ステップ③：臨床試験

臨床試験の目的は，創薬コンセプトに合った医薬品候補化合物の臨床上での有効性を検証することである．これを指して，コンセプトの検証という意味でPOC（proof of concept）の確保と呼び，これが創薬の最終目的である．臨床試験の第I相試験（フェーズI）では，健常成人を対象に被験薬（医薬品候補化合物）の薬物動態や安全性を調べる．第II相試験（フェーズII）では，少数の患者を対象に有効性，安全性，薬物動態などを，次いで第III相試験（フェーズIII）では，多数の患者を対象に，既存薬との比較を含めた有効性の検証や安全性を検討する．医療上の有効性と完全性が確認された後承認許可申請を行い，製造承認許可を得て，薬価基準収載の後に新薬として発売される．さらに市販後も引き続き薬の適切な使用のための追跡調査がなされ，これまでの臨床試験ではわからなかった副作用の調査（市販後調査と呼ばれる）とさらに多くの症例の収集が行われ，新医薬品の安全性，有効性などについて再審査が行われる．

3 新薬開発の実際

化合物ライブラリーと薬らしさ

創薬コンセプトに合ったヒット化合物を見出すために，一般的にはまずHTSを行うことになる．そのためには大型の化合物ライブラリーが必須である．ライブラリーの化合物数としては数十万〜数百万が一般的で，化合物の構造多様性が大きく，かつ薬につながる可能性のある化合物で構成されている必要がある．例えば，①構造多様性を考慮した化合物群，②フラグメントライブラリー（fragment library）と呼ばれる，分子量300以下の水溶性の化合物群，③薬理活性既知の化合物群，④タンパク質−タンパク質相互作用の阻害が期待される化合物群，⑤Gタンパク質共役型受容体（GPCR，**15章 3**参照），キナーゼ，イオンチャネルなど特定の薬物標的に特化した化合物群など，それぞれの目的に応じた化合物で構成されている（**図25-4**）．

創薬の分野では薬らしさ（drug-likeness）の用語がよく用いられる．薬らしさを創薬の専門用語に言い換えれば，服用した医薬品が全身循環に到達する割合を示す**生物学的利用能**（bioavailability：BA）が優れているもの」となる．このBAの優れた化合物の要件を具体的に提示したものの1つに**リピンスキーのルールオブファイブ**（Lipinski's rule of five）がある．このルールは

ヒト臨床でのPOCの確保とバイオマーカー

創薬とは新しい創薬コンセプトの確立と，それを探索研究と最適化研究で得られた医薬品候補化合物により，ヒトの臨床において検証（POCの確保）することである．具体的には，創薬の対象としている薬物標的に化合物が実際に作用していることを証明し，その作用に基づき目的の薬理効果が発現している，すなわち薬物標的への作用が臨床上で発現する薬理効果につながっていることを検証することである．そのため，たとえ薬理効果がある化合物でも，当該の薬物標的への作用がない場合はPOCが確保されたとはいわない．

近年では，創薬におけるPOCを確保するためにバイオマーカーが活用されている．NIH（アメリカ国立衛生研究所）は，バイオマーカーを「正常なプロセスや病的プロセスあるいは治療に対する薬理学的な反応の指標として，客観的に測定・評価される項目」としている．したがって，適切なバイオマーカーを探し当てられれば，目指す薬物標的に作用していることの有力な証明になる．バイオマーカーはPOCの確保以外に，臨床における薬の安全性や診断の指標や，薬物標的的の選択，病気のメカニズムの解明，効果のある患者とない患

者の選択，有効量の決定など，創薬における科学的意義をもつ指標として利用される．バイオマーカーの利用により，患者の治療成績を高めるとともに，新薬開発を継続するか否かの判断を速やかにし，創薬の成功確率を高めることができる．なお，バイオマーカーは市販の医薬品を投与する際，患者個人の薬効や毒性を事前に予測する投与前検査（コンパニオン診断）でも用いられる．これはコンパニオンバイオマーカーといい，抗がん剤ゲフィチニブの薬効（腫瘍縮小効果，p.283コラム参照）を予測するEGFR遺伝子変異はその一例である．

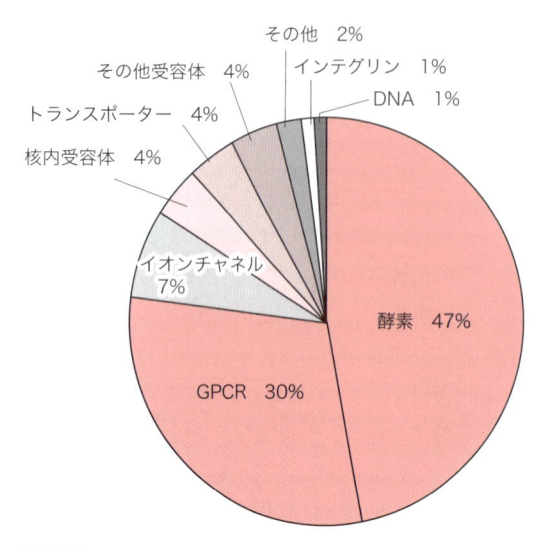

		実際の活性	
		あり	なし
アッセイ結果	陽性（Positive）	陽性	偽陽性
	陰性（Negative）	偽陰性	陰性

図25-5 アッセイ結果の偽陽性と偽陰性

図25-4 低分子医薬品の生体の標的分子

> 既存の医薬品が作用する生体内の標的分子を示す．酵素とGPCRで医薬品が作用する生体の標的分子の70％以上を占めている．Hopkins A & Groom C：Nat Rev Drug Discovery, 1：727-730, 2002

経験則であり，具体的には，①分子量が500以下，②分配係数（$\log P$）が5以下，③水素結合供与原子（OH，NHなど）が5個以下，④水素結合受容原子（O，Nなど）が10個以下と，大まかではあるが，経口薬になりやすい化合物の特性を示したものとしてわかりやすい．なお，上記の$\log P$値はn-オクタノール-水系における分配係数（P）から求められる．

　一般に分子量500以上の化合物は親油性が高く，そのために水に難溶で，たとえ強い活性のヒット化合物が得られたとしても，これをもとに開発を行った場合にBAが低く，最終の医薬品に到達できない場合が多い．最近では，同程度の活性をもつ化合物であれば，できるだけ分子量の小さい化合物，すなわち分子量に対して**活性の効率**（efficiency）の高いヒット化合物の方が，リード化合物として望ましいという考えが出されている．具体的には，①分子量が300以下，②$\log P$が3以下，③水素結合供与原子が3個以下，④水素結合受容原子が3個以下，に加え，回転可能結合数が3以下，分子の極性表面積が60Å^{2}という条件（rule of three）に基づいたフラグメントライブラリーを用いてヒット化合物を見出す．このようにして，薬となる分子を設計する

方法は**FBDD**（fragment based drug design）と呼ばれ，そこでは活性の強さだけでなく活性の効率が重視されている．その活性効率の指標の1つとして，**BEI値**[※3]（binding efficiency index）がある．

探索研究における注意点

　創薬コンセプトに対応するバイオアッセイが構築された後，そのバイオアッセイを用いて評価基準を満たす化合物（ヒット化合物）を探索する過程に移る．ここで課題となるのが，スクリーニングに用いられるバイオアッセイの精度と処理能力である．すなわち，できる限り**偽陽性**（false positive）と**偽陰性**（false negative）を出さず，真に活性のある化合物を選別できる精度をもち，短時間に数多くの化合物をスクリーニングできるバイオアッセイの構築が望まれる．

　ここで偽陽性と偽陰性を説明しておこう．**図25-5**に示すように，あるアッセイの結果，そのアッセイでは活性あり（positive）と判定されたが，実際には活性がない場合を**偽陽性**（false positive），逆に活性なし（negative）の判定のものが実際には活性がある場合を**偽陰性**（false negative）と呼ぶ．したがって，さらに大規模なアッセイはできないが，精度の高い高次アッセイを行うことにより，HTSによるヒット化合物が真の陽性（活性）化合物であることを検証する必要がある．

インシリコ・スクリーニング

　一方，上記のランダムスクリーニングと異なり，コンピュータを用いた計算化学を利用して，標的分子と化合物との相互作用解析（**ドッキングスタディ**：docking studyと呼ばれる）からヒット化合物を見出す，**インシリコ・スクリーニング**（*in silico* screening）や標的分子の立体構造をもとに分子設計を行う**CADD**（computer-aided drug design）と呼ばれる方法も実施され

※3　BEI値とは，活性にかかわる測定値のK_i（阻害定数），K_d（解離定数）もしくはIC$_{50}$（50％阻害濃度）の自然対数の逆数を分子量

（MW）で除した値〔BEI＝（pK_i, pK_d or pIC_{50}/MW）×1000〕である．

ている.

　in silico は「コンピュータ（シリコンチップ）の中で」という意味で, *in vivo*（生体内で）や *in vitro*（試験管内で）に対応する造語であり, インシリコ・スクリーニングとはコンピュータを利用して化合物をスクリーニングすることを意味している. 具体的には, 疾病に関連する標的タンパク質の立体構造（X線結晶解析やNMR, コンピュータによるモデリングから得られる）と化合物とのドッキングスタディにより, 数百万種類以上の膨大な化合物の中から, 目的とする薬理活性があると予測される化合物を選び出すことである.

ホモロジーモデリング

　また, 立体構造データのない標的タンパク質をモデリングする技術として, 立体構造が解明されていない標的タンパク質のアミノ酸配列と**相同性**（homology）が高く, かつ立体構造が既知のタンパク質の構造を検索し, それを鋳型として, 構造未知の標的分子の立体構造をモデリングする, **ホモロジーモデリング**（homology modeling）の技術も実用化されている. ホモロジーモデリングは構造未知タンパク質の立体構造を予測する方法であるが, これは生物進化において類縁関係にあるタンパク質では, アミノ酸配列に多少の変異が起きても, 立体構造はかなり保存されているという経験則に基づいている（**27章4**参照）. しかし, 実際のアッセイでは水溶液中で標的タンパク質が動的に自由な構造を取っているが, インシリコ・スクリーニングでは, 標的タンパク質の構造をある程度固定せざるを得ないことや, 活性部位に存在する水分子の**脱溶媒和**（desolvation）にかかわる**エントロピー**（entropy, p.120コラム参照）の変化を正確に見積もることが難しいなど, 精度に関しては将来の研究課題として残されている. しかし, 現時点におけるドッキングスタディの精度でも, 標的タンパク質と化合物との相互作用の**結合様式**（binding pose）をある程度シミュレーションできるので, リード化合物創出やリード化合物最適化の過程における論理的な医薬品設計に汎用されている.

ヒット化合物からリード化合物の創出過程

　通常, HTSによるヒット化合物は1個ではなく, 構造が異なる多数個が得られ, そこから最終的に新薬につながるリード化合物を創出する. ヒット化合物自体がリード化合物になる場合もあるが, ヒット化合物から得られた情報をもとに, 実際に合成し, 構造展開した化合物をリード化合物とするのが一般的である. 最近では, ヒット化合物からリード化合物の創出過程（hit to lead）において, X線結晶解析やNMR測定技術の長足の進歩により, 標的タンパク質の立体構造データおよびヒット化合物との複合体構造をもとに分子設計されることも多い.

　リード化合物は目的とする薬理活性を有していることはもちろんであるが, 薬としての実用性の観点から化合物の安定性や安全性などをある程度備えていることが求められる. 選定したリード化合物をもとに創出された医薬品候補化合物が, 臨床試験において思わぬ副作用の発現のため開発中止となる危険性を避けるために, 近年では創薬の早い段階で毒性予測やその種類と質を検討し, できる限り安全性の高いリード化合物を選定する努力がなされている（p.292コラム参照）.

リード化合物最適化過程：医薬品候補化合物の創出

　リード化合物最適化過程の目的は, 選定したリード化合物を阻害作用などの活性のみならず, 薬物動態および毒性を考慮し, 医薬品候補化合物にすることである. 経口医薬品の場合, 肝臓などで代謝されることで, 試験管あるいは細胞レベルで活性は有していても, ヒト個体では作用が出ないことがよくある. 薬物の代謝反応としては酸化反応, 脱アルキル化反応, 脱アミノ化反応, 加水分解反応, 抱合反応などが知られており, 腸内細菌により還元反応あるいは脱抱合反応が起こることもある. 医薬品の最適化では, 一般にはこれらの代謝を受けないように体内動態に優れた化合物を創出することを目指す. すなわち, 活性を有した薬物が標的部位に到達し, 作用が発現できるようにする. しかし, この代謝過程を逆に利用して不活性な化合物を体内に投与し加水分解を受けることで活性化合物に変化させるプロドラッグと呼ばれる医薬品もある.

　この最適化過程においては, これまで培われてきた膨大な創薬科学の知識をもとに化合物を分子設計し, 実際に合成し, アッセイを繰り返す中で, 化合物の**構造と活性との相関**（structure activity relationship：SAR）を見出すと同時に, 最終的にヒトにおいて薬としての

ADME-Tox の条件を満たした化合物が医薬品候補化合物として次のステップに進むことになる.

4 アンメットメディカルニーズに応えるバイオ医薬品

従来の医薬品は比較的低分子量の合成化合物が中心であり，低分子医薬品で高い治療効果が得られる疾患領域がある一方，満足な治療効果が得られない疾患領域も少なくない．この未充足な医療ニーズを**アンメットメディカルニーズ** (unmet medical needs) と呼び，これに応えるために近年では低分子医薬品にとどまらずバイオ医薬品などの可能性が検討されている．

バイオ医薬品は1980年代に遺伝子組換え技術が確立したことで本格化した．特に1990年代，抗体が病原体や異物などの抗原を特異的に認識することを利用して治療に用いる抗体医薬の研究開発が注目された．2000年代には低分子医薬品が不得意とする，がんやリウマチなどの領域で，抗体を人工的につくり出し医薬品に利用した抗体医薬から，年間1,000億円超の大型製品が相次いで誕生した[※4]．バイオ医薬品の例としては，インターフェロン，インスリン，成長ホルモン，組織プラスミノーゲン活性因子（TPA），インターロイキン2，G-CSF，エリスロポエチン，ソマトメジン，グルカゴン，ナトリウム利尿ホルモン，血液凝固第Ⅷ因子や遺伝子組換えワクチン，モノクローナル抗体などがある．しかし，多くのバイオ医薬品による治療は高価であり，経口ではなく注射もしくは点滴での投与であるなど，課題も残されている．

リード化合物創出の実例 *Column*

ヒット化合物からリード化合物の創出する例として，がん遺伝子であるBCR-ABLの**阻害剤** (inhibitor) を紹介する．2001年にBCR-ABL阻害剤として米国でイマチニブ (imatinib) が承認され，抗悪性腫瘍薬として用いられているが，イマチニブ耐性が出現しており，新たな阻害剤の開発が行われている．その一例を**コラム図25-1**に示す．

BCR-ABLのキナーゼドメインに対して，フラグメントと呼ばれる分子量が300以下の約800化合物との共結晶を作製し，X線結晶解析を用いたスクリーニングにより，活性効率（BEI）の高いヒット化合物（$IC_{50} = 24 \mu M$，BEI = 22）を得ている．次に，3位のメチル基に変換した誘導体（$IC_{50} = 24nM$，BEI = 26）および5位のブロム基を変換した誘導体（$IC_{50} = 2.7 \mu M$，BEI = 21）を経て，活性効率を低下させることなく阻害活性が高いリード化合物（$IC_{50} = 14nM$，BEI = 21）の創製に至っている．

参考文献

・Quintás-Cardama A, et al : Nat Rev Drug Discov, 6 : 834-848, 2007

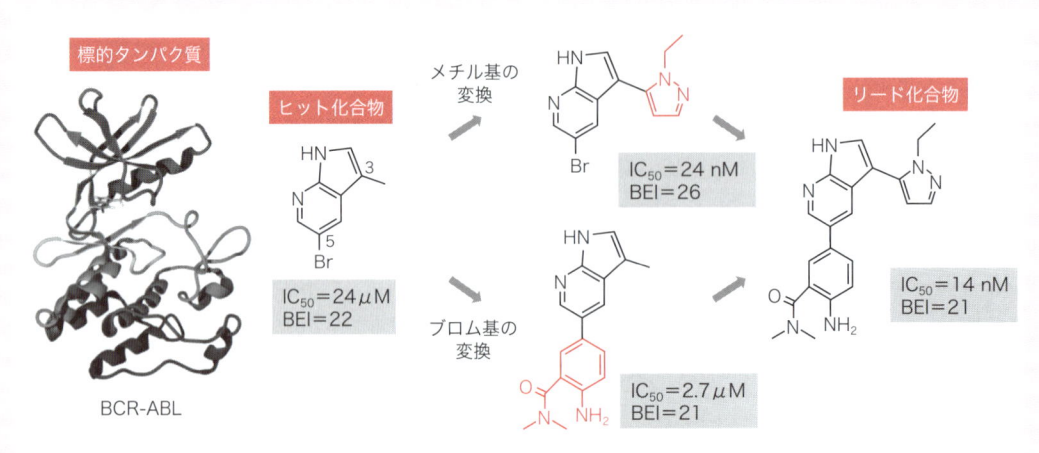

コラム図25-1 X線結晶解析を用いたヒット化合物の探索とリード化合物の創出

※4 年間1,000億円以上の売り上げがある医薬品を特に**ブロックバスター** (blockbuster drug) と呼ぶ.

低分子医薬品とバイオ医薬品の割合

Column

コラム図25-2は，低分子医薬品とバイオ医薬品に対する最近の取り組みを見るために日米欧各売り上げ上位10社の開発品目の変化の割合を見たものである．欧米でバイオ医薬品の開発が先行しているが，日本においても1999年に比べその伸びは著しく，このバイオ医薬品の開発が盛んに行われていることが示されている．

参考文献

1)『研究開発型製薬企業の国際競争力と成長戦略』（八木 崇，ほか／著），医薬産業政策研究所，2010

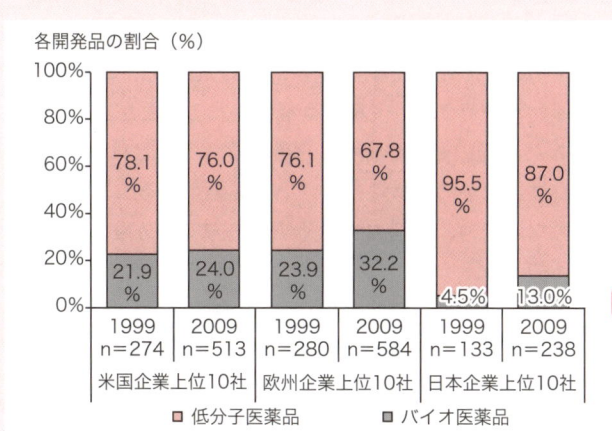

各開発品の割合（%）

	1999 n=274	2009 n=513	1999 n=280	2009 n=584	1999 n=133	2009 n=238
低分子医薬品	78.1%	76.0%	76.1%	67.8%	95.5%	87.0%
バイオ医薬品	21.9%	24.0%	23.9%	32.2%	4.5%	13.0%
	米国企業上位10社		欧州企業上位10社		日本企業上位10社	

■ 低分子医薬品　■ バイオ医薬品

コラム図25-2 日米欧企業の開発品目の内訳

フェーズ I～III および "Clinical Trial" に分類される開発品目を対象にしている．文献1より

本章のまとめ　　　*Chapter 25*

☐ 創薬とは疾病を治療できる物質として新たな医薬品を創出することであり，1890年代から現在に至るまでさまざまな方法で開発が行われている．

☐ 創薬には，疾病に関する生命科学に裏打ちされた創薬コンセプトの確立とPOCの確保，それに対応するバイオアッセイの構築が重要である．新薬開発の過程には，ヒット化合物を手掛かりにリード化合物を経て医薬品候補化合物を創出する研究と，それを医薬品にするために前臨床試験研究および臨床試験研究がある．

☐ コンセプトに合致する低分子化合物を見出すために構築されたバイオアッセイによる化合物スクリーニングが一般的に行われている．また，標的タンパク質と化合物の相互作用を解析する計算化学を用いるインシリコ・スクリーニングもある．

☐ アンメットメディカルニーズに応えるため近年，バイオ医薬品の研究開発が盛んに行われている．

26章　生活・環境と微生物

　動物および植物以外の（主に微細な）生物を，われわれは微生物と総称している．人は出生したときから，そして人類も微生物の存在を知るはるか以前から食を通じ，また病気，健康，医療，生業を通じて，いろいろな微生物とさまざまな形で相互作用してきた．その理解と利用は今後さらに重要となろう．微生物の大きな特徴は生物としての膨大な多様性にある．しかし，単細胞微生物をモデル生物として研究する場合は普遍性が注目され，多様性は軽視されることが多い．微生物の多様性は，動物と植物をもとに発展した，種の概念や生物多様性で捉えることは難しく，形態に現れない細胞の活性の多様性，あるいは遺伝子の多様性でみていく必要がある．また，微生物は自然界で，あるいは人工的条件で莫大な増殖力，生産力を発揮する一方で，分離・培養の困難な種類が多いという方法論的問題も抱えている．

1　人間から見た微生物

微生物および微生物機能の発見

　17世紀後半，オランダの商人レーウェンフック（Antonie van Leeuwenhoek）は自作の顕微鏡を用いて多くの微生物を観察し，イギリス王立協会誌にその記録を残したが，これが人類史上はじめての**微生物**（microorganisms）の観察とされている．レーウェンフックは肉眼では見えない，多くの種類の小さな生き物を "animalcule" と名付けたが，その種類の多さだけでなく，その数が膨大なものであることに気がついていた．一方，この微小な生き物の生理的な機能，つまり発酵・腐敗や病原性との関連については，当時は全く知られていなかった．

　19世紀後半，化学者であったパスツール（Louis Pasteur）は，食べ物の腐敗や発酵の正体として，微生物の活動を明らかにし，生化学の素地をつくった．彼は殺菌法も工夫し，牛乳などの低温殺菌法（例えば65℃30分）にパスチャライゼーション[※1]の名を残す．酒，酢，チーズ，ヨーグルト，パン，さらに日本では味噌，醤油など伝統的な発酵技術が基盤となって，20世紀中頃以降，抗生物質や生理活性物質の発酵工業が発展した．グルタミン酸，リシンなどのアミノ酸発酵は半世紀前の日本で始まった．

　一方，医学者であったコッホ（Robert Koch，23章**1**参照）は，微生物の純粋培養法の基礎をつくった．感染菌の研究方法を定式化し，猛威を奮っていた炭疽，結核，コレラなどの病原細菌を発見した．北里柴三郎や志賀潔の活躍を含め19世紀末は病原菌の発見ラッシュで，血清療法やワクチン療法も研究された．20世紀になってカビからのペニシリンの発見〔フレミング（Alexander Fleming）ら〕，放線菌からのストレプトマイシンの発見〔ワックスマン（Selman Abraham Waksman）ら〕に始まる抗生物質の開発（図26-6参照）は，人間と感染症との戦いを一新させたが，同時に**耐性菌**（resistant bacteria）の出現という新たな問題も始まった（p.263コラム参照）．

　肉眼で見えない微生物は，このように，まず人間の役に立つ活性や害を及ぼす活性で認識された．それは名称や分類にも影響を残し，例えば乳酸菌や窒素固定菌というのは単系統群ではなく，特徴的な生理活性を示す各種細菌の総称である．大腸菌や酵母など単細胞の微生物は，複雑な動物や植物の細胞モデルとして研究や教育に使われてきた．しかしモデルでは普遍的な性質が注目され，生物としての多様性は軽視されがちであった．

※1　pasteurization. パスツリゼーションともいう．

微生物の世界

　人間が，生物としてのヒトに興味を抱き，さらに人間の生存に関係の深い生物に興味が集中するのは自然であろう．しかし，生物を学ぶ以上，人間の価値観から離れてみることも重要である．微生物は人間を害し，あるいは人間の役に立つ以上に，たくさんの微生物がヒトと共生している．ヒトの腸内では毎日100兆もの細菌が増殖しては入れ替わっている．しかし環境中では，直接人間に害も益をもたらさない微生物が圧倒的多数である．土壌1g中には数十億の細菌が，また澄んで見える海水中にも1mLで100万個近い細菌が観察される．微生物の世界は一般に認識されているよりはるかに多様である．微生物は，pH1〜11程度まで，また氷点下〜120℃以上の深海底の熱水鉱床まで，あるいは地底の岩盤の隙間でも生きている．このような環境の多彩さに適応して，微生物の細胞，代謝，あるいはそれらをつくる遺伝子の多様性はきわめて高い．この遺伝子の多様性は，生物多様性の重要な一面である．本章では，このような微生物の世界を，ヒトと微生物の関わりを中心に概説する．

図26-1 **マツタケはマツの菌根菌から生じた子実体**
山中高史博士のご厚意による

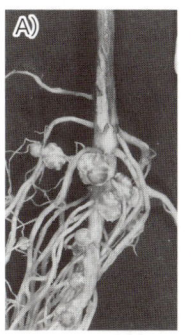 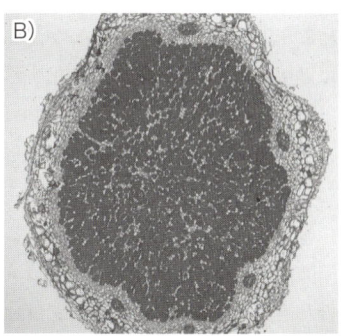

図26-2 **マメ科植物と共生する根粒菌の例**
A）ダイズの根粒．B）根粒横断面の光顕像．根の表皮，皮層に包まれた組織中央に根粒菌感染細胞（図では黒くみえる）が観察される．南澤 究博士のご厚意による

2　土壌および汚水浄化と微生物

土壌における微生物

　およそ地球上で水分のあるところにはさまざまな微生物が生息している．人の身近でも，田畑の土には，ミミズや線虫，節足動物などの小動物や多数の原生生物が生息しているだけでなく，菌類や**放線菌**（actinomycete）の菌糸が広がり，そして1g当たり数十億もの土壌細菌が，鉱物質粒子や腐植と呼ばれる有機質とともに団粒構造をつくって，作物の生育を支えている．根の周り（根圏）では特に植物と微生物の相互作用が多くみられる．

　特定の菌類（**菌根菌**：mycorrhizal fungi）が植物と共生して根の周りに菌糸を伸ばして菌根を形成し，植物のリン酸などの吸収を助けている現象は広くみられる．マツタケやトリュフは菌根菌の子実体[※2]であり，人類はこれを食用にしている（**図26-1**）．**生物窒素固定**（bio-

logical nitrogen fixation）ではマメ科植物と共生する**根粒菌**（rhizobium，**図26-2**）が有名であり，他にも独立に，あるいは根圏で植物と緩い共生を保ちながら窒素固定をしている菌の寄与も大きい．根や茎の細胞間隙で植物と共生している微生物を**エンドファイト**（endophyte）と呼び，その状態で窒素固定を行っている細菌も知られている．植物と微生物は共生関係にあるばかりではない．植物は通常，ウイルス，細菌，菌類の侵入を感知すると抵抗反応を示し，それらの感染を免れている．植物体が死ぬと微生物による分解が始まる．雑草や稲わらを土壌に鋤き込めば，これらが微生物による分解を受けて一部は植物などに養分として利用され，一部

[※2] 胞子を着生するいわゆるキノコの笠と柄の部分．なおシイタケは腐生菌であり，菌根菌ではない．

は二酸化炭素として大気に逃れ，また一部は土壌の有機質となる．堆肥は，微生物の分解力をより集中的に利用してつくる有機肥料である．

▮汚水の分解・浄化

農業とは逆の都市生活の末端で，微生物が大規模に活躍しているのが汚水処理である．都市汚水や産業廃水の処理にはいろいろな方式があるが，以下の**活性汚泥**（activated sludge）法は広く用いられている．汚水に空気を吹き込むと，多様な微生物のうち好気性菌が，有機物を取り込んでCO_2とH_2Oに分解してエネルギーを得て大量に増殖する．それが原生生物などとともに凝集し，活性汚泥を生じる．これを沈殿や濾過で除くと炭素分の大半が除ける．しかし窒素分は十分には除けないことがあり，それを除くためには好気条件で硝化細菌によりアンモニアを硝酸に酸化する**硝化**（nitrification）工程と，嫌気条件で脱窒菌により硝酸を窒素ガスに還元して大気に逃す**脱窒**（denitrification）工程を組み合わせる（図22-7参照）．

硝化はアンモニア酸化細菌による亜硝酸の生成と，亜硝酸酸化細菌による硝酸の生成からなっており，両菌を合わせて**硝化細菌**（nitrifying bacteria）という．これらは炭素源として有機物でなくCO_2を使う生育の遅い細菌で，活性汚泥を除いた貧栄養の汚水でも，強制的な通気による硝化でエネルギーを得ることができる．なお，植物には窒素分をアンモニアよりも硝酸の形でよく吸収するものが多く，硝化は農業でも重要である．脱窒は，硝酸を電子受容体とする**硝酸呼吸**（nitrate respiration）によって起こるものである．しかし酸素があると酸素呼吸が優先するので，嫌気条件にすることで脱窒が進む．硝化と脱窒の原理は，魚などを長期間飼育する水槽の水の浄化にも応用されている．

3 ヒトと微生物の共生

ヒトの体には多種多様な微生物が棲んでいる．口内の微生物は虫歯，歯周病，口臭の原因となることもある．皮膚や呼吸器にはそれぞれ違った微生物が棲みついている．このような常在菌（**23章2**参照）の中には，ヒトの生体防御能力の低下したときに**日和見感染**（opportunistic infection）を引き起こすものもいるが，ふだんは生体防御の一翼を担っている面もあり，ヒトは常在菌と共生関係にあると考えることができる．

胎児は無菌状態にあるが，誕生すると短時間で大腸内に細菌が広まり，生涯にわたる腸内細菌との付き合いが始まる．腸内の細菌叢（フローラ）は年齢や食事，体調によって変化するが，一人一人で安定した細菌叢は異なる．糞便の体積のほぼ1/3は腸内細菌が占め，ヒトは，毎日増えては入れ替わる約100兆個の細菌と共生しているということができよう．消化管の内腔は，個体からみれば体内にあるが，細胞の観点からは体外とみなすことができる．腸管は体の中で，外界との最大の接触面積をもち，免疫系（**23章3**参照）が発達している．ヒトは食物としてさまざまな生物の細胞成分を食べるので，自らの細胞や細胞成分と食物のそれらを区別しなければならない．そうでないと自分の体を消化してしまうことになる．また，通常の有益な食品や微生物には，過剰な応答を起こさないように調節されている（**経口免疫寛容**：oral tolerance）のに対し，病原体に対しては抗体が働いて排除している．その一方で，免疫寛容機構の異常は食物アレルギーを引き起こすことにもなる．

腸内は無酸素状態で，細菌叢では嫌気性菌が多数派である．健常者の大腸に多い**乳酸菌**（lactic acid bacterium，**図26-3**）は，糖を代謝して最終的に乳酸を放出するさまざまな嫌気性菌の総称で，周りを酸性にしたり，バクテリオシン[※3]を生産したりすることで有害菌の増殖を抑える．**大腸菌**（*Escherichia coli*，**図26-4**）は腸内では少数派であるが，酸素があると増殖が早いので，糞便から分離するとよく目立つコロニー[※4]をつくる．実験室で用いる大腸菌K-12株は無害であるが，大腸菌のなかにはO157株のように有害な種類もある．

ピロリ菌は，胃酸にさらされる胃壁に棲みついている．ピロリ菌はウレアーゼを分泌しており，尿素を加水分解して生じたアンモニアで菌周辺の酸を中和してい

[※3] 細菌が生産し培地中に分泌して，他の細菌を殺す毒素タンパク質の総称．ヒトには無害で，一部のものは食品添加物としても認められている．

[※4] もともと1つであった微生物細胞が増殖を続け，目に見える大きさの細胞塊になったものをコロニーという．

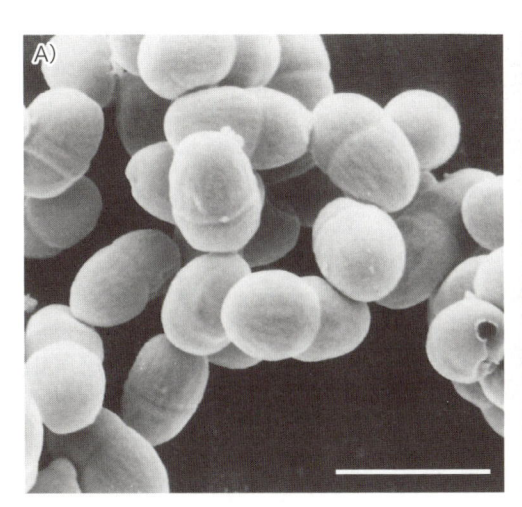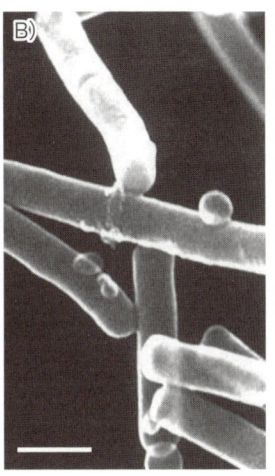

図26-3 さまざまな乳酸菌
ヨーグルトをつくる乳酸菌．A）乳酸球菌（*Lactococcus lactis*）．B）乳酸桿菌（*Lactobacillus bulgaricus*）．ABともバーは1 μm．Aは遠藤明仁博士，Bは宮道慎二博士のご厚意による

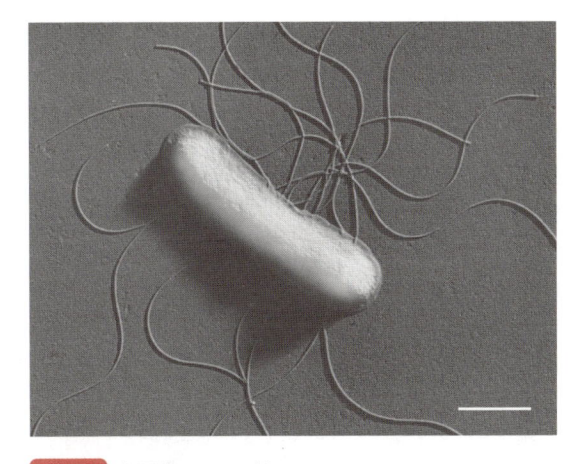

図26-4 大腸菌 O157株
K-12株も形態上は区別できない．バーは1 μm．大阪健康安全基盤研究所のご厚意による

る．ピロリ菌は胃潰瘍の原因となることが示されており，除菌により胃潰瘍になる可能性は減ずる．

4 発酵と食品微生物

いろいろな発酵

発酵（fermentation）は，いろいろ異なった意味に用いられる言葉である．発酵と腐敗はいずれも微生物による有機物の分解・変性を指し，人の害となる場合に腐敗，益となる場合に発酵と呼ぶと説明されることがある．有機物を分解する際に，空気を送り込めば，好気性菌のエネルギー代謝が進んで菌体が増殖するが，酸素が供給されないと，嫌気性菌によるいろいろな種類や段階の分解反応によって，有機酸などのさまざまな低分子物質を生じる．これらは不快臭を生じて腐敗と認識されることもあるが，人間にとって有益な香りや味，機能性物質を生じる場合もある．好気的な代謝に対して，このようなさまざまな嫌気的な代謝過程のことを「発酵」と総称することがある．

糖が最終的に解糖で分解されると，ピルビン酸とATPとともにNADHを生じるが，この過程を継続するにはNAD$^+$を再生する必要がある．呼吸鎖をもつ生物ならNADHと酸素からATPを生産してNAD$^+$を再生できる（**10章②**参照）が，もっと単純に，ATPはつくらずに，嫌気状態でピルビン酸を直接NADHで還元して乳酸にする（NAD$^+$を再生する）場合，あるいはピルビン酸を脱炭酸したのちNADHで還元してエタノールにする場合もある．そういう最終産物を細胞外に排出する現象が，乳酸菌（**図26-3**参照）の**乳酸発酵**（lactic acid fermentation, 図10-6参照），**酵母**（yeast, **図26-5A**）の**アルコール発酵**（alcohol fermentation）であり，そ

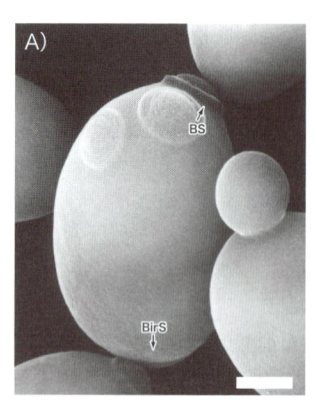 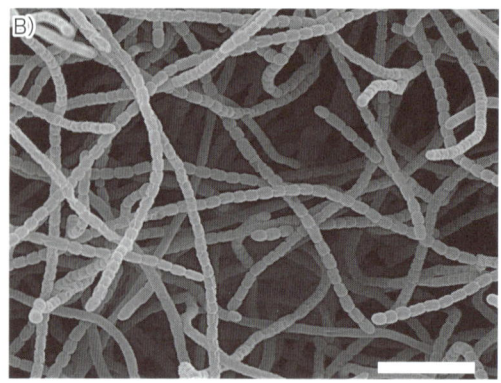 

図 26-5 発酵に関連する微生物の例

A) 出芽中の酵母（*Saccharomyces cerevisiae*）. 出芽した痕が, 母細胞には出芽痕（BS；budscar）として, 娘細胞には出生痕（BirS；birthscar）として残る. バーは 1 μm. B) ストレプトマイシン生産菌として最初に利用された放線菌（*Streptomyces griseus*）. 気中菌糸の先端の胞子部分. 放線菌は細菌であるが, 主に細胞分化をする多細胞体であり, 菌糸はカビのものより細い. 耕土を掘り起こしたときの土臭さは主に放線菌による. バーは 5 μm. C) コウジカビ（*Aspergillus oryzae*）の分生子（無性胞子）. バーは 10 μm. A は大隅正子博士, B は手塚武揚博士, C は綜合画像研究支援のご厚意による

れを人が食品や酒づくりに利用してきた. ビールの泡もアルコール発酵で出る CO_2 を閉じ込めたものである[5]. 酢酸（醸造酢）は, **酢酸菌**（acetic acid bacteria）が細胞表層にもつ酵素でアルコールを酸化してつくっている. これを酢酸発酵という. 以上のように微生物の代謝を利用して有用な物質をつくることを, その物質名を冠して何々発酵と呼ぶ. 100 年以上前, 池田菊苗は昆布から旨味物質グルタミン酸ナトリウムを発見した. グルタミン酸はその後大豆や小麦のタンパク質の加水分解物から得ていたが, 1957 年に細菌を使ったグルタミン酸発酵が開発され, 日本で**アミノ酸発酵**（amino acid fermentation）など本格的な発酵工業が始まった. 現在では, 食品分野だけでなく抗生物質などの医薬品の生産も, こういう発酵技術に多くを負っている（図26-5B）.

食を担う微生物

お酒は, 人が微生物の存在を知るよりはるか昔から, 世界中で多様な発展を遂げた. アルコールをつくる主役はいずれも酵母であるが, 原料はさまざまである. ワインでは, ブドウのグルコース（ブドウ糖）やスクロースを酵母が直接利用できるが, 穀類を使う場合には, まず

デンプンをどのような方法によって分解して酵母が利用できるよう準備するか（糖化）で方式が違う. ビールでは, 大麦が発芽するときの麦芽（モルト）の β アミラーゼで, デンプンを二糖のマルトース（麦芽糖）にまで分解する. 東アジアの酒では, デンプン分解活性の高いカビが広く使われている. 日本酒では, **コウジカビ**（*Aspergillus oryzae*, 図26-5C）が, α アミラーゼとグルコアミラーゼで, 原料の米をほとんどグルコースにまで分解しながら, それと並行して酵母によるアルコール発酵が進行する（並行複発酵）.

味噌や醤油は, 原料である大豆, 小麦, 米などを, コウジカビにより分解・発酵させたものを, 高い食塩濃度のもとで熟成させてつくる. 醤油の発酵・熟成過程では, 耐塩性の酵母や乳酸菌の働きも加わって味に広がりができる. 一方, パン酵母もワインやビールの酵母と近縁であり, パン生地の中でアルコール発酵が少し進み, パンを焼くことによって CO_2 の気泡が膨らんでふんわりとした質感を与える[6].

乳酸菌食品の代表は, チーズ, ヨーグルト, 漬け物であろう. なお, チーズが固形化しているのは発酵のためではない. 仔牛の第四胃から分泌される, ペプシンと類縁のプロテアーゼであるキモシン（凝乳酵素）を, 短時

間発酵させたミルクに加えると，カゼイン分子の1カ所が切断され，溶解度が低下して沈殿する．それを固めて熟成させたものがチーズである．今は多くの場合仔牛を殺さず，遺伝子組換えキモシンを精製したものか，キモシンと同等の活性をもつカビ由来の酵素が使われている．青カビや白カビのチーズは熟成段階でカビを植え付けたもので，カビがチーズの塊をつくるわけではない．カッテージチーズは，ミルクにキモシンではなく，酸を加えて乳タンパク質を等電沈殿させてつくる．

ヨーグルトは，ミルクを乳酸発酵して得た凝固乳製品であるが，市販品の中には寒天やカゼインで固めたものもある．腸内細菌叢は人ごとに固有で，ヨーグルトの乳酸菌（図26-3参照）は腸に定着するわけではないが，整腸作用などが期待できる．特に，腸を安定化する乳酸菌を含む食品をプロバイオティックスと呼ぶことがある．漬け物では耐塩性の酵母と乳酸菌が働いており，食塩による高浸透圧と乳酸菌の出す乳酸などで雑菌の増殖を防いでいる．

納豆は蒸した大豆に納豆菌（枯草菌の一種）を生育させてつくる．納豆のネバネバは納豆菌が菌体外に分泌するγ-ポリグルタミン酸による．鰹節の製造の最終段階では，表面に優良なカビを植えるカビ付けが行われる．カビ付けによって余分な水分が除かれるとともに，脂肪が分解され鰹節特有の香気が付与される．

5 微生物の多様性

大きさと多様性

微生物は，単に見えにくいからというだけでなく，小ささゆえにその多様性が形態に現れにくい．われわれがイメージする多様性は，基本的に動物や植物の形態の多様性であり，行動，生殖，発生・分化・成長などの様式も，結局は身体や器官の広い意味での「かたち」に支配されている．そしてそういう「かたち」の多様性は，多数の細胞の相互作用や組み立て方で決まる．一方，微生物は，カビやキノコのような多細胞ではそれなりに個体に多様性があるが，単細胞のものは，定義から

して細胞を単位とする多様な「かたち」はつくれない．さらに，原核細胞の体積は，動植物細胞の1/1,000～1/10,000と見積もられ，脂質二重層のような細胞の構築原理が同じであれば，細胞が小さいほど細胞の形そのものも制限される．大腸菌と枯草菌のrRNAの遺伝子（rDNA配列）を比較すると，動物と植物の間ほども離れているのに，顕微鏡で見る細胞の形や大きさはほとんど区別がつかない（図1-5参照）．このように，動物や植物の種の違いを見分けるやり方を微生物に広げていくと多様性が消えていく．つまり，微生物の多様性は視覚的には捉えられない．

何を微生物と呼ぶか？

微生物には，微細な生物，という以外に明確な共通点はない．身近な生物を動物と植物に分ける見方の延長として，光合成を行う生物をすべて植物とする見方がある．その場合，クロレラやケイソウのような単細胞藻類や**シアノバクテリア**（cyanobacteria）も，微生物でありながら「植物」プランクトンとされることがある．しかし植物プランクトンは，光合成を行う浮遊性生物という実用的な区分であり，運動性をもつ浮遊性生物である「動物」プランクトンとともに，生物の系統分類上は，分類群として存在しない．

一般に「動物＋植物」でないもの（補集合）を広く「微生物」と呼ぶことがあり，本章でも微生物を主にそういう意味で用いている．キノコ（**担子菌**：basidiomycete）の類は，子実体は微細ではないが，増殖して広がる菌糸は他の菌類と共通点が多く担子菌の酵母も存在するので，微生物として研究されている[※7]．3ドメイン体系で見れば，微生物は，原核生物である細菌（Bacteria）ドメインと古細菌（Archaea）ドメインのすべてを含み，さらに真核生物ドメインのうち動物と植物を除いたすべてを含んでいる．したがって，rDNAという共通遺伝子の配列で生物の多様性を見ると，微生物が多様性の大半を占めるように見える（図1-5参照）．

「遺伝子の多様性」

生物多様性には一般に，生態系の多様性，種間の多様性（種の多様性），種内の多様性（遺伝的多様性）と

※7　子嚢菌類のなかにもキノコをつくるものがあり，アミガサタケやトリュフなどが有名である．

いう3つの切り口があると説明される（**22章2**参照）．その中心的な概念は**種の多様性**（species diversity）である．生態系の多様性は種の多様性の高次構造であり，他方，**遺伝的多様性**（genetic diversity）は，種を構成する個体あるいは個体群の遺伝的バリエーションであって，種の下部構造を説明したものだといえる．

すべての生物を体系的に捉えるため，生物学的種の概念を基本として上位の階層を体系化していったのが**5界説**（five kingdom system，**1章8**参照）であり，これは種の多様性の図式化だといえよう．しかし，生物学的種概念は，動物や植物のように有性生殖を基本とする多細胞生物を前提とした概念なので，無性生殖を基本とする単細胞生物の多い微生物に当てはめるのには無理がある[※8]．生物多様性の説明として，種を中心とする3つの切り口だけでは微生物を正しく捉えることができない．これに替わる座標が「**遺伝子の多様性**（gene diversity）」であり，これは遺伝的多様性とは意味が異なる（p.300コラム参照）．

種の概念を離れ，微生物を含めた全生物に通用する普遍的尺度として，ウーズ（Carl Woese）は，共通の重要な遺伝子であるrDNAを分子時計として用い，**3ドメイン体系**（three domain system）を提唱した（図1–5参照）．rDNAは全生物に通用する強力な新尺度となったが，rDNA情報だけで近縁の系統関係を正確に知ることは難しい．いろいろな普遍性の高いタンパク質の遺伝子によってより詳細な系統関係が調べられ，一部ではゲノムレベルの比較により分類体系の総合化も試みられている．すなわち，3ドメイン体系は，このように全生物における「遺伝子の多様性」を図式化したものだといえよう．なお，種を基本とした分類体系の方でも，随所で分子系統学的解析を取り入れて整合性のある改善

が図られている．

「遺伝子の多様性」と種の多様性の対応

同じ全生物の体系でありながら，種の多様性と「遺伝子の多様性」の対応関係は大きく歪んでおり，特に極端な違いは原核生物にある．原核生物は，種の多様性の議論には登場すらしないが，「遺伝子の多様性」では3ドメイン中の2ドメインを占める．この食い違いは，種の多様性が「かたち」すなわち細胞間相互作用の多様性を反映しているのに対し，「遺伝子の多様性」は細胞素材の多様性，あるいは細胞そのものの性質の多様性に反映される，という違いによる．

結論として，微生物，特に単細胞微生物の多様性は，種の多様性あるいは「かたち」の多様性で捉えることは難しく，「遺伝子の多様性」という座標が必要となる．「遺伝子の多様性」は，膨大な，細胞の性質の多様性として現れる．ただし，必ずしも遺伝子が似ている（分子系統学的に近縁な）微生物が似た性質を表すわけではなく，また，似た性質を示すからといって遺伝子が似ている（系統的に近縁な）微生物だとは限らない点は注意が必要である．

その典型例が好熱菌である．至適生育温度が45℃以上の菌を好熱菌と呼ぶが，この中でとりわけ高温を好むものに限っても，細菌と古細菌のドメインを越えてさまざまな分類群に渡り存在する．また，ヒトから見れば好気性か嫌気性かは根本的な性質の違いに思えるが，いろいろな分類群の中で好気性菌と嫌気性菌の両方が混在する．乳酸菌や窒素固定菌などが系統的な分類名でないことも**本章1**ですでに述べた通りである．

生物多様性条約と微生物 *Column*

生物多様性条約（1992年）の目的として，生物多様性の保全とその持続的利用のほか，遺伝資源にかかわる利益の公正で公平な配分という点が注目される．生物多様性が条約という法的拘束力までもつようになったのは，莫大な利益を生む知的財産としての遺伝子の確保が国家的に重要だと認識されるようになったことが大きい．ここで問題になる生物多様性は，生態系の多様性，種の多様性，遺伝的多様性などよりも，特許の対象となる遺伝子の多様性であり，そのソースとして微生物の多様性は重要となる（**22章2**参照）．

[※8] 細菌も，大腸菌の学名が*Escherichia coli*と二名法で呼ばれるように，形式上は種を基本とした分類体系に組み込まれているが，ここの種の定義は生物学的種概念によるものではない．

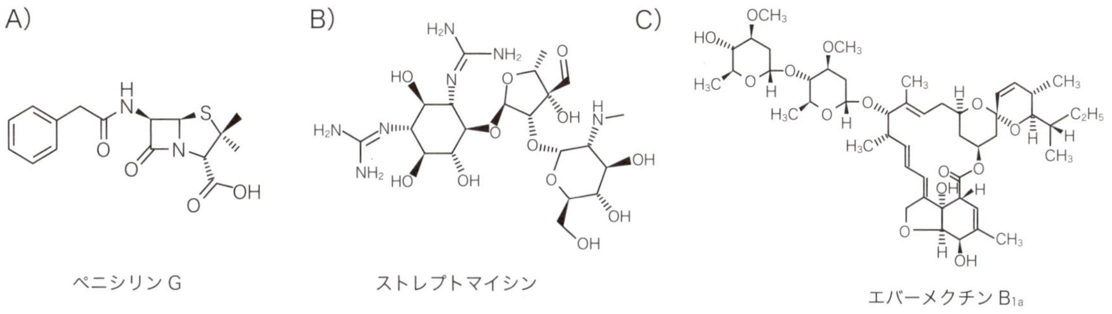

A) ペニシリン G B) ストレプトマイシン C) エバーメクチン B$_{1a}$

図26-6 ペニシリン，ストレプトマイシン，エバーメクチンの構造
A）ペニシリンは世界初の抗生物質であり，細菌の細胞壁合成を阻害する．第二次世界大戦中で多くの負傷兵を感染症から救ったことで有名である．B）ストレプトマイシンは最初に発見されたアミノグリコシド系抗生物質であり，細菌のリボソームに結合し，タンパク質合成を阻害する．結核の特効薬として用いられた．C）エバーメクチンは放線菌によって生産されるマクロライド系抗生物質である．当初，抗寄生虫薬として動物に対して用いられたが，ヒトの寄生虫にも有効であることがわかり，オンコセルカ症，リンパ系フィラリア症の撲滅作戦に用いられている

微生物代謝の多様性

人の役に立つ微生物あるいは健康を損なう病原微生物は理解しやすいが，地球上では直接ヒトと関係のない微生物がほとんどである．またわれわれは，ヒトを中心に考える習慣から，例えば糖・エネルギー代謝では，解糖-クエン酸回路-酸素呼吸が正統的，普遍的だと考えがちであるが，微生物の代謝は，多様な環境に応じて実に多様である．以下，原核生物に限って中心的な代謝の例を述べる．

微生物の増殖は基本的に，主要エネルギーを何に求めるかという面と，炭素源を何に求めるか，という面からみることができる．主要エネルギーとしては，光合成を使うか否かで大きく分けられる．祖先が葉緑体になったとされるシアノバクテリアは，植物と同じ酸素発生型の光合成を行う．ただしシアノバクテリアは以前，藻類と考えられていたため**光合成細菌**（photosynthetic bacteria）には含めないことがある．シアノバクテリアを除いた光合成細菌と呼ばれる各種細菌は，光化学系ⅠあるいはⅡのうちの一方に相当する反応系をもち，炭酸固定における電子供与体として別にH_2Sなどを必要とする．なお，古細菌の高度好塩菌は，バクテリオロドプシンを用いて光エネルギーを生育に利用するが，これも光合成細菌には含めない．

光合成を行わない細菌を**化学合成細菌**（chemosynthetic bacteria）と総称するが，これは①生体の炭素成分を二酸化炭素だけから生合成できるものと，②そうで

はないものとに分類することができる．①は，エネルギー源も炭素源も有機化合物に依存しないので，化学合成独立栄養細菌と呼ばれ，硝化細菌，水素細菌などがこれにあたる．**本章2**で述べた硝化細菌は，アンモニアや亜硝酸の電子を電子伝達系に渡し，最終的に酸素を還元してエネルギーを得て増殖する．また，水素細菌は，電子伝達系を介して水素を酸素で酸化しエネルギー源にする．②はその他の，有機化合物を栄養源（炭素源あるいはエネルギー源）にする多種多様な細菌を含み化学合成従属栄養細菌と総称される．そのエネルギー代謝のうち**本章2**で述べた硝酸呼吸は**嫌気呼吸**（anaerobic respiration）の1つで，いろいろな細菌が備えており，最終電子受容体として酸素ではなく硝酸を用いる．硝酸呼吸のなかで亜硝酸などの数段階を経て窒素分子を大気中に解放する現象を脱窒と呼び，その途中までの硝酸呼吸，あるいは大腸菌のように亜硝酸からアンモニアを生じる様式の硝酸呼吸もある．微生物による脱窒は窒素固定と並んで地球規模の窒素循環の一部として重要である．なお，長い生物進化の上で酸素が大気中の主要成分となったのは比較的最近のことである．したがって酸素呼吸は，硝酸呼吸，硫酸呼吸（SO_4^{2-}が電子受容体）あるいは鉄呼吸（Fe^{3+}が電子受容体）のような嫌気呼吸から派生してきたと考えられている．

以上は，古くから知られた主に常温菌における生育に必須な代謝（一次代謝）の例である．生育に必須では

ない代謝（二次代謝）はこれよりはるかに多様であり，本章ではほとんど触れなかったが，放線菌を中心に，二次代謝産物として膨大な数の抗生物質など，生理活性物質が発見され，人類の福祉に役立ってきた（図26-6）．大村智の2015年のノーベル生理学・医学賞受賞は，記憶に新しい．さらに新規な酵素や生体関連物質の探索対象となる生育環境は低温から高温，高圧にも広げていくことができる．また今後は，次項で述べる難培養微生物も重要な探索対象となっていくであろう．

■難培養微生物という課題

コッホが確立した純粋培養法では，サンプルを希釈して栄養分を含んだ寒天培地（当初はジャガイモの切り口やゼラチン培地が使われた）の上で保温し，生じたコロニーを分離・培養する．1個の孤立コロニーは1個の細胞が倍々の様式で増えたもので，遺伝的に均質なクローンからなっている．一定量を塗布して生じたコロニー数から逆に，初めのサンプル中で生きていた細胞数（生菌数）を推定できる．このように「生菌数＝コロニー形成数」とみなすことで微生物学は科学としての定量性を備えた．ところが近年，自然環境中の微生物（特に原核生物）では，生きている証拠はあっても，分離・培養することの難しい菌の方が圧倒的多数であることがわかってきた．

培養できない菌でも既知の菌に近いものは，PCR法（8章■参照）などにより菌の存在を高感度で検知できる．さらに，培養を経ないで土や水から特定の遺伝子を直接クローニングすることも，また条件が揃えば，サンプル中の主要菌の全ゲノム情報を再構築することも不可能ではない．このようなメタゲノム（metagenome）的手法は急成長しているが，それでも培養して直接調べない限り，生物としての性質はほとんどわからない．したがって，環境中の多くの細菌が培養困難という方法論の不備は，学問としてきわめて深刻である．

他の生物や微生物と強い共生関係にあるため，あるいは特殊環境に強く依存するために，単独での分離が困難な微生物の例も知られている．また一部の細菌では，低温飢餓状態に置くと，生物活性や細胞分裂能は保ちながらコロニーをつくれない"viable but non-culturable"（VNC，あるいはVBNC）状態になっていくことが実験的に示されている．環境中の難培養微生物もこのVNCに似た状態に陥っていると想像する人は多いが，実際に分離できない以上，技術が不完全なため培養できないという可能性や，本質的にコロニーをつくらない菌という可能性も否定できない．培養の難しい菌がすべて未知の菌であるというわけではないかもしれないが，われわれが微生物のまだほんの一部しか知らないことは確かである．

本章のまとめ　　　　　　　　　　Chapter 26

- ☐ 微生物はまずヒトの役に立つ活性や害を及ぼす活性で認識された．
- ☐ 微生物は，作物生産における土壌形成や植物への栄養供給，都市汚水や産業排水の大規模処理などいろいろな場面で寄与している．
- ☐ ヒトは腸内細菌などの常在微生物と共生関係にある．
- ☐ 発酵は，嫌気的な代謝という意味を中心にして，微生物のさまざまな有用な生理活性や物質生産を指す．古来いろいろな食品生産にも使われてきた．
- ☐ 微生物の多様性は動植物を元に発展した種の概念や生物多様性で捉えることは難しく，遺伝子の多様性で見ていく必要がある．また，二次代謝産物からの新規生理活性物質の探索や難培養微生物の解析も行われている．

27章　生物の情報科学

　人間の理解は「見る」という作業に大きく支配される．レーウェンフックにはじまる顕微鏡の技術的進歩は生物学のあり方を大きく変えてきた．そして今，新しい切り口で生物の姿を映し出す鏡は計算機である．その決定的な特徴は，空間に限らず時間軸に沿った変化，すなわち遺伝子配列の進化や生体分子の挙動，をも映しうる点だろう．ゲノム・構造生物学からシステム・合成生物学に至る生命科学の新しい領域は，例外なく，計算機による解析を前提とする．そうした解析の基礎部分は生物情報科学や情報生命科学と呼ばれる．本章では，大量情報に囲まれた現在の生命科学が確率・統計的な考え方の上に立脚していること，そして生物情報科学が生命現象の原理や法則性を見出そうと試みる分野であることを紹介する．

1　膨大な生物情報

　シェイクスピア全集の文字数（90万語×5文字）は，モデル生物である大腸菌ゲノムの塩基長（*Escherichia coli*：$4.64×10^6$ bp）にほぼ等しい．ヒトゲノムの長さ（一倍体）はその700倍もあり（*Homo sapiens*：$3.25×10^9$ bp），さらにその200倍のゲノムをもつアメーバもいる（*Polychaos dubium*：$6.70×10^{11}$ bp）．ゲノム配列が明らかになった生物は定義にもよるが2017年時点で万のオーダーに達しており（同じ種の異なる株なども含む），その数はさらに増える見込みである[※1]．この規模からわかる通り，ゲノムという重要かつ客観的な生物情報，より具体的にはDNAおよびそこから求まるアミノ酸の配列は計算機の助けなしには扱えない．これからの生物学は否応なく計算機に依存せざるをえず，その素養は必須になるだろう．計算機を駆使した研究は一般に**生物情報科学**（バイオインフォマティックス，bioinformatics）や**情報生命科学**（computational biology）という分野があり，現代の生命科学を支える基盤になっている（**図27-1**）．

　しかし，物理学や天文学，化学など他の分野に比べると，生物学の情報化はむしろ遅いほうかもしれない．天文学者1人1人が望遠鏡を必要としないように，生物

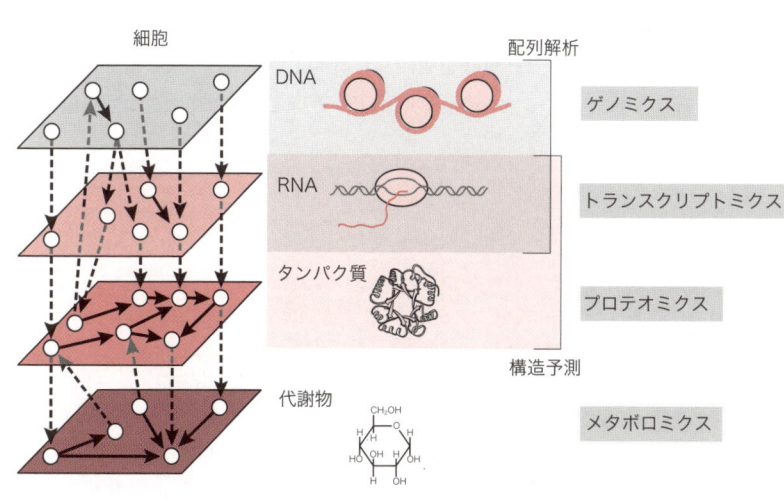

細胞　　　　　　　　　　　　配列解析

DNA　　　ゲノミクス

RNA　　　トランスクリプトミクス

タンパク質　　　プロテオミクス

構造予測

代謝物　　　メタボロミクス

図27-1　生物情報科学の概観
細胞内の現象は核酸の配列（DNAとRNA），タンパク質，代謝物の各階層において観測できる．各階層において計測を網羅的に行うアプローチをオミックス解析と呼ぶ

※1　数の統計はGOLDデータベース https://gold.jgi.doe.gov/ を参照．

学者が必ずしも観察や実験を必要としない時代がようやく来たのである.

確率的思考の重要性

情報化が生物学にもたらした重要な変化は確率的な考え方である. 実のところ, 人間はランダムという概念を含む考え方が苦手で, 常に因果関係を求めたがる. 例えば, ヒトは全生物の頂点にふさわしいから地球を支配しており, 遺伝子情報はその証左になると考える人がいる. 過去には遺伝学を用いて人種差別を正当化しようとする試みすら多々なされてきた. しかしゲノム情報が得られた現在, ヒトとチンパンジーやボノボのアミノ酸配列は98％以上も一致することがわかっている (図21-2参照). ゲノムの観点からは, ヒトは特別な存在では全くない. 現代人は淘汰や交雑の結果, たまたま地球上に広まっているようだ (p.304 コラム参照). こうした議論について, 進化研究は検証不能な過去を推測しているにすぎないと思うかもしれない. しかし進化に限らず, 現代の生物学全体が同じような推測の積み重ねの上に成り立っているのである. 基本にあるのは, 「配列が似ている遺伝子同士は同じ機能をもつに違いない」という考え方である.

情報のオープン化

確率・統計的な推測は多くのデータを入手できて初めて意味をもつ. 生物情報科学分野の特徴の1つは, ゲノム情報を含むこうした基礎データがインターネット上で無償公開され, 誰でもアクセスできる点である. つまり, 計算機の素養さえあれば誰でも推論過程を検証でき, 研究への参画すら可能である点である. これは当たり前のように聞こえるかもしれないが, 他分野にはあまりみられない優れた慣習だろう. 多くの分野において, 科学データを無償公開する**オープンサイエンス** (open science) という流れは比較的最近の現象にすぎない. しかしゲノム情報に関しては, **ヒトゲノム計画** (human genome project, **21章 1** 参照) を立案したワトソン (James Watson, 5章参照) が人類共有の資産としてゲノム情報の無償公開を強く推進したこともあり, ほぼすべての情報が米国立バイオテクノロジー情報センター (NCBI), 欧州バイオインフォマティクス研究所 (EBI), 日本の国立遺伝学研究所 (NIG) などの公共データベースを通して入手できる (表27-1〜表27-3). この点において, 生物学は他分野に先駆けて情報公開が進んでおり, そのメリットを享受してきた. 結果論ではあるが, ヒトゲノム計画というオープンサイエンスへの30億ドルの投資が, 世界中で8,000億ドルにも及ぶ経済効果を生んだのである.

2 計算機を用いた生命科学の夜明け

生物情報科学の歴史は, 遺伝子配列読み取りの歴史でもある. 実は, 配列情報が蓄積されはじめたのは, DNAよりタンパク質が先である. 1960年代, サンガー法やエドマン分解により決定されたタンパク質アミノ酸配列の詳細は『Atlas of Protein Sequence and Structure』という本として編集・刊行されていた. 責任者であった デイホフ (Margaret Dayhoff) はアトラスの情報と計算機を駆使した研究を展開する. 彼女はグロビン遺伝子を中心に進化上, 近縁とわかっている配列を集めて

人類の進化

Column

シークエンシング技術の進歩により人類進化の理解は大幅に深まっている. 現生人類はアフリカ単一起源であり, (遺伝子の多様性が乏しいことから) 一時は危機的な状況まで個体数が減少したと考えられている. またネアンデルタール人は現代人の祖先ではなく, 絶滅した種である. しかし3.8〜4.5万年前のネアンデルタール人化石から次世代シークエンサーで取得した配列の解析によると, ヨーロッパ人およびアジア人のSNPのパターンはネアンデルタール人と1〜4％において共通するのに, アフリカ人とは明らかに共通部分が少ない. これは出アフリカ後に現生人類がネアンデルタール人と交雑した可能性を示唆しており, 活発な議論を引き起こしている. 現生人類の遺伝的多様性については, 例えば「1,000人ゲノムプロジェクト」と呼ばれる国際共同研究が推進され, そのデータはウェブサイトhttp://www.internationalgenome.org/において無償公開されている.

アミノ酸の置換頻度を求め，この確率的変化を繰り返し適用することによって遠縁の配列におけるアミノ酸置換を具体的に計算してみせた．彼女の仕事は当時の生物学に大きな変化をもたらした．配列の類縁関係を求めるのに計算機を利用することが当たり前となり，研究者は紙媒体ではなく Protein Information Resource（PIR）と名付けられたデータベースを用いて研究するようになった．さらに DNA の配列決定用のサンガー法[※2]が普及すると，1982年，ゴード（Walter Goad）らにより DNA 配列のデータベース GenBank が構築された．それに伴って，以下に紹介する数々のアライメント手法が開発され，1990年には今も世界中で利用される配列検索ソフトウェア BLAST が発表された．現在，PIR は他のデータベースと統合されて UniProt データベースと名前を変え，EBI で運用されている（**表27-1**，**表27-2**）．つまり，DNA やアミノ酸配列から生物種の類縁関係を具体的に決める必要性から，生物情報科学が生まれたのである．

3 相同性という概念

類似と相同

では，配列の類似性について具体例をみてみよう．進

表27-1 公共データベースを運営する世界の主要な研究機関（各機関のウェブサイトは名前で検索してもらいたい）

NCBI（National Center for Biotechnology Information）米国立バイオテクノロジー情報センター[†]	米国が威信をかけて運営する研究センター．文献データベース PubMed や化合物データベース PubChem をはじめ，主要データをほぼ網羅する．教育コンテンツも公開しているが，教材は有償
EBI（European Bioinformatics Institute）欧州バイオインフォマティクス研究所[†][‡]	ヨーロッパの NCBI と称される．人手をかけた丁寧な仕事が特徴でゲノムデータベース Ensembl などが有名
NIG（National Institute of Genetics）国立遺伝学研究所（日本）[†]	DDBJ という名前で GenBank データベースをその初期から提供する．最近はナショナルバイオリソースプロジェクト（NBRP）も手がける．生物情報科学関連は Genome Net が中心（http://www.genome.jp/）
SIB（Swiss Institute of Bioinformatics）スイスバイオインフォマティクス研究所	ExPASy というサイトを運営．SwissProt と呼ばれるタンパク質配列のデータベース（現在は UniProt に統合）や，Swiss Model というタンパク質立体構造データベースが有名

[†] …GenBank データベースを維持・管理する世界3極の1つ．
[‡] …PDB データベースを維持・管理する世界3極の1つ．

表27-2 主要なデータベース（各データベースのウェブサイトは名前で検索してもらいたい）

GenBank（または ENA，DDBJ）	日米欧3極で維持するゲノム配列のデータベース（INSDC という国際組織を構成する）．新規の DNA 配列はここに登録して ID 番号を取得しないと，学術雑誌の掲載許可を得られない場合が多い
PDB（Protein Data Bank）	日米欧3極で維持するタンパク質立体構造のデータベース．1971年より運営される．タンパク質の立体構造はこのデータベースに登録しないと市民権が得られない
UniProt	タンパク質アミノ酸配列の機能注釈データベース．デイホフのアトラスをもとにつくられた PIR と，SwissProt，それを自動化した TrEMBL データベースを統合してつくられた
OMIM	Online Mendelian Inheritance in Man の略．ヒト遺伝病の解説データベース MIM のオンライン版
PubMed	米国が管理する学術文献情報のデータベース．世界中で出版される生命科学論文のうち，質の高い雑誌（およそ半分）が登録されている
GO（The Gene Ontology）	遺伝子やタンパク質の機能を記述する際の用語（オントロジー）を定めたデータベース

表27-3 解析ツールの使い方などを学習するためのポータルサイト

NCBI Learn　http://www.ncbi.nlm.nih.gov/home/learn	NCBI が提供する解析ツールの講習ビデオ教材などがある
EMBL-EBI Train online　http://www.ebi.ac.uk/training/online	EMBL-EBI が提供する解析ツールの講習ビデオ教材など．生物学を教える動画もある．EBI ではなくヨーロッパ分子生物学研究所（EMBL）のウェブサイトから提供されている
統合TV　http://togotv.dbcls.jp/	ライフサイエンス統合データベースセンターが提供する著名な解析ツール・データベースの講習ビデオ．日本語でわかりやすい

※2　こちらも同じサンガーが開発し，サンガー法と呼ばれる（**8章1**参照）．

化の過程では生殖細胞系列において遺伝子に変異が蓄積する．変異のパターンは塩基の置換が主だが，一定領域の欠失や挿入も起こりうる．**図27-2**に並んでいるのは複数の生物種から見つかった光受容体オプシン類のアミノ酸配列（部分）である．どこまで似ていたら機能が同じと考えられるだろうか．より一般的には，異なる種間で互いに類似したアミノ酸配列が観測されたとき，どの程度似ていたら同一の機能と考えられるだろうか．

乱暴な話だが，通常は祖先種において同一の遺伝子由来であることが明白なほど似ていたら機能も同じと考えてしまう[※3]．同一遺伝子由来の場合は**相同**（homology）と呼ばれ，単なる**類似**（similarity）とは区別される[※4]．この言い方を用いれば，進化的に関係のない類似配列と，相同配列との境界の定め方が問題になる．

大域アライメント

配列の類似度という尺度を定式化するには，配列の進化をモデルする必要がある．以下ではアミノ酸配列のレベルで話を進めよう．配列変化のパターンとして，1残基の**置換**（substitution）と，残基の**欠失**または**挿入**（deletion / insertion）の2通りのみを仮定する．2本の配列を与えられたとき，片側のアミノ酸配列をもう一方のアミノ酸配列に変形するために必要な置換と欠失・挿入の最少手数を求めてみる．進化的に近い場合は少ない手数，無関係な場合は多い手数を要するはずである．こうした変換がわかるように配列を並べて図示した様を**アライメント**（alignment）と呼ぶ．配列の両端を揃えるようにして最少手数で一致させたものを**大域アライメント**（global alignment）と呼び，同じファミリーに属するタンパク質の機能部位検出（すなわちモチーフ検出）などに用いる（p.306コラム参照）．**図27-2**をよくみると，サケのオプシンは多くのアミノ酸が異なって

UniProt データベースの
ID 番号と遺伝子の略称

			配列	
ニワトリ赤色光オプシン	P22329	OPSR_CHICK	AFHPLAAALPAYFAKSATIYNPIIYVFMNRQFRNCILQLFGKKVDDGSEVS-TSRTEVSS	353
ヒト 赤色光オプシン	P04000	OPSR_HUMAN	AFHPLMAALPAYFAKSATIYNPVIYVFMNRQFRNCILQLFGKKVDDGSELSSASKTEVSS	357
サケ オプシン	O13018	OPSO_SALSA	YLDPRLAAAPAFFSKTAAVYNPVIYVFMNKQVSTQLNWGFWSRA----------------	323
ヒト ロドプシン	P08100	OPSD_HUMAN	NFGPIFMTIPAFFAKSAAIYNPVIYIFMNKQFRNCMLTTICCGKNPLGDDE--ASATVSK	339
ウシ ロドプシン	P02699	OPSD_BOVIN	DFGPIFMTIPAFFAKTSAVYNPVIYIMMNKQFRNCMVTTLCCGKNPLGDDE--ASTTVSK	339

: *   : **:*:*:::***:**::**:*・ ・ :

図27-2 **アミノ酸配列アライメントの例**

横方向	－	：ギャップ
最下段	＊	：完全一致
	：	：強いコンセンサス
	・	：弱いコンセンサス

光を検出するGタンパク質共役型受容体（**15章3**参照）オプシン類のアライメント（レチナールに結合する部分のみを示してある）．アミノ酸を示す文字は，酸・塩基性や極性ごとに色分けしてある．ヒトとウシのロドプシンがほぼ完全に保存され，この配列がサケを含む脊椎動物間で保存されていることがわかる．また置換されている場合もアミノ酸の色分けが類似する点に注意したい

多重アライメントとモチーフ

Column

複数のアミノ酸配列をまとめてアライメントする手法を**多重アライメント**（multiple alignment）と呼ぶ．同じ機能を有する配列を多重アライメントすると，進化的にとりわけよく保存されるアミノ酸部位が見つかる場合がある．そうした保存部位をプロファイルもし

くはモチーフと呼ぶ．タンパク質の二次構造や立体構造と強く相関するものを構造モチーフと呼び，代表例がロイシンジッパーやジンクフィンガーなどのDNA結合モチーフである．機能と関連するものを機能モチーフと呼び，**図27-5**やセリンプロテアーゼの触媒3残基

（セリン，ヒスチジン，アスパラギン酸）のパターンなどがこれにあたる．こうしたモチーフは収斂進化によって相同でない配列間にも見出されうるため，相同性やタンパク質構造からは推定できない情報も提供する．

[※3] 収斂進化のように異なる道筋で同一機能に至る場合もあるが，そうしたケースは配列の類似度が低くなる．また遺伝子重複の後に機能が分化することも考えられるが，その場合は配列の類似度も下がると仮定する．

[※4] 相同という概念は共通祖先をもつか否かの二者択一である．配列解析の際に「〇〇％相同」といった表記がなされる場合があるが誤用である．正確には「〇〇％類似」と書かねばならない．

いるし，欠失部分もある．この場合でもアミノ酸配列は大変よく保存されているほうで，オプシン類が脊椎動物の分化以前から存在する遺伝子由来であることを示唆している．実際，オプシン類は軟体動物であるイカやホタテの眼でも機能している．

相同性の評価

よく知られた経験則として，30％以上のアミノ酸が保存されている場合は相同と考えられる．15〜30％が保存されている場合はアライメントだけから判断できないトワイライトゾーン，それ以下の場合は偶然の一致とみなす．アライメントにおける置換部分をミスマッチ，欠失部分をギャップと呼び，ギャップよりもミスマッチのほうが起こりやすい．これらの起きやすさを考慮した最適アライメントは，20種のアミノ酸同士の置換しやすさをスコア化した行列や，置換と欠失・挿入の起こりやすさの違いを反映させたスコア関数を用いた**動的計画法**（dynamic programming）で求められる（p.308コラム参照）．

局所アライメント

これに対し，問合せ配列を用いてデータベースを検索する場合は類似度の扱いが異なってくる．データベースにはさまざまな配列が登録されている．また問合せ配列は遺伝子全体に対応するアミノ酸列とは限らず，断片の場合もありうる．すなわち，問合せ配列の一部分とデータベース配列のごく一部が相同なのかどうかを判断する必要がある．これを**局所アライメント**（local alignment）と呼び，大域アライメントとは以下の関係で定義される．

局所アライメント
＝ 与えられた2つの配列のすべての部分配列の間で，大域アライメントのスコアを最大にするもの

この定義に基づくと，データベース中の部分配列すべてについて大域アライメントを計算する必要が生じ，面倒に思われる．しかし動的計画法では，大域アライメントとほぼ同じアルゴリズムで最適解が求まることが知ら

れている．こうして得られた類似配列の相同性をどう評価すべきだろうか．部分配列を考えているため，アミノ配列の何％が保存されているかという尺度は意味をもたない．配列の長さを短くとれば完全一致すら可能であり，また長くとれば，ミスマッチやギャップが多く入って保存度はいくらでも下がる．

E-value（イー・バリュー）

配列検索ソフトウェア BLAST の開発者であるアルトシュール（Stephen Altschul）たちは，ここで**E-value**という統計指標を採用した．E-value は BLAST 検索で求めた局所アライメントの結果に付随して出力され，検索対象のデータベースがランダムなアミノ酸配列の集合であると仮定[※5]した際の，問合わせ配列との間に見出される類似性の**期待値**（expected value）を意味する．E-value が低ければ低いほど検出された局所アライメント結果が稀であること，すなわち偶然とは考えにくい相同性を意味している（**図27-3**）．実際の BLAST はアミノ

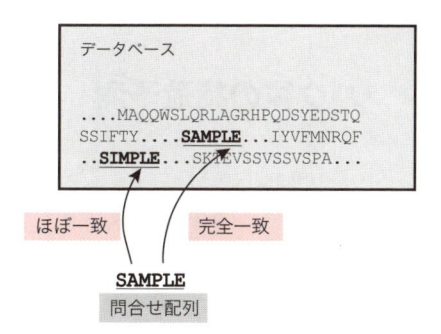

データベース

....MAQQWSLQRLAGRHPQDSYEDSTQ
SSIFTY....**SAMPLE**...IYVFMNRQF
..**SIMPLE**...SKAEVSSVSSVSPA...

ほぼ一致　　　完全一致

SAMPLE
問合せ配列

図27-3　配列検索とE-value

話を単純化して説明しよう．6残基のアミノ酸配列 SAMPLE が完全にランダムなアミノ酸列の中に出てくる確率を考える．タンパク質中のアミノ酸は20種あるので6残基では（1/20)^6，つまり $64×10^6$ 分の1という期待値で出現する．だからランダム配列を格納するデータベースの大きさがおよそ $64×10^6$ バイト（64メガバイト）なら，データベース中にSAMPLEという文字の完全一致がみつかって当たり前である（期待値1）．しかしデータベースが64キロバイトならSAMPLEという文字が出る期待値は 10^3 分の1に減るだろう．そのような低い期待値にもかかわらず完全一致がみられるなら，データベースの中身にSAMPLEという文字列が多く含まれるバイアスがある証拠になる．ここから，遺伝子配列のデータベースにおいて期待値がきわめて低いヒットが見つかることは，遺伝子の中立進化というランダムな過程では起きえないほど稀，つまり相同という因果関係があると考えられる（もちろん間違いの可能性もある）

※5　仮定されているのは個々のアミノ酸が等確率で出現するランダムネスであり，アミノ酸の頻度や並びは考慮していない．

酸の置換頻度やギャップを考慮しながら完全一致以外の文字列，例えばSIMPLEやSCAMPという文字列もヒットとして考慮する．有意，つまり相同とみなせる期待値（E-value）は利用者の判断に任せられているが，通常は 10^{-10} のような低い値を採用する．

GenBankなどの配列データベースには数多くの遺伝子とその機能が登録されている（表27-2）．そこにある**機能注釈**（annotation）のほとんどがこうした検索に基づく相同性で決められることは留意しておくべきだろう．データベースの規模にくらべれば，実験室で機能を検証できる遺伝子の数は，ごくわずかにすぎない．論文や教科書に出てくる遺伝子機能の大多数は計算機で推定した結果である．われわれが機能を知らない遺伝子はまだまだ多い．定義のしかたにもよるが，最もよく解析されているモデル生物の大腸菌やヒトですら，その遺伝子機能の多くが unknown や hypothetical（機能が未知，またはあてずっぽう）である．

4 タンパク質の構造予測

面白いことに，相同遺伝子がコードするタンパク質はアミノ酸配列よりもむしろ立体構造が保存されている．タンパク質の機能が構造に基づくことを考えれば当たり前かもしれない．したがって，トワイライトゾーンに属する配列の機能を知るには，立体構造の情報があると大変便利である．

構造予測における諸問題

DNAはよく生命の設計図と称される．これが本当なら，アミノ酸配列という一次元情報からタンパク質の二次・三次構造の情報（**4章1**，p.179コラム参照）が予測できてもよいはずである．酵素を尿素で変性させた後でも尿素を除去すれば活性が戻せる場合があることは，タンパク質構造の**折りたたみ**（folding）がエネルギー最小化という物理的原理に従っている証拠ではないか〔**アンフィンセンのドグマ**（Anfinsen's dogma）〕．折りたたみの組み合わせには天文学的な規模のバリエーションがあるはずなのに，同じアミノ酸配列が同じ立体構造を正確に見出せる原理は何か〔**レビンタールのパラドックス**（Levinthal's paradox）〕．これらの問いはノーベル賞級の難しさともいわれ，生物情報科学分野においても長らく取り組まれてきた．

結論からいうと，配列という一次情報だけから高次構造を予測すること（**第一原理計算**：first principle calculation）はまだ難しい．タンパク質科学の分野で最も重要なリソースは，X線結晶解析や核磁気共鳴法（NMR）などによって同定された立体構造情報を収めるデータベースPDBである（表27-2，図27-4）．配列の情報だけからは，薬とタンパク質の相互作用はおろか，酵素の機能やメカニズム推測も難しい．PDBには現在130,000もの立体構造が登録されているが，こうして構造を列挙する理由の1つは，既知構造に関する情報が新規タンパク質の構造予測などに不可欠だからである．また，タンパク質の機能と構造との対応を見出すためにも，具体例を列挙する作業が重要と考えられている．

動的計画法とアライメント

動的計画法とはダイナミック・プログラミングの訳語である．コンピュータの普及以前につけられた名前であり，計算機言語のプログラミングとは直接関係がない．分割した部分問題から最適値を拾い上げる作業を繰り返して，より大きな問題の最適値を効率よく計算する手法を指す．遺伝子配列のアライメント問題に応用されたことから，準最適解の列挙や並列化，ペナルティ関数の開発などさまざまなバリエーションが研究された．考案者の名前をとって大域アライメントは Needleman-Wunschアルゴリズム〔正確にはセラーズ（Peter Sellers）が考案〕，局所アライメントは Smith-Waterman アルゴリズムと呼ばれるものが有名である．多重アライメントの最適解を求める問題は難しいため，準最適解を求める手法が一般的である．アライメントやデータベース検索ツールは表27-1の研究機関から多くのウェブインターフェースが提供されている．

A）リボン表示 B）主鎖のみ C）空間充填表示

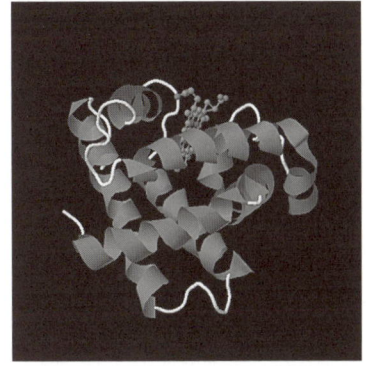 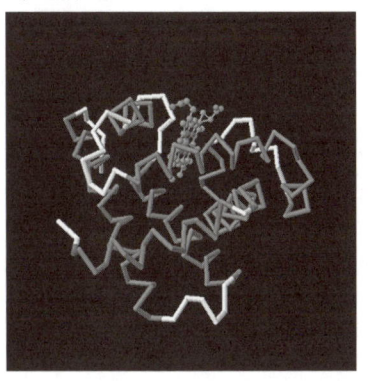 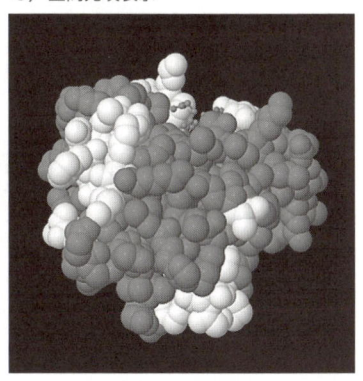

二次構造やドメインの確認に用いる　　類縁タンパク質との構造の重ねあわせに用いる　　表面電荷や凹凸の確認に用いる

図27-4 **PDB に格納されるタンパク質構造情報**

一般にデータベースには水素以外の原子座標が記され，共有結合の情報は記載されない．座標の他には，αヘリックス・βシート・ジスルフィド結合の位置，構造の決定法，著者や文献情報が登録されている．図はケンドリュー（John Kendrew）らが 1958 年に明らかにした最初のタンパク質立体構造，ミオグロビンである．三次元画像は原子座標と二次構造の情報から描画プログラムが自動作成するもので，目的に応じて使い分ける（画像は米国の RCSB　PDB による．他の画像や詳細情報が日本の PDBj，ヨーロッパの PDBe で閲覧できる．PDB コード 1mbn で確認してほしい）

■ 構造予測のアプローチ

　計算機資源が豊富な現在，立体構造とまでいわずにαヘリックスやβシートなどの二次構造なら簡単に予測できそうに思える．二次構造の分類は，αヘリックス，βシート，それ以外（ループやターン）のたった 3 種で，それぞれの頻度は 30 %，20 %，50 % である．つまり常に「ループやターン」と答えるだけでも正解率は 50 %になる．ところが，50 %の正解率を 70 %に上げるには予想外に多くの努力が必要であった．アミノ酸の鎖がらせんを巻くか伸びるかは，近傍のアミノ酸組成によって決まる要素が大きいはずである．その仮定に基づき，アミノ酸の並びや頻度の解析，それらを非線形的に処理する数々の込み入った数理的予測法が試された．しかし正解率を本質的に（70 %超へ）上げたのは，ヘリックスやシートであることが立体構造からわかっている配列を多数アライメントして作成したコンセンサス配列〔**プロファイル**（profile）または**モチーフ**（motif）とも呼ばれる〕を利用する手法であった（**図27-5**）．つまり物理化学的な解法というより，進化の過程で選ばれた実例との類似性を用いた予測法なのである．

　同じ傾向は立体構造予測にもみられる．フラグメント・アセンブリー法は，与えられた配列を 9 残基程度の幅で細断し，それぞれのパーツが実際のタンパク質中で取りうる立体構造の候補をデータベース検索によって列挙する．それらのピースをジグソーパズルのように取り替えながら目的構造を探索するため，成功の鍵は，各ピースが既知構造としてデータベース中に多く含まれることである（p.310 コラム参照）．アミノ酸数がそれほど多くないタンパク質であれば構造予測は可能になってきたものの，低分子化合物とタンパク質の相互作用や，薬の有効性を予測するには多くのブレイクスルーが必要である．とりわけ，折りたたみ原理の解明は今でも未解決

図27-5 **プロファイルの例**

PROSITE データベースに登録されているオプシンのレチナール結合モチーフは図のような配列ロゴで表現される．文字の大きさがアミノ酸組成における重要度（情報量），色はアミノ酸の性質を表す．このロゴが**図27-2**のどの部分に相当するか，確かめてみよう

である．エレガントな解法を求めて今も多くの研究者が取り組んでいる．

5 生命科学の新しいアプローチ：情報生命科学

　構造予測問題を通して見えてきたのは，配列情報を駆使してもタンパク質の機能はおろか α ヘリックスすら予測が難しいという現実である．これはタンパク質をつくる遺伝子領域の同定についても当てはまる．過去には，いわゆる遺伝子予測問題に多くの情報学研究者が取り組んだが，特定の発生段階や組織において転写・発現する遺伝子は予測できなかった．今でも，タンパク質に対応する遺伝子領域は逆転写された完全長cDNAをゲノムに貼り付けて同定されている（この作業をゲノムへのマッピングと呼ぶ）．ゲノムだけから予測できるわけではない．ここで強調しておくが，ゲノムが重要な情報源であることに間違いはない．素晴らしい法則の発見によりタンパク質構造の第一原理計算が一気に実現する可能性もゼロではない．しかし，生命現象を理解するには，ゲノムだけでなくRNA・タンパク質・代謝物などその他の構成要素も総合して考えないと駄目だろうというのが大方の意見である．

システム生物学

　ゲノム情報から還元主義的に生命を理解することは難しい．個々の遺伝子やタンパク質を詳細に調べあげてそのメカニズムや設計の素晴らしさに驚くことは，それらが協調して行う動作を理解する作業とは別と考えたほうがよい．例を用いて説明しよう．従来の生物学は，宇宙人がラジオを叩き壊して個々の部品の精巧さを報告するような作業に近い．ダイオードやトランジスタを識別してそれぞれの性能を調べることは面白いだろう．変わった立体構造の部品もあるだろうし，異なるラジオ間の類似性や複雑さの違いも認識できるだろう．部品から製造国や製造年を予測できるかもしれない．しかし，それでラジオを理解したと言えるだろうか．理解するためには，新しいラジオを設計できるだけの全体知識や原理・法則の理解も必要ではなかろうか．そして個々の部品の詳細と法則性や全体像が車の両輪のように機能して初めて，ラジオを理解したといえるのではなかろうか．

　話を生物学に戻そう．われわれが必要としている知識は分子情報の記載にとどまらない．分子が生命システム全体の中で連携するしくみを理解することも求められているのだ．この視点を重要視する研究者たちは，DNAやアミノ酸配列を扱ってきた従来法（狭義のバイオインフォマティクス）とは異なる研究スタイルであることを強調する．そしてシステムとしての生命を扱うアプローチ，原理やメカニズムを追うアプローチを，**システム生物学**（systems biology）と呼んでいる．狭義のシステム生物学とは生物学実験による解析と数理モデルによる再構築を組み合わせたスキームを指すようだが，実際にはずっと幅広い意味で用いられており，それゆえに多くの研究者を惹きつけている．

数理的アプローチの重要性

　システム的理解を端的にあらわすのが，反応ネットワーク（分子回路）とその動的な振る舞い（ダイナミクス）の研究だろう．例として，負のフィードバック回路を考えよう（**図27-6**）．4章，コラム図16-3や**19章5**でもたびたび紹介されてきたメカニズムであり，一般

クラウドソーシング

　タンパク質の立体構造を予測するにはさまざまなパラメータで膨大な量のシミュレーションを行わねばならない．このため，立体構造分野では並列計算機を利用する試みやインターネット上につながるPCを束ねた計算など（グリッド計算で立体構造問題を解くサイトとしてFolding@Homeが有名），さまざまな試みがなされてきた．中でも，立体構造計算をパズルゲームとして再構成し，多くのプレーヤーが共同して予測に取り組むしくみをつくったFold It！は，HIVが感染に利用するプロテアーゼの立体構造を予測して注目を集めた（http://fold.it/portal/）．このように，一般人へ参加を促して人海戦術で問題を解くアプローチをクラウドソーシングと呼び，ゲームを利用した問題解決法と並んで注目されている．

に，出力を安定させる機構として説明される．しかし回路には時間遅れがあるので，周期的振動も実現できるはずである．実際，さまざまな生物種における概日リズムの遺伝子相互作用には必ず負のフィードバックが含まれている．つまり，同じ構成の回路でも条件によって挙動はさまざまである．これまでの生物学では観測された振る舞いを説明できた時点で解析が終了してしまった．しかし今後は同一の回路が理論的に取りうる他の挙動や安定性についても注意すべきだろう．例えば概日リズムをわずかに調節できるようになるだけでも，国民の20％が悩むとされる不眠症を解決する端緒になるのである．

■合成生物学

物理学者のファインマン（Richard Feynman）は「つくれないものは，わからないのと同じ（What I cannot create, I do not understand.）」という言葉を遺した．実際につくらなければわからないという認識は，今後の生物学において重要になる（ただし生命の創造という意味で倫理的な問題も孕んでいる）．この視点をもつ研究者は計算機で現象をモデリングするシステム生物学では飽きたらず，実験室内で生命現象を再構成する**合成生物学**[6]（synthetic biology）という分野を提唱している．この分野では，生体分子を人工的に配合して設計通りに機能するかどうかを調べたり，汎用性のある分子パーツの設計法が模索されている．そこでは，分子パーツの振る舞いや安定性の予測が必須であり，計算機によるシミュレーションおよび数理的な解析が当たり前の手段となって初めて現実味を帯びてくる．

■オミックス解析とネットワーク

システム生物学や合成生物学と相まって重要視されるのがオミックス解析と，その情報をネットワークとして視覚化する技術である．オミックスとはゲノムワイドなデータを扱う際に用いられる言葉であり，その解析においても基本となるのは確率・統計という考え方である．例えば細胞内のタンパク質全体が構築する相互作用のネットワークを考えてみよう．タンパク質の相互作用を共免疫沈降法で解析した結果をネットワーク表現すると，複合体を形成するタンパク質はそうでない平均的なタンパク質に比べて密なクラスターを形成するだろう．ここで，クラスターという概念を数理的に定める必要が生じてくる．また，ネットワークには非常に多くのタンパク質と相互作用する分子（ハブ）が見つかる．ハブはしばしばネットワークの中心に位置するといわれるが，ここでも中心という概念を数理的に定める必要が生じてくる．大量情報が得られるようになった現在，統計処理によって"クラスター"や"ハブ"のように曖昧に用いられてきた概念を検証できるようになった（p.312コラム参照）．生物学はいま，個々の具体例に的を絞って解析するだけではなく，個々の分子の全体における位置づけを考える時代に入っている．

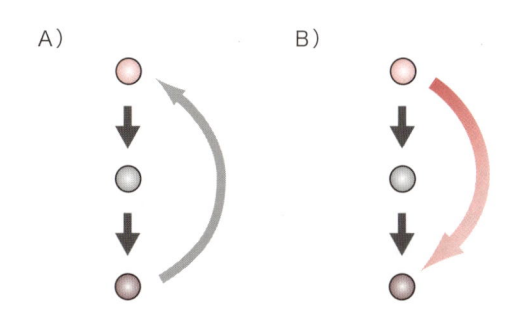

A)　　　B)

図 27-6 **フィードバック回路（A）とフィードフォワード回路（B）**

○で表現される要素が，矢印の方向に活性化（正）または抑制（負）の影響を及ぼすと解釈する．フィードバック回路の場合，一周する間に負の影響が奇数個ある場合を負のフィードバック，0を含む偶数個ある場合を正のフィードバックと呼ぶ．前者は値の安定化，後者は二極化をもたらすために使われる場合が多い．それに対し，矢印が循環せずに複数の経路を通じて下流に影響を及ぼす場合をフィードフォワード回路と呼ぶ．これらの概念は制御工学から生物学に輸入された

[6] 天然には存在しない代謝経路を微生物細胞内に構築し，（天然あるいは非天然の）有用化合物を発酵生産させる研究も盛んに行われてい

るが，このような研究分野も広義の合成生物学に含まれる．

ネットワーク解析の例

規模は500遺伝子程度と小さいが，大腸菌や酵母の転写制御ネットワークを考えてみよう．そのトポロジーを解析すると，ランダムな場合と比較してフィードバック回路がほとんどみられない．そのかわり3要素からなる**フィードフォワード回路**（feed-forward loop：FFL）が頻出する．3要素の回路は活性化と抑制の組み合わせを考慮すると8通りあるが，頻出するのはこの中でも2つ（**図27-7**のC1とI1）である．しかも一見すると論理的な挙動が矛盾するものを含んでいる（I1）．**図27-7**のパターンI1は，要素XがZを活性化したあと，時間遅れを伴ってYがZを抑制するため，結果としてZの発現量を一過性の状態にする効果がある．この一過性モジュールがなぜ大腸菌や酵母には多いのだろう．

考えられる仮説は，外部からのシグナルに対する応答を早める効果である．発現量が一過性になると，そうでない場合に比較して，量変化に対するスイッチ応答の閾値を下げなくてはならない．結果として応答は早くなるだろう（これと引き換えにノイズに対する誤反応も増えるだろう）．大腸菌のネットワークを遺伝子改変した検証実験はこの仮説を支持している．しかし，他の腸内細菌ではFFLは特に保存されていないという報告もある．（つまり，一般には有意義でない可能性がある）．また，実際の細胞内ではFFLは他の遺伝子とも複雑に関与している．FFLのようなモジュールの進化的な意義については今後の研究を待たねばならない．

再び確率的思考とは

オミックスやネットワーク解析に共通する特徴は，ゲノムワイドに得られた情報をランダムな場合（統計用語でいう帰無仮説）と比較して有意さを検証する点にある．例えばDNAマイクロアレイで計測した遺伝子発現量の変化から遺伝子やタンパク質の相互作用ネットワークを推定したり（トランスクリプトミクス），質量

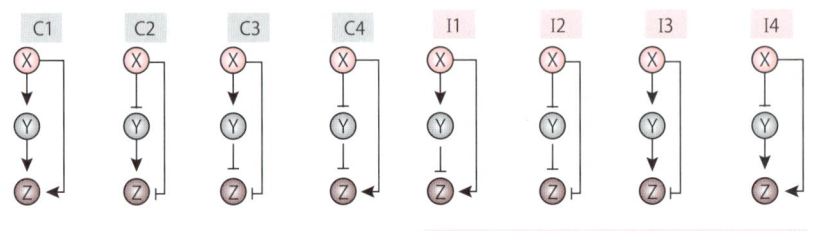

C1　C2　C3　C4　I1　I2　I3　I4

論理回路として矛盾

→ 正の影響
⊣ 負の影響

図27-7　8通りの3要素フィードフォワード回路

図27-6にも示したフィードフォワード回路において，影響を表す矢印に正の場合と負の場合を仮定すると，8パターンある．その内訳は正負の影響が論理回路として矛盾のないC1〜C4と，矛盾するI1〜I4である〔CとIはそれぞれ**コヒーレント**（coherent）と**インコヒーレント**（incoherent）を意味する〕．大腸菌と酵母の転写制御ネットワークの統計を取ると，8パターンのうち，C1とI1のみが頻出することが知られている．パターンC1はXからZへのシグナル伝達にバックアップ回路があると解釈できるが，伝達様式に矛盾があるI1の生物学的意義はシグナル伝達速度の向上と考えられている（本文参照）

ハブ，クラスター，モジュール

Column

ネットワークは頂点とそれらを結ぶ辺（リンク）で構成されている．ネットワークの中で相対的に多くの辺が接続する頂点のことをハブと呼ぶ．また互いに密に繋がる部分をクラスターと呼ぶ．自然界にみられる多くのネットワークにはハブやクラスターがみられる．さらにどの2点間も少ないステップ数で繋がるという特長をもっている．インターネットを例に取ると，AmazonやGoogleのサイトは多くのページがリンクするハブであり，大学のウェブサイトは学内のリンクが密に存在するクラスターをなしている．またどのホームページからでも数クリックで世界中のあらゆるサイトに移動できる．細胞内のネットワークも同じ性質を共有すると考える研究者は多い．また，モジュールという言葉は部分構造を指すだけの用語だが，中身の構造が隠蔽されていることを暗に意味している．

分析器で計測した生体分子の変化からシグナル伝達経路や代謝パスウェイを推定したりする解析（それぞれプロテオミクスとメタボロミクス）がこれに当てはまる（8章**2**参照）．これらは単なる統計・検定手法の応用ではない．大規模データを扱うためにさまざまな新手法を開発しなくてはならないし，多くの場合，サンプル数（例えばマイクロアレイの計測回数）よりも解析したい事象の要因数（例えば観測する遺伝子の数）がずっと大きいという特徴がある．測定回数より要因数がはるかに多い場合，従来の統計手法では推定がうまくいかないことが知られている〔**次元の呪い**（dimensional curse）とも呼ばれる〕．今後，生命科学・情報科学・統計学者が一緒に取り組まねばならない最先端の学際研究課題である．

ゲノムワイド関連解析

疫学として成立する量のゲノム情報を統計処理して疾患の原因遺伝子や多型を見出すアプローチを**ゲノムワイド関連解析**（genome-wide association study：**GWAS**）と呼ぶ．GWASは学際研究の代表例である．個人ゲノムの解析結果から，ヒトの**SNP**（21章**5**参照）

は平均して1,000塩基毎にあることがわかっている．すなわちヒトゲノム上に単純計算で300万カ所のSNPがあり，この中から特定疾患と関連する因子を探し出さねばならない．生活習慣病の解析になると，多型情報に加えて食生活や運動量などの情報もあわせた解析になる．分析に携わる研究者はこうした情報全体に精通していることが望ましい．今後は生物学や情報学だけでなく，医療や社会科学ともつながる学際分野が形成され，研究の裾野が広がるだろう．

食事や生活習慣を含めた長期間にわたる個人の活動記録のことをライフログと呼ぶ．ゲノム情報とライフログを組み合わせた解析は，研究者だけでなく大企業も参入し，一大産業に発展している（社会におけるその重要性と経済効果を想像してもらいたい）．近い将来，自分のゲノム情報を考慮しながら食事や生活習慣をコントロールする時代が来ることは間違いない．シェイクスピアは『マクベス』の中で「人生は歩きまわる影法師（life's but a walking shadow）」と書いた．舞台を終えて消えてなくなるより前に，その歩き方を少しでもランダムではなく有意義な人生の方向に導く，その道標を提供する学問が，生物情報科学なのである．

本章のまとめ　　　　*Chapter 27*

- [ ] 生物情報科学は多様かつ膨大なデータが生み出される現代の生命科学の基盤である．
- [ ] その歴史はタンパク質配列やDNA配列がデータベースとして整理されはじめた1980年代にはじまる．
- [ ] 生物情報科学の基本には相同という考え方がある．異なるDNAやタンパク質配列同士が相同であるかはアライメントを行うことによって評価できる．
- [ ] タンパク質の構造予測も生物情報科学の重要な領域である．第一原理計算はまだ難しいが，さまざまな研究が活発に行われている．
- [ ] 関連する研究分野に，システムとしての生物を研究するシステム生物学や生命現象を再構成することを試みる合成生物学がある．
- [ ] 生物情報科学は，生物学や情報学だけでなく医療や社会科学ともつながる高度に学際的な領域である．

28章 脳

　動物は感覚器を介して物理的環境からの情報を受け取り，知覚世界を構築し，運動出力へと変換して，環境に働きかける．脳は感覚入力から運動出力への変換装置であり情報処理装置であると見なして，動物が環境へ応答するしくみを，入力（感覚器）→処理・統合（脳）→作動・出力（効果器）の段階に分けて研究することができる．しかし，その一方，われわれ人間には「こころ」があり，安定した知覚世界と自己とを意識し，自由意思をもっている．一般に「脳に『こころ』がある」と漠然と考えられているが，両者の関係（心身問題）はいまだ深い謎に包まれており，現象的意識（や無意識）を研究する適切な方法論は見つかっていない．

1 脳の構造

中枢神経系と末梢神経系

　脊椎動物の脳の原基は，神経板※1が褶曲した神経管である．中枢神経系細胞と末梢神経系細胞は，それぞれ神経管脳室面と神経冠（神経堤）に由来する．中枢神経系は脳と脊髄を構成し，頭蓋骨と脊椎骨で保護されている．末梢神経系は感覚器官や筋・腺などの運動器官と中枢神経系を結ぶ神経であり，外的環境からの刺激を感受して環境に働きかける脳脊髄神経系（12対の脳神経と31対の脊髄神経）と，生体の内部環境（循環，呼吸，消化，代謝，分泌，体温維持，排泄など）を安定な状態に保つ自律神経系（内臓求心性線維と遠心性の交感・副交感神経）に分けることができる（16章3参照）．

脊椎動物の脳

　すべての脊椎動物は共通した脳の基本構造をもつ（図28-1）．胎生第4週の終わりになると神経管前端部が肥大して一次脳胞（前脳胞，中脳胞，菱脳胞）ができ，胎生第5週に入ると二次脳胞（間脳胞と終脳胞，中脳胞，後脳胞と髄脳胞）となる．終脳胞は左右一対の**大脳半球**（hemicerebrum）になる．間脳胞から**間脳**（diencephalon），中脳胞から**中脳**（midbrain），後脳胞から**橋**（pons）と**小脳**（cerebellum），髄脳胞から**延髄**（medulla oblongata）がつくられる．脊髄/脳の重量比は，ヒトでは約2％であり，ゴリラ6％，ウマ40％，ニ

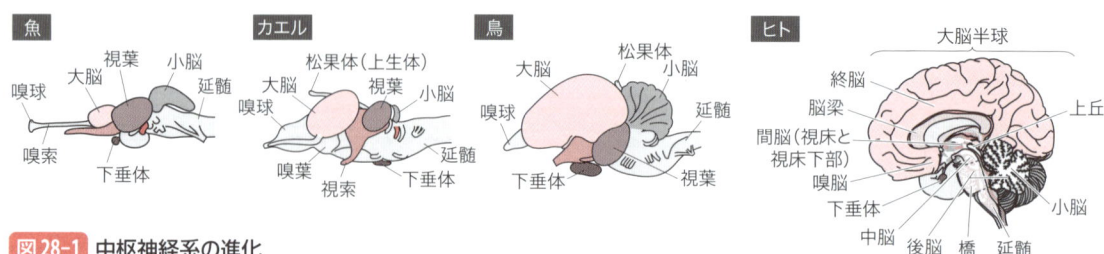

図28-1　中枢神経系の進化
さまざまな動物の脳の側面（ヒトの場合は縦断面）．魚類や両生類では，大脳よりも視葉（視蓋，上丘とも呼ばれる）が大半の感覚情報を統合し，効果器への出力を制御する重要な部分である．鳥類や哺乳類では，大脳が発達して大きな体積を占める．ヒトの場合には，新皮質が非常に大きな部分を占める．古い時代から機能していたと考えられる嗅脳・海馬などの古皮質・原始皮質は，新皮質の発達によって内側に押しやられている

※1　胚性外胚葉上皮が誘導を受けて肥厚したもの．

ワトリ51％に比べて小さい．進化に伴って神経系の統合機能が脳の前端（終脳）に集中する「終脳化」を反映していると考えられている．

小脳と脳幹

小脳，橋，延髄には，多くの神経核が存在する．呼吸，循環，排尿，嘔吐などの自律能を支配する重要な場所である．小脳は，筋の張力や関節の感覚など姿勢に関する情報や視覚・聴覚情報を入力し，大脳皮質**運動野**（motor cortex）の行う筋収縮制御を助けて姿勢維持，空間内での位置制御，四肢運動を可能にしており，運動の熟練にも深くかかわっている．

中脳には，上丘，下丘，黒質，赤核などがあり，眼球運動，聴覚入力の中継，歩行運動の制御，小脳フィードバック系などにかかわっている．ヒトでは後脳（延髄，橋）と中脳をあわせて**脳幹**（brainstem）と呼び，生存するうえで基本的な機能がここで制御されている．

間脳

間脳は，**視床**（thalamus）と**視床下部**（hypothalamus）からなる．視床は嗅覚以外からの感覚入力や小脳・大脳辺縁系などからの入力を受けて大脳皮質に投射する中継核としての役割などをもつ．視床下部は，自律神経機能や内分泌機能の制御，情動や動機付けにもかかわる．

大脳

大脳（cerebrum）は，表層に神経細胞（ニューロン：neuron）層（＝**大脳皮質**：cerebral cortex）があり，ひだをつくって表面積を増やすことにより機能の多様化を実現している．大脳皮質は，下等な脊椎動物の時代にできあがった古い皮質（6層構造をとらない不等皮質）とその後分化した新しい皮質（6層構造をとる等皮質）に分けることができる（**図28-2**）．古い皮質は，さらに古皮質（嗅球，梨状様前皮質）と原始皮質（歯状回，海馬，海馬台，脳梁灰白質など）に分類される．

ヒトの大脳新皮質は前頭葉，側頭葉，頭頂葉，後頭葉に分けられる．ブロードマン（Korbinian Brodmann）は大脳皮質の細胞構築の差異に基づいて52の領域（ただし48〜51は欠番）に区分する脳地図を作成した（**図28-3**）．

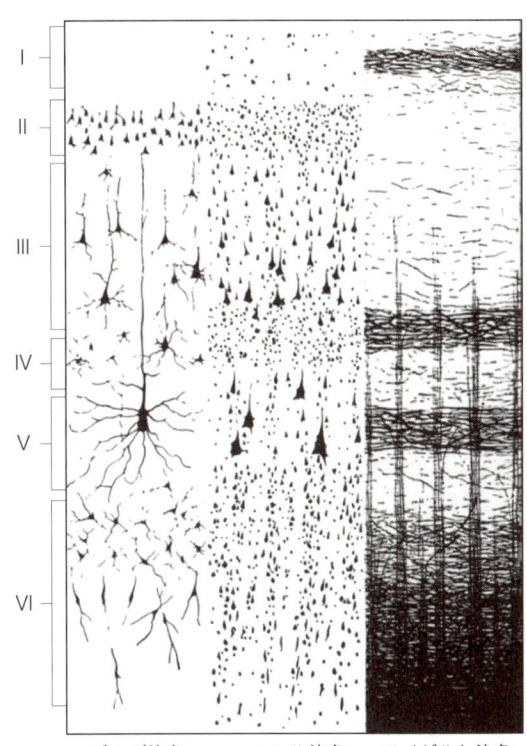

図28-2 **大脳新皮質の構造**

表面に平行な6層構造（Ⅰ〜Ⅵ）をしている．ゴルジ染色では，ごく少数の細胞の全体像が黒く染色される．ニッスル染色では細胞体が，ワイゲルト染色では有髄軸索だけが，それぞれ染色される．『Vergleichende Lokalisationslehre der Grosshirnrinde』（Brodmann K）J. A. Barth, Leipzig, 1909より引用

ゴルジ染色　　ニッスル染色　　ワイゲルト染色

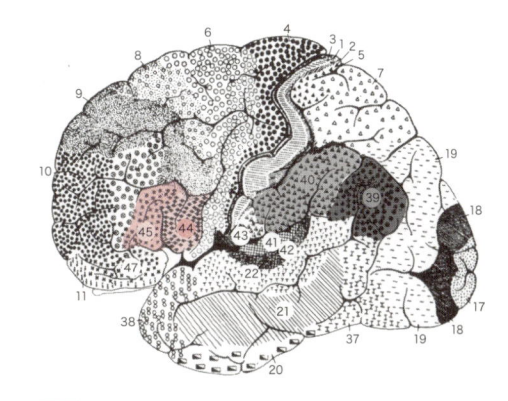

図28-3 **ブロードマンの脳地図**

ブロードマンは大脳皮質における細胞構築の違いに基づいて領域を区分し番地（図中の数字）を付けた．『Vergleichende Lokalisationslehre der Grosshirnrinde』（Brodmann K）J. A. Barth, Leipzig, 1909より引用

2 感覚受容

　動物は，感覚器を介して物理環境からの情報を得る．エネルギー変換器としての特性により，ヒトでは，可視光（360〜830 nm の波長の光）しか見えず，約20〜20,000 Hz の音しか聞こえない．外部環境の光・機械・化学エネルギーなどによって引き起こされる視覚・聴覚・平衡感覚・嗅覚・味覚などは特殊感覚と呼ばれ，これらの感覚器は主として頭部に存在する．動物自身の内部環境にかかわる体性感覚（関節位置や負荷，皮膚にかかる圧力・痛み・温度などを検出）は姿勢や運動の制御に貢献する．また，臓器感覚（飢餓，渇き，便意，尿意，吐き気など）や内臓痛覚（腹痛，胃痛）などは，自律神経求心路を介して脳に送られる．

■2種類の感覚器

　感覚器は2種類に大別することができる（図28-4）．第1のタイプは，刺激を受容して**活動電位**（action potential，以下，本章ではスパイクとする）を発生する．受容部では，刺激強度に応じて**脱分極**（depolarization：膜電位が静止膜電位から 0 mV へ近づく変化）する**起動電位**（generator potential）が生じ，**軸索小丘**（axon hillock）で**閾値**（threshold）を超えるとスパイクが発生する．刺激の強度と持続時間に依存して，スパイク発火の頻度・タイミング・持続時間が変化する．

　第2のタイプは，特殊化した細胞が受容細胞となっており，刺激に応じて**受容器電位**（receptor potential）を発生する．受容器電位の変化に伴って Ca^{2+} 依存性に**神経伝達物質**（neurotransmitter）の放出量が制御され，**シナプス後細胞**（postsynaptic cell）が情報を受け取る．聴覚系の機械受容器である**有毛細胞**（hair cell）では脱分極応答が大きくなると神経伝達物質のグルタ

■ 感覚情報と価値判断

Column

　生物は視覚や嗅覚など五感と呼ばれる感覚情報を使って，常に外界の情報を受け取っている．生まれたての生物にとって，はじめて触れる外界から入ってくる多くの感覚情報は特別な意味をもたないが，その後さまざまな経験をするなかで，感覚情報が特定の経験と結びついて意味をもつようになる．このような現象は，感覚情報に対する価値情報のタグ付けと呼ばれる．

　例えば，通常のマウスは低濃度の柑橘系物質の臭いを識別できるが，その物質に対して特定の行動を示すことはない．しかし，柑橘系物質を与えながら電気ショックを与えると，そのマウスはこの化学物質の臭いを感じるだけで恐怖反応を示すようになる．つまり，以前は何も意味をもたなかった化学物質の嗅覚情報に対して，「怖い」という情報がタグ付けされたと考えられる．

　このような感覚情報と価値情報のタグ付けは，その個体の経験に依存してなされるが，その一方で，すべての個体で生まれながらに価値情報をタグ付けされている感覚情報もある．例えば，研究室のマウスはキツネに出会ったことがないが，すべてのマウスは例外なくキツネの尿に含まれる化学物質の臭いに対して強い恐怖反応を示す．これは，生まれながらにして，キツネの尿に含まれる化学物質の臭いが「怖い」という情報とタグ付けされているからだと考えられる．

　むろん，われわれヒトは，キツネの尿の臭いに対して「怖い」という感情を抱くことはない．その一方で，腐敗物に含まれるアミン系化学物質の臭いや，食物に含まれる苦み物質の味に対して「不快」な感情を抱く．この生まれながらにもつ感覚情報のタグ付けにより，ヒトは腐敗した物質や毒物（毒物の多くは苦み物質を含む）を摂食する危険を回避している．また，赤ん坊のように幼い子どもを見れば，多くのヒトは「愛しい」という感情をもつ．つまり，前述の例から容易に想像できる

ように，生まれながらにタグ付けされている「感覚情報」と「価値情報」は，生物の生存や生殖を有利にするためのしくみであり，したがって，生物の生活環によってタグ付けの様式が大きく異なることも理解できる．

　最近の研究から，特に生後におきる経験依存的なタグ付けの過程において，ドーパミンやセロトニンなどのモノアミンと総称される神経伝達物質が重要な働きをしていることがわかってきた．おもしろいことに，線虫やショウジョウバエなどの無脊椎動物においても，ドーパミンやセロトニンを使って情報のタグ付けが行われていることが示されている．したがって，感覚情報と価値情報をタグ付けするしくみの一部は，線虫やショウジョウバエからヒトに至るまで保存されているらしいのである．

参考文献
・『カンデル神経科学 第5版』（金澤一郎，他/監），MEDSi，2014

A)

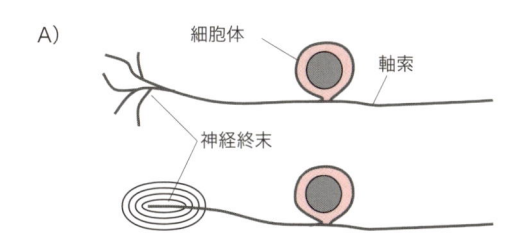

細胞体
軸索
神経終末
特殊な繊毛
感覚受容細胞

図28-4 ヒトにある2種類の感覚器

A）神経細胞の軸索終末端や細胞体が特殊化し，そこで刺激を受容する．受容した刺激の強度に応じて応答振幅がアナログ的に変化し，この神経細胞の求心側（中枢に近い側）にある軸索でスパイクが発生する．痛や触に応答する細胞（神経終末で受容），嗅細胞（繊毛で受容）などがこのタイプである．B）受容細胞が外界からの刺激を受容し，アナログ的な応答を発生する．この応答は，シナプスを介してシナプス後細胞に伝達され，そこで初めてスパイクが発生して脳に情報が送られる．視細胞，味細胞，有毛細胞などがこのタイプである

B)

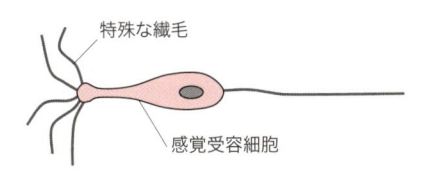

微絨毛　感覚受容細胞

涙からフェロモン！？

Column

　フェロモンは，同種の他個体に特定の行動や生理変化を引き起こす物質と定義される[1]．遡ると，1904年にファーブル（Jan-Henri Fabre）が蛾を観察してその存在をはじめて示唆して，1959年にブテナント（Adolf Butenandt）がカイコで異性を引き寄せる物質をみつけた．この時フェロモンという言葉が生まれた．フェロモンは同種間のコミュニケーションに使われる物質であり，昆虫では触角，哺乳嗅覚器で感知および情報処理される[2]．動物の間での化学感覚コミュニケーションの多くは，身体からでる匂いを介しておこなわれるが，犬もマウスも尿でマーキングするので，フェロモンは尿に含まれると考えられてきた．確かに尿にはフェロモンが含まれるが，実は，涙腺からもフェロモンがでていることがわかった．このESP1というフェロモンは，アミノ酸70個くらいからなる小型タンパク質で，雄の涙に分泌されると，その雄を交尾相手として受け入れる．性行動を誘発する性フェロモンである．マウスは泣くわけではないが，涙腺から涙液が常に分泌されており，それが異性への交尾シグナルになっていたのである．また，興味深いことに，雄同士ではESP1は攻撃行動のシグナルになる．よく見てみると，マウスは顔を接触させてコミュニケーションをとる様子が観察される．それではヒトではどうか？イスラエルの研究グループが，悲しいときの女性の涙を男性が嗅ぐと性欲が減退するという報告をしている．冒頭で述べた「生理変化」ということでフェロモンの定義に入る．ただし，この活性物質はまだ見つかっていない．

参考文献

1) 『Pheromones and Animal Behavior』（Tristram D. Wyatt），Cambridge University Press, 2014
2) 『化学受容の科学』（東原和成／編），化学同人，2012

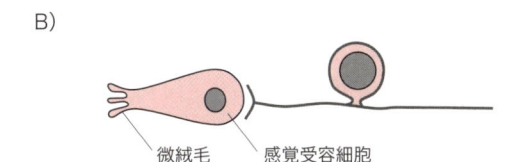

ESP1

攻撃行動

性行動の受け入れ

コラム図28-1 雄マウスの涙に分泌されるフェロモンESP1の性特異的な作用

ミン酸の放出量が増加し，シナプス後細胞である聴神経により大きな**興奮性シナプス後電位**（excitatory post-synaptic potential：EPSP）を発生させてスパイクの発火頻度を増加させる．網膜**視細胞**（photoreceptor）では，光刺激が強くなると**過分極**（hyperpolarization：暗時の膜電位よりもさらに負になる変化）応答が大きくなり，グルタミン酸の放出量が減少して，シナプス後細胞の膜電位を変化させる．

神経情報の符号化

刺激強度に応じて受容器の膜電位応答の振幅はアナログ的に変化する．一方，中枢へ伝えられるのは振幅が一定のスパイクであり，刺激の強度情報を伝えることはできない．強度情報などの**符号化**（coding）は，スパイクの発火率（発火率コード：rate code）や発火タイミング（時間コード：temporal code）によると考えられている．個々の神経細胞（**16章参照**）の発火パターンだけではなく，神経細胞集団でのスパイク発火パターンにも意味がある．また，受容器に刺激が持続的に与えられると**順応**（adaptation）して次第に応答しなくなる場合もあるが，視細胞では順応レベルに適した新たな「光強度－応答関係」に移行することによって，広い範囲の光強度変化に対応した応答を発生することが可能

となる．

光・音・匂いの受容

感覚器には多数の受容細胞が整然と配列されている．例えば，眼球の網膜にある視細胞や内耳蝸牛の基底膜上にある有毛細胞では，それぞれ刺激される感覚細胞の位置が意味のある情報（視野上の位置や音の周波数）となる．刺激された受容細胞の位置情報は感覚野へ正確に伝えられる．例えば，網膜上の位置情報は**一次視覚野**（V1野）にトポロジカルに再現される（**図28-5A**）．しかし，感覚器からの情報が大脳皮質に伝達されるまでに，感覚器内や中継核ではさまざまな情報処理（コントラストの増強，対比，特徴検出など）が行われている．

鼻腔の奥にある嗅上皮に存在する**嗅細胞**（olfactory cell）は1,000種類もある受容体遺伝子のうち1種類のみを選択的に発現する．匂い分子がGタンパク質共役型受容体（**15章3参照**）に結合すると，**二次メッセンジャー**（second messenger）を介する増幅作用が起こり，応答が発生する．嗅上皮には4つのゾーンがあり，特定の匂い分子受容体を発現した嗅細胞は1つのゾーン内にランダムに存在するが，同一の匂い分子受容体をもつ嗅細胞の軸索は**嗅球**（olfactory bulb）にある特定の**嗅糸球体**（olfactory glomerulus）に選択的に投射す

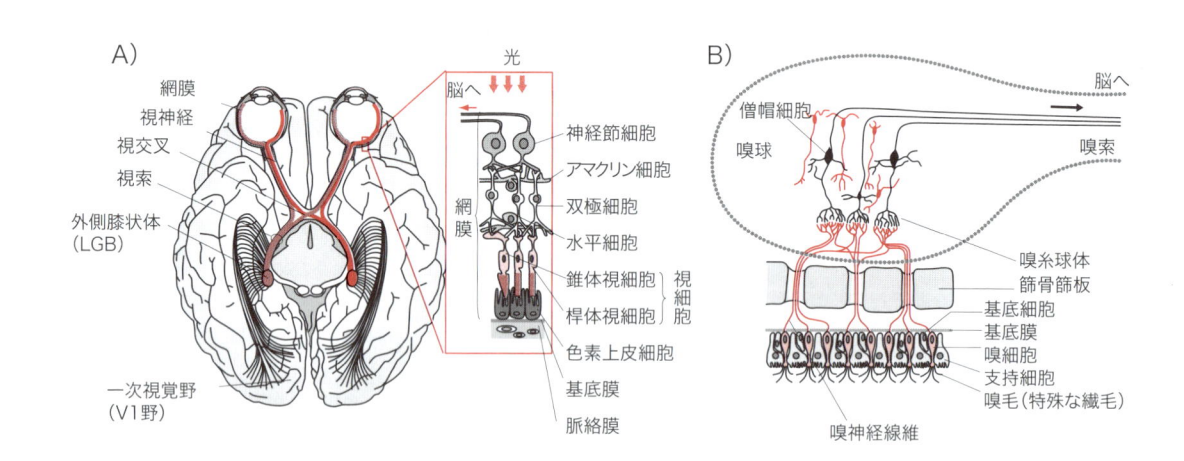

図28-5 ヒトの網膜から一次視覚野へ至る経路（A）と匂い情報の受容と処理（B）

A）網膜神経節細胞の軸索の束が視神経となり，視交叉で半交叉したのち，主として外側膝状体（lateral geniculate body：LGB）で中継され，後頭部の大脳皮質（V1野，ブロードマンの17野）に至る．半交叉しているため，右視野は左脳に，左視野は右脳に投射される．B）嗅細胞の繊毛にある受容体は匂い分子を受容し，その情報はスパイク列に変換されて軸索（嗅神経線維）を伝導する．嗅糸球体は特定の匂い受容体を発現している嗅細胞からの入力のみを集約し，嗅球内の神経回路網で情報処理された後，嗅覚中枢へ伝えられる

る（図28-5B）．嗅球内では匂い情報の振り分け作業，刺激強度に応じた信号積算，匂い分子間のコントラスト増強などが行われる．これらの情報は嗅皮質に送られ，さらに，視床・扁桃体・大脳皮質に伝えられる．

3 大脳の機能局在

感覚神経が脳へ伝える信号はスパイク列であり，そこには感覚の種類についての情報は含まれない．感覚の種類は，感覚神経からの情報を受け取る大脳皮質**感覚野**（sensory cortex）に依存する．例えば，脳を直接電気刺激すると一次視覚野（Ｖ1野：ブロードマンの17野）では光覚が生じ，体性感覚野（ブロードマンの1野，2野，3野）では触覚などが生じる．

大脳の機能局在説は，19世紀初頭のガル（Franz Gall）の骨相学という似非科学に始まるが，19世紀後半になってフリッチュ（Gustav Fritsch）とヒッツィヒ（Eduard Hitzig）によるイヌ大脳皮質の電気刺激実験や，ブローカ（Paul Broca）とウェルニッケ（Carl Wernicke）による失語症患者の研究から強く支持されるようになった．ブローカは，脳血管障害の後遺症のため，他人の言うことは理解できたが，自分からは「タン」としか話せなかった患者の病理解剖を行い，左の前頭葉（ブロードマンの44野，45野；ブローカの運動言語中枢）に欠損のあることを見出した（図28-3 参照）．一方，ウェルニッケは，言葉の意味がわからなかった（聴覚性失語）患者はブロードマンの40野に，書かれた文字を見ても理解できなかった（視覚性失語）患者は39野に欠損のあることを見出した．これらの研究は，ヒトの言語能力が，左脳の特定部位で規定されていること

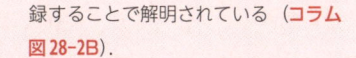

鳥のさえずり学習

音声でコミュニケーションをとる動物は多いが，その音声を他個体から学習する動物は限定されている．ヒト以外では霊長類の一部と鯨類の一部がこれに該当する．鳴禽類（スズメ亜目；さえずる鳥が多い）は，雄から雌への求愛の際にさえずる．**コラム図28-2A** は，鳴禽類の一種ジュウシマツ（*Lonchura striata* var. *domestica*）の雄が，さえずりながら雌に求愛している様子である．求愛のさえずりは，父親から息子へと変異を伴い伝承されることがわかっている．すなわち，さえずりは文化として継承されるのである[1]．

さえずりの学習は，音声自体の聴覚学習と，その音声を生成する運動学習とで成り立っている．聴覚学習は巣立ち前後に起こり，運動学習は巣立ち後に起こる種が多い．鳥類のさえずりの学習を可能にする神経回路について非常に多くの知見が得られている．

鳴禽類の若鳥は，生後30～60日の間に父親の歌を聴覚的に記憶する．この記憶痕跡は，大脳の一部NCMやCMMと呼ばれる領野に保存されることが，遺伝子発現や神経細胞の活動を記録することで解明されている（コラム図28-2B）．

若鳥は生後40日頃からさえずりはじめるが，これが成鳥のさえずり同様な精度をもつのは生後120日までかかる．さえずりのリズム構造をつくるのは大脳新外套のHVCで，それに個々の音韻を対応させていくのがRAである．さえずりの神経活動は，延髄の第十二神経核から効果器である鳴管に伝えられる（後部伝導路）．自己のさえずりの聴覚情報はNLF-HVC-AreaX-DLM-LMANを経由してRAに戻る．この経路で，運動学習の結果を聴覚記憶と照合するのであろう．鳥類で得られた研究成果はヒトの発声学習（言語獲得）を理解するうえで有用であると期待される[2]．

参考文献

1）『さえずり言語起源論脱―新版小鳥の歌からヒトの言葉へ』（岡ノ谷一夫／著），岩波書店，2016
2）「つながりの進化生物学』（岡ノ谷一夫／著），朝日出版社，2013

 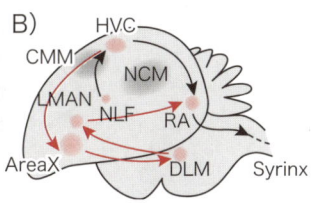

コラム図28-2 ジュウシマツにおけるさえずり学習
A）ジュウシマツの求愛行動．雌（左）に求愛する雄（右）．
B）ジュウシマツの雄の発声制御（後部伝導路）と発声学習（前部伝導路）にかかわる神経回路．━▶：後部伝導路．
━▶：前部伝導路．Aは岡ノ谷一夫博士のご厚意による

とを示している.

大脳皮質において，重要な感覚を処理する感覚野（ヒトでは視覚野や手の体性感覚野など）ほど広い面積を占め，より複雑な情報処理が行われている（図28-6）．また，運動制御を行う運動野にある神経細胞は，脊髄・菱脳・中脳に存在する**運動ニューロン**（motor neuron）を制御する．魚類や両生類などでは感覚野と運動野だけで大脳皮質の大半を占めるが，ヒトなどの霊長類では，そのいずれにも属さない**連合野**（association cortex）がよく発達している．連合野は，複数の感覚の情報統合，推測，思考，他個体とのコミュニケーションといった機能を担っている.

大脳皮質における運動野や感覚野といった機能局在は，神経細胞のシナプス結合関係を追跡することによってある程度理解することができる．一方，言語・認知・行動などの高次機能に関しては，脳損傷患者の神経心理学的研究などからその局在性が明らかにされてきた．電気的活動の記録〔脳波（electroencephalography：EEG）など〕や脳の手術時における局所的な電気刺激実験でも調べることができる．現在では，fMRI（**本章5**参照），PET（positron emission tomography：ポジトロン断層撮影法），MEG（magnetoencephalog-raphy：脳磁図）などの脳イメージング法によって，非侵襲的に大脳皮質の機能局在に関するデータが蓄積されている．しかし，これまでのデータは，われわれの種々の精神機能が，それぞれ特定部位の局所活動にだけ依存するのではなく，領域内および領域間のネットワークの活動によって達成されていることを示唆している.

視覚系の情報処理

霊長類の視覚系では，網膜において，明暗順応，波長弁別，オン／オフ応答の発現，コントラストの増強，動きの検出といった情報処理が行われる．網膜の出力細胞である神経節細胞の軸索の束が主に視神経を構成し，外側膝状体・上丘・視交叉上核など複数の中継核に情報を送る．外側膝状体を経由して一次視覚野（V1野）に到達した情報は，最終的に知覚される（図28-6）．他の中継核を経由して大脳皮質に送られた情報は知覚されることなく，眼球運動，焦点調節，瞳孔反射，概日リズムの光同期などにかかわる.

V1野では網膜でのトポロジカルな位置関係が保存されており，また皮質表面から垂直方向に応答特性の類似した神経細胞群が並ぶ機能的カラム構造[※2]がある.

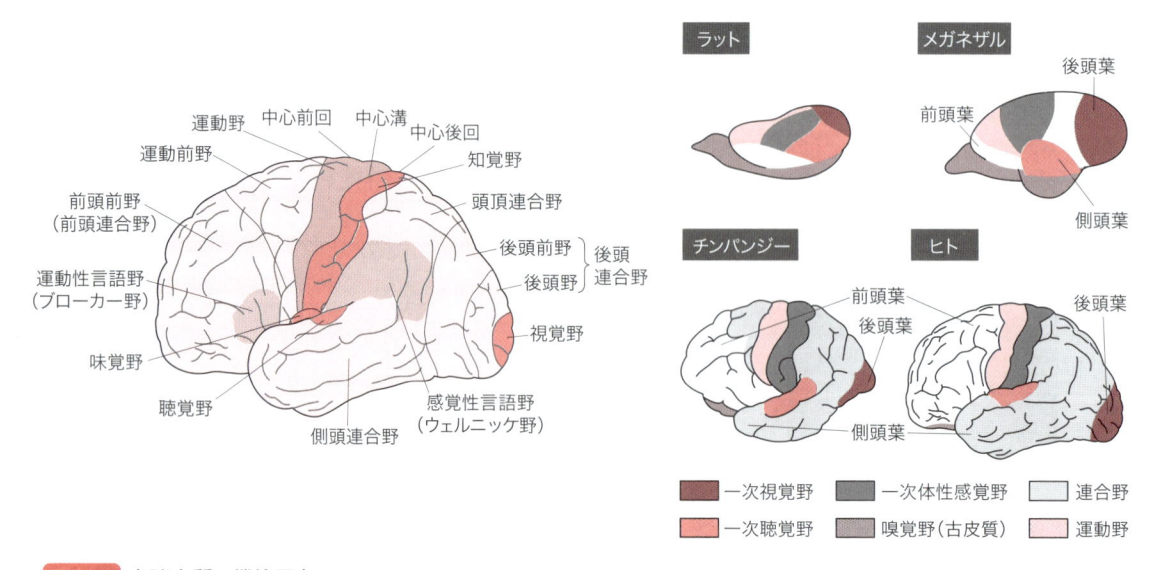

図28-6　大脳皮質の機能局在
各感覚受容器からの情報は大脳皮質の視覚野・聴覚野・味覚野などの一次感覚野へ入力される．運動の制御や発現にかかわるのは一次運動野や高次運動野である．一次感覚野と一次運動野以外の場所は，さまざまな高次情報処理が行われる場所であり，連合野と呼ばれる．霊長類では連合野が大脳皮質の大きな部分を占める

V2野では，両眼視差に応答する神経細胞や主観的輪郭に応答する神経細胞などがある．V2野から頭頂連合野へと投射される**背側路**（dorsal stream）は "Where" 経路とも呼ばれ，**MT野**（middle temporal area），**MST野**（medial superior temporal area）などが含まれており，運動情報の処理や奥行き情報の処理が行われる．一方，**下側頭皮質**（inferior temporal cortex：IT野）に至る**腹側路**（ventral stream）は "What" 経路とも呼ばれ，V4野には**色の恒常性**[※3]（color constancy）を示す神経細胞があり，IT野には物体や物体のカテゴリーを処理すると思われる神経細胞があり，形態情報の処理が行われる．

さまざまな視覚属性（色，形，動き，きめ，奥行きなど）がそれぞれ異なる大脳皮質の領野で並列処理され

るとしても，最終的に単一の対象として意識されるためには**結合問題**（binding problem）を解かねばならない．また，情報処理過程に階層性があるといっても，解剖学的には低次から高次への順行性結合のみならず高次から低次への逆行性結合も存在している．大脳皮質の機能局在という概念は有用ではあるが，各領野がどのように協調して全体として機能しているのかという観点を見失ってはならない．

4 記憶

中枢神経系の機能と行動との関係を理解するうえで，

学習変異体

Column

記憶力をよくする遺伝子はあるのだろうか．最初にこれを実験動物で調べようとして成功したのがベンザー（Seymour Benzer）のグループである．彼らはショウジョウバエの匂い学習や匂い記憶の保持ができない変異体の分離を試みた．最初に採られた変異体は *dunce*（愚か者の意）と名付けられ[1]，続いて *amnesiac*（健忘症），*rutabaga*，*turnip*（カブ）と続いた．これらの変異体の原因遺伝子を突き止めた

ところ，*dunce* は cAMP ホスホジエステラーゼ，*rutabaga* はアデニル酸シクラーゼの遺伝子であるなど，cAMP 経路にかかわる遺伝子がいくつかみつかり，細胞内の cAMP シグナル伝達経路が学習に重要であるとわかった．それ以降ショウジョウバエのみならず，マウス，線虫などでも学習・記憶ができない変異体が多くみつかり，学習を起こさせるには多くの異なる遺伝子と分子機構が働いていることがわかってきた．

また，本文でも触れられているように，記憶には短時間しか持続しない短期記憶と長時間保持される長期記憶，あるいはその中間のものがあるが，変異体のなかには特定の長さの記憶のみが欠損するものがある．このことはそれぞれの記憶が異なる分子機構によりつくられて保持されることを示している．その機構の多くはシナプスの伝達の効率に影響を与える．シナプス伝達物質の受容体である NMDA 受容体のノックアウトマウスは空間学習の行動に欠損があるが[2]，この受容体が働くことにより神経伝達の効率が変化することが知られており，シナプス伝達効率の変化が学習・記憶の主要な基礎過程であると考えられている．

参考文献

1) Dudai Y, et al：Proc Natl Acad Sci U S A, 73：1684-1688, 1976
2) Tsien JZ, et al：Cell, 87：1327-1338, 1996
3) 『行動遺伝学入門』（小出剛，山元大輔／編著），裳華房，2011

条件づけ（学習トレーニング）　　匂い記憶のテスト

匂いA
匂いA＋電気ショック
匂いB（電気ショックなし）
一定時間後
ショウジョウバエ
匂いB

コラム図28-3 ショウジョウバエの匂い学習のテスト装置の例

匂いAを嗅がせるときには電気ショックを与え，匂いBを嗅がせるときには電気ショックを与えない．このあとに匂いAと匂いBとの選択をさせると，正常なハエのほとんどが匂いBを選ぶが，学習変異体はそのバイアスが低くなる

※2　**方位選択性カラム**（orientation column），**眼優位性カラム**（ocular dominance column）など．
※3　心理的分野では「恒常性」はホメオスタシスではなく，物体の大

きさや形，色が，見る距離や角度，照明条件の変化にもかかわらず同じように見える現象を指す（大きさの恒常性，形の恒常性，色の恒常性）．

記憶（memory）はきわめて重要である.

短期記憶と長期記憶

　記憶は，**短期記憶**（short-term memory）と**長期記憶**（long-term memory）に分類される．短期記憶の容量は小さく，せいぜい7つ程度の**チャンク**[※4]（chunk）しか記憶できない．短期記憶の概念は，**作業記憶**（working memory）という考え方に発展し，情報の貯蔵のみならず，認知機能を遂行している（会話，計算，読書など）最中に情報が操作され変換される処理機能を含めるようになった．長期記憶は，非常に大きな容量をもつ永続的な記憶であり，**宣言的記憶**[※5]（declarative memory）と**非宣言的記憶**（non-declarative memory）に区分することができる．短期記憶はある特定の神経細胞群または神経回路での継続的な電気的活動であり，長期記憶はタンパク質合成を伴う神経結合の再編成に依存するのだろうと考えられている.

海馬

　脳障害の治療目的で大脳皮質辺縁系にある**海馬**（hippocampus）を切除された患者が，短期記憶や感覚・運動機能にはほとんど変化がなかったものの長期記憶が形成されなくなったことから，海馬は長期記憶の形成に重要な役割を果たしていると考えられている．海馬では，シナプス前線維を高頻度に刺激すると，シナプス後細胞のEPSPが大きくなり，しかも，この現象は数週間

海馬の場所細胞

　内側側頭葉には記憶や空間認知に重要な海馬と呼ばれる脳領域がある．ラットやマウスの海馬に金属電極を刺して，ある空間内を自由に行動させると，海馬のそれぞれの神経細胞は，動物が特定の位置（場所受容野）にいるときにのみスパイク頻度を上昇させる．この場所選択的な神経活動は，1971年にオーキフ（John O'Keefe）らによって報告され，場所細胞（place cell）と命名された．場所細胞の発見は，脳における空間認知メカニズムの一端を明確にしたという点で，脳研究に大きなブレイクスルーをもたらし，2014年ノーベル生理学・医学賞の対象となった．場所細胞の存在は，ヒトの海馬の神経計測でも確認されており，動物種を越えて共通した空間認知地図の細胞単位であると考えられている．さらに海馬の近傍領域である嗅内皮質においては，格子状に多数の場所受容野をもつ格子細胞，環境の壁際でスパイク活動を生じる境界細胞，動物の移動速度に応じて発火頻度を上昇させる速度細胞，特定

の頭の向きに応答する頭方向細胞が見出されている．近年では，電極造形技術の発展やコンピュータ計算処理能力の向上により，大規模かつ高い自由度をもつ電極群やデータ収集装置が開発され，場所細胞の研究分野ますます勢いを増している.

参考文献

- 『Hippocampal Place Fields：Relevance to Learning and Memory』（Mizumori SJY, et al,eds），Oxford University Press, 2008
- 『Rhythms of the Brain』（Buzsaki G, et al,eds），Oxford University Press, 2011

A)

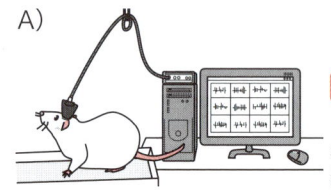

B)　φ1m

コラム図28-4 海馬場所細胞の解析

A）ラットの脳内に多数の電極を埋め込み，頭部に固定した電子回路基板に電気信号を集約させる．集約させた信号は，ケーブルを介して，コンピューターに取り込まれ，脳波として解析される．B）直径1mの丸い実験箱をランダムに探索しているラットの例．灰色の線は，動物が移動した軌跡を示す．この軌跡の上に，1つの海馬の場所細胞が活動した場所を赤点にて表している．赤グラデーションは場所細胞の活動が増え集中的に発火しやすいエリアを示す．ある特定の場所で細胞の活動が増えていることがわかる

[※4]　情報処理の心理的な単位．1アルファベットでも1単語でも，それぞれ1チャンクとなる.

[※5]　宣言的記憶とはエピソード記憶と意味記憶を含み，言語的に記述可能な事実に関する記憶のことで，非宣言的記憶とは手続記憶，条件付け，プライミング，非連合型学習などを含み，必ずしも言語的に記述できない手続きに関する記憶のことである.

も続く〔**長期増強**（long-term potentiation：LTP）〕ので記憶との関連で注目を浴びている．このシナプスでグルタミン酸受容体をアンタゴニストで阻害するとLTPが発生しなくなるので，この受容体の活性化はLTPの誘導に必須である．しかし，長期間の保持には神経細胞内での新たなmRNAやタンパク質の合成など，遺伝子レベルの活性化が必要である．一般に，神経細胞の樹状突起には**スパイン**（spine）と呼ばれる小さな突起構造があり，そこで他の神経細胞とシナプス結合している．スパインの形態変化とシナプス伝達効率の変化には密接な関係があり，長期記憶には，神経ネットワークの構造的な変化も伴うと考えられている．

5 fMRI

脳の構造と機能の関係を明らかにする脳イメージングの研究が盛んである．脳の構造や神経活動を記録・可視化する方法として**MRI**（magnetic resonance imaging：磁気共鳴画像法），**fMRI**（functional magnetic resonance Imaging：機能的磁気共鳴画像法）が広く用いられている．MRI，fMRIは，強力な静磁場のなかで平衡状態にある脳内の水素原子核の核スピンと電磁波間の相互作用である**磁気共鳴**（magnetic resonance：MR）を利用する．一般的に脳の構造の撮像をMRI，脳機能の撮像をfMRIと呼ぶ．MRI，fMRIで測定される三次元空間の最小構成要素は，**ボクセル**（voxel）で表記される．

▌構造画像

構造画像では，脳の灰白質，白質，髄液における，磁気共鳴の性質の違いを利用して，脳の構造を可視化する．一般的な構造画像の解像度は1ボクセル1 mm³程度であり，機能画像よりも詳細な測定が可能である（図28-7A）．解析ソフトウエアを用いて，撮像した構造画像から各脳領域を自動的にラベリングできる．構造画像から，各脳領域に対応する灰白質や白質のボクセル数

ミツバチはどのようにして餌場までの距離を測るのか？ *Column*

ミツバチの働き蜂は，巣箱から餌場までの距離と向きを「尻振りダンス」によって巣仲間に伝える．では，働き蜂はその距離を何に基づいて計測するのだろうか？

働き蜂が飛ぶと，複眼により受容された地上にある物体の像が網膜上を横切る〔この流れを光学的流動（optical flow）という〕が，働き蜂はこの光学的流動量に基づいて距離を計測することが，近年の研究により明らかにされた．

まず働き蜂を，両側に，縦または横の縞模様がついた細長いトンネル（幅0.15 m×高さ0.1 m×奥行き6 m）のなかを通って，その奥にある餌場に通うよう訓練した．その後，巣箱に戻った働き蜂が踊った「尻振りダンス」が示す餌場までの距離を調べたのである．その結果，縦縞トンネルを通った働き蜂（飛行中に多くの光学的流動を受容する）は，実際の飛行距離（6 m）より30倍以上遠い距離を「尻振りダンス」により示したが，横縞トンネルを通った働き蜂（少ない流動量を受容する）は，巣箱から餌場までの距離が50 mより近いことを示す「円ダンス」を踊ったのである（**コラム図28-5**）[1]．

飛行中に受容する光学的流動量は，巣箱から餌場にいたる経路の景色（向き）によっても変わりうるが，ダンスをする働き蜂と巣仲間は同じ向きに飛ぶので，巣仲間は光学的流動量に基づいて餌場に辿り着くことができる[2]．

これは行動生物学上の優れた成果であるが，じつはより大きな問題の入り口でもある．記憶された光学的流動量はどのようにダンスをする働き蜂により暗号化され，巣仲間により解読されるのだろうか？これが次の問題である．

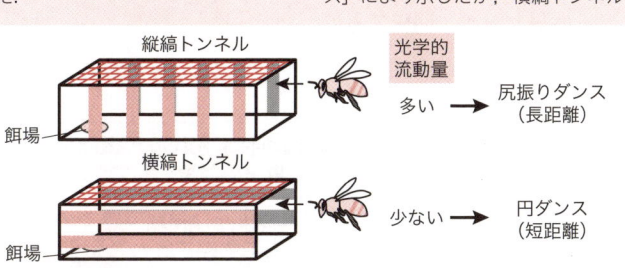

縦縞トンネル　光学的流動量　多い → 尻振りダンス（長距離）
餌場

横縞トンネル　少ない → 円ダンス（短距離）
餌場

コラム図28-5 飛行中に受容した光学的流動量とダンスタイプの関係

参考文献

1) Srinivasan MV, et al：Science, 287：851-853, 2000
2) Esch HE, et al：Science, 411：581-583, 2001

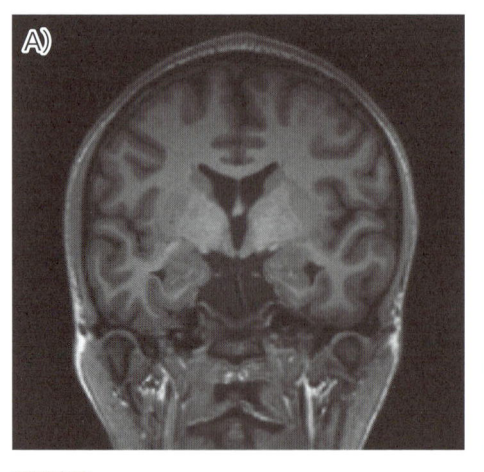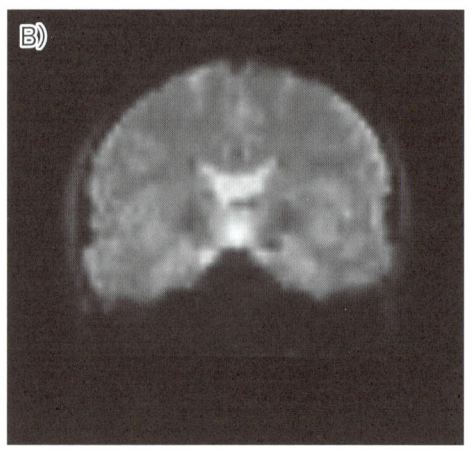

図 28-7 構造画像と機能画像
A）構造画像．B）機能画像．fMRIで測定した脳活動は，機能画像で測定したBOLD信号の差を解剖画像に重ねて可視化する．四本裕子博士のご厚意による

を計算する方法を，**VBM解析**（voxel-based-morphometry analysis）という．VBM解析により，各脳領域の体積や厚みなどの構造的特徴が測定される．脳内の水分子の振動ベクトルの非等方性を測定する拡散テンソル法では，白質線維の密度や走方向を推定し，領域間の構造的連絡を計算できる．また，MRスペクトロスコピーにより，神経伝達物質の濃度を推定も可能である．

機能画像

脳内での神経活動の増加に伴って，酸素消費量が増加する．その後数秒遅れて，活動した領域に血流が流入し，酸素量が過剰に充填される．この過剰な充填により増加する血中酸素量を測定したものを**BOLD信号**（blood-oxygen-level dependent signal）と呼ぶ．

fMRIで測定される値は，神経活動そのものではないが，BOLD信号は神経活動と相関するため，脳神経活動量の指標として用いられる．BOLD信号は，神経活動直後からゆっくりと上昇し，4〜6秒でピークに達したあと，ゆっくりと下降して約20秒後にベースラインに戻る．典型的な機能画像では，各ボクセルのBOLD信号の測定は2秒に1回程度である．機能画像の空間解像度は，1ボクセル3 mm^{3}程度であり，解剖画像よりも粗い（**図28-7B**）．視覚刺激の弁別などの課題に対する脳活動を測定する**課題関連fMRI**（task-related fMRI），安静時の脳活動を測定する**安静時fMRI**（resting-state fMRI）に加え，測定された脳活動から，呈示された刺激や精神活動を推定する脳情報デコーディングを用いた研究も進んでいる．

本章のまとめ　　　　　*Chapter 28*

☐ 脊椎動物の脳の基本構造は，大脳，小脳と脳幹，間脳である．

☐ 感覚器の特性により，知覚できる刺激の種類や範囲が制限される．感覚器からの情報はスパイク列によって符号化される．

☐ スパイク列がどの大脳皮質感覚野へ伝わるかによって感覚の種類が特定される．機能分化した大脳皮質各領野で並列処理された情報は，結合されることによって単一の対象として意識化される．

☐ 記憶には短期記憶と長期記憶がある．前者はある特定の神経細胞群または神経回路での継続的な電気的活動であり，後者はタンパク質合成を伴う神経結合の再編成に依存すると考えられている．

☐ MRIやfMRIにより，脳の構造や神経活動の記録・可視化ができる．

付録 倫理に対する配慮と法の整備

1 遺伝子組換え技術に対する考え方

いまでは微生物，植物，動物問わず，多くの生物で遺伝子組換え技術が進歩してきている．同時に，遺伝子組換え技術によって人間の想像を超えた新たな生物が誕生するのではないかといった危惧が高まり，日本を含め先進諸国で組換え実験における安全確保のための指針などを策定し，安全性に配慮した研究が進められてきている．日本では組換えDNA実験の適切な推進を図ることを目的として，1979年以降，管轄官庁ごとに組換えDNA実験の安全確保のために必要な基本条件が示され，現在大学などでは文部科学省による「組換えDNA実験指針」を運用している．このように当初つくられたガイドラインに基づいた安全性評価で念頭に置かれたのは人間への影響であった．

応用展開として遺伝子組換え作物などを圃場に出す可能性が考えはじめられると，実験室内から出された組換え生物が生態系に入り，野生種を駆逐するのではないかと議論されるようになった．そのため実験研究内容について，生物多様性への影響という観点からの評価も必要となっている．このような状況に国際的なルールをあてがうために，2000年に**カルタヘナ議定書**（生物多様性条約に基づくバイオセーフティー措置）が採択された．それに伴い，日本では2004年にカルタヘナ議定書に基づく**遺伝子組換え生物等の使用等の規制による生物の多様性の確保に関する法律**が施行され，遺伝子組換え生物の第一種使用などいわゆる開放系利用に関する法整備がされている．カルタヘナ議定書を批准した国々は国内法を整備し，1〜2年ごとに締約国会議（MOP）を開催し，2010年10月の名古屋MOP5では「名古屋・クアラルンプール補足議定書」〔開発業者の責任と救済（補償）〕が採択された．日本政府は2017年12月に批准を閣議決定し，日本も締結国となった．これに伴って，加盟国数40以上という締結発効要件が満たされ，2018年3月から発効される．しかし，遺伝子組換え開発大国の米国はこのMOPには正式には参加していない．

遺伝子組換え作物の審査例を紹介すると，開発者は生物影響評価書を作成して許認可を申請するが，2つの申請に分かれる．第一種申請は開放生態系での利用をめざすもので，隔離圃場での申請と一般圃場や自然生態系での申請の2段階で審査される．これには農林水産省・環境省合同の委員会〔公開の総合検討委員会，非公開の4つの分科会（農作物，樹木，動物，微生物）検討委員会〕が設けられている．一方，第二種申請の閉鎖実験系だけの研究目的の開発にかかわる審査は，文部科学省が管轄である．

この技術については生命に対する人工的な操作への不安といった生命倫理に絡む問題について，市民参加を含んだ議論が継続されている．

2 実験動物に対する考え方

生命科学において，動物をモデルとして研究を行うことは非常に重要な実験手法となっている．しかし動物には命があり，命を軽視して独善的な研究を行うことは，厳につつしまなければならない．文部科学省によって，**研究機関等における動物実験等の実施に関する基本指針**（平成18年6月1日施行）が定められている．そこでは「地球上の生物の生命活動を科学的に理解することは，人類の福祉，環境の保全と再生などの多くの課題の解決にとってきわめて重要であり，動物実験等はそのために必要な，やむを得ない手段であるが，動物愛護の観点から，適正に行われなければならない」とされており，各研究機関では動物実験委員会が設置され，動物実験計画が適正かどうか確認されたものが実行に移されるしくみとなっている．

また，平成17年6月に改正された**動物の愛護及び管理に関する法律**（動物愛護管理法）には苦痛の軽減

(Refinement)，使用数の削減（Reduction），代替法の活用（Replacement）からなる3R原則が明記されており，大学や研究機関での動物実験についても，この原則に準拠している．

3 DNA配列と個人情報に対する考え方

個人情報の保護に関する法律（個人情報保護法）により，個人の識別が可能な情報の取得には利用目的を明示した同意の取得が必要であり，原則としてその目的を越えた利用はできない．さらに，人種や信条，病歴などの情報は，「要配慮個人情報」として手厚く保護されており，原則として本人の同意がない取得や第三者への提供は禁じられている．

一定の分量を超えたDNAを構成する塩基配列データは，虹彩や指紋などのデータと同様に「個人識別符号」と位置づけられ，個人情報としての保護が必要となる．個人情報を安全に取り扱うためには，氏名や生年月日などの個人情報を他人から推測しにくい記号に置き換えて管理する必要がある（匿名化）．

ヒトからの試料（唾液など）や情報（質問紙など）を用いて医学および医学に関連する分野で研究を実施する研究者は，文部科学省・厚生労働省による**人を対象とする医学系研究に関する倫理指針**に基づいて実施する必要がある．原則として，研究開始前に倫理審査委員会で研究計画の審査を受ける必要があるほか，試料や情報を提供する研究対象者からは研究内容を説明し，文書で同意を受けるよう定められている（インフォームド・コンセント）．

さらに，ヒトの遺伝子やゲノムを扱う研究は，文部科学省・厚生労働省・経済産業省による**ヒトゲノム・遺伝子解析研究に関する倫理指針**も参照する必要がある．解析結果から個人のさまざまな特徴や病気のリスクなどが判明するかもしれない．しかし，解析結果を知るかどうかは，試料を提供した本人が決めることである．本人の意思を確認せずに解析結果を伝えたり，その血縁者や第三者に伝えたりしてはならない．

ヒトの試料や情報を使って実験をする場合には，無断で入手してはならず，研究目的を説明することが重要である．また，特に遺伝子やゲノムを扱う実験では，研究対象者を幅広く募り，研究室の仲間や友人のプライバシーを侵害することがないように留意しなければならない．

4 ヒトの胚や幹細胞を用いる研究に対する考え方

クローン技術とは，他の個体と同一の遺伝子構造を持つ個体を生み出す技術である．**ヒトに関するクローン技術等の規制に関する法律**（平成13年6月6日施行）により，ヒトのクローン個体は誕生させてはならない．また，同法に基づく文部科学省による「特定胚の取扱いに関する指針」で，ヒトの亜種の胚または一部にヒトの要素を含む胚のうち，動物性集合胚（動物の胚にヒトの要素を含むもの）以外は作製を禁止されている．実施に際しては，文部科学大臣の承認が必要である．

また，ヒトの胚の研究利用は原則として認められないが，いくつかの例外が認められている．文部科学省・厚生労働省による**ヒトES細胞の樹立に関する指針**では，カップルが生殖補助医療に利用しないと決定した凍結胚に限り，ES細胞の樹立が認められている．また，文部科学省・厚生労働省による**ヒト受精胚の作成を行う生殖補助医療研究に関する倫理指針**では，カップルが生殖補助医療に利用しないと決定した精子や卵子に限り，胚の作成と研究利用が可能である．さらに，文部科学省による**ヒトiPS細胞又はヒト組織幹細胞からの生殖細胞の作成を行う研究に関する指針**に基づき，iPS細胞やES細胞から分化させた精子や卵子の作成は可能だが，胚の作成は禁止されている．以上の行為はいずれも文部科学大臣の承認が必要である．

最後にゲノム編集技術について，基礎研究での生殖細胞や胚への利用は，現在，適切な実施体制を国が検討中である．しかし，生殖細胞や胚にゲノム編集技術を施したうえでの臨床試験の実施や，ヒトの個体の誕生は，日本を含む各国政府が当面禁止すべきとしている．

索引

頁数のうち，赤字は章タイトル，fは図版中，tは表中，cはコラム中を示します。
キーワードのフルスペル索引は p.339 〜参照

理系総合のための生命科学　第5版

分子・細胞・個体から知る "生命" のしくみ

2007年　2月25日	第1版第1刷発行		
2009年　5月15日	第1版第6刷発行		
2010年　3月　1日	第2版第1刷発行		
2012年　2月15日	第2版第3刷発行	編　集	東京大学生命科学教科書編集委員会
2013年　3月10日	第3版第1刷発行	発行人	一戸裕子
2017年　2月　1日	第3版第7刷発行	発行所	株式会社　羊　土　社
2018年　3月15日	第4版第1刷発行		〒101–0052
2019年　2月　1日	第4版第2刷発行		東京都千代田区神田小川町 2-5-1
2020年　3月　1日	第5版第1刷発行		TEL　　03 (5282) 1211
2025年　2月　1日	第5版第6刷発行		FAX　　03 (5282) 1212

ⓒ YODOSHA CO., LTD. 2020
Printed in Japan

E-mail　eigyo@yodosha.co.jp
URL　　www.yodosha.co.jp/

ISBN978-4-7581-2102-6　　　　　印刷所　　株式会社　平河工業社

本書に掲載する著作物の複製権，上映権，譲渡権，公衆送信権（送信可能化権を含む）は（株）羊土社が保有します．
本書を無断で複製する行為（コピー，スキャン，デジタルデータ化など）は，著作権法上での限られた例外（「私的使用のための複製」など）を除き禁じられています．研究活動，診療を含み業務上使用する目的で上記の行為を行うことは大学，病院，企業などにおける内部的な利用であっても，私的使用には該当せず，違法です．また私的使用のためであっても，代行業者等の第三者に依頼して上記の行為を行うことは違法となります．

JCOPY ＜（社）出版者著作権管理機構　委託出版物＞
本書の無断複写は著作権法上での例外を除き禁じられています．複写される場合は，そのつど事前に，（社）出版者著作権管理機構（TEL 03-5244-5088，FAX 03-5244-5089，e-mail：info@jcopy.or.jp）の許諾を得てください．

乱丁，落丁，印刷の不具合はお取り替えいたします．小社までご連絡ください．

羊土社　発行書籍

物理・化学・数理から理解する生命科学

東京大学生命科学教科書編集委員会／編
定価 3,850 円（本体 3,500 円＋税 10%）　B5 判　175 頁　ISBN 978-4-7581-2171-2

基本トピックを 7 章にわけ，法則・理論を重視したミニマムな解説と，具体的な問いから構成．厳選された 45 の問いと生物学的な意義を「少しずつ学ぶ」ことを通して，可能性や広がりに気づく教養としての生命科学．

基礎から学ぶ植物代謝生化学

水谷正治，士反伸和，杉山暁史／編
定価 4,620 円（本体 4,200 円＋税 10%）　B5 判　328 頁　ISBN 978-4-7581-2090-6

動かない植物が生存戦略の 1 つとしてつくり出す代謝産物について，その成り立ちを「分類と生合成経路」という縦糸と「生合成機構」という横糸で体系的に解説！蓄積や輸送，生物間相互作用までを網羅した教科書．

これからのバイオエンジニアリング　機械・電気・計測・情報を学ぶ人のための生命科学入門

東京大学バイオエンジニアリング教科書編集委員会／編
定価 3,190 円（本体 2,900 円＋税 10%）　A5 判　237 頁　ISBN 978-4-7581-2122-4

複雑な生命からポイントを吟味・抽出し，本質を発見・発明へつなぐ．工学・物理系が得意とする視点から，生体物質・生命現象を捉えるとどうか，そのはじめの一歩とは，を解説する 12 テーマ．融合と創造は，ここから．

基礎からしっかり学ぶ生化学

山口雄輝／編著　成田 央／著
定価 3,190 円（本体 2,900 円＋税 10%）　B5 判　245 頁　ISBN 978-4-7581-2050-0

理工系ではじめて学ぶ生化学として最適な入門教科書．生体分子の構造・機能・代謝から遺伝情報の発現まで，スタンダードな章構成で生化学の基礎を丁寧に解説．暗記ではない，生化学の知識・考え方がしっかり身につく．理解が深まる章末問題も収録．

数でとらえる細胞生物学

舟橋 啓／翻訳　Ron Milo, Rob Phillips／著
定価 5,940 円（本体 5,400 円＋税 10%）　B5 判　320 頁　ISBN 978-4-7581-2106-4

「ヒト細胞はどのくらいの大きさか」「mRNA とタンパク質どちらが大きいか」定量視点・数値情報から，定性的な生命科学知見を再整理．未知数への推算アプローチもわかり，研究の基礎資料にも，講義資料にも活躍．

基礎から学ぶ免疫学

山下政克／編
定価 4,400 円（本体 4,000 円＋税 10%）　B5 判　288 頁　ISBN 978-4-7581-2168-2

初学者目線の教科書，登場！全体を俯瞰してから各論に進む構成なので，情報の海におぼれません．免疫学の本質が伝わるよう精選された内容とフルカラーの豊富な図表が理解を助けます．免疫学に興味をもつ全ての人に．